◎もうだい ーズ

2025年度版

TAC不動産鑑定士講座　編

論文式試験
鑑定理論
過去問題集 演習

演習問題　解答用紙へのアクセス方法

平成28年度～令和６年度の解答用紙を下記よりダウンロードいただけます。

TAC出版

TAC出版書籍販売サイト CyberBookStore
解答用紙ダウンロードサービス

ダウンロード期限：2026年８月31日

はじめに

演習問題は，不動産鑑定士論文式試験の最後に出題される科目で，2006年度（平成18年度）から導入されました。その内容は，主として鑑定評価の手法の適用を中心とするもので，実際に電卓を用いて各種の計算処理をしながら，最終的には鑑定評価額を決定します。最も不動産鑑定士の実務に近い科目であり，さらに，他の科目に比べて暗記しなければいけない事柄も少ないことから，毎年，多くの受験生が演習問題を得点源としています。

また，2016年度（平成28年度）の本試験より，演習問題の改定が行われ，従来の本試験よりも文章記述を要する小問等が増え，また，解答用紙についても各問に解答欄が設けられ，計算の一部は穴埋め形式になる等，比較的解答しやすい内容となっています。

演習問題の学習のポイントは，ＴＡＣの講義等で学んだ「更地」や「貸家及びその敷地」等の各類型の評価に当たって適用するそれぞれの手法について，基本的な解答の流れをきちんと理解したうえで，出題頻度の高い計算方法をマスターすることです。これらを習得できたら，あとは過去の本試験問題を徹底的に繰り返し解くことで，自然と合格レベルに到達することができます。はじめのうちは問題文の量に圧倒され，解答に窮してしまうかもしれませんが，そのような方は，丸々１年分の問題を解くのではなく，１手法に限定して解くことで，理解が進むはずです。

本試験では，できる限り速やかに計算処理を行い，解答を作成する必要がありますが，はじめのうちは時間を気にせず，とにかく丁寧に，ミスのない解答を目指しましょう。

2024年９月

ＴＡＣ鑑定理論研究会

本書の構成

○各問題とも，問題文，解答例，解説からなっています。
　論文問題と同様，まずは問題文を読み込み，解答に当たって必要な情報を集約しましょう。対象不動産の数量や還元利回り，一時金の運用利回り等の重要な数値や，各手法の基本的な流れと主な計算論点等を事前に書き出しておくと，スムーズに解答できます。

問題

○2006年度（平成18年度）から2024年度（令和６年度）までの演習問題を完全収録しています。

解答用紙

○実際の本試験では，問題用紙はＡ４サイズ，解答用紙はＢ４サイズとなっています。
　解答用紙はＴＡＣ出版書籍販売サイト（サイバーブックストア）の「解答用紙ダウンロードサービス」よりダウンロードすることができます。

解答例

○2006年度（平成18年度）から2015年度（平成27年度）までの本試験（旧形式）では，解答用紙は罫線のみ（Ｂ４サイズ・１枚あたり30行）でしたが，2016年度（平成28年度）以降の本試験（新形式）では，解答用紙にそれぞれの問題番号と解答欄が設けられ，計算の一部は穴埋め形式になる等，従来よりも解答しやすくなりました。よって，旧形式の問題を解く場合，各手法について自ら項目を立て，適宜文章説明を行い，解答を作成する必要があります。新形式に比べ難易度は高いですが，この形式に慣れることによって各手法の理解が一層深まりますので，新形式の問題についても同様に自ら項目を立てて解答できるようにしておくことをおすすめします。

解　説

○解答作成に当たってのポイントを記しています。押さえるべき論点を確認してください。

目次

不動産鑑定士

鑑定理論

演 習

2006 ～ 2024
（H18）（R 6 ）

◇ 平成18年度・演習

問題　下記の〔資料等〕に記載の不動産（対象不動産）について〔指示事項〕及び〔資料等〕に基づき不動産の鑑定評価に関する次の問に答えなさい。

問１　鑑定評価の基本的事項を確定し，その内容を記述しなさい。また，地域分析のうち〔指示事項〕に記載の項目について記述しなさい。

問２　取引事例比較法による試算価格を求めなさい。

問３　収益還元法（土地残余法）による試算価格を求めなさい。

問４　問２及び問３で求めた試算価格を調整し，対象不動産の鑑定評価額を決定しなさい。

なお，鑑定評価額の決定にあたっては公示価格との規準を行いなさい。

〔指示事項〕

Ⅰ．共通事項

1．問２及び問３における各手法の適用の過程で求める数値は，別に指示がある場合を除き，小数点第１位を四捨五入し，整数で求めること。ただし，試算価格，公示価格との規準による価格及び鑑定評価額については上位４桁以下を四捨五入して上位３桁を有効数字として求めること。

2．各事例等における価格等には消費税及び地方消費税は含まれないものとし，計算の過程においても消費税及び地方消費税を含めないで計算すること。

3．対象不動産及び取引事例等については土壌汚染及び埋蔵文化財に関して価格形成に影響を与えるものは何ら発見されていないものとする。

4．対象不動産の鑑定評価方針は次のとおりである。

対象不動産は既成市街地内の土地であり，再調達原価は把握できないため取引事例比較法による比準価格及び収益還元法（土地残余法）による収益価格を試算し，試算価格を調整のうえ，鑑定評価額を決定する。

Ⅱ．問１について

1．鑑定評価の基本的事項のうち対象不動産の権利の確定としては，不動産の類型もあわせて記述すること。

2．地域分析については，次の項目について簡潔に記述すること。

(1) 対象不動産に係る市場の特性について，同一需給圏をＳ市内の近隣地域及び類似地域を含む一定の圏域として記述すること。

(2) 近隣地域及びその特性並びに標準的使用について記述すること。

Ⅲ．問２について

1．〔資料等〕Ⅳに記載の各事例を用いて対象不動産の比準価格を求めること。なお，不動産鑑定評価基準に照らして不採用とすべき事例があれば，その事例及び不採用とする理由を示すこと。

2．各事例の取引に当たっての事情その他の内容は〔資料等〕Ⅳ及びＶ等の記載より判断すること。

3．比準価格を求める場合の計算式と略号は次のとおりである（基準値を100とする）。

$$\text{取引事例における更地としての土地価格(総額)}\times\underset{\text{事}}{\frac{100}{\text{取引事例の取引事情に係る補正率}}}\times\underset{\text{時}}{\frac{\text{価格時点の地価指数}}{\text{取引時点の地価指数}}}\times\underset{\text{標}}{\frac{100}{\text{取引事例の個別的要因に係る評点}}}\times\underset{\text{地}}{\frac{100}{\text{取引事例の存する地域の地域要因に係る評点}}}\times\underset{\text{個}}{\frac{\text{対象不動産の個別的要因に係る評点}}{100}}\times\underset{\text{面}}{\frac{\text{対象不動産の面積}}{\text{取引事例の面積}}}=\text{手法の適用により求めた価格}$$

各項目の意味と略号	
事：事情補正	**地**：地域要因の比較
時：時点修正	**個**：対象不動産の個別的要因の格差修正
標：取引事例の個別的要因の標準化補正	**面**：面積の比較

4．時点修正率の計算における留意点は次のとおりである。

(1) 時点修正率は〔資料等〕Ｖの地価指数により求めること。時点修正率計算上の特定の時点の指数は次の例のとおり求めることとし，小数点第２位以下を四捨五入し，小数点第１位までの数値を求めること。

（例）平成18年１月１日の指数を100，平成18年７月１日の指数を90として，取引時点である平成18年５月15日の指数を求める場合。

$$\left\{\left[\frac{\text{平成18年7月1日の指数(90)}}{\text{平成18年1月1日の指数(100)}}-1\right]\times\frac{\text{平成18年1月1日～平成18年5月15日の月数(4)}}{\text{平成18年1月1日～平成18年7月1日の月数(6)}}+1\right\}\times\text{平成18年1月1日の指数(100)}$$

$$=\text{求める時点の指数(93.3)}$$

（小数点第二位以下四捨五入）

(2) 時点修正率の計算における経過期間（月数）の算定については，下記の例のとおり，起算日（即日）の属する月を含まず，期間の末日（当日）の属する月を含んで計算する。

（例）平成18年３月31日から平成18年８月１日までの期間の月数は５ヶ月

平成18年4月1日から平成18年8月1日までの期間の月数は4ヶ月

Ⅳ．問3について

収益還元法（土地残余法）の適用については，対象不動産に共同住宅（軽量鉄骨造のアパート）を建築して賃貸することを想定し，建物の経済的耐用年数満了時に建物を取り壊して更地化するという一連の流れをライフサイクルとしてとらえて，このライフサイクルを繰り返すことにより賃貸事業が永久に続くものとして収益価格を求める。

土地残余法により土地の収益価格を求める方法は次の算式による。なお，この場合，賃料は一定率で変動するものとし，建物に帰属する純収益も賃料の変動率と同率で逓増（減）するものとしている。また，賃貸事業のライフサイクルにおいて建物の建築，取壊にかかる未収入期間を考慮している。

$$P_L = \frac{a_L \times \alpha}{r - g}$$

P_L：土地の収益価格

a_L：土地に帰属する初年度の純収益

α：未収入期間に対応する修正率

r：基本利率（割引率：土地・建物共通）

g：賃料の変動率

（但し $r > g$）

なお，収益価格を求める手順は次のとおりとする。その他必要な項目は〔資料等〕に記載のとおりである。

1．総収益

総収益は，次の合計額とする。

イ．年額支払賃料

ロ．敷金の運用益

ハ．礼金の運用益及び償却額（償却期間2年，利回り5％とする元利均等償還率による。）

2．総費用

総費用は次のとおりである。

イ．修繕費	総収益の５％とする。
ロ．維持管理費	年額支払賃料の３％とする。
ハ．公租公課	土地，建物の合計額は214,900円（年額）である。
ニ．損害保険料	建物再調達原価の0.1％とする。
ホ．貸倒れ準備費	敷金により担保されているため計上しない。
ヘ．空室等による損失相当額	総収益の1／12とする。
ト．建物等の取壊費用の積立金	建物再調達原価の0.1％とする。

3．収益価格

未収入期間を考慮した土地に帰属する純収益を土地の還元利回りで還元して，対象不動産の収益価格を求める。

Ⅴ．問４について

記述の手順は次のとおりとする。

1．公示価格との規準により価格を求める。

公示価格との規準により価格を求める際に用いる計算式と略号は次のとおりである（基準値を100とする）。

$$\text{公示価格}\times\overset{\textbf{時}}{\frac{\text{価格時点の地価指数}}{\text{公示価格の価格時点の地価指数}}}\times\overset{\textbf{標}}{\frac{100}{\text{標準地の個別的要因に係る評点}}}\times\overset{\textbf{地}}{\frac{100}{\text{標準地の存する地域の地域要因に係る評点}}}\times\overset{\textbf{個}}{\frac{\text{対象不動産の個別的要因に係る評点}}{100}}\times\text{対象不動産の面積}=\text{公示価格との規準により求めた価格}$$

各項目の意味と略号

時：時点修正　　**地**：地域要因の比較

標：標準地の個別的要因の標準化補正　　**個**：対象不動産の個別的要因の格差修正

2．試算価格の調整を行う。

試算価格の調整のうち各試算価格の再吟味については，適切に行われたものとし，特に記述を必要としない。対象不動産の特性を考慮し，各試算価格が有する説得力に係る判断を中心に記述すること。

3．鑑定評価額を決定する。

〔資料等〕

Ⅰ．依頼内容

本件は，現在，空地となっている対象不動産について，売買の参考として，平成18年８月１日時点の現状での経済価値の判定のため専門家の鑑定評価を求めたものである。対象不動産は売却準備のため建物を取り壊し，現在，空地となっており所有権以外の権利は存しない。

Ⅱ．対象不動産

1．登記事項証明書の記載内容

Ｔ県Ｓ市Ｋ町一丁目３－５　　　全部事項証明書（土地）

【表　題　部】（土地の表示）			調製平成○年○月○日	地図番号	余白
【不動産番号】	○○○・・・・・○○○				
【所　在】	Ｓ市Ｋ町一丁目		余白		
【①地番】	【②地目】	【③地積】 ㎡	【原因及びその日付】	【登記の日付】	
３番５	宅地	150 00	３番１から分筆	平成２年３月19日	
余白	余白	余白	余白	昭和63年法務省令第37号附則第２条第２項の規定により移記 平成○年○月○日	

【権　利　部（甲区）】（所有権に関する事項）				
【順位番号】	【登記の目的】	【受付年月日・受付番号】	【原　因】	【権利者その他の事項】
1	所有権移転	平成５年３月25日 第12345号	平成５年２月23日 相続	所有者 Ｓ市Ｋ町一丁目15番５号 国土太郎 順位○番の登記を移記
	余白	余白	余白	昭和63年法務省令第37号附則第２条第２項の規定により移記 平成○年○月○日

2．対象不動産の実測面積は登記事項証明書記載の面積と同じである。

Ⅲ．Ｓ市並びに近隣地域及び類似地域の概況等

１．Ｓ市の概況

⑴　位置等

①　位置・面積　Ｔ県の中では南寄りに位置する。面積は約30㎢である。

②　沿　　　革　歴史的には城下町であり，昭和35年町村合併により市となる。高度成長期に工業都市，住宅都市として発展した。Ｔ県では第三の都市である。

⑵　人口等

①　人　口　約20万人。近年は微増及び高齢化傾向が認められる。

②　世帯数　約８万世帯

⑶　交通施設及び道路整備の状態

①　鉄　道　ＪＲ○○線がＳ市の市街地の中央を南北に縦断している。

②　道　路　国道がＪＲ○○線に平行に南北に縦断している。その他，主要県道が敷設され，比較的交通網は整備されている。

⑷　供給処理施設の状態

①　上 水 道　普及率100％

②　下 水 道　普及率約70％

③　都市ガス　普及率約55％

⑸　土地利用の状況

①　商業施設　ＪＲ○○線Ｓ駅周辺に百貨店をはじめ主な商業施設の集積がみられる。

　その他は主要幹線の沿道型商業施設や住宅地域に近接して商店街等の生活利便施設が配置されている。

②　住　　宅　ＪＲ○○線Ｓ駅周辺にはマンションが見られる。その他は旧来からの市街地でやや雑然としている。Ｓ市内では近年，大規模な住宅開発は行われていない。なお，Ｓ駅北東方には土地区画整理事業が行われた比較的整然とした住宅地域がある。用途地域としては第一種住居地域が最も多く都市計画による容積率は200％が多い。

⑹　住宅市場の状況

①　売買市場　Ｓ市においては，注文住宅や建売住宅の販売状況は不振の状況が長く続いてきたが，Ｓ駅周辺の地域においては，最近

ようやく，やや回復の兆しがみられ，立地のよい物件の売れ行きは比較的良好である。一方，中古住宅の売れ行きは現在でも不振の状況から脱していない。やはり売れ行きは立地や個別的要因に左右される。

住宅地の販売または仲介成約実績も建売住宅等と同様な傾向であるが，最近になってようやく取引件数が多くなってきている。

Ｓ駅を中心とする圏域における建売住宅や住宅地の購入者層としては，Ｓ市内に住宅を希望する市内居住の40歳前後の給与所得者等を中心とした１次取得者及び買換え需要者層である。市外からの需要はあまり見受けられない。当該需要者層は，県庁所在地であるＵ市への通勤者が多く，Ｓ市内勤務者も見られる。

なお，同圏域の建売住宅としての中心価格帯は3,200万円前後である。住宅地としては住宅建設費を考慮するため規模は120㎡前後で2,000万円強程度が需要層の希望価格帯である。

購入者の希望総額に限りがあるため建売住宅需要が多いが，注文建築を目的とした住宅地の需要も見受けられる。なお，対象不動産は個別的要因の評点のとおりで，それ以外に代替，競争等の関係にある不動産と比べ，競争力において優劣はない。

Ｓ駅に近い地域にはマンションの分譲も見られるが，市内ではやはり戸建需要が中心である。

②　賃貸市場　賃貸アパート等は，ほとんどＳ駅から徒歩圏内に限られる。需要者は県庁所在地であるＵ市への通勤者で単身者や新婚層が多い。規模としては比較的小さく２ＤＫ程度である。

2．近隣地域及び類似地域等の概要

地　域	位置及び地域の概況	道路の状況	周辺の土地の利用状況	都市計画法等に基づく規制で主要なもの	供給処理施設	標準的な画地規模	標準的使用
近隣地域	S駅の北西方約400～500m 市内では比較的古くから発達した住宅地域で，戸建住宅の中にアパート等が見られる地域である。	幅員　6m 舗装市道	一般住宅及びアパート等が建ち並ぶ住宅地域	第一種住居地域 建ぺい率　60% 容積率　200% 準防火地域	上水道 下水道 都市ガス	150㎡	低層住宅地
A 地 域	S駅の南西方約500～600m 近隣地域と特徴は類似している。	幅員　6m 舗装市道	一般住宅及びアパート等が建ち並ぶ住宅地域	第二種中高層住居専用地域 建ぺい率　60% 容積率　200% 準防火地域	上水道 下水道 都市ガス	150㎡	低層住宅地
B 地 域	S駅の南東方約200～300m 近隣地域と特徴は類似しているが，近隣地域よりやや混在の程度が高い地域である。	幅員　5m 舗装市道	一般住宅及びアパート等が建ち並ぶ住宅地域	第一種住居地域 建ぺい率　60% 容積率　200% 準防火地域	上水道 下水道 都市ガス	100㎡	低層住宅地
C 地 域	S駅の北東方約500～600m 土地区画整理事業が行われた地域であるため整然としている。地域特性は概ね近隣地域と類似しているが，戸建住宅が中心の地域である。	幅員　5m 舗装市道	一般住宅の中にアパート等が若干見受けられる区画整然とした住宅地域	第一種低層住居専用地域 建ぺい率　50% 容積率　100% 準防火地域	上水道 下水道 都市ガス	170㎡	戸建住宅地
D 地 域	S駅の西方約100～170m 駅前商業地域に続く中高層の店舗，事務所が多い商業地域である。	幅員　20m 舗装県道	中高層店舗事務所ビルが立ち並ぶ商業地域	商業地域 建ぺい率　80% 容積率　400% 防火地域	上水道 下水道 都市ガス	300㎡	中高層店舗事務所地

（注）低層住宅地とは戸建住宅と共同住宅が混在する地域内にある土地をいう。

3．対象不動産，標準地，事例の位置図

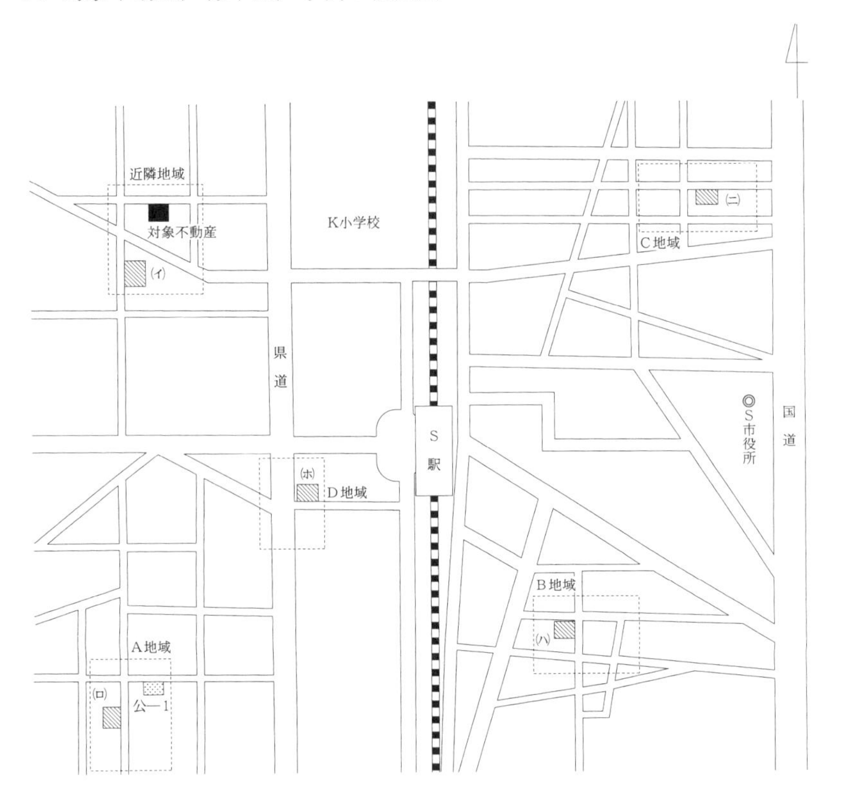

（注）位置図は，対象不動産及び事例等の配置を示したもので，実際の距離又は規模等を正確に示したものではない。

IV．対象不動産及び事例資料等の概要

事例区分	所在	価格時点 取引時点	類型	公示価格 取引価格	数量等	敷地の形状	前面道路の状況	価格時点又は取引時点における敷地の利用の現況	供給処理施設	駅からの道路距離	都市計画法その他の法令に基づく制限で主要なもの	その他
対象不動産	近隣地域	平成18．8．1 価格時点	更地	――	土地 150㎡	長方形 間口 10m 奥行 15m	北側 幅員 6m 舗装市道	空地	上水道 下水道 都市ガスあり	S駅 北西方 約480m	第一種住居地域 建ぺい率 60% 容積率 200% 準防火地域	――
標準地 公－1	A地域	平成18．1．1 価格時点	更地として	151,000円／㎡	土地 160㎡	長方形 間口 10m 奥行 16m	北側 幅員 6m 舗装市道	一般住宅	上水道 下水道 都市ガスあり	S駅 南西方 約540m	第二種中高層住居専用地域 建ぺい率 60% 容積率 200% 準防火地域	地価公示法第6条の規定による標準地であり，利用の現況は当該標準地の存する地域における標準的使用と概ね一致する。
(イ)	近隣地域	平成18．1．30 取引時点	更地	21,900,000円	土地 140㎡	長方形 間口 10m 奥行 14m	西側 幅員 6m 舗装市道	空地	上水道 下水道 都市ガスあり	S駅 北西方 約440m	第一種住居地域 建ぺい率 60% 容積率 200% 準防火地域	売却のため空地としていた土地であった。取引に当たって特別な事情はない。
(ロ)	A地域	平成18．2．15 取引時点	更地	16,300,000円	土地 125㎡	やや不整形 間口 10m 奥行 12.5m	東側 幅員 7m 舗装市道	空地	上水道 下水道 都市ガスあり	S駅 南西方 約590m	第二種中高層住居専用地域 建ぺい率 60% 容積率 200% 準防火地域	駐車場用地を親族間で売買した。取引に事情があったが，内容は不明である。
(ハ)	B地域	平成18．5．7 取引時点	更地	14,600,000円	土地 100㎡	長方形 間口 8m 奥行 12.5m	北側 幅員 5m 舗装市道 東側 幅員 4m 舗装市道	空地	上水道 下水道 都市ガスあり	S駅 南東方 約270m	第一種住居地域 建ぺい率 60% 容積率 200% 準防火地域	売却のため空地としていた土地であった。取引に当たって特別な事情はない。
(ニ)	C地域	平成18．7．10 取引時点	自用の建物及びその敷地	37,100,000円	土地 170㎡ 建物延床面積 170㎡	長方形 間口 10m 奥行 17m	北側 幅員 5m 舗装市道	木造地上2階建一般住宅	上水道 下水道 都市ガスあり	S駅 北東方 約550m	第一種低層住居専用地域 建ぺい率 50% 容積率 100% 準防火地域	建物はやや古いが，最有効使用の状態であり，配分法が適用できる。取引に当たって特別な事情はない。 建物再調達原価 25,500,000円 減価修正額 15,300,000円 （耐用年数に基づく方法による。なお観察減価はない。）
(ホ)	D地域	平成18．6．25 取引時点	更地	105,000,000円	土地 300㎡	長方形 間口 15m 奥行 20m	西側 幅員 20m 舗装県道 南側 幅員 6m 舗装市道	空地	上水道 下水道 都市ガスあり	S駅 西方 約120m	商業地域 建ぺい率 80% 容積率 400% 防火地域	店舗・事務所用地として売却した。取引に当たって特別な事情はない。

（注）周辺の土地の利用状況は「近隣地域及び類似地域等の概要」のそれぞれの地域のものと同じ。

Ⅴ．地価指数並びに地域要因及び個別的要因の評点

1．地価指数

区分＼年月日	地価指数				
	近隣地域	A地域	B地域	C地域	D地域
H18．1．1	100.0	100.0	100.0	100.0	100.0
H18．7．1	98.0	97.0	99.0	98.0	94.0

（注）平成18年7月以降の動向は，平成18年1月1日から平成18年7月1日までの推移と同様である。

2．取引事例比較法の適用の場合の地域要因及び土地の個別的要因の評点

地域	近隣地域		A地域		B地域	C地域	D地域
事例等	対象不動産	イ	公－1	ロ	ハ	ニ	ホ
地域要因	100		98		94	105	—
個別的要因	100	102	100	97	103	100	105

Ⅵ．想定建物の賃貸条件及び還元利回り等

1．想定建物及び賃貸条件

(1) 想定建物

構造・用途　軽量鉄骨造2階建アパート（2DK・4室）

延床面積　148㎡（外階段等を除く。）

再調達原価　20,700,000円（消費税及び地方消費税を含まない。）

(2) 賃貸条件

賃料（月額）

201号室	202号室
66,000円	66,000円
101号室	102号室
65,000円	65,000円

（注1）賃料の支払いは当月分を当月末払いとする。

（注2）敷金は賃料の2ヶ月分とし，礼金は賃料の1ヶ月分とする。

2．還元利回り等

収益還元法（土地残余法）の適用にあたっては，以下の数値を用いること。

基本利率　5.0%

賃料の変動率　0.5%

敷金の運用利回り　5.0%

元利均等償還率　0.5378（償却期間2年，利回り5%）

建物の還元利回り　0.0728

未収入期間を考慮した修正率　0.9678

（注）還元利回りは償却前の純収益に対応するものである。

解答例

問１

1．鑑定評価の基本的事項

(1) 対象不動産

① 物的事項

（土地） 所在及び地番：Ｔ県Ｓ市Ｋ町一丁目３番５

地　　　目：宅地

地　　　積：登記簿150.00㎡

（実測数量は登記簿数量と等しい）

（建物） なし（現在は空地となっている）

② 権利の態様に関する事項

権利の種類：所有権

所有権以外の権利：使用収益を制約する権利は付着していない

上記を踏まえ，依頼内容を考慮した結果，対象不動産の類型を「更地」と確定した。

(2) 価格時点

平成18年８月１日

(3) 価格の種類

正常価格

2．地域分析

(1) 対象不動産に係る市場の特性

① 同一需給圏の範囲

同一需給圏は，Ｓ市内のJR「Ｓ駅」を中心とする圏域で，一般住宅やアパート等が建ち並ぶ住宅地域である。

② 市場参加者の属性

同一需給圏内の建売住宅や住宅地の主たる需要者としては，Ｓ市内に住宅を希望する市内居住の40歳前後の給与所得者等を中心とした１次取得者及び買換え需要者層である。

③　市場の需給動向

イ．売買市場

Ｓ市においては，注文住宅や建売住宅の販売状況は不振の状況が長く続いてきたが，Ｓ駅周辺の地域においては最近ようやく回復の兆しがみられ，立地のよい物件の売れ行きは比較的良好である。中心価格帯は，建売住宅としては3,200万円前後で，住宅地としては120㎡前後の規模で2,000万円強程度となっている。

ロ．賃貸市場

賃貸アパート等は，ほとんどＳ駅から徒歩圏内に限られており，規模としては比較的小さく２DK程度である。

(2)　近隣地域の特性等

近隣地域は，Ｓ駅の北西方約400～500ｍのところに位置し，Ｓ市内では比較的古くから発達した住宅地域で，戸建住宅の中にアパート等が見られる住宅地域である。

地域内の道路は幅員６ｍの舗装市道が標準で，上・下水道及び都市ガスも整備されている。都市計画法上，第一種住居地域（建ぺい率60％，容積率200％），準防火地域に指定されている。

近隣地域の標準的な画地規模は150㎡程度で，標準的使用は低層住宅地である。

問２

採用する取引事例は，投機性のない適正なもので，かつ，①場所的同一性，②事情の正常性又は正常補正可能性，③時間的同一性，④要因比較可能性の事例適格４要件を全て具備するものでなければならない。

本問では，近隣地域及び同一需給圏内の類似地域に存し，事例適格４要件を具備した取引事例(イ)，(ハ)及び(ニ)を採用し，比準価格を試算する。

1．不採用事例とその理由

事例(ロ)：取引に当たり特殊な事情があったが，内容が不明であり，事情補正可能性に欠ける。

事例(ホ)：事例の存する地域は中高層店舗ビルが建ち並ぶ商業地域で，近隣地域と地域の特性が大きく異なり，要因比較可能性に欠ける。

2．事例(イ)

取引価格　事　時※　標　地　個　面

$$21,900\text{千円}\times\frac{100}{100}\times\frac{97.7}{100}\times\frac{100}{102}\times\frac{100}{—}\times\frac{100}{100}\times\frac{150}{140}$$

比準した価格

≒22,500千円（150,000円／㎡）

※　時点修正率査定根拠（地価指数採用）

$$\text{価格時点（H18.8）：}\left[\left(\frac{98}{100}-1\right)\times\frac{1}{6}+1\right]\times98\fallingdotseq97.7$$

取引時点（H18.1）：100

以下，同様の方法により査定し，根拠の記述は省略。

3．事例(ハ)

取引価格　事　時　標　地　個　面

$$14,600\text{千円}\times\frac{100}{100}\times\frac{98.8}{99.3}\times\frac{100}{103}\times\frac{100}{94}\times\frac{100}{100}\times\frac{150}{100}$$

比準した価格

≒22,500千円（150,000円／㎡）

4．事例(ニ)

複合不動産の取引事例であるが，敷地が最有効使用の状態にあるので，配分法を適用して更地の事例資料を求める。

再調達原価　減価修正額

建物価格：25,500,000円－15,300,000円＝10,200,000円

取引価格　建物価格

更地価格：37,100,000円－10,200,000円＝26,900,000円

取引価格　事　時　標　地　個　面

$$26,900\text{千円}\times\frac{100}{100}\times\frac{97.7}{98.0}\times\frac{100}{100}\times\frac{100}{105}\times\frac{100}{100}\times\frac{150}{170}$$

比準した価格

≒22,500千円（150,000円／㎡）

5．比準価格の決定

以上より3価格が得られた。採用した資料，評価の手順，計算の過程に誤りはなくそれぞれ妥当であり，3価格は一致していることから，比準価格を22,500,000円（150,000円／㎡）と決定した。

問3

対象地に共同住宅を建築して賃貸することを想定し，未収入期間を考慮した土地帰属純収益を還元利回りで還元して収益価格を試算する。

1．純収益

(1) 総収益

イ．年額支払賃料

101・102号室　201・202号室

65,000円×2＋66,000円×2＝262,000円（月額）

262,000円×12ヶ月＝3,144,000円（年額）

ロ．敷金の運用益

262,000円×2ヶ月×0.05※＝26,200円

※　敷金を預かり金的性格の一時金と判断し，運用利回りは指示事項より5.0%を採用。

ハ．礼金の運用益及び償却額

262,000円×1ヶ月×0.5378※≒140,904円

※　礼金を賃料の前払的性格の一時金と判断し，償却期間2年，年利5.0%の元利均等償還率0.5378を採用。

ニ．その他収入

特になし

ホ．総収益

イ．～ニ．　計　3,311,104円

(2) 総費用

イ．修繕費

3,311,104円×0.05≒165,555円

ロ．維持管理費

3,144,000円×0.03＝94,320円

ハ．公租公課

指示事項より，土地，建物の合計額214,900円

ニ．損害保険料

20,700,000円×0.001＝20,700円

ホ．貸倒れ準備費

敷金により担保されているため計上しない。

ヘ．空室等による損失相当額

3,311,104円×１／12≒275,925円

ト．建物等の取壊費用の積立金

20,700,000円×0.001＝20,700円

チ．総費用

イ．〜ト．　計　792,100円（経費率約24％で妥当と判断）

⑶　純収益

⑴−⑵＝2,519,004円

２．建物帰属純収益

20,700,000円×0.0728＝1,506,960円

３．土地帰属純収益

１．−　２．＝1,012,044円

４．未収入期間を考慮した土地帰属純収益

1,012,044円×0.9678≒979,456円

５．土地の還元利回り（ｒ−ｇ）

5.0％−0.5％＝4.5％

６．収益価格

未収入期間を考慮した土地帰属純収益を還元利回りで還元して，収益価格を21,800,000円（145,000円／㎡）と試算した。

979,456円÷0.045≒21,800,000円（145,000円／㎡）

問４

1．公示価格（公－１）との規準により求めた価格

公示価格　時　標　地　個　規準価格

$$151{,}000円／㎡\times\frac{96.5}{100}\times\frac{100}{100}\times\frac{100}{98}\times\frac{100}{100}\times150㎡\fallingdotseq22{,}300{,}000円$$

（149,000円／㎡）

2．試算価格の調整

以上により，　A　比準価格　22,500千円（150,000円／㎡）
　　　　　　　B　収益価格　21,800千円（145,000円／㎡）

の２価格を得た。

市場分析より，対象不動産に係る典型的な需要者は，主として自己使用目的で住宅を希望する１次取得者及び買換え需要者層である。比準価格は実際の市場で成立した取引価格を価格判定の基礎とする「市場性」に重点をおいた価格であり，本件では特に対象不動産と類似する取引事例を採用しており，その規範性は高い。

一方，収益価格は「収益性」に重点をおいた価格であるが，上記の対象不動産に係る典型的な需要者は，収益性よりも居住の快適性や利便性に重点をおいて取引意思を決定するものと思料されることから，その説得力は劣ると判断する。

3．鑑定評価額の決定

以上より，本件では比準価格を標準とし，収益価格を比較考量して，さらに公示価格を規準とした価格との均衡にも留意の上，鑑定評価額を22,300,000円（149,000円／㎡）と決定した。

以　上

解　説

本問は，住宅地域内の更地の評価に関する基本問題である。基本的事項の確定に始まり，要因分析，手法適用，試算価格の調整及び鑑定評価額の決定といった，鑑定評価の一連の流れについて問うものであり，初年度の問題として概ね予想通りの内容であった。

問 1 については，まず基本的事項である①対象不動産（物的事項と権利事項），②価格時点，③価格の種類，を明確に述べること。市場の特性・近隣地域の特性については，〔指示事項〕より適宜引用して述べればよい。

問 2 は，取引事例比較法の基本問題である。時点修正率の計算でやや苦戦したと思われるが，不採用事例の判断や要因格差補正等はいずれも簡単な内容であった。電卓計算の単純ミスだけが気になるところである。

問 3 は，実務上，地価公示等で採用されている(新)土地残余法の基本問題である。〔指示事項〕の説明が長く，一瞬戸惑ったであろうが，未収入期間修正を行う点だけ注意しておけば，建物想定，賃料査定等も不要で，非常に簡単な内容である。

問 4 は，指示事項に従い，まず公示価格との規準による価格を求め，次に比準価格と収益価格の説得力に係る判断を明確に述べ，鑑定評価額を決定すること。解答例のように，対象不動産に係る典型的な市場参加者を「自己使用（居住）目的のエンドユーザー」と確定し，収益価格よりも比準価格をある程度重視する，という判断が無難であろう。両価格の中庸値を採用したり，収益価格を重視する場合においても，理由付けを明確にしてほしい。

MEMO

◇ 平成19年度・演習

問題　下記の〔資料等〕に記載の不動産（対象不動産）について〔指示事項〕及び〔資料等〕に基づき不動産の鑑定評価に関する次の問に答えなさい。

問１　対象不動産の基本的事項を具体的に挙げなさい。

問２　原価法による試算価格を求めなさい。土地価格は取引事例比較法を適用して求めなさい。

問３　収益還元法による試算価格を求めなさい。

問４　問２及び問３で求めた試算価格を調整して，対象不動産の鑑定評価額を決定しなさい。

その際に総合的に勘案すべき事項を，具体的に挙げて検討しなさい。

〔指示事項〕

Ⅰ．共通事項

１．問２及び問３における各手法の適用の過程で求める数値は，別に指示がある場合を除き，小数点第１位を四捨五入し，整数で求めること。ただし，試算価格，公示価格との規準による価格及び鑑定評価額については上４桁目を四捨五入して上３桁を有効数字として求めること。

２．各事例等における価格等には消費税及び地方消費税は含まれないものとし，計算の過程においても消費税及び地方消費税は含めないで計算すること。

３．対象不動産及び取引事例等については，土壌汚染及び埋蔵文化財に関して価格形成に影響を与えるものは何ら存しないことが判明している。

４．対象不動産の評価方針は次のとおりである。

対象不動産の価格を試算するに際して，個々の賃貸借契約内容に関する比較ができないので，土地建物を一体とした取引事例比較法は適用しない。

５．土地及び建物の数量は，土地登記簿及び建物登記簿に記載されているものによる。

Ⅱ．問１について

鑑定評価の基本的事項については，不動産鑑定評価基準によって，対象不動産について答えなさい。

Ⅲ．問２について

１．土地価格の試算

⑴　〔資料等〕XⅢに記載の各事例を用いて比準価格を求めること。なお，事例の選択要件を挙げ，不動産鑑定評価基準に照らして不採用とすべき事例があれば，その事例番号及び不採用とする理由を記載しなさい。

⑵　各事例の事情その他の内容は「対象不動産及び事例資料等の概要」等の記載事項より判断すること。

⑶　取引事例が複合不動産の場合には，配分法を用いて更地価格を査定した上で比準しなさい。（建物の資料は〔資料等〕XⅢの３．事例建物の状況によること。）

⑷　比準価格を求める場合の計算式と略号は次のとおりである（基準値を100とする）。

$$\text{取引事例における土地価格（更地としての価格）（総額）}\times\underset{\text{事}}{\frac{100}{\text{取引事例の取引事情に係る補正率}}}\times\underset{\text{時}}{\frac{\text{価格時点の地価指数}}{\text{取引時点の地価指数}}}\times\underset{\text{標}}{\frac{100}{\text{取引事例の個別的要因に係る評点}}}\times\underset{\text{地}}{\frac{100}{\text{取引事例の存する地域の地域要因に係る評点}}}\times\underset{\text{個}}{\frac{\text{対象地の個別的要因に係る評点}}{100}}\times\underset{\text{面}}{\frac{\text{対象地の面積}}{\text{取引事例の面積}}}=\text{手法適用により求めた価格}$$

各項の意味と略号

事：事情補正
時：時点修正
標：取引事例の個別的要因の標準化補正
地：地域要因の比較
個：対象地の個別的要因の格差修正
面：面積の比較

⑸　公示価格を規準とした価格を求める場合の計算式と略号は次のとおりである（基準値を100とする）。

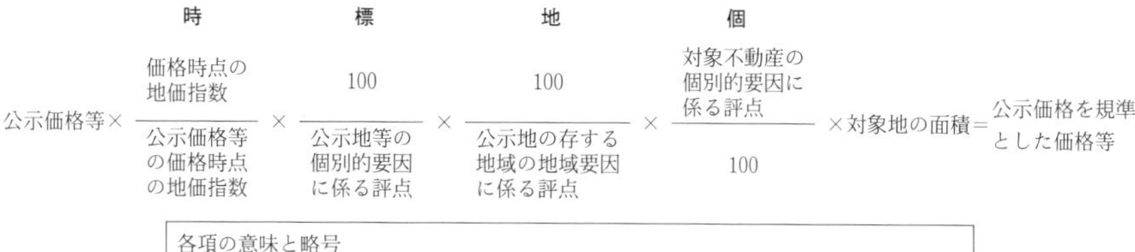

各項の意味と略号

時：時点修正
標：公示地等の個別的要因の標準化補正
地：地域要因の比較
個：対象地の個別的要因の格差修正

⑹　時点修正率の計算上における留意点は次のとおりである。

①　時点修正率は〔資料等〕XⅣの地価指数により求め，少なくとも一つの取引事例について時点修正率の計算過程を明らかにすること。時点修正率計算上の特定の時点の指数は次の例のとおり求めることとし，小数点

第2位以下を四捨五入し，小数点第1位までの数値を求めること。

（例）平成19年1月1日の指数を100，平成19年7月1日の指数を102として，取引時点である平成19年5月15日の指数を求める場合。

$$\left\{\left[\frac{\text{平成19年7月1日の指数（102）}}{\text{平成19年1月1日の指数（100）}}-1\right]\times\frac{\text{平成19年1月1日～平成19年5月15日の月数（4）}}{\text{平成19年1月1日～平成19年7月1日の月数（6）}}+1\right\}\times\text{平成19年1月1日の指数（100）}$$

$$=\text{求める時点の指数（101.3）}$$

（小数点第二位以下四捨五入）

② 時点修正率の計算における経過期間（月数）の算定については，下記の例のとおり，起算日（即日）の属する月を含まず，期間の末日（当日）の属する月を含めて計算する。

（例）平成19年3月31日から平成19年8月1日までの期間の月数は5ヶ月

平成19年4月1日から平成19年8月1日までの期間の月数は4ヶ月

2．建物価格の試算

⑴ 建物の再調達原価を求めるにあたっては，直接法及び間接法を併用する。なお直接法については実際に要した建築費を標準建築費指数で時点修正する方法（変動率適用法）を採用し，間接法については複数の建設事例から比較して求めること。時点修正率は〔資料等〕XIVの標準建築費指数より求めること。

⑵ 建物の再調達原価を建設事例から比較して求める場合の計算式と略号は次のとおりである（基準値を100とする）。

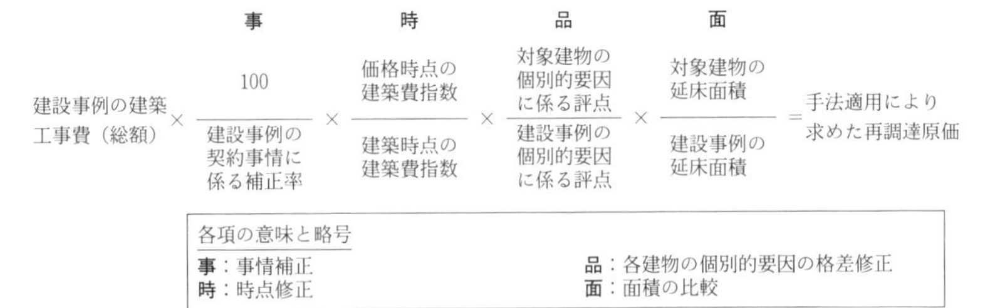

⑶ 建物の減価の程度は，概ね経年相応として，減価修正すること。

⑷ 建物の躯体（本体）部分の耐用年数は40年，設備部分の耐用年数は15年とし，償却の方法はいずれも定額法を採用し，残価率は0とする。

Ⅳ．問3について

1．収益還元法の適用に際しては，直接還元法を採用しなさい。

2．空室部分の賃料を査定するには，賃貸事例から適正資料を賃貸事例比較法を適用して求めること。

3．賃貸事例比較法の適用の際に用いる計算式と略号は次のとおりである（基準値を100とする）。

$$\underset{}{\text{賃貸事例の月額実質賃料(総額)}} \times \underset{\text{事}}{\frac{100}{\text{賃貸事例の賃貸事情に係る補正率}}} \times \underset{\text{時}}{\frac{\text{価格時点の賃料指数}}{\text{賃貸時点の賃料指数}}} \times \underset{\text{標}}{\frac{100}{\text{賃貸事例の個別的要因に係る評点}}} \times \underset{\text{地}}{\frac{100}{\text{賃貸事例の存する地域の地域要因に係る評点}}} \times \underset{\text{個}}{\frac{\text{対象住戸の個別的要因に係る評点}}{100}} \times \underset{\text{面}}{\frac{\text{対象住戸の契約面積}}{\text{賃貸事例の契約面積}}} = \text{手法適用により求めた賃料}$$

各項の意味と略号	
事：事情補正	**地**：地域要因の比較
時：時点修正	**個**：対象住戸の個別的要因の格差修正
標：賃貸事例の個別的要因の標準化補正	**面**：面積の比較

4．一時金の運用利回りは，年２％としなさい。

5．本件の総費用（年額）は，次のとおりである。

(1) 修繕費は，建物再調達原価の1.2%相当額である。

(2) 維持管理費は年額支払賃料の３％相当額である。

(3) 公租公課（固定資産税及び都市計画税）の実額は土地・建物の合計で4,950,000円（年額）である。

(4) 損害保険料は，建物再調達原価の0.1%相当額である。

(5) 貸倒れ準備費は，敷金により担保されているので，計上しない。

(6) 空室等による損失相当額は，総収益の1/12とする。

6．還元利回りを求めるにあたっては，「類似の不動産の取引事例との比較から求める方法」，「借入金と自己資金に係る還元利回りから求める方法」及び「土地と建物等に係る還元利回りから求める方法」から求めるものとし，ここでは三者の平均値をもって決定しなさい。

(1) 「類似の不動産の取引事例との比較から求める方法」の適用にあたっては，選択することが妥当と判断される取引事例の中から選択して純収益を求め，当該純収益を取引価格で除して取引利回りを求めること。

(2) 還元利回りについては，一定期間内の取引について，用途毎，地域毎にほぼ一定の利回りであることが実態調査から判明しており，求められた各取引利回りの平均をもって，「類似の不動産の取引事例との比較から求める方法」の還元利回りとする。なお，当市内では地域別の利回りの品等格差は認められない。また本年に入ってからは変動はない。

⑶ 「借入金と自己資金に係る還元利回りから求める方法」の適用にあたっては，次のＢ市における賃貸用不動産における標準的な借入金割合等を適用するものとする。

○借入金割合　　　　　60％

○借入金還元利回り　　 5％

○自己資金還元利回り　12％

⑷ 「土地と建物等に係る還元利回りから求める方法」の適用にあたっては，土地の還元利回りは4.5％，建物の還元利回りは8.0％とする。土地・建物の割合は積算価格算定にあたり求めた各々の再調達原価における両者の割合によりなさい。

⑸ 求める還元利回りは，百分率（％）で表示し，小数点以下第２位を四捨五入して，第１位まで求めなさい。

Ⅴ．問４について

1．不動産鑑定評価基準に従って，試算価格を調整しなさい。

2．鑑定評価額の決定にあたっては，総合的勘案事項にも言及しなさい。

〔資料等〕

Ⅰ．依頼内容

本件は，「Ｂ駅」駅前にある賃貸ビルの対象不動産について，売買の参考として，平成19年８月１日時点の現状での経済価値の判定のため不動産鑑定士に鑑定評価を求めたものである。対象不動産の現況は下記記載のとおりである。

Ⅱ．対象不動産

⑴ 土地　所在及び地番　Ａ県Ｂ市Ｃ１丁目30番５

地　目　宅地

地　積　650.00㎡（土地登記簿記載数量）

⑵ 建物　所　在　Ａ県Ｂ市Ｃ１丁目30番地５

家屋番号　30番５

構造・規模　鉄骨鉄筋コンクリート造陸屋根地上８階建

用　途　事務所・店舗

建築年月日　平成７年８月１日

床面積	1　階	550.00㎡
	2　階	470.00㎡
	3　階	470.00㎡
	4　階	470.00㎡
	5　階	470.00㎡
	6　階	470.00㎡
	7　階	470.00㎡
	8　階	470.00㎡
	合　計	3,840.00㎡（建物登記簿記載数量）

Ⅲ．所有者　A県D市E２丁目４番５号　W株式会社

Ⅳ．類型　貸家及びその敷地

Ⅴ．その他の事項

⑴　対象不動産の賃貸借条件等は〔資料等〕ⅩⅧに記載のとおりである。

⑵　対象不動産の８階は，Y商事株式会社B支店がテナントとして入居していたが，業績の関係で隣接する県に所在する支店と統合されることになり，平成19年７月31日付で退去することになった。当該部分については新たにテナントを募集することになる。

Ⅵ．依頼目的　売却の参考

Ⅶ．鑑定評価によって求める価格の種類　正常価格

Ⅷ．価格時点　平成19年８月１日

Ⅸ．その他の鑑定評価の条件　なし

X．B市並びに近隣地域及び類似地域の概況等

○B市の概況

(1) 位置等

① 位置・面積　A県の南西部分に位置する。面積は約65k㎡である。

② 沿　　革　江戸時代には城下町であった。明治時代に市制を敷き，戦後は商業都市として発展してきた。A県下では県庁所在地に次ぐ第二の都市である。

(2) 人口等

① 人　　口　約35万人。近年はほぼ横ばいで高齢化傾向が認められる。

② 世 帯 数　約14万世帯

(3) 交通施設及び道路整備の状態

① 鉄　　道　JR○○線がB市の市街地の中央を南北に縦断している。B駅から××線が分岐している。

② 道　　路　国道がJR○○線に平行して南北に縦断しているが，B市市街地部分ではBバイパスとして市街地を迂回して走っている。また，バイパスに高速道路のB南インターチェンジが設けられている。その他，主要県道が敷設されており，道路網は整備されている。

(4) 供給処理施設の状態

① 上 水 道　平成の大合併で併合された△△地区及び市街化調整区域部分に，未整備地区があり，普及率は約85％。

② 下 水 道　普及率は約60％。

③ 都市ガス　普及率は約35％。

(5) 土地利用の状況

① 商業施設　JR○○線B駅周辺に百貨店，事務所ビルをはじめ主な商業施設の集積がみられる。他はJRの駅前には店舗等の集積もみられるが，それ以外では，バイパス沿いにコンビニエンスストア，大きな駐車場を備えたスーパーマーケット等がみられる。

② 住　　宅　JR○○線B駅に近いところでは，マンションもみられるが，多くは一戸建て住宅である。

(6) 不動産取引市場の状況

① 不動産取引市場の状況

バブル時には，首都圏等に本社を持つ生命保険会社等が，駅前の土地を購入し，事務所ビルを建てたりしていたが，バブル崩壊後は，これらのビルにも空室が目立つようになり，不動産取引は不活発となった。バブル崩壊後の地価下落の過程で，破綻した金融機関等の所有する事務所ビルが外資系証券会社の運営するファンドに売却されたりした。近年では，駐車場だった土地をデベロッパーが取得してビルを建てたり，事務所ビルがＪリートを運営する会社が組成したSPCに売却される等の動きがみられる。

② 賃貸市場の状況

事務所ビルについて，バブル崩壊後は，空室が生じていたが，その後新規の事務所ビルの供給がほとんどなくなり，空室は徐々に埋まってきた。最近では，立地の悪い物件では空室もみられるが，駅に近い物件はほぼ満室となっている。

賃料については，バブル崩壊後の空室が増えていた時期には下落傾向にあったが，空室がさほどみられなくなった最近では，ほぼ横ばい傾向にある。駅に近いビルにおいてはやや強気の新規募集賃料の設定もみられる。

XI. 近隣地域及び類似地域等の概要

対象不動産の所在する近隣地域及びその類似地域等の地域的特性を略記すれば，以下のとおりである。

地　域	位　置 （距離は駅からの直線距離による）	道路の状況	周辺の土地の利用状況	都市計画法等の規制で主要なもの	供給処理施設	標準的な画地規模	標準的使用
近隣地域	B駅の西方約50m～300m	幅員　25m 舗装市道	駅前のデパート，事務所ビル，店舗ビル等の混在する高度商業地域	商業地域 建ぺい率　80% 容積率　600% 防火地域	上水道 下水道 都市ガス	700㎡ 程度	高度商業地
A 地 域	B駅の西方約300m～400m	幅員　25m 舗装市道	駅前のデパート，事務所ビル，店舗ビル等の混在する高度商業地域	商業地域 建ぺい率　80% 容積率　600% 防火地域	上水道 下水道 都市ガス	700㎡ 程度	高度商業地
B 地 域	B駅の北西方約350m ～500m	幅員　30m 舗装国道	国道沿いの事務所ビル，小売店舗等の連たんする地域	商業地域 建ぺい率　80% 容積率　400% 防火地域	上水道 下水道 都市ガス	500㎡ 程度	普通商業地
C 地 域	B駅の北西方約500m ～600m	幅員　30m 舗装国道	国道沿いの事務所ビル，小売店舗等の連たんする地域	商業地域 建ぺい率　80% 容積率　400% 防火地域	上水道 下水道 都市ガス	500㎡ 程度	普通商業地
D 地 域	B駅の北西方約250m ～400m	幅員　15m 舗装市道	小売店舗，マンション等の連たんする地域	商業地域 建ぺい率　80% 容積率　300% 準防火地域	上水道 下水道 都市ガス	300㎡ 程度	路線商業地
E 地 域	B駅の北西方約400m ～500m	幅員　15m 舗装市道	低層の一般住宅，小売店舗，マンション等が混在する地域	近隣商業地域 建ぺい率　80% 容積率　200% 防火指定なし	上水道 下水道 都市ガス	200㎡ 程度	商住混在地
F 地 域	B駅の南西方約350m ～450m	幅員　30m 舗装国道	国道沿いの小売店舗，マンション等の連たんする地域	商業地域 建ぺい率　80% 容積率　300% 準防火地域	上水道 下水道 都市ガス	300㎡ 程度	普通商業地
G 地 域	B駅の南西方約300m ～400m	幅員　15m 舗装市道	小売店舗，マンション等の連たんする地域	商業地域 建ぺい率　80% 容積率　300% 準防火地域	上水道 下水道 都市ガス	200㎡ 程度	普通商業地

Ⅻ．対象不動産，地価公示法による標準地，事例等の位置図

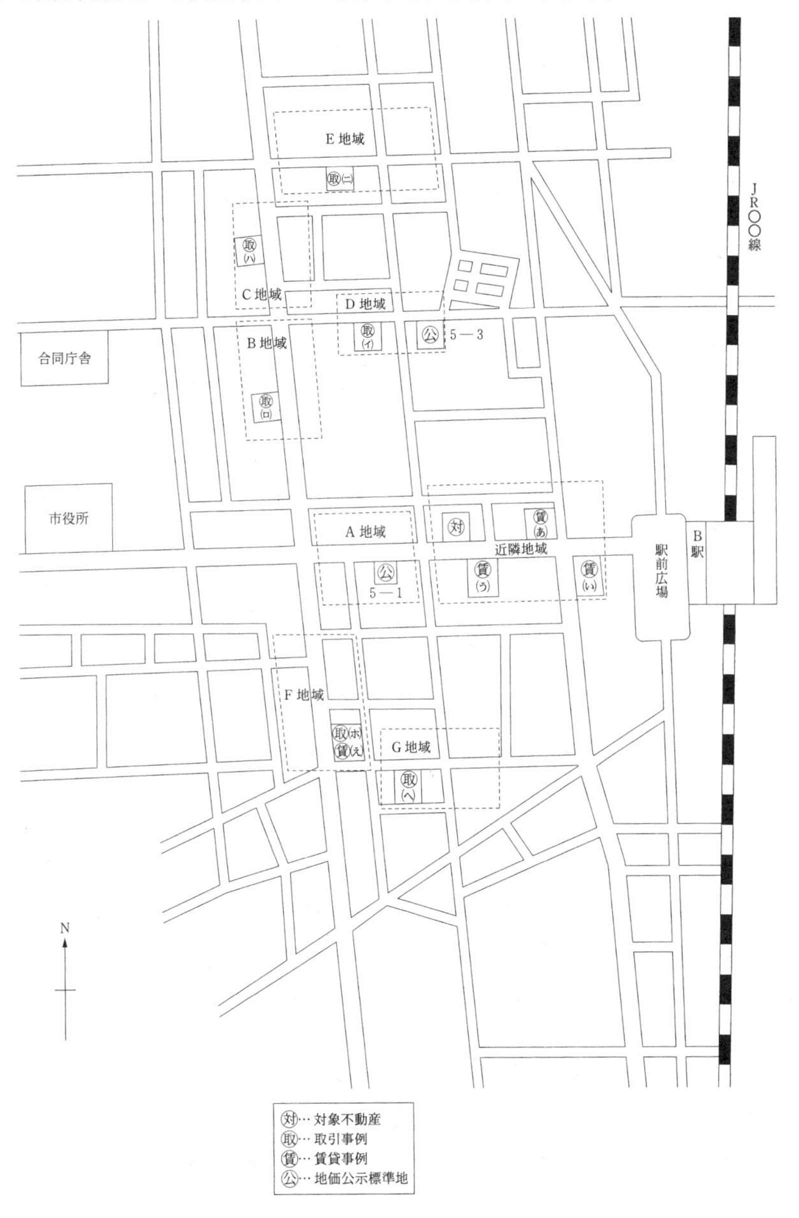

（注）位置図は，対象不動産及び事例等の配置を示したもので，実際の距離又は規模等を正確に示したものではない。

XIII. 対象不動産及び事例資料等の概要

1．取引事例等

事例区分	所　在	類　型	価格時点 取引時点	公示価格 取引価格	数　量　等	価格時点，取引時点における敷地の利用の現況	道路・供給処理施設の状況	駅からの道路距離	備　　考
対象不動産	近隣地域	貸家及びその敷地	平成 19．8．1 価格時点		土地　650㎡ 建物延床面積 3,840㎡	鉄骨鉄筋コンクリート造 8階建事務所店舗	南側 幅員　25m 舗装市道 上水道 下水道 都市ガス	B駅 西方 約250m	――――
標準地 5－1	A地域	更地として	平成 19．1．1 価格時点	153,000円／㎡	350㎡	鉄骨鉄筋コンクリート造 8階建事務所	北側 幅員　25m 舗装市道 上水道 下水道 都市ガス	B駅 西方 約300m	地価公示法第6条の規定による標準地であり，利用の現況は当該標準地の存する地域における標準的使用と概ね一致する。
標準地 5－3	D地域	更地として	平成 19．1．1 価格時点	122,000円／㎡	150㎡	鉄骨造2階建店舗・事務所	北側 幅員　15m 舗装市道 上水道 下水道 都市ガス	B駅 北西方 約450m	地価公示法第6条の規定による標準地であり，利用の現況は当該標準地の存する地域における標準的使用と概ね一致する。
事例(イ)	D地域	自用の建物及びその敷地	平成 19．3．7 取引時点	291,000,000円	土地　900㎡ 建物延床面積 1,500㎡	鉄筋コンクリート造 5階建事務所	北側 幅員　15m 舗装市道 上水道 下水道 都市ガス	B駅 北西方 約530m	Z社が経営破綻したために，競売にかけられた。1度目の競売では落札者があらわれず，2度目でようやく購入者が決まった。やや低めの価額で落札されたようである。
事例(ロ)	B地域	更地	平成 19．6.17 取引時点	40,000,000円	土地　250㎡	従前は駐車場として隣地所有者に賃貸されていたが，売却にあたり解約された。	東側 幅員　30m 舗装国道 上水道 下水道 都市ガス	B駅 北西方 約530m	西側隣地所有者が，本件と併せてビルを建てるために購入した。取引前に不動産鑑定士が鑑定評価した単独地としての価格よりも契約価格は20%高い価格であった。
事例(ハ)	C地域	自用の建物及びその敷地	平成 19．1.27 取引時点	548,000,000円	土地　850㎡ 建物延床面積 3,200㎡	鉄筋コンクリート造 8階建事務所ビル	東側 幅員　30m 舗装国道 上水道 下水道 都市ガス	B駅 北西方 約720m	P社が財務リストラのために本社として使用していた当ビルをファンドに売却した。
事例(ニ)	E地域	自用の建物及びその敷地	平成 19．7.15 取引時点	28,500,000円	土地　120㎡ 建物延床面積 90㎡	木造2階建住宅	北側 幅員　15m 舗装市道 上水道 下水道 都市ガス	B駅 北西方 約600m	特別な事情はない。
事例(ホ)	F地域	貸家及びその敷地	平成 19．1.15 取引時点	661,000,000円	土地　875㎡ 建物延床面積 2,550㎡	鉄骨鉄筋コンクリート造 8階建事務所店舗	西側 幅員　30m 舗装国道 上水道 下水道 都市ガス	B駅 南西方 約550m	本件はテナントが入居している状態で取引された。取引に際して特別な事情はない。
事例(ヘ)	G地域	更地として	平成 19．2．1 取引時点	110,000,000円	土地　850㎡ 建物延床面積 2,550㎡	鉄筋コンクリート造 7階建マンション	北側 幅員　15m 舗装市道 上水道 下水道 都市ガス	B駅 南西方 約450m	隣地の所有者が，本件と併せて本社ビルを建てるために購入した。やや高めの取引とされているが詳細なデータは入手できなかった。取引に際し建物は売主が取壊した。

2．賃貸事例（賃貸事例(え)は取引事例(ホ)と共通）

事例区分	所在	類型	賃貸時点	支払賃料等	契約数量等	賃貸時点における敷地の利用の現況	駅からの道路距離	備考
事例(あ)	近隣地域	新規賃料	平成 19. 6. 1 賃貸時点	月額支払賃料等 契約内容の詳細は〔賃料等〕XVII参照	土地 1,880㎡ 建物延床面積 3,755㎡	鉄骨鉄筋コンクリート造8階建事務所	B駅 西方 約100m	――――
事例(い)	近隣地域	新規賃料	平成 19. 3. 1 賃貸時点	月額支払賃料等 契約内容の詳細は〔資料等〕XVII参照	土地 867㎡ 建物延床面積 2,600㎡	鉄骨鉄筋コンクリート造8階建事務所	B駅 西方 約 50m	――――
事例(う)	近隣地域	新規賃料	平成 19. 7. 1 賃貸時点	月額支払賃料等 契約内容の詳細は〔資料等〕XVII参照	土地 1,880㎡ 建物延床面積 1,500㎡	鉄骨造2階建店舗	B駅 西方 約220m	――――
事例(え)	F地域	新規賃料	平成 18. 2. 1 賃貸時点	月額支払賃料等 契約内容の詳細は〔資料等〕XVII参照	土地 875㎡ 建物延床面積 2,550㎡	鉄骨鉄筋コンクリート造8階建事務所店舗	B駅 南西方 約550m	土地を購入し，賃貸事務所店舗ビルを建築して，賃貸に供した。平成18年2月1日に募集を開始し，平成18年2月28日までに全ての契約を終えた。

3．事例建物の状況

事例区分	建築時点	建築工事費	数量等	建物構造・用途	施工の質	価格時点現在の経済的残存耐用年数	設備の良否	昇降機設備	空調冷暖房設備	近隣地域との適合性，建物と敷地との適応性
事例(イ)	平成 7. 5. 1 建築時点	386,000,000円	建築面積 300㎡ 延床面積 1,500㎡	鉄筋コンクリート造5階建事務所	中級	躯体部分28年 設備部分3年	やや劣る	あり	あり	環境と適合し，敷地と適応している。
事例(ハ)	平成 9. 4. 1 建築時点	813,000,000円	建築面積 650㎡ 延床面積 3,200㎡	鉄筋コンクリート造8階建事務所	中級	躯体部分30年 設備部分5年	普通	あり	あり	環境と適合し，敷地と適応している。
事例(ニ)	平成 19. 7.15 建築時点	15,300,000円	建築面積 45㎡ 延床面積 90㎡	木造2階建住宅	中級	躯体部分25年 設備部分15年	普通	なし	あり	環境と適合し，敷地とほぼ適応している。
事例(ホ)	平成 18. 2. 1 建築時点	561,000,000円	建築面積 380㎡ 延床面積 2,550㎡	鉄筋鉄骨コンクリート造8階建事務所店舗	中級	躯体部分39年 設備部分14年	良好	あり	あり	環境と適合し，敷地と適応している。

（注1） 鉄骨鉄筋コンクリート造，鉄筋コンクリート造，鉄骨造においては，建築費に占める躯体部分と設備部分の割合は70：30である。木造建物においては建築費に占める躯体部分と設備部分の割合は80：20である。
（注2） 価格時点において事例内容を調査した結果，建物の減価の程度はいずれも概ね経年相応である。

4．建設事例の概要

事例区分	所　在	建築時点	建築工事費	数量等	建物構造・用途	施工の質	建物竣工時点での経済的耐用年数	設備の良否	昇降機設備	空調冷暖房設備	近隣地域との適合性，建物と敷地との適応性	価格時点における建物の面積以外の個別的要因の比較評点（注１）
事例α	近隣地域	平成15．4．1	623,000,000円	建築面積 320㎡ 延床面積 2,800㎡	鉄骨鉄筋コンクリート造８階建事務所	中級	躯体部分40年 設備部分15年	良好	あり	あり	環境と適合し，敷地と適応している。	100
事例β	Ａ地域	平成17．6．1	48,000,000円	建築面積 350㎡ 延床面積 500㎡	鉄骨造２階建店舗兼住宅	中級	躯体部分35年 設備部分15年	やや劣る	なし	あり	環境と適合し，敷地と適応している。	90
事例γ	Ｂ地域	平成18．7．1	38,000,000円	建築面積 80㎡ 延床面積 180㎡	鉄骨造２階建店舗兼住宅	中級	躯体部分30年 設備部分15年	普通	なし	なし	環境と適合し，敷地と適応している。	85
事例δ	Ｄ地域	平成17．6．1	595,000,000円	建築面積 350㎡ 延床面積 2,600㎡	鉄骨鉄筋コンクリート造８階建事務所	中級	躯体部分40年 設備部分15年	良好	あり	あり	環境と適合し，敷地と適応している。	105

（注１）　対象不動産に係る建物を100とした場合の比較評点である。
（注２）　いずれも建築費に占める躯体部分と設備部分の割合は70：30である。

XIV. 地価指数，標準建築費指数及び賃貸事務所の新規賃料指数の推移

B市における商業地の地価指数，事務所ビル（鉄骨鉄筋コンクリート造）の標準建築費指数，対象不動産と構造，規模，用途等が類似する同一需給圏内の事務所の新規賃料指数の推移は，次のとおりである。なお，平成19年1月1日以降の動向は，平成18年7月1日から平成19年1月1日までの推移とそれぞれ同じ傾向を示している。

区分 / 地域 / 年月日	地価指数								標準建築費指数	事務所の新規賃料指数
	近隣地域	A地域	B地域	C地域	D地域	E地域	F地域	G地域		
平成 6. 1. 1									101.5	
7. 1. 1									100.0	
8. 1. 1									98.5	
9. 1. 1									98.1	
10. 1. 1									95.7	
11. 1. 1									93.5	
12. 1. 1									91.6	
13. 1. 1									90.4	
14. 1. 1									88.1	
15. 1. 1									85.3	
16. 1. 1									83.8	
17. 1. 1	100.0	100.0	100.0	100.0	100.0	100.0	100.0	100.0	83.0	100.0
17. 7. 1	99.0	99.0	99.0	99.0	99.0	99.0	99.0	99.0	83.2	98.0
18. 1. 1	98.0	98.0	98.0	99.0	99.0	98.0	98.0	98.0	83.5	97.0
18. 7. 1	97.0	97.0	97.0	98.0	98.0	97.0	97.0	97.0	84.0	96.0
19. 1. 1	96.0	96.0	96.0	98.0	98.0	96.0	96.0	96.0	84.7	96.0

（注） 鉄骨造及び鉄筋コンクリート造の事務所ビルの標準建築費指数も，事務所ビル（鉄骨鉄筋コンクリート造）と同様の変動であった。

XV. 地域要因及び土地の個別的要因の比較

比較項目 ＼ 地域 ＼ 事例等	対象不動産	標準地5－1	標準地5－3	事例(イ)	事例(ロ)	事例(ハ)	事例(ニ)	事例(ホ)	事例(ヘ)
	近隣地域	A地域	D地域	D地域	B地域	C地域	E地域	F地域	G地域
地域要因	100	99	79	79	84	83	73	81	74
土地の個別的要因	100	100	100	100	100	100	100	105	103

（注１） 地域要因の比較については，近隣地域の評点を100とし，他の地域は近隣地域と比較してそれぞれの評点を付したものである。

（注２） 土地の個別的要因の比較については，それぞれの地域において標準的と認められる画地の地積以外の評点を100とし，これと事例地等とを比較し，それぞれの評点を付したものである。

XVI. 賃貸事例の要因比較表（格差率の査定）

補正項目 ＼ 事例等	対象不動産	賃貸事例(あ)	賃貸事例(い)	賃貸事例(う)	賃貸事例(え)
賃貸条件補正（事）	100	100	100	100	100
賃料に関する地域要因格差（地）	100	－	－	－	86
個別的要因に係る評点（個）	100	100	120	95	150

（注１） 要因比較については，対象不動産の評点を100とし，賃貸事例(あ)～(え)と比較して，それぞれの評点を付したものである。

（注２） 地域要因格差は，各物件の外部条件に係わる格差を示している。（必ずしも，不動産取引における土地の地域格差とは一致しない。）

（注３） 個別的要因の比較については，事務所の賃貸借において重視される建物の築年，設備，間取り，管理の状態等を総合的に考慮し，評点を査定している。

XVII. 賃貸事例の契約内容等

対象不動産の所在する近隣地域及び下記の賃貸事例の所在する類似地域における標準的な賃貸借の条件は以下のとおりで，下記の賃貸事例は，いずれも以下の条件の下に契約が成立している。

(1) 支払賃料は毎月末にその月分を支払う。

(2) 賃貸借にあたって授受される一時金は，預り金的性格を有する敷金のみである。標準的な敷金の額は，事務所は当初契約の月額支払賃料の 6 ヶ月分，店舗は同じく12ヶ月分であり，売買にあたって承継される。なお，以後の契約の更新においては更新料等いかなる名目においても一時金の授受はない。また，同じく駐車場にあっては預り金的性格を有する敷金のみであり，標準的な敷金の額は，月額使用料の 1 ヶ月分である。

(3) 敷金は，賃貸借契約を解除したときは直ちに全額返済されるが，利息は付さない。

(4) 共益費については，別途実費相当額を支払う。

(5) 高層事務所の階層別効用比は，1 階の事務所は120，2 階以上の事務所は100が標準である。

(6) 契約期間は 2 年，契約の形式は書面によるものが一般的である。

(7) 各テナントとの契約はいわゆる普通借家契約であり，契約更新時に支払い賃料等の改定協議を行うことになっている。

1．対象不動産

賃貸人：W株式会社

	用途	賃借人	賃貸面積	契約期間	月額支払賃料	敷金
8階	事務所		380㎡			
7階	事務所	H社	170㎡	平成19. 5. 1～平成21. 4. 30	307,173 円	1,843,038 円
		I社	170㎡	平成18. 10. 1～平成20. 9. 30	323,000 円	1,938,000 円
6階	事務所	I社	385㎡	平成17. 9. 1～平成19. 8. 31	721,050 円	4,326,300 円
5階	事務所	I社	385㎡	平成17. 9. 1～平成19. 8. 31	721,050 円	4,326,300 円
4階	事務所	J社	170㎡	平成18. 5. 1～平成20. 4. 30	306,850 円	1,841,100 円
		K社	170㎡	平成18. 3. 1～平成20. 2. 29	300,390 円	1,802,340 円
3階	事務所	L社	385㎡	平成17. 11. 1～平成19. 10. 31	716,000 円	4,296,000 円
2階	事務所	L社	385㎡	平成17. 11. 1～平成19. 10. 31	716,000 円	4,296,000 円
1階	店舗	L社	250㎡	平成17. 11. 1～平成19. 10. 31	570,000 円	6,840,000 円

備考：①　契約の更新回数はＩ社の５階・６階部分が５回，Ｊ社が２回，Ｈ，Ｋ，Ｌ社が１回である。Ｉ社の７階部分は平成18年10月に新規に借り増した。

②　共益費は賃貸面積１㎡当たり月額800円ですべて実費相当額であり，実質的に賃料に相当する部分は無い。

③　賃貸部分の光熱費については，子メーターにより計測して，実費相当分を徴収して支払っている。

④　立体駐車場18台，月額使用料16,000円／台（現在の近隣地域における標準的な水準にある。），敷金の額は月額使用料の１ヶ月分である。

⑤　賃料水準は標準的なものであり，テナントとの関係も良好である。

⑥　８階には共用物入れがあって，賃貸面積は380㎡である。

２．賃貸事例(あ)

近隣地域内に所在する。鉄骨鉄筋コンクリート造８階建事務所の７階部分。

平成５年５月に竣工。

賃貸人：Ｍ生命保険相互会社。賃借人：Ｎ株式会社。賃貸時点：平成19年６月１日契約。

月額支払賃料：728,580円，敷金の額は月額支払賃料の６ヶ月分。

契約面積390㎡。

３．賃貸事例(い)

近隣地域内に所在する。鉄骨鉄筋コンクリート造８階建事務所の２階部分。

平成16年５月に竣工。

賃貸人：Ｏ生命保険相互会社。賃借人：Ｐ株式会社。賃貸時点：平成19年３月１日契約。

月額支払賃料：403,000円，敷金の額は月額支払賃料の６ヶ月分。

契約面積180㎡。

４．賃貸事例(う)

近隣地域内に所在する。鉄骨造２階建店舗の１階部分。

平成15年３月に竣工。

賃貸人：Ｑ。賃借人：Ｒ株式会社。賃貸時点：平成19年７月１日契約。

月額支払賃料：355,580円，敷金の額は月額支払賃料の12ヶ月分。

契約面積150㎡。

5．賃貸事例(え)

F地域に所在する。鉄骨鉄筋コンクリート造8階建事務所店舗ビル。平成18年2月1日竣工。新築時の入居なので，状態はよく，個別格差（個別的要因に係る評点）が高めに算定された。平成19年1月15日に，テナントが入居している状態で売買された。

賃貸人：X株式会社

	用　途	賃借人	賃貸面積	契　約　期　間	月額支払賃料	敷　　金
8階	事務所	S　社	270㎡	平成18．3．1～平成20．2.29	650,700 円	3,904,200 円
7階	事務所	S　社	270㎡	平成18．3．1～平成20．2.29	650,700 円	3,904,200 円
6階	事務所	S　社	270㎡	平成18．3．1～平成20．2.29	650,700 円	3,904,200 円
5階	事務所	S　社	270㎡	平成18．3．1～平成20．2.29	650,700 円	3,904,200 円
4階	事務所	T　社	270㎡	平成18．3．1～平成20．2.29	650,700 円	3,904,200 円
3階	事務所	U　社	270㎡	平成18．3．1～平成20．2.29	650,700 円	3,904,200 円
2階	事務所	V　社	270㎡	平成18．3．1～平成20．2.29	650,700 円	3,904,200 円
1階	店　舗	V　社	220㎡	平成18．3．1～平成20．2.29	636,240 円	7,634,880 円

機械式駐車場が15台あり，月額使用料は1台当たり15,000円，敷金1ヶ月分である。

本件，事例不動産に係る総費用（年額）は次のとおりである。

① 修繕費は，建物再調達原価の1%相当額である。

② 維持管理費は年額支払賃料（駐車場使用料を含む）の3%相当額である。

③ 公租公課(固定資産税及び都市計画税)の実額は土地・建物の合計で3,500,000円（年額）である。

④ 損害保険料は，建物再調達原価の0.1%相当額である。

⑤ 貸倒れ準備費は，敷金により担保されているので，計上しない。

⑥ 空室等による損失相当額は，総収益の1/12とする。

XⅢ．対象不動産の工事費について

対象不動産は，平成7年8月1日に竣工した。工事費は，全体で997,000,000円かかった。

以　上

解答例

問1

1．対象不動産

⑴　土地

所在及び地番：Ａ県Ｂ市Ｃ１丁目30番５

地　　　　目：宅地

地　　　　積：650.00㎡（土地登記簿記載数量）

⑵　建物

所　　　　在：Ａ県Ｂ市Ｃ１丁目30番地５

家 屋 番 号：30番５

構 造・規 模：鉄骨鉄筋コンクリート造陸屋根地上８階建

用　　　　途：事務所・店舗

床　面　積：１階　550.00㎡
２階　470.00㎡
３階　470.00㎡
４階　470.00㎡
５階　470.00㎡
６階　470.00㎡
７階　470.00㎡
８階　470.00㎡

合計　3,840.00㎡（建物登記簿記載数量）

⑶　鑑定評価の対象となった権利の種類

所有権（土地・建物とも）

2．価格時点

平成19年８月１日

3．価格の種類

正常価格

問２

対象不動産を貸家及びその敷地と確定し，原価法及び収益還元法を適用して求めた試算価格を調整の上，鑑定評価額を決定する。なお，要因比較の困難性等から，指示事項により，土地建物一体としての取引事例比較法は適用しない。

事例資料等は，投機性のない適正なもので，かつ，①場所的同一性，②事情の正常性又は正常補正可能性，③時間的同一性，④要因比較可能性の事例適格４要件を全て具備するものを，賃貸事例についてはさらに契約内容の類似性をも具備するものを採用する。

A．原価法

対象不動産の再調達原価を求め，これに減価修正を行って，積算価格を試算する。

Ⅰ．再調達原価

1．土地（更地価格）

取引事例比較法を適用し，公示価格を規準とした価格との均衡に留意して，更地価格を査定する。なお，指示事項により，土地残余法は適用しない。

⑴　比準価格

事例適格４要件を具備した取引事例㈺及び㈻を採用し，比準価格を査定する。

※　不採用事例とその理由

事例㈹：　競売により割安で落札された事例であるが，事情補正率等が不明なため，正常補正可能性に欠ける。また，地域的特性もやや異なる。

事例㈡：　敷地規模が小さく最有効使用が異なり，要因比較可能性に欠ける。また，地域的特性もやや異なる。

事例㈭：　貸家及びその敷地の取引事例で類型が異なり，要因比較可能性に欠ける。また，地域的特性もやや異なる。ただし問３で活用。

事例㈬：　隣地併合に係る割高の事例であるが，事情補正率等が不明なため，正常補正可能性に欠ける。また，地域的特性もやや異なる。

① 事例(ロ)

取引価格　事※1　時※2　標　地　個　面　比準した価格

$$40,000千円\times\frac{100}{120}\times\frac{94.8}{95.2}\times\frac{100}{100}\times\frac{100}{84}\times\frac{100}{100}\times\frac{650}{250}\fallingdotseq 103,000千円$$

（158,000円/㎡）

※1　20%割高補正

※2　時点修正率査定根拠（地価指数採用）

$$価格時点（H19.8）：\left[\left(\frac{96}{97}-1\right)\times\frac{7}{6}+1\right]\times 96\fallingdotseq 94.8$$

$$取引時点（H19.6）：\left[\left(\frac{96}{97}-1\right)\times\frac{5}{6}+1\right]\times 96\fallingdotseq 95.2$$

以下，同様の方法により査定し，根拠の記述は省略。

② 事例(ハ)

複合不動産の取引事例であるが，敷地が最有効使用の状態にあるので，配分法を適用して更地の事例資料を求める。

a．原価法による建物価格

・再調達原価（直接法）

事　時※

$$813,000千円\times\frac{100}{100}\times\frac{84.7}{97.5}=706,000千円$$

※標準建築費指数採用

・減価修正（耐用年数に基づく方法（残価率ゼロの定額法）採用）

$$（主体）706,000千円\times 0.7\times\frac{10}{10+30}\fallingdotseq 124,000千円$$

$$（設備）706,000千円\times 0.3\times\frac{10}{10+5}\fallingdotseq 141,000千円$$

計　265,000千円

（注）建物の経過年数の算定に関する詳細な指示事項がないので，本件では価格時点と同じ経過年数・経済的残存耐用年数を採用した。

・建物価格

706,000千円－265,000千円＝441,000千円

b．土地価格

548,000千円－441,000千円＝107,000千円

取引価格　事　時　標　地　個　面　比準した価格

$$107{,}000\text{千円}\times\frac{100}{100}\times\frac{98.0}{98.0}\times\frac{100}{100}\times\frac{100}{83}\times\frac{100}{100}\times\frac{650}{850}\fallingdotseq 98{,}600\text{千円}$$

（152,000円/㎡）

③　比準価格の決定

以上より2価格が得られた。事例(ロ)は更地の事例で時点も新しいが，隣地併合に係る限定価格水準の事例であり，対象地に比し規模もやや小さい。事例(ハ)は複合不動産の事例であるが，配分法を適切に行っており，また画地規模は類似している。本件では，事例(ロ)及び(ハ)の説得力は概ね同程度と判断し，両者を関連づけ，比準価格を100,000千円（154,000円／㎡）と決定した。

(2)　公示価格（標準地5－1）との規準により求めた価格

※　標準地5－3は規模が小さく最有効使用が異なること等から不採用とした。

公示価格　時　標　地　個　規準価格

$$153{,}000\text{円/㎡}\times\frac{94.8}{96.0}\times\frac{100}{100}\times\frac{100}{99}\times\frac{100}{100}\times 650\text{㎡}\fallingdotseq 99{,}200\text{千円}$$

（153,000円/㎡）

(3)　更地価格

比準価格は実際に市場で発生した取引事例を価格判定の基礎としており，実証的な価格である。本件では，規範性の高い複数の事例に比準して求められており，その精度は高いものと判断する。また公示価格を規準とした価格との均衡も得ており妥当である。

よって比準価格100,000千円（154,000千円/㎡）をもって更地価格と査定した。

2．建物

指示事項により，直接法及び間接法を併用し，再調達原価を査定する。

⑴　直接法

建築工事費　事　時

$$997,000\text{千円}\times\frac{100}{100}\times\frac{85.5}{99.1}\fallingdotseq 860,000\text{千円}$$

（224,000円/㎡）

⑵　間接法

①　事例α

建築工事費　事　時　品　面

$$623,000\text{千円}\times\frac{100}{100}\times\frac{85.5}{84.9}\times\frac{100}{100}\times\frac{3,840}{2,800}\fallingdotseq 860,000\text{千円}$$

（224,000円/㎡）

②　事例δ

建築工事費　事　時　品　面

$$595,000\text{千円}\times\frac{100}{100}\times\frac{85.5}{83.2}\times\frac{100}{105}\times\frac{3,840}{2,600}\fallingdotseq 860,000\text{千円}$$

（224,000円/㎡）

※　事例β及びγについては，規模，構造等が大きく異なるため不採用とした。

③　間接法による再調達原価

両事例は一致しているため，860,000千円（224,000円/㎡）と査定した。

⑶　再調達原価

対象建物の個別性を十分反映した直接法と，価格時点に近い建設事例を用いた間接法とを相互に関連づけ，再調達原価を860,000千円（224,000円/㎡）と査定した。

3．建物及びその敷地

1．＋2．＝960,000千円

Ⅱ．減価修正

1．土地

単独での減価は特になし。

2．建物

⑴ 耐用年数に基づく方法（残価率ゼロの定額法）

$$（主体）860,000千円\times0.7\times\frac{12}{12+28}=180,600千円$$

$$（付帯）860,000千円\times0.3\times\frac{12}{12+3}=206,400千円$$

計 387,000千円

⑵ 観察減価法

経年相応の減価であり，耐用年数に基づく方法と同額と判断した。

⑶ 減価額

両者を併用し，建物減価額を387,000千円と査定した。

3．建物及びその敷地

建物は敷地と適応し，環境と適合しており，建物及びその敷地一体としての減価はないと判断した。

4．減価額

1．＋2．＋3．＝387,000千円

Ⅲ．積算価格

以上より，再調達原価から減価額を控除して，積算価格を573,000千円と試算した。

	再調達原価		減価額		積算価格
土地	100,000千円	－	0円	＝	100,000千円
建物	860,000千円	－	387,000千円	＝	473,000千円
計	960,000千円		387,000千円		573,000千円

問3

B．収益還元法

指示事項により，実際実質賃料（８階空室部分は正常実質賃料）に基づく純収益を還元利回りで還元して，直接還元法による収益価格を試算する。

Ⅰ．純収益

1．総収益

(1) 貸室

① 稼働部分（１～７階）

・年額支払賃料

(307,173円＋323,000円＋721,050円×２＋306,850円＋300,390円＋716,000円×２＋570,000円)×12ヶ月＝56,178,156円

・敷金の運用益

(1,843,038円＋1,938,000円＋4,326,300円×２＋1,841,100円＋1,802,340円＋4,296,000円×２＋6,840,000円)×0.02※≒630,182円

※ 敷金を預り金的性格を有する一時金と判断し，運用利回りを市中金利の動向等より年利2.0%と査定した。

・計 56,808,338円

② 空室部分（８階）

対象不動産と類似する賃貸事例(あ)及び(い)に係る実際実質賃料に賃貸事例比較法を適用し，８階空室部分の正常実質賃料を査定する。

・賃貸事例(あ)

実際実質賃料：728,580円＋728,580円×６ヶ月×0.02÷12ヶ月≒735,866円

	事	時※	標	地	個	面	比準した賃料
735,866円	× 100/100	× 96.0/96.0	× 100/100	× 100/－	× 100/100	× 380/390	≒ 717,000円

(1,890円/㎡)

※ 新規賃料指数採用

・賃貸事例(い)

実際実質賃料：403,000円＋403,000円×６ヶ月×0.02÷12ヶ月＝407,030円

$$\begin{array}{l} \quad\quad\quad\quad\quad\quad 事 \quad\quad 時 \quad\quad 標 \quad\quad 地 \quad\quad 個 \quad\quad 面 \quad 比準した賃料 \\ 407{,}030円\times\frac{100}{100}\times\frac{96.0}{96.0}\times\frac{100}{120}\times\frac{100}{-}\times\frac{100}{100}\times\frac{380}{180}\fallingdotseq 716{,}000円 \end{array}$$

(1,890円/㎡)

※　賃貸事例(う)については，用途等が異なるため不採用とした。

・正常実質賃料

時点が新しく，専有面積も類似した事例(あ)を重視して，正常実質賃料を717,000円（月額）と査定した。

717,000円×12ヶ月＝8,604,000円（年額）

③　貸室収入計

①＋②＝65,412,338円

(2)　駐車場

①　使用料

16,000円/台×18台×12ヶ月＝3,456,000円

②　敷金の運用益

16,000円/台×18台×0.02＝5,760円

③　駐車場収入計

①＋②＝3,461,760円

(3)　総収益

(1)＋(2)＝68,874,098円

2．総費用

(1)　修繕費　860,000千円×0.012＝10,320,000円

(2)　維持管理費

8階空室部分に係る正常支払賃料をXとおく

717,000円＝X＋6X×0.02÷12ヶ月

X≒710,000円（月額）

$$\begin{array}{l} \quad\quad\quad\quad 8階 \quad\quad\quad\quad\quad 1〜7階 \quad\quad\quad\quad 駐車場 \\ (710{,}000円\times12ヶ月+56{,}178{,}156円+3{,}456{,}000円) \end{array}$$

＝68,154,156円（年額）

68,154,156円×0.03≒2,044,625円

(3)　公租公課（固定資産税及び都市計画税）

土地・建物合計4,950,000円（実額）

⑷　損害保険料　860,000千円×0.001＝860,000円

⑸　貸倒れ準備費　敷金により十分担保されているため計上しない。

⑹　空室等による損失相当額　68,874,098円×1/12＝5,739,508円

⑺　総費用

⑴～⑹計：23,914,133円（経費率約35%）

3．純収益

1．－2．＝44,959,965円

Ⅱ．還元利回り

1．類似の不動産の取引事例から求める方法

貸家及びその敷地の取引事例㈭（賃貸事例㈸）を採用し，取引利回りを査定する。

⑴　純収益

①　総収益

a．貸室部分

・年額支払賃料

(650,700円×７＋636,240円)×12ヶ月＝62,293,680円

・敷金の運用益

(3,904,200円×７＋7,634,880円)×0.02＝699,286円

b．駐車場部分

・使用料

15,000円/台×15台×12ヶ月＝2,700,000円

・敷金の運用益

15,000円/台×15台×１ヶ月×0.02＝4,500円

c．総収益

a．＋b．＝65,697,466円

②　総費用

a．修繕費

※　取引時点の建物再調達原価

$$561{,}000\text{千円}\times\underset{\text{事}}{\frac{100}{100}}\times\underset{\text{時}}{\frac{84.7}{83.6}}\fallingdotseq 568{,}000\text{千円}$$

568,000千円×0.01＝5,680,000円

b．維持管理費

(62,293,680円＋2,700,000円)×0.03≒1,949,810円

c．公租公課（固定資産税及び都市計画税）

土地・建物合計3,500,000円

d．損害保険料

568,000千円×0.001＝568,000円

e．貸倒れ準備費

敷金により担保されているので，計上しない。

f．空室等による損失相当額

65,697,466円×1/12＝5,474,789円

g．総費用

a．～f．計　17,172,599円（経費率約26%）

③　純収益

①－②＝48,524,867円

(2)　取引価格　661,000千円

(3)　取引利回り

48,524,867円÷661,000千円≒7.3%

2．借入金と自己資金に係る還元利回りから求める方法

5.0%×60%＋12.0%×40%＝7.8%

3．土地と建物等に係る還元利回りから求める方法

$$4.5\%\times\frac{100,000千円}{960,000千円}+8.0\%\times\frac{860,000千円}{960,000千円}\fallingdotseq 7.6\%$$

4．還元利回り

指示事項により，上記3利回りの平均値7.6%をもって還元利回りと査定した。

(7.3%＋7.8%＋7.6%）÷3≒7.6%

Ⅲ．収益価格

以上より，純収益を還元利回りで還元して，収益価格を以下のとおり試算した。

Ⅰ．÷Ⅱ．≒592,000千円

問4

C．試算価格の調整及び鑑定評価額の決定

Ⅰ．試算価格の調整

以上により　　A．積算価格　573,000千円
　　　　　　　B．収益価格　592,000千円

の2試算価格が得られた。

1．試算価格の再吟味

Aの積算価格は，費用性の観点から対象不動産の市場価値を求めたものである。再調達原価に当たり，土地については取引事例比較法により更地価格を適切に求め，建物については直接法及び間接法を併用して適切に求めた。減価修正に当たっても，対象不動産に係る各減価要因を耐用年数に基づく方法と観察減価法によって十分反映できた。

Bの収益価格は，収益性の観点から対象不動産の市場価値を求めたものであり，本件では，直接還元法を適用し，実際実質賃料に基づく純収益を還元利回りで還元して収益価格を試算した。空室部分については複数の賃貸事例から正常実質賃料を適切に求め，還元利回りについても複数の方法を併用して求めており，結果，豊富な資料に裏付けられた説得力ある価格が得られた。

2．試算価格が有する説得力に係る判断

⑴　対象不動産に係る地域分析及び個別分析の結果と各手法との整合性

市場分析より，B市内では近年駐車場だった土地をデベロッパーが取得してビルを建てたり，事務所ビルがJリートを運営する会社が組成したSPCに売却される等の動きがみられ，立地条件の優れた事務所ビルの空室率は低く，新規賃料も上昇傾向にある。このような中，対象不動産は稼働中の事務所ビルであり，典型的な市場参加者は，収益物件の取得を企図する投資家と考えられ，価格決定に当たっては収益性が重視されるものと判断される。

⑵　各手法の適用において採用した資料の特性及び限界からくる相対的信頼性

採用した資料の質と量は十分で，各手法の相対的信頼性は同程度と判断される。

(3) 総合的勘案事項

1．将来における賃料の改定の実現性とその程度

2．契約に当たって授受された一時金の額及びこれに関する契約条件

総収益の査定に当たり，預り金的性格の敷金について運用益を計上した。

3．将来見込まれる一時金の額及びこれに関する契約条件

4．契約締結の経緯，経過した借家期間及び残存期間並びに建物の残存耐用年数

経済的残存耐用年数の判定等を慎重に行った。

5．貸家及びその敷地の取引慣行並びに取引利回り

取引利回りを還元利回りに適切に反映した。

6．借家の目的，契約の形式，登記の有無，転借か否かの別及び定期建物賃貸借か否かの別

7．借家権価格

Ⅱ．鑑定評価額の決定

以上により，本件では収益価格を標準とし，積算価格を比較考量して，鑑定評価額を590,000千円と決定した。

本件鑑定評価額は，当該課税資産の譲渡につき課されるべき消費税を含まないものであり，また，敷金等の返還債務を買主が引き継ぐ場合には，取引に当たっての代金決済額は，上記鑑定評価額から敷金等を控除した金額となる。

以　上

解　説

本問は，原価法と収益還元法の２手法を適用させるもので，収益還元法については直接還元法のみ出題された。

配分法における建物価格査定，複数の建設事例を用いた建物再調達原価の査定，複数の賃貸事例を用いた正常実質賃料の査定，貸家の取引事例に係る取引利回りの査定等，異常なまでのボリュームに圧倒されたのではないかと思われる。２時間で解答するには論点の多すぎる問題で，旧３次試験に近い内容といえる。ただし，個々の論点はさほど難しいものではなく，ところどころ端折りながらでも，項目立てと計算根拠を明確にし，なんとか調整文までたどり着くことは可能であろう。

収益価格がやや高めに試算されるが，貸家及びその敷地であることから，収益価格を重視して鑑定評価額を決定するのが無難と思われる。

◇ 平成20年度・演習

問題　下記の〔資料等〕に記載の不動産（対象不動産）について，〔指示事項〕及び〔資料等〕に基づき，不動産の鑑定評価に関する次の問に答えなさい。

問１　対象不動産を確定しなさい。

問２　原価法による試算価格を求めなさい。

問３　取引事例比較法による試算価格を求めなさい。

問４　収益還元法による試算価格を求めなさい。

問５　問２，問３及び問４で求めた試算価格を調整して，対象不動産の鑑定評価額を決定しなさい。

　試算価格の調整に当たっては，本件鑑定評価において採用した鑑定評価手法及び採用した資料の有する特徴に応じた参酌を加え，本件鑑定評価に即して調整の過程を具体的に述べなさい。

〔指示事項〕

Ⅰ．共通事項

1．問２，問３及び問４における各手法の適用の過程で求める数値は，別に指示がある場合を除き，小数点第１位を四捨五入し，整数で求めること。ただし，試算価格，公示価格との規準による価格及び鑑定評価額については，上４桁目を四捨五入して上３桁を有効数字として求めること。

2．各事例等における価格等には消費税及び地方消費税は含まれないものとし，計算の過程においても消費税及び地方消費税は含めないで計算すること。

3．対象不動産及び取引事例等については，土壌汚染及び埋蔵文化財に関して価格形成に影響を与えるものは何ら存しないことが判明している。また，有害物質使用調査が実施されていて，アスベスト，PCB等の有害物質は使用あるいは貯蔵されていないことが確認されている。

4．土地及び建物の数量は，土地登記簿〔全部事項証明書〕及び建物登記簿〔全部事項証明書〕に記載されているものによる。

5．本件対象不動産は，自己居住用であり，不動産鑑定評価基準各論第三章は適用せずに評価は行われるものとする。

6．敷地権の内容，バルコニーやマンションの駐車場の専用使用権については，管理規約等を調べて概要を把握した。今回の評価に際しては影響がないことが判明している。

Ⅱ．問1について

対象不動産の確定に際しては，不動産鑑定評価基準によって答えなさい。

Ⅲ．問2について

1．一棟の建物及びその敷地の再調達原価

(1) 敷地（土地）価格の試算

① 土地価格は取引事例比較法を適用して求めなさい。

② 〔資料等〕XIII. 1に記載の各事例を用いて比準価格を求めること。なお，事例の選択要件を挙げ，不動産鑑定評価基準に照らして不採用とすべき事例があれば，その事例番号及び不採用とする理由を記載しなさい。

③ 事例の事情その他の内容は「対象不動産及び事例資料等の概要」等の記載事項より判断すること。

④ 取引事例が複合不動産の場合には，配分法を用いて更地価格を査定した上で比準しなさい。（建物の資料は〔資料等〕XIIIの4．事例建物の状況によること。）

⑤ 比準価格を求める場合の計算式と略号は次のとおりである（基準値を100とする）。

$$\text{取引事例における土地価格（更地としての価格）（総額）}\times\overset{\text{事}}{\frac{100}{\text{取引事例の取引事情に係る補正率}}}\times\overset{\text{時}}{\frac{\text{価格時点の地価指数}}{\text{取引時点の地価指数}}}\times\overset{\text{標}}{\frac{100}{\text{取引事例の個別的要因に係る評点}}}\times\overset{\text{地}}{\frac{100}{\text{取引事例の存する地域の地域要因に係る評点}}}\times\overset{\text{個}}{\frac{\text{対象地の個別的要因に係る評点}}{100}}\times\overset{\text{面}}{\frac{\text{対象地の面積}}{\text{取引事例の面積}}}=\text{手法適用により求めた価格}$$

各項の意味と略号

事：事情補正	**地**：地域要因の比較
時：時点修正	**個**：対象地の個別的要因の格差修正
標：取引事例の個別的要因の標準化補正	**面**：面積の比較

⑥　公示価格を規準とした価格を求める場合の計算式と略号は次のとおりである（基準値を100とする）。

$$\text{公示価格}\times\underset{\text{時}}{\frac{\text{価格時点の地価指数}}{\text{公示価格の価格時点の地価指数}}}\times\underset{\text{標}}{\frac{100}{\text{公示地の個別的要因に係る評点}}}\times\underset{\text{地}}{\frac{100}{\text{公示地の存する地域の地域要因に係る評点}}}\times\underset{\text{個}}{\frac{\text{対象地の個別的要因に係る評点}}{100}}\times\text{対象地の面積}=\text{公示価格を規準とした価格}$$

各項の意味と略号

時：時点修正　　　　　　　　　　　　**地**：地域要因の比較
標：公示地の個別的要因の標準化補正　**個**：対象地の個別的要因の格差修正

⑦　時点修正率の計算上における留意点は次のとおりである。

i　時点修正率は〔資料等〕XIVの地価指数により求め，少なくとも一つの取引事例について時点修正率の計算過程を明らかにすること。時点修正率計算上の特定の時点の指数は次の例のとおり求めることとし，小数点第２位以下を四捨五入し，小数点第１位までの数値を求めること。

（例）　平成20年１月１日の指数を100，平成20年７月１日の指数を102として，取引時点である平成20年５月15日の指数を求める場合。

$$\left\{\left[\frac{\text{平成20年7月1日の指数（102）}}{\text{平成20年1月1日の指数（100）}}-1\right]\times\frac{\text{平成20年1月1日〜平成20年5月15日の月数（4）}}{\text{平成20年1月1日〜平成20年7月1日の月数（6）}}+1\right\}\times\text{平成20年1月1日の指数（100）}$$

$$=\text{求める時点の指数（101.3）}$$

（小数点第二位以下四捨五入）

ii　時点修正率の計算における経過期間（月数）の算定については，下記の例のとおり，起算日（即日）の属する月を含まず，期間の末日（当日）の属する月を含めて計算する。

（例）　平成20年３月31日から平成20年８月１日までの期間の月数は５ヶ月
　　　平成20年４月１日から平成20年８月１日までの期間の月数は４ヶ月

(2)　建物価格の試算

①　建物の再調達原価を求めるに当たっては，直接法及び間接法を併用する。なお直接法については実際に要した建築費を標準建築費指数で時点修正する方法（変動率適用法）を採用し，間接法については複数の建設事例から比較して求めること。時点修正率は〔資料等〕XIVの標準建築費指数より求めること。

②　建物の再調達原価を建設事例から比較して求める場合の計算式と略号

は次のとおりである（基準値を100とする）。

2．一棟の建物及びその敷地の積算価格について

(1) 「一棟の建物及びその敷地」の再調達原価は，上記(1)及び(2)で求められた土地，建物それぞれの価額に，開発業者が負担する一般管理費等（販売費等を含む。）を加えて求めるものとする。

(2) 一般管理費等の額は，土地及び建物の再調達原価の20％相当額とする。

(3) 「一棟の建物及びその敷地」の積算価格は，「一棟の建物及びその敷地」の再調達原価に減価修正を行って求めること。この場合，建物の減価の程度は，概ね経年相応とし，一般管理費等は建物の主体部分と同様に減価修正すること。

(4) 建物の主体（本体）部分の耐用年数は45年，設備部分の耐用年数は15年とし，償却の方法はいずれも定額法を採用し，残価率は０とする。また，建物の主体部分と設備部分との構成割合は75：25とすること。

3．対象不動産の積算価格（本項の計算は，壁芯計算による建物専有面積を採用すること。）

(1) 対象不動産の積算価格は，「一棟の建物及びその敷地」の積算価格に階層別効用比及び位置別効用比により求められた配分率（以下それぞれ「階層別効用比率」，「位置別効用比率」という。）を乗じることにより求めること。

(2) (1)の階層別効用比及び位置別効用比の判定に当たっては，対象不動産と同じ向きの開口部を有する分譲マンション事例から判定すること。

(3) 階層別効用比及び位置別効用比は，対象不動産と同じ８階建で同じ方位の開口部を持つ住戸を基準として求めること。

(4) 階層別効用比及び位置別効用比は，〔資料等〕XVIの分譲事例ごとに，基準を100として，小数点以下第１位を四捨五入して整数で求め，さらに２

件以上の事例を用いて求めた場合には得られた数値の平均値を四捨五入して整数で算出すること。また，階層別効用比率及び位置別効用比率は，小数点以下第5位を四捨五入して求めること。

Ⅳ．問3について

1．〔資料等〕ⅩⅢ．2に記載の各事例を用いて比準価格を求めること。
2．取引事例比較法の適用における要因格差修正は〔資料等〕ⅩⅦに基づいて行うこと。
3．区分所有建物の比準価格を求める場合の計算式と略号は次のとおりである。（基準値を100とする。）

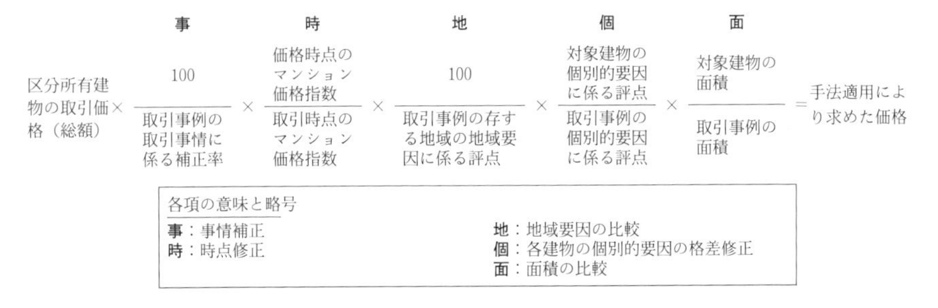

Ⅴ．問4について

1．直接，対象不動産である専有部分について収益還元法を適用すること。
2．対象不動産の資料を査定するには，賃貸事例から適正賃料を賃貸事例比較法を適用して求めること。
3．賃貸事例比較法の適用の際に用いる計算式と略号は次のとおりである（基準値を100とする）。

	事		**時**		**標**		**地**		**個**		**面**	
賃貸事例の月額実質賃料（総額）×	100 / 賃貸事例の賃貸事情に係る補正率	×	価格時点の賃料指数 / 賃貸時点の賃料指数	×	100 / 賃貸事例の個別的要因に係る評点	×	100 / 賃貸事例の存する地域の地域要因に係る評点	×	対象住戸の個別的要因に係る評点 / 100	×	対象住戸の契約面積 / 賃貸事例の契約面積	＝手法適用により求めた賃料

各項の意味と略号

事：事情補正
時：時点修正
標：賃貸事例の個別的要因の標準化補正
地：地域要因の比較
個：対象住戸の個別的要因の格差修正
面：面積の比較

4．⑴　一時金の運用利回りは，年２％としなさい。

⑵　礼金の運用益及び償却額は，償却期間２年，利回り２％とする元利均等償還率（＝0.51505）によりなさい。

5．本件の総費用（年額）は，次の通りである。

⑴　修繕費は，建物再調達原価の１％相当額である。

⑵　維持管理費（修繕費を除く。）は，年額実質賃料の３％相当額である。

⑶　公租公課（固定資産税及び都市計画税）の実額は，土地建物の合計で49,000円（年額）である。

⑷　損害保険料は，建物再調達原価の0.1％相当額である。

⑸　貸倒れ準備費は，敷金により担保されているので，計上しない。

⑹　空室等による損失相当額は，総収益の１／12とする。

6．還元利回りを求めるに当たっては，「類似の不動産の取引事例との比較から求める方法」，「借入金と自己資金に係る還元利回りから求める方法」及び「土地と建物に係る還元利回りから求める方法」から求めるものとし，ここでは三者の平均値をもって決定しなさい。

⑴「類似の不動産の取引事例との比較から求める方法」の適用に当たっては，選択することが妥当と判断される取引事例の中から選択して純収益を求め，当該純収益を取引価格で除して取引利回りを求めること。

⑵　還元利回りについては，一定期間内の取引について，用途毎，地域毎にほぼ一定の利回りであることが実態調査から判明しており，求められた取引利回りをもって，「類似の不動産の取引事例との比較から求める方法」の還元利回りとする。なお，当市内では地域別の利回りの品等格差は認められず，また，本年に入ってからは変動はないものとする。

⑶「借入金と自己資金に係る還元利回りから求める方法」の適用に当たっては，次のＹ市における賃貸用不動産における標準的な借入金割合等を適用するものとする。

○借入金割合　　60％

○借入金還元利回り　　４％

○自己資金還元利回り　　10％

⑷「土地と建物に係る還元利回りから求める方法」の適用に当たっては，土地の還元利回りは4.5％，建物の還元利回りは7.0％とする。土地・建物の割合は積算価格算定に当たり求めた各々の再調達原価における両者の割

合によりなさい。

(5) 求める還元利回りは，百分率（%）で表示し，小数点以下第2位を四捨五入して，第1位まで求めなさい。

Ⅵ．問5について

不動産鑑定評価基準に従って，試算価格を調整しなさい。

〔資料等〕

Ⅰ．依頼内容

本件は，「Y駅」徒歩圏にあるY中央マンション内の対象不動産について，売買の参考として，平成20年8月1日時点の現状での経済価値の判定のため，不動産鑑定士に鑑定評価を求めたものである。対象不動産の現況は，下記記載のとおりである。

Ⅱ．対象不動産の存する「一棟の建物及びその敷地」

(1) 土地　所在及び地番　X県Y市Z1丁目5番1
　　　　地目　宅地
　　　　地積　1,200.00㎡（土地登記簿〔全部事項証明書〕記載数量）

(2) 建物　所在　X県Y市Z1丁目5番地1
　　　　建物の名称　Y中央マンション
　　　　構造　鉄筋コンクリート造陸屋根地上8階建
　　　　建築年月日　平成8年8月1日
　　　　床面積

階	床面積
1階	450.00㎡
2階	450.00㎡
3階	450.00㎡
4階	450.00㎡
5階	450.00㎡
6階	450.00㎡
7階	450.00㎡
8階	450.00㎡
合計	3,600.00㎡

Ⅲ．対象不動産

⑴　建物専有部分の表示

家屋番号　　Ｚ１丁目５番１の503

建物の名称　503

種　　類　居宅

構　　造　鉄筋コンクリート造１階建

床面積　５階部分65.00㎡（建物登記簿〔全部事項証明書〕記載数量）

（注）壁芯計算による面積は67.35㎡である。

⑵　敷地権の表示（建物登記簿〔全部事項証明書〕記載事項）

敷地権の種類　所有権

敷地権の割合　278345分の6735

Ⅳ．所有者　Ｘ県Ｙ市Ｚ１丁目４番５号　Ａ野Ｂ介

Ⅴ．類型　区分所有建物及びその敷地（自用）

Ⅵ．依頼目的　売買の参考

Ⅶ．鑑定評価によって求める価格の種類　正常価格

Ⅷ．価格時点　平成20年８月１日

Ⅸ．その他の鑑定評価の条件　なし

Ⅹ．Ｙ市並びに近隣地域及び類似地域の概況及び対象不動産の管理の状況等

１．Ｙ市の概況

⑴　位置等

①　位置・面積　Ｘ県の南西部分に位置する。面積は約35㎢である。

②　沿革　江戸時代には城下町であった。明治時代に市制を敷き，戦後はＸ市のベッドタウンとして発展してきた。

⑵　人口等

① 人　口　約25万人。近年はほぼ横ばいで高齢化傾向が認められる。

② 世帯数　約13万世帯

⑶ 交通施設及び道路整備の状態

① 鉄　道　ＪＲ△△線がＹ市の市街地の中央を東西に縦断している。

② 道　路　国道がＪＲ△△線に並行して東西に縦断しているが，Ｙ市市街地部分ではＹバイパスとして市街地を迂回して走っている。また，バイパスに高速道路のＹ南インターチェンジが設けられている。その他，主要県道が敷設されており，道路網は整備されている。

⑷ 供給処理施設の状態

① 上水道　普及率はほぼ100%。

② 下水道　普及率はほぼ100%。

③ 都市ガス　普及率は約95%。

⑸ 土地利用の状況

① 商業施設　ＪＲ△△線Ｙ駅周辺にはスーパーマーケット，店舗，事務所ビルをはじめ商業施設の集積が見られる。それ以外では，バイパス沿いにコンビニエンスストア，大きな駐車場を備えたスーパーマーケット等が見られる。

② 住　　宅　Ｙ市はＪＲ△△線の各駅を中心に，市街地がＹ駅からその南側にかけて広がっており，徒歩圏においてはマンションが多く建ち並んでいる。バス通勤圏となると中心は一戸建住宅である。

⑹ 不動産取引市場の状況

① 不動産取引市場の状況

バブル景気崩壊後，長期にわたり地価は下落傾向にあったが，最近数年間はマンションブームになっていて，新築マンションの契約率（マンションの新規販売月における契約住戸数の販売住戸数に対する割合）も高率に推移し，不動産開発業者によるマンション建設用地取得の動きも活発であった。

新築マンションの売れ行きがよくなったら，買い替え等の動きが活発になって，中古マンションもよく売れるようになってきていた。

ただし，昨年夏以降マンションの売れ行きが悪くなってきており，今後の見通しについては慎重な意見が出るようになってきたが，まだ地価動向に変化は見られない。

当市内においても同様な動きを示している。

② 賃貸市場の状況

賃貸住宅について，バブル崩壊後は，空室が生じていたが，その後新規の賃貸住宅の供給が減少し，空室は徐々に埋まってきた。最近では，立地条件の悪い物件や，築年数のたった古い物件では空室も見られるが，駅に近い築年数の浅い物件はほぼ満室となっている。

賃料については，バブル崩壊後の空室が増えていた時期には下落傾向にあったが，空室がさほど見られなくなった最近では，ほぼ横ばい傾向にある。駅に近い新築賃貸マンション等においてはやや強気の新規募集賃料の設定も見受けられる。

2．対象不動産の管理の状況等

⑴ 一棟の建物及びその敷地の管理は，区分所有者全員で結成された管理組合より，管理業者へ委託されており，管理費は区分所有者が負担している。

⑵ 一棟の建物の共用部分，付属施設及び敷地の共有持分は専有部分の床面積割合による。

XI. 近隣地域及び類似地域等の概要

対象不動産の所在する近隣地域及びその類似地域等の地域的特性を略記すれば，以下のとおりである。

地　域	位置 （距離は駅からの直線距離による）	道路の状況	周辺の土地の利用状況	都市計画法等の規制で主要なもの	供給処理施設	標準的な画地規模	標準的使用
近隣地域	Y駅の南東方約380m～410m	幅員　20m 舗装県道	県道沿いに，中高層マンション，店舗付きマンションが建つ中高層住宅地域	第1種中高層住居専用地域 建ぺい率　60% 容積率　300% 準防火地域	上水道 下水道 都市ガス	700㎡ 程度	中高層 住宅地
A地域	Y駅の南東方約430m～470m	幅員　20m 舗装県道	県道沿いに，中高層マンション，店舗付きマンションが建つ中高層住宅地域	第1種中高層住居専用地域 建ぺい率　60% 容積率　300% 準防火地域	上水道 下水道 都市ガス	700㎡ 程度	中高層 住宅地
B地域	Y駅の南方約210m～270m	幅員　15m 舗装市道	駅から続く市道沿いに中高層マンション，店舗付きマンション，店舗が建つ地域	準住居地域 建ぺい率　60% 容積率　300% 準防火地域	上水道 下水道 都市ガス	500㎡ 程度	中高層 住宅地
C地域	Y駅の南方約290m～330m	幅員　15m 舗装市道	中高層マンション，一戸建住宅が建つ住宅地域	第1種中高層住居専用地域 建ぺい率　60% 容積率　200% 準防火地域	上水道 下水道 都市ガス	500㎡ 程度	中高層 住宅地
D地域	Y駅の南西方約290m～470m	幅員　20m 舗装県道	県道沿いに，中高層マンション，店舗付きマンションが建つ中高層住宅地域	第1種中高層住居専用地域 建ぺい率　60% 容積率　300% 準防火地域	上水道 下水道 都市ガス	300㎡ 程度	中高層 住宅地
E地域	Y駅の西方約280m～330m	幅員　15m 舗装市道	低層の一般住宅，小売店舗，マンション等が混在する地域	第1種中高層住居専用地域 建ぺい率　60% 容積率　200% 準防火地域	上水道 下水道 都市ガス	200㎡ 程度	中高層 住宅地
F地域	Y駅の南西方約120m～210m	幅員　12m 舗装市道	市道沿いの小売店舗，マンション等の連たんする地域	近隣商業地域 建ぺい率　80% 容積率　300% 準防火地域	上水道 下水道 都市ガス	300㎡ 程度	商住混在地
G地域	Y駅の南方約20m～100m	幅員　15m 舗装市道	駅前の物販店舗，飲食店舗，金融機関，事務所等が建ち並ぶ商業地域	商業地域 建ぺい率　80% 容積率　400% 防火地域	上水道 下水道 都市ガス	150㎡ 程度	商業地

XII．対象不動産，地価公示法による標準地，事例等の位置図

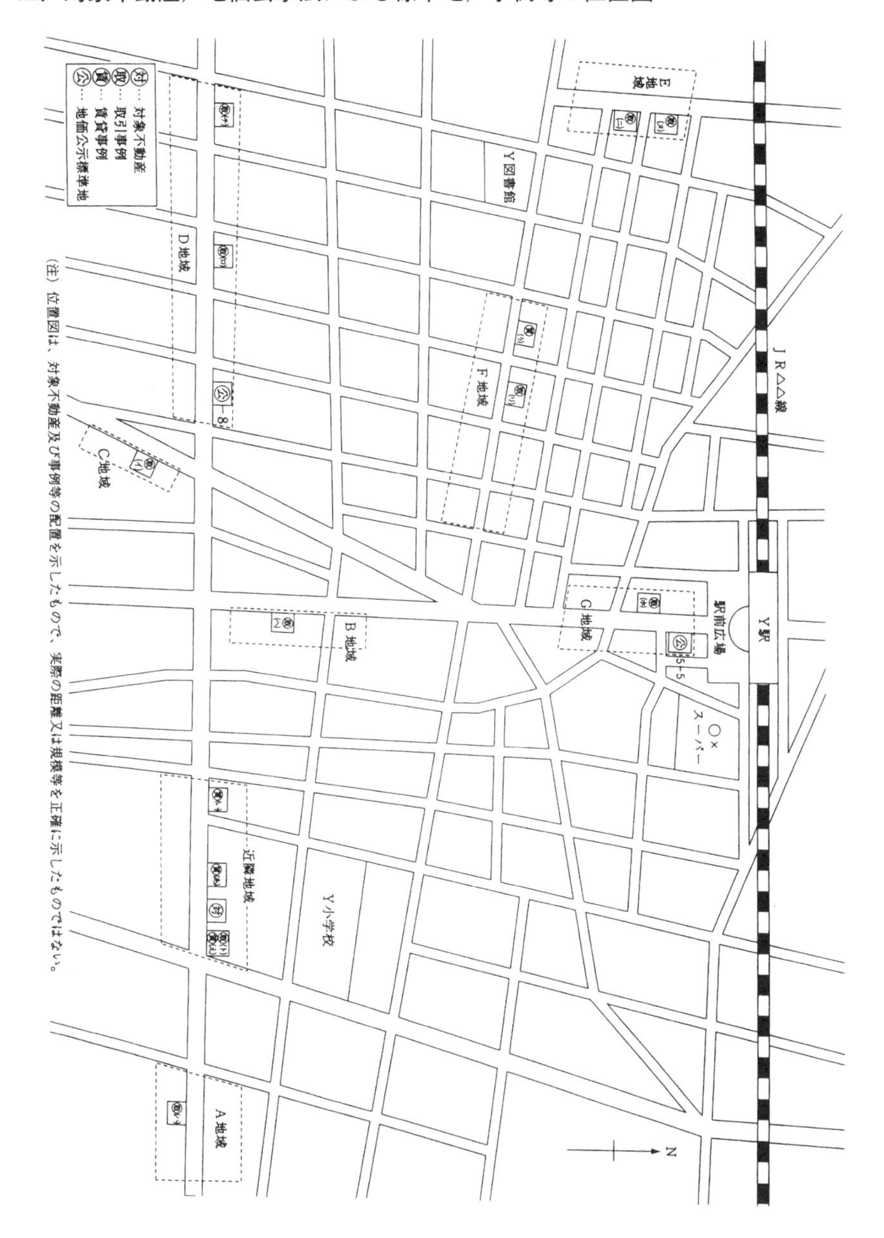

（注）位置図は、対象不動産及び事例等の配置を示したもので、実際の距離又は規模等を正確に示したものではない。

XIII. 対象不動産及び事例資料等の概要

1．取引事例等

事例区分	所在	類型	価格時点 取引時点	公示価格 取引価格	数量等	価格時点，取引時点における敷地の利用の現況	道路・供給処理施設の状況	駅からの道路距離	備考
対象不動産（一棟の建物及びその敷地）	近隣地域	区分所有建物及びその敷地	平成 20．8．1 価格時点	――	土地 1,200㎡ 建物延床面積 3,600㎡	鉄筋コンクリート造8階建共同住宅	南側 幅員 20m 舗装県道 水道 下水道 都市ガス	Y駅 南東方 約 400m	――
標準地－8	D 地 域	更地として	平成 20．1．1 価格時点	141,000円/㎡	350㎡	鉄筋コンクリート造5階建共同住宅	南側 幅員 20m 舗装県道 水道 下水道 都市ガス	Y駅 南西方 約 300m	地価公示法第6条の規定による標準地であり，利用の現況は当該標準地の存する地域における標準的使用と概ね一致する。
標準地 5－5	G 地 域	更地として	平成 20．1．1 価格時点	350,000円/㎡	150㎡	鉄骨造5階建事務所店舗	西側 幅員 15m 舗装市道 水道 下水道 都市ガス	Y駅 南方 約 30m	地価公示法第6条の規定による標準地であり，利用の現況は当該標準地の存する地域における標準的使用と概ね一致する。
事例(イ)	C 地 域	自用の建物及びその敷地	平成 20．3．7 取引時点	291,000,000円	土地 900㎡ 建物延床面積 1,500㎡	鉄筋コンクリート造5階建共同住宅	北西側 幅員 15m 舗装市道 水道 下水道 都市ガス	Y駅 南方 約 300m	Z社が経営破綻したために，競売にかけられた。一度目の競売では落札者があらわれず，2度目でようやく購入者が決まった。やや低めの価格で落札されたようである。
事例(ロ)	D 地 域	更地	平成 20．6．17 取引時点	40,000,000円	土地 250㎡	従前は駐車場として隣地所有者に賃貸されていたが，売却にあたり解約された。	南側 幅員 20m 舗装県道 水道 下水道 都市ガス	Y駅 南西方 約 400m	東側隣地所有者が，本件と併せてマンションを建てるために購入した。取引前に不動産鑑定士が鑑定評価した単独地としての価格よりも契約価格は10%高い価格であった。
事例(ハ)	A 地 域	自用の建物及びその敷地	平成 20．1．15 取引時点	489,000,000円	土地 850㎡ 建物延床面積 2,550㎡	鉄筋コンクリート造8階建共同住宅	北側 幅員 20m 舗装県道 水道 下水道 都市ガス	Y駅 南東方 約 450m	本物件はデベロッパーP社が建築したものである。P社は本物件を不動産鑑定士が鑑定評価した価格でY社に売却した。
事例(ニ)	E 地 域	自用の建物及びその敷地	平成 20．7．15 取引時点	66,800,000円	土地 350㎡ 建物延床面積 90㎡	木造2階建住宅	西側 幅員 15m 舗装市道 水道 下水道 都市ガス	Y駅 西方 約 300m	特別な事情はない。
事例(ホ)	G 地 域	貸家及びその敷地	平成 20．1．15 取引時点	860,000,000円	土地 875㎡ 建物延床面積 2,550㎡	鉄骨鉄筋コンクリート造8階建事務所	東側 幅員 15m 舗装市道 水道 下水道 都市ガス	Y駅 南方 約 50m	本件はテナントが入居している状態で取引された。取引に際して特別な事情は無い。

2．区分所有建物の取引事例等

事例区分	所在	類型	価格時点 取引時点	取引価格	①数量等 ②開口部 ③間取り	価格時点，取引時点における敷地の利用の現況・建築年月	道路・供給処理施設の状況	駅からの道路距離	備考
対象不動産	近隣地域	区分所有建物（自用）	平成20．8．1 価格時点	——	①専有面積 65.00㎡ 5階503号室 ②南，北面 ③2ＬＤＫ	鉄筋コンクリート造8階建共同住宅 平成8年8月	南側 幅員 20m 舗装県道 水道 下水道 都市ガス	Y駅 南東方 約 400m	——
事例(ヘ)	B 地域	区分所有建物（自用）	平成20．6．17 取引時点	15,000,000円	①専有面積 75.65㎡ 8階803号室 ②西，東面 ③3ＬＤＫ	鉄骨鉄筋コンクリート造8階建共同住宅 平成12年5月	西側 幅員 15m 舗装市道 水道 下水道 都市ガス	Y駅 南方 約 250m	所有企業が当該企業の従業員に譲渡した。取引価格はやや低いと思われる。
事例(ト)	近隣地域	区分所有建物（貸家）	平成20．1．27 取引時点	14,500,000円	①専有面積 65.15㎡ 4階402号室 ②南，北面 ③2ＬＤＫ	鉄骨鉄筋コンクリート造8階建共同住宅 平成5年8月	南側 幅員 20m 舗装県道 水道 下水道 都市ガス	Y駅 南東方 約 410m	取引に特別な事情はない。
事例(チ)	D 地域	区分所有建物（自用）	平成20．7．15 取引時点	13,300，000円	①専有面積 60.85㎡ 6階602号室 ②南，北面 ③2ＬＤＫ	鉄骨鉄筋コンクリート造8階建共同住宅 昭和60年8月	南側 幅員 20m 舗装県道 水道 下水道 都市ガス	Y駅 南西方 約 450m	取引に特別な事情はない。
事例(リ)	F 地域	区分所有建物（自用）	平成20．1．15 取引時点	14,500,000円	①専有面積 78.50㎡ 3階303号室 ②南，北面 ③3ＬＤＫ	鉄骨鉄筋コンクリート造8階建共同住宅 平成15年8月	南側 幅員 12m 舗装市道 水道 下水道 都市ガス	Y駅 南西方 約 180m	所有者が自己破産し，競売にかけられた。所有者とは異なる，居住のための権原の不明瞭な占有者がいたようで，落札価格はかなり低かった。
事例(ヌ)	E 地域	区分所有建物（自用）	平成20．2．1 取引時点	19,000,000円	①専有面積 83.65㎡ 5階502号室 ②南，北面 ③3ＬＤＫ	鉄筋コンクリート造7階建共同住宅 平成18年8月	西側 幅員 15m 舗装市道 水道 下水道 都市ガス	Y駅 西方 約 300m	取引に特別な事情はない。

3．賃貸事例

事例区分	所　在	種　類	賃貸時点	支払賃料等	物件の規模等	賃貸時点における敷地の利用の現況	駅からの道路距離	備　考
事例(あ)	近隣地域	新規賃料	平成 20．4．1 賃貸時点	月額支払賃料等 契約内容の詳細は〔資料等〕XIX参照	土地 1,880㎡ 建物延床面積 3,755㎡	鉄筋コンクリート造 8階建共同住宅	Y駅 南東方 約 400m	自用地上に賃貸マンションを建築して，賃貸に供した。平成20年4月1日に募集を開始し，平成20年5月20日までに全ての契約を終えた。
事例(い)	近隣地域	新規賃料	平成 20．6．1 賃貸時点	月額支払賃料等 契約内容の詳細は〔資料等〕XIX参照	土地 867㎡ 建物延床面積 2,600㎡	鉄筋コンクリート造 8階建共同住宅	Y駅 南東方 約 380m	分譲マンションの一室。平成20年6月1日に契約した。
事例(う)	F 地 域	新規賃料	平成 20．7．1 賃貸時点	月額支払賃料等 契約内容の詳細は〔資料等〕XIX参照	土地 195㎡ 建物延床面積 390㎡	鉄骨造2階建店舗	Y駅 南西方 約 200m	賃貸店舗。平成20年7月1日に契約した。

4．事例建物の状況

事例区分	建築時点	建築工事費	数　量　等	建物構造・用途	施工の質	価格時点現在の経済的残存耐用年数	設備の良否	昇降機設備	近隣地域との適合性，建物と敷地との適応性
事例(イ)	平成 7．5．1 建築時点	386,000,000円	建築面積 300㎡ 延床面積 1,500㎡	鉄筋コンクリート造5階建共同住宅	中級	主体部分28年 設備部分3年	やや劣る	あり	環境と適合し，敷地と適応している。
事例(ハ)	平成 10．4．1 建築時点	648,000,000円	建築面積 320㎡ 延床面積 2,550㎡	鉄筋コンクリート造8階建共同住宅	中級	主体部分30年 設備部分5年	普通	あり	環境と適合し，敷地と適応している。
事例(ニ)	平成 20．7．15 建築時点	15,300,000円	建築面積 45㎡ 延床面積 90㎡	木造2階建住宅	中級	主体部分25年 設備部分15年	普通	なし	環境と適合し，敷地とほぼ適応している。
事例(ホ)	平成 19．8．1 建築時点	561,000,000円	建築面積 330㎡ 延床面積 2,550㎡	鉄骨鉄筋コンクリート造8階建事務所	中級	主体部分39年 設備部分14年	良好	あり	環境と適合し，敷地と適応している。

（注1）　鉄骨鉄筋コンクリート造，鉄筋コンクリート造，鉄骨造においては，建築費に占める主体部分と設備部分の割合は75：25である。木造建物においては建築費に占める主体部分と設備部分の割合は80：20である。

（注2）　価格時点において事例内容を調査した結果，建物の減価の程度はいずれも概ね経年相応である。

5．建設事例の概要

事例区分	所　在	建築時点	建築工事費	数量等	建物構造・用途	施工の質	建物竣工時点での経済的耐用年数	設備の良否	昇降機設備	近隣地域との適合性，建物と敷地との適応性	価格時点における建物の面積以外の個別的要因の比較評点（注1）
事例α	近隣地域	平成　16．4．1	550,000,000円	建築面積 350㎡ 延床面積 2,800㎡	鉄筋コンクリート造8階建共同住宅	中級	主体部分45年 設備部分15年	良好	あり	環境と適合し，敷地と適応している。	100
事例β	A地域	平成　17．6．1	650,000,000円	建築面積 350㎡ 延床面積 2,500㎡	鉄骨鉄筋コンクリート造8階建店舗兼事務所	中級	主体部分45年 設備部分15年	良好	あり	環境と適合し，敷地と適応している。	100
事例γ	B地域	平成　18．7．1	38,000,000円	建築面積 90㎡ 延床面積 180㎡	鉄骨造2階建店舗兼住宅	中級	主体部分30年 設備部分15年	普通	なし	環境と適合し，敷地と適応している。	85
事例δ	D地域	平成　18．6．1	534,000,000円	建築面積 350㎡ 延床面積 2,600㎡	鉄筋コンクリート造8階建共同住宅	中級	主体部分45年 設備部分15年	良好	あり	環境と適合し，敷地と適応している。	105

（注1）　対象不動産に係る建物を100とした場合の比較評点である。
（注2）　いずれも建築費に占める主体部分と設備部分の割合は75：25である。

XIV. 地価指数，中古マンション価格指数，標準建築費指数及び賃貸住宅の新規賃料指数の推移

Y市における中高層住宅地の地価指数，中古マンション価格指数，中高層共同住宅（鉄筋コンクリート造）の標準建築費指数，対象不動産と構造，規模，用途等が類似する同一需給圏内の賃貸住宅の新規賃料指数の推移は，次のとおりである。なお，平成20年1月1日以降の動向は，平成19年7月1日から平成20年1月1日までの推移とそれぞれ同じ傾向を示している。

区分 地域 年月日	地価指数								中古マンション価格指数	標準建築費指数	賃貸住宅の新規賃料指数
	近隣地域	A地域	B地域	C地域	D地域	E地域	F地域	G地域			
平成7.1.1										100	
8.1.1										98.5	
9.1.1										98.1	
10.1.1										95.7	
11.1.1										93.5	
12.1.1										91.6	
13.1.1										90.4	
14.1.1										88.1	
15.1.1										85.3	
16.1.1										83.8	
17.1.1										83.0	
18.1.1	100	100	100	100	100	100	100	100	100	83.2	100
18.7.1	99	99	99	99	99	99	99	99	99	83.5	98
19.1.1	98	98	98	99	99	98	98	98	98	84.0	97
19.7.1	98	97	97	98	98	98	98	98	97	84.7	96
20.1.1	100	99	99	100	100	100	101	101	99	85.5	96

（注） 鉄骨造及び鉄骨鉄筋コンクリート造の共同住宅の標準建築費指数も，中高層共同住宅（鉄筋コンクリート造）と同様の変動であった。

XV. 地域要因及び土地の個別的要因の比較

事例等 / 地域 / 比較項目	対象不動産	標準地－8	標準地5－5	事例(イ)	事例(ロ)	事例(ハ)	事例(ニ)	事例(ホ)
	近隣地域	D地域	G地域	C地域	D地域	A地域	E地域	G地域
地域要因	100	101	178	104	101	99	104	178
土地の個別的要因	105	105	100	102	105	100	103	100

（注１） 地域要因の比較については，近隣地域の評点を100とし，他の地域は近隣地域と比較してそれぞれの評点を付したものである。

（注２） 土地の個別的要因の比較については，それぞれの地域において標準的と認められる画地の地積以外の評点を100とし，これと事例地等とを比較し，それぞれの評点を付したものである。

XVI. マンション分譲事例の概要

1．マンション分譲事例(1)の概要は次のとおり。

開発面積	1,880㎡
有効面積	1,880㎡
建物	鉄筋コンクリート造8階建共同住宅
分譲戸数	48戸
平均専有面積	74.33㎡
専有面積合計	3,568㎡
販売総額	1,265,440,000円
建築面積	500㎡
建築延面積	3,759㎡
建築工事費	752,000,000円 （着工時点・平成20年１月８日における）

○分譲に関する情報は次のとおり。

分譲年月日：平成20年３月15日

分譲状況：即日完売

個別分譲価格は以下価格表参照（価格には建物消費税額を含まない。）

南面（バルコニー側より）　　単位：万円

8階	3,028	2,490	2,490	2,490	2,490	3,085
7階	3,018	2,480	2,480	2,480	2,480	3,075
6階	3,008	2,470	2,470	2,470	2,470	3,065
5階	2,998	2,460	2,460	2,460	2,460	3,055
4階	2,988	2,450	2,450	2,450	2,450	3,045
3階	2,968	2,430	2,430	2,430	2,430	3,025
2階	2,948	2,410	2,410	2,410	2,410	3,005
1階	2,928	2,390	2,390	2,390	2,390	2,985
専有面積	Bタイプ 83㎡	Cタイプ 70㎡	Dタイプ 70㎡	Cタイプ 70㎡	Dタイプ 70㎡	Aタイプ 83㎡
開口部	南・西・北	南・北	南・北	南・北	南・北	南・東・北

＊面積は壁芯計算による

2．マンション分譲事例(2)の概要は次のとおり。

開発面積　875㎡
有効面積　875㎡
建　　物　鉄筋コンクリート造8階建共同住宅
分譲戸数　32戸
平均専有面積　77.75㎡
専有面積合計　2,488㎡
販売総額　822,800,000円
建築面積　370㎡
建築延面積　2,600㎡
建築工事費　510,000,000円
（着工時点・平成20年3月1日における）

○分譲に関する情報は次のとおり。

分譲年月日：平成20年7月15日
分譲状況：即日完売
個別分譲価格は以下価格表参照（価格には建物消費税額を含まない。）

南面（バルコニー側より）　　　単位：万円

8階	2,715	2,413	2,413	2,934
7階	2,705	2,403	2,403	2,924
6階	2,695	2,393	2,393	2,914
5階	2,685	2,383	2,383	2,904
4階	2,665	2,363	2,363	2,884
3階	2,645	2,343	2,343	2,864
2階	2,625	2,323	2,323	2,844
1階	2,605	2,303	2,303	2,824
専有面積	Bタイプ 80㎡	Cタイプ 73㎡	Dタイプ 73㎡	Aタイプ 85㎡
開口部	南・西・北	南・北	南・北	南・東・北

＊面積は壁芯計算による

3．対象不動産の住戸別専有面積は次のとおり。

南面（バルコニー側より）

8階	801号室	802号室	803号室	804号室	805号室	806号室
7階	701号室	702号室	703号室	704号室	705号室	706号室
6階	601号室	602号室	603号室	604号室	605号室	606号室
5階	501号室	502号室	503号室	504号室	505号室	506号室
4階	401号室	402号室	403号室	404号室	405号室	406号室
3階	301号室	302号室	303号室	304号室	305号室	306号室
2階	201号室	202号室	203号室	204号室	205号室	206号室
1階	101号室	102号室	エントランス	103号室	104号室	105号室
専有面積	Bタイプ 74㎡	Cタイプ 70㎡	Dタイプ 67.35㎡	Cタイプ 70㎡	Dタイプ 70㎡	Aタイプ 75㎡
開口部	南・西・北	南・北	南・北	南・北	南・北	南・東・北

＊面積は壁芯計算による

XVII．区分所有建物の要因の比較

事例等／地域／比較項目	対象不動産	事例(ヘ)	事例(ト)	事例(チ)	事例(リ)	事例(ヌ)
	近隣地域	B地域	近隣地域	D地域	F地域	E地域
地域（外的）要因	100	105	100	98	95	102
建物の個別的要因	100	100	100	98	100	100

（注1）　地域（外的）要因の比較については，区分所有建物の存する立地条件

について，近隣地域の評点を100とし，他の地域は近隣地域と比較してそれぞれの評点を付したものである。（必ずしも，不動産取引における土地の地域格差とは一致しない。）

（注２） 建物の個別的要因の比較については，建物の内部における要因について，建物の築年，設備，間取り，管理の状態等を総合的に考慮し，それぞれの評点を付したものであり，階層の差，位置の差等，価格に差を生じさせる要因はすべて包含している。

XVIII．賃貸事例の要因比較表（格差率の査定）

補正項目 ＼ 事例等	対象不動産	賃貸事例(あ)	賃貸事例(い)	賃貸事例(う)
賃貸条件補正（事）	100	100	100	100
賃料に関する地域要因格差（地）	100	100	100	150
個別的要因に係る評点（個）	100	105	101	95

（注１） 要因比較については，対象不動産の評点を100とし，賃貸事例(あ)〜(う)と比較して，それぞれの評点を付したものである。

（注２） 地域要因格差は，各物件の外部条件に係わる格差を示している。（必ずしも，不動産取引における土地の地域格差とは一致しない。）

（注３） 個別的要因の比較については，マンション等の賃貸借において重視される建物の築年，設備，間取り，管理の状態等を総合的に考慮し，評点を査定している。

XIX．賃貸事例の契約内容等

賃貸事例の契約内容等は以下の通りであり，その賃貸事例は，対象不動産の所在する近隣地域及びその類似地域における標準的な賃貸借の条件において契約されたものである。

１．賃貸事例(あ)

近隣地域内に所在する。鉄筋コンクリート造８階建共同住宅の７階部分。平成５年５月に竣工。

賃貸時点：平成20年４月１日契約。

月額支払賃料：98,000円，礼金，敷金の額は各月額支払賃料の１ヶ月分。

契約面積65㎡。

2．賃貸事例(い)

近隣地域内に所在する。鉄筋コンクリート造8階建共同住宅の2階部分。平成16年5月に竣工。

賃貸時点：平成20年6月1日契約。

月額支払賃料：83,000円，礼金，敷金の額は各月額支払賃料の1ヶ月分。契約面積57.35㎡。

3．賃貸事例(う)

駅前に位置する鉄骨造2階建店舗の1階部分。平成15年3月に竣工。

賃貸時点：平成20年7月1日契約。

月額支払賃料：355,580円，敷金の額は月額支払賃料の12ヶ月分。契約面積150㎡。

4．賃貸事例(え)（本物件は，取引事例(ト)と同一物件である。）

近隣地域内に所在する。鉄筋コンクリート造8階建共同住宅の4階部分。平成5年8月に竣工。

賃貸時点：平成20年1月10日契約。

月額支払賃料：95,000円，礼金，敷金の額は各月額支払賃料の1ヶ月分。契約面積65.15㎡。

なお，賃貸事例(え)は，平成20年1月27日に14,500千円でテナントが入居した状態で取引された。取引に際して特段の事情はない。本件取引利回りは，市内の賃貸マンションの標準的な取引利回りと判断される。

なお，本件賃貸借における総費用（年額）は251,500円である。

XX．対象不動産の工事費について

対象不動産は，平成8年8月1日に竣工した。工事費は，830,000,000円であった。

以　上

解答例

問1

I．物的事項

1．一棟の建物及びその敷地

(1) 土地　所在及び地番：　X県Y市Z 1丁目5番1

地目：　宅地

地積：　1,200.00㎡（土地登記簿〔全部事項証明書〕記載数量）

(2) 建物　所在：　X県Y市Z 1丁目5番地1

建物の名称：　Y中央マンション

構造：　鉄筋コンクリート造陸屋根地上8階建

建築年月日：　平成8年8月1日

床面積：

1階	450.00㎡
2階	450.00㎡
3階	450.00㎡
4階	450.00㎡
5階	450.00㎡
6階	450.00㎡
7階	450.00㎡
8階	450.00㎡
合計	3,600.00㎡

2．対象不動産

(1) 建物専有部分　家屋番号：　Z1丁目5番1の503

建物の名称：　503

種類：　居宅

構造：　鉄筋コンクリート造1階建

床面積：　5階部分65.00㎡（建物登記簿〔全部事項証明書〕記載数量）

（注）　壁芯計算による面積は67.35㎡であるが，本件評価においては原則として登記簿記載面積を採用する。

(2) 敷地権　敷地権の種類：　所有権

敷地権の割合：　278345分の6735

Ⅱ．権利の態様に関する事項

1．評価の対象となった権利：　所有権（区分所有権）

2．所有権以外の権利：　使用収益を制約する権利は付着していない

以上より，対象不動産の類型を区分所有建物及びその敷地（建物は自用，敷地は共有）と確定した。

問2

原価法，取引事例比較法及び収益還元法を適用して求めた試算価格を調整の上，鑑定評価額を決定する。

事例資料等は投機性のない適正なもので，かつ，①場所的同一性，②事情の正常性又は正常補正可能性，③時間的同一性，④要因比較可能性の事例適格4要件を全て具備するものを，賃貸事例についてはさらに契約内容の類似性をも具備するものを選択する。

A．原価法

一棟の建物及びその敷地の積算価格に階層別・位置別の効用比に基づく配分率を乗じて，対象不動産の積算価格を試算する。

Ⅰ．一棟の建物及びその敷地の積算価格

一棟の建物及びその敷地の再調達原価を求め，これに減価修正を行って積算価格を査定する。

1．再調達原価

土地，建物の再調達原価に一般管理費等を加算し，再調達原価を査定する。

(1)　土地

指示事項より，取引事例比較法を適用し，公示価格を規準とした価格との均衡に留意して更地価格を査定する。

①　比準価格

事例適格4要件を具備した取引事例(ロ)，(ハ)及び(ニ)を採用し，比準価格を査定する。

※　不採用事例とその理由

事例(イ)：　競売により割安で落札された事例であるが，事情補正率等が不明。

事例(ホ)：　貸家及びその敷地の取引事例で類型が異なる。また

地域特性も異なる。

a．事例(ロ)

$$40{,}000\text{千円}\times\underset{\text{事(※1)}}{\frac{100}{110}}\times\underset{\text{時(※2)}}{\frac{102.4}{101.7}}\times\underset{\text{標}}{\frac{100}{105}}\times\underset{\text{地}}{\frac{100}{101}}\times\underset{\text{個}}{\frac{105}{100}}\times\underset{\text{面}}{\frac{1{,}200}{250}}\fallingdotseq 174{,}000\text{千円}$$

（145,000円／㎡）

（※1） 隣地併合に係る限定価格水準での取引のため，10％減額補正。

（※2） 時点修正率査定根拠（地価指数採用）

価格時点（H20．8）$\left\{\left(\frac{100}{98}-1\right)\times\frac{7}{6}+1\right\}\times 100\fallingdotseq 102.4$

取引時点（H20．6）$\left\{\left(\frac{100}{98}-1\right)\times\frac{5}{6}+1\right\}\times 100\fallingdotseq 101.7$

以下，同様の方法により査定し，根拠の記述は省略。

b．事例(ハ)

複合不動産の取引事例であるが，敷地が最有効使用の状態にあるので，配分法を適用する。

※　建物価格の査定（原価法を準用）

イ．再調達原価（直接法）

$$648{,}000\text{千円}\times\underset{\text{事}}{\frac{100}{100}}\times\underset{\text{時}}{\frac{85.5}{95.2}}\fallingdotseq 582{,}000\text{千円}$$（228,000円／㎡）

ロ．減価修正

・耐用年数に基づく方法（定額法採用，残価率０）

主体：$582{,}000\text{千円}\times 0.75\times\frac{10}{10+30}\fallingdotseq 109{,}000\text{千円}$

付帯：$582{,}000\text{千円}\times 0.25\times\frac{10}{10+5}= 97{,}000\text{千円}$

計　206,000千円

・観察減価法

経年相応の減価と判断し，耐用年数に基づく方法による減価額と同額と査定。

・減価額

建物の減価額を206,000千円と査定した。

ハ．事例建物価格

582,000千円 － 206,000千円 ＝ 376,000千円

※ 更地価格

取引価格 建物価格 更地価格

489,000千円 － 376,000千円 ＝ 113,000千円

事 時 標 地 個 面

$$113,000千円\times\frac{100}{100}\times\frac{101.4}{99.0}\times\frac{100}{100}\times\frac{100}{99}\times\frac{105}{100}\times\frac{1,200}{850}\fallingdotseq 173,000千円$$

（144,000円／㎡）

c．事例(ニ)

複合不動産の取引事例であるが，敷地が概ね最有効使用の状態にあるので，配分法を適用する。

※ 建物価格の査定（原価法を準用）

イ．再調達原価（直接法）

事 時

$$15,300千円\times\frac{100}{100}\times\frac{86.3}{86.3}=15,300千円$$（170,000円／㎡）

ロ．減価修正

新築かつ最有効使用であるため，減額はなしと判断した。

ハ．事例建物価格

15,300千円 － 0円 ＝ 15,300千円

※ 更地価格

取引価格 建物価格 更地価格

66,800千円 － 15,300千円 ＝ 51,500千円

事 時 標 地 個 面

$$51,500千円\times\frac{100}{100}\times\frac{102.4}{102.0}\times\frac{100}{103}\times\frac{100}{104}\times\frac{105}{100}\times\frac{1,200}{350}\fallingdotseq 174,000千円$$

（145,000円／㎡）

d．比準価格

以上より3価格を得た。事例(ロ)は規模が小さく，また隣地併合に係る限定価格水準での取引であること，事例(ニ)は規模が小さく，また木造一般住宅に係る事例であること等から，ともに規範性はやや劣る。一方，事例(ハ)は複合不動産に係る事例であるが，適切に配分

法を施しており，規模も対象地と類似していることから規範性が高い。よって事例(ハ)を重視して，比準価格を173,000千円（144,000円／㎡）と査定した。

② 公示価格（標準地－8）との規準により求めた価格

※ 標準地5－5は規模が小さく最有効使用が異なること，地域的特性が異なること等から不採用とした。

$$141,000円／㎡\times\underset{時}{\frac{102.4}{100.0}}\times\underset{標}{\frac{100}{105}}\times\underset{地}{\frac{100}{101}}\times\underset{個}{\frac{105}{100}}\times1,200㎡\fallingdotseq172,000千円$$

（143,000円／㎡）

③ 更地価格

比準価格は，実際に市場で発生した取引事例を価格判定の基礎としており，実証的かつ客観的な価格である。本件では，対象地と代替関係の認められる複数の事例を採用しており，その精度は高いものと判断する。また公示価格を規準とした価格との均衡も得ており妥当である。

よって比準価格173,000千円（144,000円／㎡）をもって更地価格と査定した。

(2) 建物

指示事項より，直接法及び間接法を併用し，再調達原価を査定する。

① 直接法

$$830,000千円\times\underset{事}{\frac{100}{100}}\times\underset{時}{\frac{86.4}{98.3}}\fallingdotseq730,000千円（203,000円／㎡）$$

② 間接法

※ 不採用事例とその理由

事例(β)： 建物用途が異なる。

事例(γ)： 建物用途，構造等が大きく異なる。

a．事例(α)

$$550,000千円\times\underset{事}{\frac{100}{100}}\times\underset{時}{\frac{86.4}{83.6}}\times\underset{個}{\frac{100}{100}}\times\underset{面}{\frac{3,600}{2,800}}\fallingdotseq731,000千円$$

（203,000円／㎡）

b．事例（δ）

$$534,000\text{千円}\times\overset{\text{事}}{\frac{100}{100}}\times\overset{\text{時}}{\frac{86.4}{83.4}}\times\overset{\text{個}}{\frac{100}{105}}\times\overset{\text{面}}{\frac{3,600}{2,600}}\fallingdotseq 730,000\text{千円}$$

（203,000円／㎡）

c．間接法による価格

両事例は概ね均衡しているが，建築時点の新しい事例（δ）を重視して730,000千円（203,000円／㎡）と査定した。

③　建物の再調達原価

対象建物の個別性を十分反映した直接法と，価格時点に近い建設事例を用いた間接法とを相互に関連づけ，再調達原価を730,000千円（203,000円／㎡）と査定した。

⑶　一般管理費等

指示事項より，一般管理費等として土地・建物再調達原価の20％を計上した。

（173,000千円＋730,000千円）×0.20≒181,000千円

⑷　合計

⑴＋⑵＋⑶＝1,084,000千円

2．減価修正

⑴　土地

単独での減価は特になし。

⑵　建物

①　耐用年数に基づく方法（残価率ゼロの定額法）

$$\text{主体}：730,000\text{千円}\times 0.75\times\frac{12}{12+33}=146,000\text{千円}$$

$$\text{付帯}：730,000\text{千円}\times 0.25\times\frac{12}{12+3}=146,000\text{千円}$$

計　292,000千円

②　観察減価法

経年相応の減価と判断し，耐用年数に基づく方法による減価額と同額と査定。

③　減価額

両者を併用し，建物の減価額を292,000千円と査定した。

⑶　一般管理費等

指示事項より，建物主体部分と同様の減価率をもって減価額を査定。

$$181{,}000\text{千円} \times \frac{12}{12+33} \fallingdotseq 48{,}000\text{千円}$$

⑷　建物及びその敷地

建物は敷地と適応し，環境と適合しており，建物及びその敷地一体としての減価はないと判断した。

⑸　減価額合計

⑴＋⑵＋⑶＋⑷＝340,000千円

3．積算価格

以上より，再調達原価から減価額を控除して，一棟の建物及びその敷地の積算価格を744,000千円と査定した。

	再調達原価		減価額		積算価格
土地	173,000千円	−	0円	＝	173,000千円
建物	730,000千円	−	292,000千円	＝	438,000千円
一般管理費等	181,000千円	−	48,000千円	＝	133,000千円
計	1,084,000千円		340,000千円		744,000千円

Ⅱ．配分率

1．階層別効用比率

⑴　階層別効用比

対象不動産と同じ8階建マンションの分譲事例⑴及び⑵に係る南・北開口部を有する住戸（Dタイプ）の階層別分譲価格比を用いて対象建物の階層別効用比を査定した。

	事例(1)		事例(2)		
階層	分譲単価（円／㎡）	階層別効用比①	分譲単価（円／㎡）	階層別効用比②	階層別効用比（①＋②）÷2
8階	355,714	101	330,548	101	101
7階	354,286	101	329,178	101	101
6階	352,857	100	327,808	100	100
5階	351,429	100	326,438	100	100
4階	350,000	100	323,699	99	100
3階	347,143	99	320,959	98	99
2階	344,286	98	318,219	97	98
1階	341,429	97	315,479	97	97

※　5階住戸を基準（100）とした。

(2)　階層別効用比率

階層	①専有面積※（㎡）	②階層別効用比	③階層別効用積数①×②	④階層別効用比率③÷Σ③
8階	426.35	101	43,061	
7階	426.35	101	43,061	
6階	426.35	100	42,635	
5階	426.35	100	42,635	0.1281
4階	426.35	100	42,635	
3階	426.35	99	42,209	
2階	426.35	98	41,782	
1階	359.00	97	34,823	
計	3,343.45		332,841	

※　壁芯計算面積を採用した。

2．位置別効用比率

⑴　位置別効用比

対象不動産と同じ8階建マンション分譲事例⑴及び⑵に係る5階部分の各住戸の分譲価格比を用いて対象建物の位置別効用比と査定した。

	事例⑴		事例⑵		
タイプ	分譲単価（円／㎡）	位置別効用比①	分譲単価（円／㎡）	位置別効用比②	位置別効用比（①＋②）÷2
Bタイプ	361,205	103	335,625	103	103
Cタイプ	351,429	100	326,438	100	100
Dタイプ	351,429	100	326,438	100	100
Aタイプ	368,072	105	341,647	105	105

※　Dタイプを基準（100）とした。

⑵　位置別効用比率

部屋	① 専有面積※（㎡）	② 位置別効用比	③ 位置別効用積数 ①×②	④ 位置別効用比率 ③÷Σ③
501	74.00	103	7,622	
502	70.00	100	7,000	
503	67.35	100	6,735	0.1558
504	70.00	100	7,000	
505	70.00	100	7,000	
506	75.00	105	7,875	
計	426.35		43,232	

※　壁芯計算面積を採用した。

3．配分率

0.1281×0.1558≒0.0200

Ⅲ．対象不動産の積算価格

以上より，一棟の建物及びその敷地の積算価格に配分率を乗じて，対象不動産の積算価格を14,900千円（229,000円／㎡）と試算した。

744,000千円×0.0200≒14,900千円（229,000円／㎡）

問3

B　取引事例比較法

事例適格4要件を具備する取引事例(チ)及び(ヌ)を採用して，比準価格を試算する。

※　不採用事例とその理由

事例(ヘ)：　割安事情が介在しているが補正率等不明。

事例(ト)：　貸家の取引事例で類型が異なる。

事例(リ)：　競売により割安で落札された事例であるが，事情補正率等が不明。

Ⅰ．事例(チ)

事　時　地　個　面

$$13{,}300\text{千円}\times\frac{100}{100}\times\frac{101.4}{101.0}\times\frac{100}{98}\times\frac{100}{98}\times\frac{65.00}{60.85}\fallingdotseq 14{,}900\text{千円}$$

（229,000円／㎡）

Ⅱ．事例(ヌ)

事　時　地　個　面

$$19{,}000\text{千円}\times\frac{100}{100}\times\frac{101.4}{99.3}\times\frac{100}{102}\times\frac{100}{100}\times\frac{65.00}{83.65}\fallingdotseq 14{,}800\text{千円}$$

（228,000円／㎡）

Ⅲ．比準価格

以上により2価格を求めたが若干の開差が生じた。採用した資料，評価の手順，計算の過程に誤りはなくそれぞれ妥当であるが，取引時点が新しく，また専有面積も対象不動産と類似する事例(チ)を重視して，比準価格を14,900千円（229,000円／㎡）と試算した。

問4

C　収益還元法

指示事項より，直接還元法を採用し，対象不動産を賃貸に供するものとして直接的に純収益を求め，これを還元利回りで還元して収益価格を試算する。

Ⅰ．純収益

1．総収益

事例適格4要件を具備し，かつ契約内容も類似する賃貸事例(あ)及び(い)を採用して賃貸事例比較法を適用し，総収益を査定する。

※　不採用事例とその理由

事例(う)：　店舗に係る事例であり，用途が異なる。

(1)　事例(あ)

※　実際実質賃料

98,000円＋98,000円×0.02÷12ヶ月（※1）＋98,000円×0.51505÷12ヶ月（※2）≒102,370円

（※1）　敷金を預り金的性格を有する一時金と判断し，一時金の運用利回りを市中金利の動向等から年2％と査定。

（※2）　礼金を賃料の前払的性格を有する一時金と判断し，償却期間2年，利回り2％とする元利金等償還率（0.51505）を採用して運用益及び償却額を査定。

事　時　標　地　個　面

$$102,370円\times\frac{100}{100}\times\frac{96}{96}\times\frac{100}{105}\times\frac{100}{100}\times\frac{100}{100}\times\frac{65.00}{65.00}\fallingdotseq 97,500円$$

（1,500円／㎡）

(2)　事例(い)

※　実際実質賃料

83,000円＋83,000円×0.02÷12ヶ月＋83,000円×0.51505÷12ヶ月≒86,701円

事　時　標　地　個　面

$$86,701円\times\frac{100}{100}\times\frac{96}{96}\times\frac{100}{101}\times\frac{100}{100}\times\frac{100}{100}\times\frac{65.00}{57.35}\fallingdotseq 97,300円$$

（1,500円／㎡）

(3)　比準賃料

契約面積の類似する事例(あ)を重視して，比準賃料を97,500円（1,500円／㎡）と査定し，これをもって対象不動産に係る正常賃料と査定した。

(4) 総収益

97,500円×12ヶ月＝1,170,000円

2．総費用

(1) 修繕費

※

730,000千円×0.01×67.35㎡／3,343.45㎡≒147,050円

※　専有面積（壁芯計算）割合で按分

(2) 維持管理費

1,170,000円×0.03＝35,100円

(3) 公租公課

49,000円（実額）

(4) 損害保険料

730,000千円×0.001×67.35㎡／3,343.45㎡≒14,705円

(5) 貸倒れ準備費

敷金により担保されているため計上しない。

(6) 空室等による損失相当額

1,170,000円×1／12＝97,500円

(7) 総費用

343,355円（経費率約29%）

3．純収益

1．－2．＝826,645円

Ⅱ．還元利回り

1．類似の不動産の取引事例との比較から求める方法

貸家の区分所有建物及びその敷地の取引事例(ト)（賃貸事例(え)）を採用し，取引利回りを査定する。

(1) 純収益

① 総収益

95,000円×12ヶ月＋95,000円×0.02＋95,000円×0.51505≒1,190,830円

② 総費用

251,500円

③ 純収益

①－②＝939,330円

(2) 取引価格

14,500千円

(3) 取引利回り

(1)÷(2)≒6.5％

2．借入金と自己資金に係る還元利回りから求める方法

4％×60％＋10％×40％＝6.4％

3．土地と建物に係る還元利回りから求める方法

$$4.5\% \times \frac{173,000\text{千円}}{903,000\text{千円}} + 7.0\% \times \frac{730,000\text{千円}}{903,000\text{千円}} \fallingdotseq 6.5\%$$

4．還元利回り

指示事項より，上記3利回りの平均値6.5％をもって還元利回りと査定した。

（6.5％＋6.4％＋6.5％）÷3≒6.5％

Ⅲ．収益価格

以上より，純収益を還元利回りで還元して，収益価格を以下のとおり試算した。

Ⅰ．÷Ⅱ．≒12,700千円（195,000円／㎡）

問5

D　試算価格の調整及び鑑定評価額の決定

以上により，　A　積算価格14,900千円（229,000円／㎡）
　　　　　　　B　比準価格14,900千円（229,000円／㎡）
　　　　　　　C　収益価格12,700千円（195,000円／㎡）

の3試算価格を得たが階差が生じた。採用した資料及び鑑定評価の各手法に応じた斟酌を加え，試算価格の調整を行う。

Ⅰ．試算価格の調整

1．試算価格の再吟味

Aの価格は主として費用性に着目しており，本件では，一棟の建物及びその敷地の積算価格に，マンション分譲事例に係る価格比を基に査定した配分率を乗じて，対象不動産の積算価格を求めた。

Bの価格は類似の不動産との比較の観点から対象不動産の市場価値を求めたものであり，本件では，特に対象不動産と代替関係の認められる複数の取引事例を採用し，適切に事情補正，時点修正，要因比較を行って比準価格を求めた。

Cの価格は主として収益性に着目しており，本件では，直接還元法を採用し，対象不動産を賃貸借に供することを想定して直接的に純収益を求め，これを還元利回りで還元して収益価格を求めた。

さらに，本件においては，(1)資料の選択，検討及び活用の適否，(2)不動産の価格に関する諸原則の当該案件に即応した活用の適否，(3)一般的要因の分析並びに地域分析及び個別分析の適否，(4)各手法の適用において行った各種補正，修正等に係る判断の適否，(5)各手法に共通する価格形成要因に係る判断の整合性，(6)単価と総額との関連の適否について十分に留意した。

2．試算価格が有する説得力に係る判断

(1) 対象不動産に係る地域分析及び個別分析の結果と各手法との適合性

対象不動産は，中高層マンションが建ち並ぶ住宅地域に存する居住用マンションであり，主たる需要者としては，自己使用を前提とした一次取得者又は買い換え取得者等が考えられる。同一需給圏内では，最近数年間マンションブームとなっており，新築マンション，中古マンションとも売れ行きが好調であったが，昨年夏以降は反転して悪化している。このような市況の中，中古マンションの価格判断に当たっては，類似するマンションの取引価格が主要な指標となるものと考えられ，比準価格の説得力は高いものと思料する。一方で，積算価格はいわゆる供給者価格としての性格が強いことからやや説得力は低く，また投資家の視点にたった収益価格についても中古マンションの賃貸市況等を考慮するとやや説得力は低いものと思料する。

(2) 各手法の適用において採用した資料の特性及び限界からくる相対的信頼性

標記の相対的信頼性は同程度と判断する。

Ⅱ．鑑定評価額の決定

以上により，本件では比準価格を標準とし，積算価格及び収益価格を比較考量し，鑑定評価額を14,900千円（229,000円／㎡）と決定した。

以　上

解　説

本問は，区分所有建物及びその敷地（自用）について，対象不動産の確定を踏まえ，基本的な3手法を適用し，鑑定評価額を決定させる問題である。取引事例比較法（問3）と収益還元法（問4）は特に問題なく，短時間で解答できるが，原価法（問2）のボリュームが尋常でないため，今年は問2をいかに速やかに解くかが勝負所となっている。配分法の適用による更地事例の導出や，直接法と間接法の併用による再調達原価査定等，昨年と全く同じ論点もあるが，今年特有の論点として，複数のマンション分譲事例の分譲価格比を基に配分率を査定するところがあり，ここは手間がかかる。階層別・位置別の効用比を求めるための基準階・基準戸に係る指示事項が不明瞭なため，解答例では対象不動産と同じ5階部分・Dタイプを基準（100）として計算している。

なお，問2の更地価格の査定に当たり，解答例では事例㈡を採用しているが，最有効使用の相違や建付減価の可能性等を理由に不採用としてもよいであろう。

MEMO

◇ 平成21年度・演習

問題 〔資料等〕に記載の不動産（II．対象不動産）について，〔指示事項〕及び〔資料等〕に基づき，不動産の鑑定評価に関する次の問に答えなさい。

問１　対象不動産を確定しなさい。

問２　原価法による試算価格を求めなさい。

問３　収益還元法による試算価格を求めなさい。

問４　問２及び問３で求めた試算価格を調整して，対象不動産の鑑定評価額を決定しなさい。また，試算価格の調整に当たっては，本件鑑定評価の手順の各段階について，客観的，批判的に再吟味し，その結果を踏まえた各試算価格が有する説得力の違いを適切に反映することにより，本件鑑定評価に即して調整の過程を具体的に述べなさい。

〔指示事項〕

Ⅰ．共通事項

１．問２及び問３における各手法の適用の過程で求める数値は，別に指示がある場合を除き，小数点以下１位を四捨五入し，整数で求めること。ただし，試算価格及び公示価格との規準による価格及び鑑定評価額については，上位４桁目を四捨五入して上位３桁を有効数字として取り扱うこと。

（例） 1,234,567円　→1,230,000円

２．取引事例等における価格等には，消費税及び地方消費税は含まれておらず，計算の過程においても消費税及び地方消費税は含めないで計算すること。

３．対象不動産及び取引事例等については，土壌汚染及び埋蔵文化財に関して価格形成に影響を与えるものは何ら存しないことが判明している。また，対象不動産及び取引事例等の建物部分には，いずれも有害物質使用調査が実施されていて，アスベスト，PCB等の有害物質の使用又は貯蔵はされていないことが確認されている。

４．土地及び建物の数量は，土地登記簿〔全部事項証明書〕及び建物登記簿〔全部事項証明書〕に記載されているものによること。

５．対象不動産は，所有者（法人）が本社事務所として自己使用しており，不動産鑑定評価基準各論第３章の証券化対象不動産ではない。よって，同章の

規定は適用せずに鑑定評価を行うものとすること。

Ⅱ．問１について

対象不動産の確定に際しては，不動産鑑定評価基準の規定に従い，整理して記述すること。

Ⅲ．問２について

１．建物及びその敷地の再調達原価

⑴　土地価格の試算

①　土地価格は，取引事例比較法を適用して求めること。

②　〔資料等〕「Ⅻ．対象不動産及び事例資料等の概要」に記載の各事例を用いて，比準価格を求めること。なお，取引事例の選択要件を挙げ，不動産鑑定評価基準に照らして不採用とすべき事例があれば，その事例番号及び不採用とする理由を記載すること。

③　事例の事情その他の内容は，〔資料等〕「Ⅻ．対象不動産及び事例資料等の概要」の記載事項より判断すること。

④　取引事例が建物及びその敷地の場合には，配分法を用いて，更地に係る事例資料を求めた上で比準すること（建物の資料は，〔資料等〕「Ⅻ．対象不動産及び事例資料等の概要」の「３．取引事例等に係る建物の概要」によること。）。

⑤　比準価格を求める場合の計算式と略号は次のとおりである（基準値を100とする。）。

$$\text{取引事例における土地価格（更地としての価格）（総額）} \times \underset{\textbf{事}}{\frac{100}{\text{取引事例の取引事情に係る補正率}}} \times \underset{\textbf{時}}{\frac{\text{価格時点の地価指数}}{\text{取引時点の地価指数}}} \times \underset{\textbf{標}}{\frac{100}{\text{取引事例の個別的要因に係る評点}}} \times \underset{\textbf{地}}{\frac{100}{\text{取引事例の存する地域の地域要因に係る評点}}} \times \underset{\textbf{個}}{\frac{\text{対象地の個別的要因に係る評点}}{100}} \times \underset{\textbf{面}}{\frac{\text{対象地の面積}}{\text{取引事例の面積}}} = \text{手法適用により求めた価格}$$

各項の意味と略号	
事：事情補正	**地**：地域要因の比較
時：時点修正	**個**：対象地の個別的要因の格差修正
標：取引事例の個別的要因の標準化補正	**面**：面積の比較

⑥　公示価格を規準とした価格を求める場合の計算式と略号は次のとおりである（基準値を100とする。）。

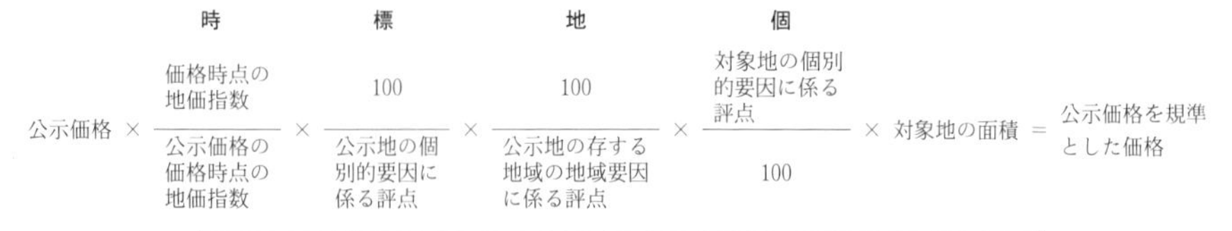

各項の意味と略号

時：時点修正　　**地**：地域要因の比較
標：公示地の個別的要因の標準化補正　　**個**：対象地の個別的要因の格差修正

⑦　地価指数の計算上の留意点は，次のとおりである。

i　地価指数の計算における経過期間（月数）の算定については，次の例のとおり，起算日（即日）の属する月を含めず，期間の末日（当日）の属する月を含めて計算すること。

（例）　平成21年３月31日から平成21年８月１日までの期間の月数は，５ヶ月

平成21年４月１日から平成21年８月１日までの期間の月数は，４ヶ月

ii　地価指数は，〔資料等〕「XIII. 地価指数，標準建築費指数及び賃貸事務所の新規賃料指数の推移」により求め，少なくとも一つの取引事例について地価指数の計算過程を明らかにすること。地価指数計算上の特定の時点の指数は，次の例のとおり求めることとし，小数点以下２位を四捨五入し，小数点以下１位までの数値を求めること。

（例）平成21年１月１日の指数を100，平成21年７月１日の指数を102として，取引時点である平成21年５月15日の指数を求める場合

$$\left\{\left(\frac{\text{平成21年7月1日の指数}(102)}{\text{平成21年1月1日の指数}(100)}-1\right)\times\frac{\text{平成21年1月1日～平成21年5月15日の月数}(4)}{\text{平成21年1月1日～平成21年7月1日の月数}(6)}+1\right\}\times\text{平成21年1月1日の指数}(100)$$

＝求める時点の指数（101.3）（小数点以下第２位を四捨五入）

⑵　建物価格の試算

①　建物の再調達原価を求めるに当たっては，直接法及び間接法を併用すること。なお，直接法については，実際に要した建築工事費を標準建築費指数で時点修正する方法（変動率適用法）を採用し，間接法については，類似性の高い建設事例に比準して求めること。建築費指数は，〔資料等〕「XIII. 地価指数，標準建築費指数及び賃貸事務所の新規賃料指数の推移」により求めること。

② 建物の再調達原価を建設事例から比較して求める場合の計算式と略号は，次のとおりである（基準値を100とする。)。

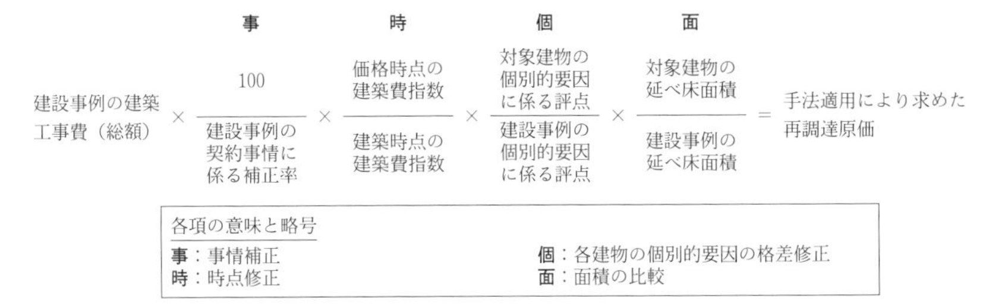

2．対象不動産の積算価格について

(1) 建物及びその敷地の積算価格は，建物及びその敷地の再調達原価に減価修正を行って求めること。この場合，建物の減価の程度は，おおむね経年相応とすること。

(2) 建物の主体（本体）部分の耐用年数は45年，設備部分の耐用年数は15年とし，償却の方法はいずれも定額法を採用し，残価率は０とすること。また，建物の主体部分と設備部分の構成割合は，70：30とすること。

Ⅳ．問３について

1．収益還元法の適用に際しては，直接還元法を採用すること。

2．対象不動産の賃料は，賃貸事例比較法により求めること。この場合，〔資料等〕「Ⅻ．対象不動産及び事例資料等の概要」の「２．賃貸事例の概要」のうち，事例(あ)～(う)より，類似性の高い事例に比準して，基準階における適正賃料を求めること。いずれの賃貸事例もその契約内容は賃貸事例が所在する地域における標準的なものであり，各建物においても標準化補正の必要のない標準的なものである。

3．賃貸事例比較法の適用の際に用いる計算式と略号は，次のとおりである（基準値を100とする。)。

	事		時		標		地		品		面		
賃貸事例の月額実質賃料（総額）	$\times \dfrac{100}{\text{賃貸事例の賃貸事情に係る補正率}}$		$\times \dfrac{\text{価格時点の賃料指数}}{\text{賃貸時点の賃料指数}}$		$\times \dfrac{100}{\text{賃貸事例の個別的要因に係る評点}}$		$\times \dfrac{100}{\text{賃貸事例の存する地域の地域要因に係る評点}}$		$\times \dfrac{\text{対象建物の基準階の建物品等に係る評点}}{\text{賃貸事例の基準階の建物品等に係る評点}}$		$\times \dfrac{\text{対象不動産の基準階の賃貸可能面積}}{\text{賃貸事例の契約面積}}$		= 手法適用により求めた賃料

各項の意味と略号

事：事情補正
時：時点修正
標：賃貸事例の個別的要因の標準化補正
地：地域要因の比較
品：基準階の建物品等に係る格差修正
面：面積の比較

4．当該建物を賃貸借に供した場合の対象不動産の総収益（年額）を求めるに当たっては，次のとおり想定すること。

⑴　賃貸可能面積は，〔資料等〕「Ⅱ．対象不動産」に記載する賃貸可能面積を採用すること。

⑵　共益費は，すべて実費相当額を徴収するものとし，実質的に賃料に相当する部分はないものとすること。

⑶　賃貸部分の光熱費は，子メータにより計測して，実費相当分を徴収するものとし，実質的に賃料に相当する部分はないものとすること。

⑷　駐車場は10台分あり，月額使用料20,000円／台（現在の近隣地域における標準的な水準である。），敷金の額は，月額使用料の１ヶ月分とすること。

⑸　一時金の運用利回りは，年2.0％とすること。上記以外のその他収入は，一切発生しないものとする。

5．4．の場合における対象不動産の総費用（年額）を求めるに当たっては，次のとおり想定すること。

⑴　修繕費は，建物再調達原価の１％相当額とすること。

⑵　維持管理費は，年額実質賃料（駐車場使用料を含む。）の３％相当額とすること。

⑶　公租公課（固定資産税及び都市計画税）の実額は，土地・建物の合計で15,000,000円（年額）とすること。

⑷　損害保険料は，建物再調達原価の0.1％相当額とすること。

⑸　貸倒れ準備費は，想定する賃借人の状況等を勘案した結果，計上しないものとする。

⑹　空室等による損失相当額は，総収益の1／12とすること。

6．還元利回りを求めるに当たっては，「類似の不動産の取引事例との比較から求める方法」，「借入金と自己資金に係る還元利回りから求める方法」及び

「土地と建物に係る還元利回りから求める方法」から求めるものとし，ここでは，三者の平均値をもって決定すること。

⑴ 「類似の不動産の取引事例との比較から求める方法」の適用に当たっては，選択することが妥当と判断される取引事例の中から選択して純収益を求め，当該純収益を取引価格で除して取引利回りを求めること。

⑵ 取引利回りについては，一定期間内の取引について，用途ごと，地域ごとにほぼ一定の利回りであることが実態調査から判明しており，求められた取引利回りにより，「類似の不動産の取引事例との比較から求める方法」の還元利回りとすること。なお，当市内では地域別の利回りの品等格差は認められず，また，本年に入ってからの変動はないものとすること。

⑶ 「借入金と自己資金に係る還元利回りから求める方法」の適用に当たっては，次のB市における賃貸用事務所ビルの取引における標準的な借入金割合等を適用すること。

○借入金割合　60%
○借入金還元利回り　4.0%
○自己資金還元利回り　10.0%

⑷ 「土地と建物に係る還元利回りから求める方法」の適用に当たっては，土地の還元利回りは4.5%，建物の還元利回りは7.0%とする。土地・建物の割合は，積算価格算定に当たり求めた各々の再調達原価における両者の割合により求めること。

⑸ 求める還元利回りは，百分率（%）で表示し，小数点以下2位を四捨五入して，小数点以下1位まで求めること。

Ⅴ．問4について

不動産鑑定評価基準に従って，試算価格を調整しなさい。また，鑑定評価額の決定に当たっては，各試算価格の再吟味及び各試算価格が有する説得力に係る判断にも言及しなさい。

〔資料等〕

Ⅰ．依頼内容

本件は，「Ｂ駅」の南方約420ｍにある事務所ビル（対象不動産）について，売買の参考として，平成21年８月１日時点の現状での経済価値の判定のため，不動産鑑定士に鑑定評価を求めたものである。

Ⅱ．対象不動産

１．土地　所在及び地番　Ａ県Ｂ市Ｃ１丁目１番１

地　　目　宅地

地　　積　800.00㎡（土地登記簿〔全部事項証明書〕記載数量）

所 有 者　Ｚ株式会社

２．建物　所　　在　Ａ県Ｂ市Ｃ１丁目１番地１

家屋番号　１番１

構造・用途　鉄骨鉄筋コンクリート造陸屋根地上８階建て事務所

建築年月日　平成７年８月１日

床 面 積　（建物登記簿〔全部事項証明書〕記載数量）

１階	640.00㎡	（賃貸可能面積：　510.00㎡）
２階	590.00㎡	（賃貸可能面積：　530.00㎡）
３階	590.00㎡	（賃貸可能面積：　530.00㎡）
４階	590.00㎡	（賃貸可能面積：　530.00㎡）
５階	590.00㎡	（賃貸可能面積：　530.00㎡）
６階	590.00㎡	（賃貸可能面積：　530.00㎡）
７階	590.00㎡	（賃貸可能面積：　530.00㎡）
８階	590.00㎡	（賃貸可能面積：　530.00㎡）
合計	4,770.00㎡	（賃貸可能面積：4,220.00㎡）

所 有 者　Ｚ株式会社

Ⅲ．所有者　Ａ県Ｂ市Ｃ１丁目１番１号　Ｚ株式会社

Ⅳ．類型　自用の建物及びその敷地

Ⅴ．依頼目的　売買の参考

Ⅵ．鑑定評価によって求める価格の種類　正常価格

Ⅶ．価格時点　平成21年8月1日

Ⅷ．その他の鑑定評価の条件　な　し

Ⅸ．B市の状況等

1．位置等

(1) 位置・面積　A県の中央部分に位置する。面積は，約24㎢である。

(2) 沿　　　革　江戸時代までは街道沿いの村落に過ぎなかったが，明治以降，鉄道が敷設されB駅がターミナル駅になって以降，T地域の中心都市の一つとして発展してきた。

2．人口等

(1) 人　　　口　約17万人。近年は，微増で推移している。

(2) 世　帯　数　約8万世帯

3．交通施設及び道路整備の状態

(1) 鉄　　　道　JR○○線及びJR△△線がB市の市街地の中央を東西に縦断している。JR△△線がJR○○線に乗り入れている。

(2) 道　　　路　国道○○号線がJR△△線の南方1,500m付近を東西に縦断しており，また，B市郊外には高速道路のDインターチェンジが設けられている。その他，主要県道が敷設されており，道路網は整備されている。

4．供給処理施設の状態

(1) 上　水　道　普及率は，ほぼ100％

(2) 下　水　道　普及率は，ほぼ100％

(3) 都市ガス　普及率は，約95％

5．土地利用の状況

(1) 商業施設　JR○○線及びJR△△線のB駅周辺には，著名な百貨店，商業ビルや事務所ビルを始めとして，映画館等娯楽施設などの商業施設の集積が見られる。中心商業地以外では，国道沿い等にコンビニエンスストア等が見られる。

(2) 住　　　宅　B市は，JR○○線及びJR△△線の各駅を中心に商業施設

や事務所ビルが集積し，市街地がＢ駅の南・北側にかけて広域的に形成されているところ，住宅は，鉄道駅の徒歩圏においては分譲マンションが多く建ち並んでおり，バス通勤圏においては一戸建て住宅が中心となっている。

6．不動産取引市場の状況

⑴　不動産取引市場の状況

近年において，事務所ビルなどの投資用不動産が，SPCに売却される等の活発な不動産投資の動きが見られたが，米国を中心とするサブプライムローンの破綻を機に，外資系投資銀行などの倒産が多く見られ，グローバル経済の下，日本の不動産取引は急速に低迷してきている。事務所ビルなどの投資用不動産のみならず，実需取引であるマンションの売れ行きも悪くなってきている。今後の不動産経済の全般的な見通しについても慎重な意見が出ており，近年，上昇傾向にあった商業地の地価動向は下落に転じてきている。当市内の商業地域においても同様の動きを示している。

⑵　賃貸市場の状況

事務所ビルについて，新築の賃貸事務所の供給が減少し，空室は徐々に埋まってきたが，最近では，立地の悪い物件や築年数の経った古い物件では空室も見られるものの，駅に近い築年数の経過していない物件はほぼ満室となっている。

一方，賃料については，空室がさほど見られなくなった最近ではほぼ横ばい傾向にある。近年，駅に近いビルにおいてはやや強気の新規募集賃料の設定も見受けられたが，最近では落ち着きを取り戻してきている。

X．近隣地域及びその類似地域等の概要

対象不動産の所在する近隣地域及びその類似地域等の地域の特性を略記すれば，以下のとおりである。

地　域	位　置 （距離は，駅からの直線距離による。）	道路の状況	周辺の土地の利用状況	都市計画法等の規制で主要なもの	供給処理施設	標準的な画地規模	標準的使用の状況
近隣地域	B駅の南方 約200m～450m	幅員　25m 舗装国道	駅前のデパート，事務所ビル，店舗ビル等の建ち並ぶ商業地域	商業地域 建ぺい率　80% 容積率　600% 防火地域	上水道 下水道 都市ガス	700㎡程度	普通商業地としての利用
A 地 域	B駅の南方 約470m～620m	幅員　25m 舗装国道	駅前のデパート，事務所ビル，店舗ビル等の建ち並ぶ商業地域	商業地域 建ぺい率　80% 容積率　600% 防火地域	上水道 下水道 都市ガス	600㎡程度	普通商業地としての利用
B 地 域	B駅の南西方 約750m～930m	幅員　25m 舗装国道	国道沿いの事務所ビル，小売店舗等の連坦する商業地域	商業地域 建ぺい率　80% 容積率　400% 防火地域	上水道 下水道 都市ガス	500㎡程度	普通商業地としての利用
C 地 域	B駅の西方 約480m～600m	幅員　12m 舗装市道	市道沿いの事務所ビル，小売店舗等の連坦する商業地域	商業地域 建ぺい率　80% 容積率　400% 防火地域	上水道 下水道 都市ガス	500㎡程度	普通商業地としての利用
D 地 域	B駅の南西方 約530m～700m	幅員　12m 舗装市道	小規模な小売店舗，店舗付きマンションが混在する地域	商業地域 建ぺい率　80% 容積率　300% 防火地域	上水道 下水道 都市ガス	300㎡程度	普通商業地としての利用
E 地 域	B駅の南東方 約430m～650m	幅員　15m 舗装市道	駅前商業地域の背後に位置する，小規模な店舗のほかにマンション等が混在する地域	商業地域 建ぺい率　80% 容積率　300% 防火地域	上水道 下水道 都市ガス	300㎡程度	住商混在の商業地としての利用
F 地 域	B駅の南東方 約580m～700m	幅員　25m 舗装国道	国道沿いの小規模な店舗のほかにマンション等が多く見られる地域	近隣商業地域 建ぺい率　80% 容積率　300% 防火地域	上水道 下水道 都市ガス	300㎡程度	住商混在の商業地としての利用
G 地 域	B駅の東方 約650m～800m	幅員　30m 舗装国道	国道沿いのマンション等が建ち並ぶ住宅地域	第一種住居地域 建ぺい率　60% 容積率　200% 準防火地域	上水道 下水道 都市ガス	150㎡程度	住宅地としての利用

XI. 対象不動産，地価公示法による標準地，取引事例等の位置図

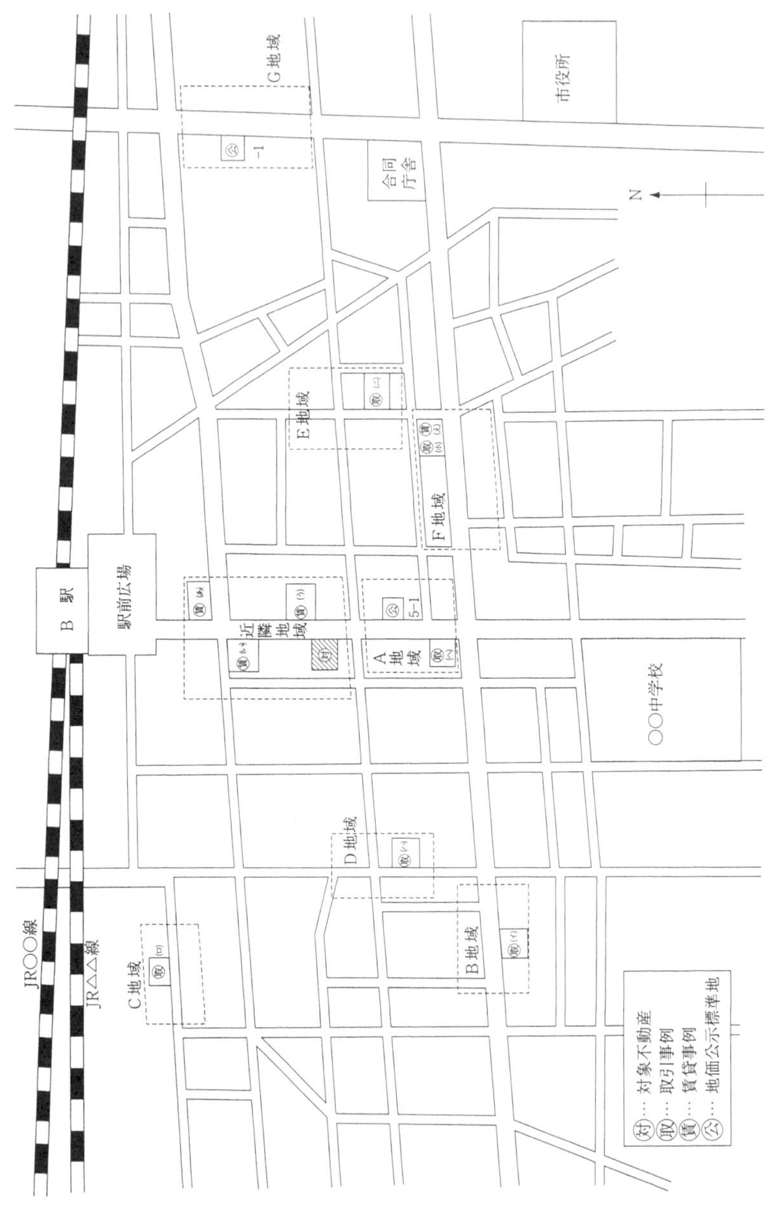

（注） この位置図は，対象不動産及び取引事例等のおおむねの配置を示したもので，実際の距離又は規模等を正確に示したものではない。

XII. 対象不動産及び事例資料等の概要

1．取引事例等の概要

事例区分	所在する地域	類型	価格時点 取引時点	公示価格 取引価格	数量等	価格時点，取引時点における敷地の利用の状況	道路・供給処理施設の状況	駅からの道路距離	備考
対象不動産	近隣地域	自用の建物及びその敷地	平成 21.8.1 価格時点	――――	土地 800㎡ 建物延べ床面積 4,770㎡	鉄骨鉄筋コンクリート造8階建て事務所	東側 幅員 25m 舗装国道 上水道 下水道 都市ガス	B駅 南方 約420m	――――
標準地 －1	G 地域	更地として	平成 21.1.1 価格時点	450,000円/㎡	150㎡	木造2階建て住宅	東側 幅員 30m 舗装国道 上水道 下水道 都市ガス	B駅 東方 約700m	地価公示法第6条の規定による標準地であり，利用の現況は当該標準地の存する地域における標準的使用とおおむね一致する。
標準地 5－1	A 地域	更地として	平成 21.1.1 価格時点	890,000円/㎡	600㎡	鉄骨鉄筋コンクリート造8階建て事務所	西側 幅員 25m 舗装国道 上水道 下水道 都市ガス	B駅 南方 約520m	地価公示法第6条の規定による標準地であり，利用の現況は当該標準地の存する地域における標準的使用とおおむね一致する。
取引事例(イ)	B 地域	更地	平成 20.10.11 取引時点	472,000,000円	土地 528㎡	売却のため，空地としていた土地であった。	北側 幅員 25m 舗装国道 上水道 下水道 都市ガス	B駅 南西方 約850m	特別な事情は存在しない。
取引事例(ロ)	C 地域	更地	平成 20.9.23 取引時点	200,000,000円	土地 400㎡	従前は，駐車場として利用されていた。	南側 幅員 12m 舗装市道 上水道 下水道 都市ガス	B駅 西方 約550m	当該土地の所有者は，マンション販売会社であるが，その資金繰りが悪化し，経営改善のために，周辺の取引相場よりも安く，早期に処分したものである。
取引事例(ハ)	D 地域	更地	平成 21.4.9 取引時点	515,000,000円	土地 534㎡	隣地所有者に駐車場として賃貸されていた土地である。売買するに当たり，賃貸借契約は解除された。	西側 幅員 12m 舗装市道 上水道 下水道 都市ガス	B駅 南西方 約650m	南側隣地の所有者が当該土地と併せて事務所ビルを建てるために購入したものである。取引前に単独地として不動産鑑定士が鑑定評価を行った価格よりも，その取引価格は20%高い価格であった。
取引事例(ニ)	E 地域	自用の建物及びその敷地	平成 21.5.15 取引時点	72,000,000円	土地 100㎡ 建物延べ床面積 80㎡	木造2階建て住宅	西側 幅員 15m 舗装市道 上水道 下水道 都市ガス	B駅 南東方 約580m	特別な事情は存在しない。
取引事例(ホ)	F 地域	貸家及びその敷地	平成 21.5.8 取引時点	700,000,000円	土地 645㎡ 建物延べ床面積 1,900㎡	鉄筋コンクリート造4階建て事務所	南側 幅員 25m 舗装国道 上水道 下水道 都市ガス	B駅 南東方 約650m	本件は，テナントが100%入居している状態で取引された。取引に際しては，特別な事情は存在しない。
取引事例(ヘ)	A 地域	自用の建物及びその敷地	平成 21.1.12 取引時点	1,550,000,000円	土地 700㎡ 建物延べ床面積 4,100㎡	鉄骨鉄筋コンクリート造8階建て事務所	東側 幅員 25m 舗装国道 上水道 下水道 都市ガス	B駅 南方 約620m	特別な事情は存在しない。

2．賃貸事例の概要（賃貸事例(え)は，取引事例(ホ)と共通）

事例区分	所在する地域	種類	賃貸時点	支払賃料等	物件の規模等	賃貸時点における敷地の利用の状況	道路・供給処理施設の状況	駅からの道路距離	備考
賃貸事例(あ)	近隣地域	新規賃料	平成21．6．1	月額支払賃料等契約内容の詳細は，「XVI．賃貸事例の契約内容等」参照のこと。	土地 900㎡ 建物延べ床面積 5,000㎡	鉄骨鉄筋コンクリート造8階建て事務所	西側 幅員 25m 舗装国道 上水道 下水道 都市ガス	B駅 南方 約200m	契約に当たって，特別の事情はない。
賃貸事例(い)	近隣地域	新規賃料	平成21．3．1	月額支払賃料等契約内容の詳細は，「XVI．賃貸事例の契約内容等」参照のこと。	土地 750㎡ 建物延べ床面積 4,500㎡	鉄骨鉄筋コンクリート造8階建て事務所	東側 幅員 25m 舗装国道 上水道 下水道 都市ガス	B駅 南方 約270m	契約に当たって，特別の事情はない。
賃貸事例(う)	近隣地域	新規賃料	平成21．7．1	月額支払賃料等契約内容の詳細は，「XVI．賃貸事例の契約内容等」参照のこと。	土地 400㎡ 建物延べ床面積 500㎡	鉄骨造2階建て店舗	西側 幅員 25m 舗装国道 上水道 下水道 都市ガス	B駅 南方 約350m	契約に当たって，特別の事情はない。
賃貸事例(え)	F 地 域	新規賃料	平成20．3．1	月額支払賃料等契約内容の詳細は，「XVI．賃貸事例の契約内容等」参照のこと。	土地 645㎡ 建物延べ床面積 1,900㎡	鉄筋コンクリート造4階建て事務所	南側 幅員 25m 舗装国道 上水道 下水道 都市ガス	B駅 南東方 約650m	土地を購入し，賃貸事務所ビルを建築し，賃貸に供された物件である。平成20年2月1日に募集を開始し，同月末日までにすべての契約を締結している。

3．取引事例等に係る建物の概要

事例区分	建築時点	建築工事費（総額）	数量等	建物構造・用途	施工の質	価格時点又は取引時点現在の経済的残存耐用年数	設備の良否	昇降機設備の有無	空調冷暖房設備の有無	近隣地域との適合性，建物と敷地との適応性
対象不動産	平成7．8．1	1,147,000,000円	建築面積 640㎡ 延べ床面積 4,770㎡	鉄骨鉄筋コンクリート造8階建て事務所	中級	主体部分31年 設備部分1年	普通	あり	あり	環境と適合し，敷地と適応している。
取引事例(ニ)	平成8．1．1	12,000,000円	建築面積 40㎡ 延べ床面積 80㎡	木造2階建て住宅	中級	主体部分16年 設備部分1年	普通	なし	なし	環境と不適合で，敷地とも不適応である。
取引事例(ホ)	平成19．10．7	342,000,000円	建築面積 515㎡ 延べ床面積 1,900㎡	鉄筋コンクリート造4階建て事務所	中級	主体部分43年 設備部分13年	普通	あり	あり	環境と適合し，敷地と適応している。
取引事例(ヘ)	平成18．2．1	943,000,000円	建築面積 560㎡ 延べ床面積 4,100㎡	鉄骨鉄筋コンクリート造8階建て事務所	中級	主体部分42年 設備部分12年	普通	あり	あり	環境と適合し，敷地と適応している。

（注1） 鉄骨鉄筋コンクリート造又は鉄筋コンクリート造においては，建築工事費に占める主体（本体）部分と設備部分の構成割合は，70：30である。木造建物においては，建築工事費に占める主体部分と設備部分の構成割合は，80：20である。
（注2） 価格時点において事例内容を調査した結果，建物の減価の程度は，いずれもおおむね経年相応である。

4．建設事例の概要

事例区分	所在する地域	建築時点	建築工事費（総額）	数量等	建物構造・用途	施工の質	建物竣工時点での経済的残存耐用年数	設備の良否	昇降機設備の有無	空調冷暖房設備の有無	価格時点における建物の面積以外の個別的要因に係る評点（注1）
建設事例α	近隣地域	平成18．3．1	490,000,000円	建築面積 500㎡ 延べ床面積 2,400㎡	鉄骨鉄筋コンクリート造8階建て事務所	中級	主体部分45年 設備部分15年	普通	あり	あり	100
建設事例β	A 地 域	平成18．6．1	369,000,000円	建築面積 400㎡ 延べ床面積 1,800㎡	鉄骨鉄筋コンクリート造8階建て事務所	中級	主体部分45年 設備部分15年	普通	あり	あり	100
建設事例γ	B 地 域	平成19．7．1	246,000,000円	建築面積 500㎡ 延べ床面積 1,200㎡	鉄骨造4階建て店舗	中級	主体部分30年 設備部分15年	普通	あり	あり	95
建設事例δ	D 地 域	平成18．6．1	370,000,000円	建築面積 700㎡ 延べ床面積 1,900㎡	鉄骨造3階建て事務所	中級	主体部分30年 設備部分15年	普通	なし	あり	95

（注1） 対象不動産に係る建物を100として比較した場合の評点である。
（注2） いずれも建築工事費に占める主体部分と設備部分の構成割合は，70：30である。
（注3） いずれの建築工事費も特別な事情が存在しない標準的な建築工事費である。

XIII. 地価指数，標準建築費指数及び賃貸事務所の新規賃料指数の推移

Ｂ市における商業地の地価指数，事務所ビル（鉄骨鉄筋コンクリート造）の標準建築費指数，対象不動産と構造，規模，用途等が類似する同一需給圏内の賃貸事務所の新規賃料指数の推移は，次のとおりである。なお，平成21年１月１日以降の動向は，平成20年７月１日から平成21年１月１日までの推移とそれぞれ同じ傾向を示している。

区分／地域／年月日	地価指数								標準建築費指数	賃貸事務所の新規賃料指数
	近隣地域	Ａ地域	Ｂ地域	Ｃ地域	Ｄ地域	Ｅ地域	Ｆ地域	Ｇ地域		
平成7.1.1									100	
8.1.1									98.5	
9.1.1									98.1	
10.1.1									95.7	
11.1.1									93.5	
12.1.1									91.6	
13.1.1									90.4	
14.1.1									88.1	
15.1.1									85.3	
16.1.1									83.8	
17.1.1									83.0	
18.1.1	100	100	100	100	100	100	100	100	83.2	100
18.7.1	99	99	99	99	99	99	99	99	83.5	98
19.1.1	98	98	98	99	99	98	98	98	84.0	97
19.7.1	98	97	97	98	98	98	98	98	84.7	96
20.1.1	100	99	99	100	100	100	101	101	85.5	96
20.7.1	99	99	99	99	99	99	99	99	86.5	96
21.1.1	97	97	97	97	97	97	97	97	90.0	96

（注） 鉄骨造又は鉄筋コンクリート造の事務所ビルの標準建築費指数も，事務所ビル（鉄骨鉄筋コンクリート造）と同様の変動であった。

XIV. 地域要因及び土地の個別的要因の比較

取引事例等 / 地域 / 比較項目	対象不動産	標準地－1	標準地5－1	取引事例(イ)	取引事例(ロ)	取引事例(ハ)	取引事例(ニ)	取引事例(ホ)	取引事例(ヘ)
	近隣地域	G地域	A地域	B地域	C地域	D地域	E地域	F地域	A地域
地域要因に係る評点（地）	100	45	98	95	85	88	66	70	98
個別的要因に係る評点（個）	100	100	100	100	100	100	103	106	100

（注１） 地域要因に係る評点（地）の比較については，近隣地域の評点を100とし，他の地域は近隣地域と比較してそれぞれの評点を付したものである。

（注２） 個別的要因に係る評点（個）の比較については，それぞれの地域において標準的と認められる画地の地積以外の評点を100とし，これと取引事例に係る土地等とを比較し，それぞれの評点を付したものである。

XV. 賃貸事例の地域要因等の比較

賃貸事例等 / 補正項目	対象不動産（基準階）	賃貸事例(あ)	賃貸事例(い)	賃貸事例(う)
地域要因に係る評点（地）	100	100	100	100
基準階の建物品等に係る評点（品）	100	102	102	120

（注１） 賃貸事例の要因比較については，対象不動産（基準階）の評点を100とし，賃貸事例(あ)～(う)と比較して，それぞれの評点を付したものである。

（注２） 地域要因に係る評点（地）は，賃貸事例等の存する地域要因に係る評点を示している（必ずしも，不動産取引における土地の地域の地域要因に係る評点とは一致しない。）。

（注３） 基準階の建物品等に係る評点（品）は，基準階賃料に影響を与える建物品等の格差を示している。

XVI. 賃貸事例の契約内容等

賃貸事例が存する地域における標準的な賃貸借の条件は，以下のとおりである。

① 支払賃料は，毎月末にその月分を支払う。

② 賃貸借に当たって授受される一時金は，預り金的性格を有する敷金のみである。標準的な敷金の額は，事務所にあっては月額支払賃料の6ヶ月分，店舗にあっては同じく12ヶ月分であり，売買に当たって承継される。なお，以後の契約の更新においては，更新料等いかなる名目においても一時金の授受はない。また，同じく駐車場にあっては，預り金的性格を有する敷金のみであり，標準的な敷金の額は，月額使用料の1ヶ月分である。

③ 敷金は，賃貸借契約を解除したときは直ちに全額返済されるが，利息は付さない。

④ 共益費については，別途実費相当額を支払う。

⑤ 事務所の階層別効用比は，1階の事務所は120，2階（基準階）以上の事務所は100が標準である。

⑥ 契約期間は2年，契約の形式は書面によるものが一般的である。

⑦ 各テナントとの契約は，いわゆる普通借家契約であり，契約更新時に支払賃料等の改定協議を行うこととなっている。

賃貸事例の個別的な賃貸借の条件は，以下のとおりである。

1．賃貸事例(あ)

近隣地域内に所在する。鉄骨鉄筋コンクリート造8階建て事務所の2階部分。平成18年3月に竣工

賃貸人：G生命保険相互会社

賃借人：H株式会社

賃貸時点：平成21年6月1日

月額支払賃料：470,000円，敷金の額は月額支払賃料の6ヶ月分，契約面積230㎡

2．賃貸事例(い)

近隣地域内に所在する。鉄骨鉄筋コンクリート造8階建て事務所の6階部分。平成19年5月に竣工

賃貸人：I生命保険相互会社

賃借人：J株式会社

賃貸時点：平成21年３月１日

月額支払賃料：513,000円，敷金の額は月額支払賃料の６ヶ月分，契約面積250㎡

3．賃貸事例(う)

近隣地域内に所在する。鉄骨造２階建て店舗の１階部分。平成17年４月に竣工

賃貸人：K

賃借人：L株式会社

賃貸時点：平成21年７月１日

月額支払賃料：690,000円，敷金の額は月額支払賃料の12ヶ月分，契約面積240㎡

4．賃貸事例(え)（賃貸事例(え)は，取引事例(ホ)と同一である。）

F地域に所在する。鉄筋コンクリート造４階建て事務所

賃貸人：M

賃借人：N株式会社

契約条件等

階層	用途	賃貸面積	契約期間	月額支払賃料	敷金
4階	事務所	450㎡	平成20．3．1～平成22．2．28	1,060,000円	6,300,000円
3階	事務所	450㎡	平成20．3．1～平成22．2．28	1,060,000円	6,300,000円
2階	事務所	450㎡	平成20．3．1～平成22．2．28	1,060,000円	6,300,000円
1階	事務所	400㎡	平成20．3．1～平成22．2．28	1,130,000円	6,780,000円

平面駐車場が５台分あり，月額使用料20,000円／台，敷金の額は，月額使用料の１ヶ月分で賃貸されている。また，本件不動産の賃貸運営に係る総費用（年額）は10,000,000円（減価償却費相当額を含まない。）である。なお，賃貸事例(え)は，平成21年５月８日に取引金額700,000,000円でテナントが100％入居した状態で売買された。取引に際して特段の事情はない。

XVII．対象不動産の建築工事費について

対象不動産は，平成７年８月１日に竣工した。建築工事費は，全体で1,147,000,000円かかった（当該建築工事費は，特別な事情が存在しない標準的な建築工事費である。）。

以　上

解答例

問1

Ⅰ．物的事項

１．土地

所在及び地番：　Ａ県Ｂ市Ｃ１丁目１番１

地　　　　目：　宅地

地　　　　積：　800.00㎡（土地登記簿〔全部事項証明書〕記載数量）

所　有　者：　Ｚ株式会社

２．建物

所　　　　在：　Ａ県Ｂ市Ｃ１丁目１番地１

家屋番号：　１番１

構　　　　造：　鉄骨鉄筋コンクリート造陸屋根地上８階建

用　　　　途：　事務所

建築年月日：　平成７年８月１日

床　面　積：　１階　640.00㎡

２階　590.00㎡

３階　590.00㎡

４階　590.00㎡

５階　590.00㎡

６階　590.00㎡

７階　590.00㎡

８階　590.00㎡

合計　4,770.00㎡（建物登記簿〔全部事項証明書〕記載数量）

所　有　者：　Ｚ株式会社

Ⅱ．権利の態様に関する事項

１．評価の対象となった権利：　所有権

２．所有権以外の権利：　使用収益を制約する権利は付着していない

以上より，対象不動産の類型を自用の建物及びその敷地と確定した。

問2

原価法及び収益還元法を適用して求めた試算価格を調整の上，鑑定評価額を決定する。なお，指示事項により土地建物一体としての取引事例比較法は適用しない。

事例資料等は投機性のない適正なもので，かつ，①場所的同一性，②事情の正常性又は正常補正可能性，③時間的同一性，④要因比較可能性の事例適格4要件を全て具備するものを，賃貸事例についてはさらに契約内容の類似性をも具備するものを選択する。

A．原価法

対象不動産の再調達原価を求め，これに減価修正を行って，積算価格を試算する。

Ⅰ．再調達原価

1．土地（更地価格）

取引事例比較法を適用し，公示価格を規準とした価格との均衡に留意して，更地価格を査定する。なお，指示事項により土地残余法は適用しない。

⑴ 比準価格

事例適格4要件を具備した取引事例(イ)，(ハ)及び(ヘ)を採用し，比準価格を査定する。

※ 不採用事例とその理由

・事例(ロ)： 周辺の取引相場よりも安く，早期に売却した取引事例であるが，事情補正率等が不明なため，正常補正可能性に欠ける。

・事例(ニ)： 複合不動産の取引事例だが，敷地が最有効使用の状態になく，配分法を適用して更地価格を導出できない。
住商混在地域に存し，地域要因格差が大きいため，場所的同一性に欠ける。

・事例(ホ)： 貸家及びその敷地の取引事例だが，借家人居付による増減価の有無等が不明であり，配分法を適用して更地価格を導出できない。ただし問3で活用。

① 事例(イ)

事　時(※)　標　地　個　面

$$472{,}000\text{千円}\times\frac{100}{100}\times\frac{94.7}{98.0}\times\frac{100}{100}\times\frac{100}{95}\times\frac{100}{100}\times\frac{800}{528}\fallingdotseq 727{,}000\text{千円}$$

(909,000円／㎡)

※　時点修正率査定根拠（地価指数採用）

価格時点（H21. 8）　$\{(\frac{97}{99}-1)\times\frac{7}{6}+1\}\times 97\fallingdotseq 94.7$

取引時点（H20. 10）　$\{(\frac{97}{99}-1)\times\frac{3}{6}+1\}\times 99\fallingdotseq 98.0$

以下，同様の方法により査定し，根拠の記述は省略。

② 事例(ハ)

事(※)　時　標　地　個　面

$$515{,}000\text{千円}\times\frac{100}{120}\times\frac{94.7}{96.0}\times\frac{100}{100}\times\frac{100}{88}\times\frac{100}{100}\times\frac{800}{534}\fallingdotseq 721{,}000\text{千円}$$

(901,000円／㎡)

※　隣地併合に係る20%割高補正

③ 事例(ヘ)

複合不動産の取引事例であるが，敷地が最有効使用の状態にあるので，配分法を適用して更地の事例資料を求める。

※　建物価格の査定（原価法を準用）

a．再調達原価（直接法）

事　時(※)

$$943{,}000\text{千円}\times\frac{100}{100}\times\frac{90.0}{83.2}\fallingdotseq 1{,}020{,}000\text{千円}\ (249{,}000\text{円／㎡})$$

※　標準建築費指数採用。以下同様。

b．減価修正

・耐用年数に基づく方法（定額法採用，残価率 0）

主体：$1{,}020{,}000\text{千円}\times 0.70\times\frac{3}{3+42}=47{,}600\text{千円}$

設備：$1{,}020{,}000\text{千円}\times 0.30\times\frac{3}{3+12}=61{,}200\text{千円}$

計 108,800千円

・観察減価法

経年相応の減価と判断し，耐用年数に基づく方法による減価額と同額と査定。

・減価額

両方法を併用して，建物の減価額を108,800千円と査定した。

c．事例建物価格

1,020,000千円 － 108,800千円 ≒ 911,000千円

※　更地価格

取引価格		建物価格		更地価格
1,550,000千円	－	911,000千円	＝	639,000千円

$$639{,}000\text{千円}\times\underset{\text{事}}{\frac{100}{100}}\times\underset{\text{時}}{\frac{94.7}{97.0}}\times\underset{\text{標}}{\frac{100}{100}}\times\underset{\text{地}}{\frac{100}{98}}\times\underset{\text{個}}{\frac{100}{100}}\times\underset{\text{面}}{\frac{800}{700}}\fallingdotseq 728{,}000\text{千円}$$

（910,000円／㎡）

④　比準価格

以上より3価格が得られた。事例(イ)は，やや取引時点が古いが，更地の事例で規範性が高い。事例(ハ)は，隣地併合に係る特殊事情の介在した事例でやや規範性は劣る。事例(ヘ)は複合不動産の事例であるが，配分法を適切に行っており，また画地規模も類似しており，規範性が高い。よって本件では，事例(イ)及び(ヘ)を関連づけ，事例(ハ)を比較考量して，比準価格を727,000千円（909,000円／㎡）と決定した。

(2)　公示価格（標準地5－1）との規準により求めた価格

※　標準地－1は，住宅地に係る標準地で，規模が小さく最有効使用が異なること等から不採用とした。

$$890{,}000\text{円／㎡}\times\underset{\text{時}}{\frac{94.7}{97.0}}\times\underset{\text{標}}{\frac{100}{100}}\times\underset{\text{地}}{\frac{100}{98}}\times\underset{\text{個}}{\frac{100}{100}}\times 800\text{㎡}\fallingdotseq 709{,}000\text{千円}$$

（886,000円／㎡）

(3)　更地価格

比準価格は実際に市場で発生した取引事例を価格判定の基礎としており，実証的な価格である。本件では，規範性の高い複数の事例を採用して求められており，その精度は高いものと判断する。また，公示価格を規準とした価格との均衡も得ており妥当である。

よって比準価格727,000千円（909,000円／㎡）をもって更地価格と査定した。

2．建物

指示事項により，直接法及び間接法を併用し，再調達原価を査定する。

(1) 直接法

$$1,147,000\text{千円} \times \overset{\text{事}}{\frac{100}{100}} \times \overset{\text{時}}{\frac{94.2}{99.1}} \fallingdotseq 1,090,000\text{千円}\ (229,000\text{円／㎡})$$

(2) 間接法

建設事例(α)及び(β)を採用して再調達原価を査定する。

※ 事例(γ)及び(δ)については，構造，用途が対象建物と異なることから不採用とした。

① 事例(α)

$$490,000\text{千円} \times \overset{\text{事}}{\frac{100}{100}} \times \overset{\text{時}}{\frac{94.2}{83.3}} \times \overset{\text{品}}{\frac{100}{100}} \times \overset{\text{面}}{\frac{4,770}{2,400}} \fallingdotseq 1,100,000\text{千円}$$

（231,000円／㎡）

② 事例(β)

$$369,000\text{千円} \times \overset{\text{事}}{\frac{100}{100}} \times \overset{\text{時}}{\frac{94.2}{83.4}} \times \overset{\text{品}}{\frac{100}{100}} \times \overset{\text{面}}{\frac{4,770}{1,800}} \fallingdotseq 1,100,000\text{千円}$$

（231,000円／㎡）

③ 間接法による再調達原価

両価格は一致しているため，1,100,000千円（231,000円／㎡）と査定した。

(3) 再調達原価

直接法は，対象建物の個別性を十分反映しているが，建築時点がやや古い。間接法は，採用した建設事例に係る建築時点は新しいが，対象建物に比し規模や設備の機能性等がやや異なる。よって両方法の規範性は同程度と判断し，両価格を関連づけて，対象建物の再調達原価を1,100,000千円（231,000円／㎡）と査定した。

3．建物及びその敷地

1．＋2．＝ 1,827,000千円

Ⅱ．減価修正

1．土地

単独での減価は特にないと判断した。

2．建物

⑴　耐用年数に基づく方法（定額法採用，残価率０）

主体：1,100,000千円×0.70× $\frac{14}{14+31}$ ≒ 240,000千円

設備：1,100,000千円×0.30× $\frac{14}{14+1}$ ＝ 308,000千円

計 548,000千円

⑵　観察減価法

経年相応の減価と判断し，上記⑴と同額と査定した。

⑶　減価額

両方法を併用して，建物の減価額を548,000千円と査定した。

3．建物及びその敷地

建物は敷地と適応し，環境とも適合しているため，土地建物一体としての減価はないと判断した。

4．減価額

1．＋2．＋3．＝ 548,000千円

Ⅲ．積算価格

再調達原価から積算価格を控除して，積算価格を1,280,000千円と試算した。

1,827,000千円 － 548,000千円 ≒ 1,280,000千円

問３

B．収益還元法（直接還元法）

指示事項により，対象不動産を賃貸に供することを想定し，正常実質賃料に基づく償却前純収益を還元利回りで還元して収益価格を試算する。

Ⅰ．償却前純収益

1．総収益

貸室部分の賃料収入に駐車場収入を加算して総収益を査定する。なお，共益費及び賃貸部分の光熱費については，実質的に賃料に相当する部分はないことから計上しない。

(1) 貸室部分

事例適格4要件を具備し，さらに対象不動産と契約内容も類似する新規の賃貸事例(あ)及び(い)の実際実質賃料に賃貸事例比較法を適用して，対象建物基準階（2階）の正常実質賃料を査定し，これに標準的な事務所ビルの階層別効用比を用いて，貸室部分全体の正常実質賃料を査定する。

※ 賃貸事例(う)は用途が異なるため不採用とした。

① 基準階（2階）の正常実質賃料

a．事例(あ)

実際実質賃料＝470,000円＋(470,000円×6ヶ月×0.02(※)÷12ヶ月)＝474,700円

※ 敷金を預り金的性格を有する一時金と判断し，運用利回りを市中金利の動向等より2.0％と査定。

事　時(※)　標　地　個　面

$$474{,}700円\times\frac{100}{100}\times\frac{96.0}{96.0}\times\frac{100}{100}\times\frac{100}{100}\times\frac{100}{102}\times\frac{530}{230} \fallingdotseq 1{,}070{,}000円$$

(2,020円／㎡)

※ 新規賃料指数採用。以下同様。

b．事例(い)

実際実質賃料＝513,000円＋(513,000円×6ヶ月×0.02÷12ヶ月)＝518,130円

事　時　標　地　個　面

$$518{,}130円\times\frac{100}{100}\times\frac{96.0}{96.0}\times\frac{100}{100}\times\frac{100}{100}\times\frac{100}{102}\times\frac{530}{250} \fallingdotseq 1{,}080{,}000円$$

(2,040円／㎡)

c．基準階（2階）の正常実質賃料

以上より2賃料が求められた。採用した資料，評価の手順，計算の過程に誤りはなくそれぞれ等しく妥当性を有するものと判断し，両事例を関連づけ，基準階の正常実質賃料を1,080,000円(2,040円／㎡）と査定した。

② 貸室部分全体の正常実質賃料

2〜8階　1,080,000円 × 7 ＝ 7,560,000円

1階　1,080,000円 $\times \frac{120}{100} \times \frac{510}{530}$ ≒ 1,250,000円
（階※　面）

計　8,810,000円（月額）

※ 階：階層別効用比

8,810,000円×12ヶ月＝105,720,000円（年額）

⑶ 駐車場部分

① 年額支払賃料　20,000円／台×10台×12ヶ月＝2,400,000円

② 敷金の運用益　20,000円／台×10台×1ヶ月×0.02＝4,000円

③ 計　①＋②＝2,404,000円

⑷ 総収益

⑴＋⑵＋⑶＝108,124,000円

2．総費用

⑴ 修繕費

1,100,000千円×0.01＝11,000,000円

⑵ 維持管理費

108,124,000円×0.03＝3,243,720円

⑶ 公租公課

指示事項により土地・建物合計　15,000,000円

⑷ 損害保険料

1,100,000千円×0.001＝1,100,000円

⑸ 貸倒れ準備費

指示事項により計上しない。

⑹ 空室等による損失相当額

108,124,000円×1／12≒9,010,333円

⑺ 総費用

⑴〜⑹計　39,354,053円

（減価償却費を含まない経費率は約36％で妥当と判断）

3．償却前純収益

1－2＝68,769,947円

Ⅱ．還元利回り

1．類似の不動産の取引事例との比較から求める方法

貸家及びその敷地の取引事例㈭（賃貸事例㋓）の償却前純収益を取引価格で除して取引利回りを求め，これをもって還元利回りと査定する。

⑴　償却前純収益

①　総収益

ａ．貸室部分

・実際支払賃料　（1,060,000円×３階＋1,130,000円）×12ヶ月＝51,720,000円

・敷金の運用益　（6,300,000円×３階＋6,780,000円）×0.02＝513,600円

・計　52,233,600円

ｂ．駐車場部分

・年額支払賃料　20,000円／台×５台×12ヶ月＝1,200,000円

・敷金の運用益　20,000円／台×５台×１ヶ月×0.02＝2,000円

・計　1,202,000円

ｃ．総収益

ａ＋ｂ＝53,435,600円

②　総費用

10,000,000円（減価償却費を含まない経費率は約19％）

③　償却前純収益

①－②＝43,435,600円

⑵　取引価格

700,000千円

⑶　取引利回り

⑴÷⑵≒0.062（6.2％）

2．借入金と自己資金に係る還元利回りから求める方法

借入金と自己資金に係る各還元利回りを各々の構成割合により加重平均して求める。

0.040×0.60＋0.10×0.40＝0.064（6.4％）

3．土地と建物に係る還元利回りから求める方法

土地と建物に係る各還元利回りを各々の構成割合により加重平均して求

める。

$$0.045\times\frac{727,000千円}{1,827,000千円}+0.070\times\frac{1,100,000千円}{1,827,000千円}\fallingdotseq 0.060(6.0\%)$$

4．還元利回り

指示事項により，上記3方法により求められた利回りの平均値0.062（6.2%）を還元利回りと査定した。

(0.062＋0.064＋0.060)÷3＝0.062（6.2%）

Ⅲ．収益価格

償却前純収益を還元利回りで還元して，収益価格を以下のとおり1,110,000千円と試算した。

68,769,947円÷0.062 ≒ 1,110,000千円

問4

C．試算価格の調整及び鑑定評価額の決定

Ⅰ．試算価格の調整

以上により　　A．積算価格　　1,280,000千円
　　　　　　　B．収益価格　　1,110,000千円

の2試算価格が得られた。

1．試算価格の再吟味

Aの積算価格は，費用性の観点から対象不動産の市場価値を求めたものである。再調達原価に当たり，土地については取引事例比較法により更地価格を適切に求め，建物については直接法及び間接法を併用して適切に求めた。減価修正に当たっても，対象不動産に係る各減価要因を耐用年数に基づく方法と観察減価法によって十分反映できた。

Bの収益価格は，収益性の観点から対象不動産の市場価値を求めたものであり，本件では，直接還元法を適用し，正常実質賃料に基づく純収益を還元利回りで還元して収益価格を試算した。貸室部分については複数の賃貸事例から正常実質賃料を適切に求め，還元利回りについても複数の方法を併用して求めており，結果，豊富な資料に裏付けられた説得力ある価格が得られた

2．試算価格が有する説得力に係る判断

(1)　対象不動産に係る地域分析及び個別分析の結果と各手法との整合性

対象不動産は駅前のデパート，事務所ビル，店舗ビル等が建ち並ぶ商業地域内に位置する自用の事務所ビルである。不動産市況は，米国を中心とするサブプライムローンの破綻を機に，外資系投資銀行などの倒産が多く見られ，事務所ビル等の投資用不動産のみならず，実需取引であるマンションの売れ行きも悪くなってきている。したがって，今後の不動産経済の全般的な見通しについても慎重な意見が出ており，近年，上昇傾向にあった商業地の地価動向も下落に転じてきている。

このような中，対象不動産は自用の事務所ビルであり，主な市場参加者は，収益物件の取得を企図する投資家や自社ビルの取得を企図する各種事業会社等と考えられるが，近隣地域の特性，対象不動産の性格等を考慮すると，いずれの需要者も今まで以上に収益性を慎重に吟味した上で，取引意思を決定するものと判断される。

(2) 各手法の適用において採用した資料の特性及び限界からくる相対的信頼性

採用した資料の質と量は十分で，各手法の相対的信頼性は同程度と判断される。

Ⅱ．鑑定評価額の決定

以上により，本件では収益価格を標準とし，積算価格を比較考量して，鑑定評価額を1,160,000千円と決定した。

なお，本件鑑定評価額は，当該課税資産の譲渡につき課されるべき消費税を含まないものである。

以　上

解　説

本問の類型は「自用の建物及びその敷地」であり，対象不動産の確定を踏まえ，原価法と収益還元法（直接還元法）の2手法を適用し，鑑定評価額を決定させる問題である。平成19年度の本試験問題を簡略化したような内容で，2時間で十分解答可能なレベルとなっている。

主な計算論点としては，配分法の適用による更地事例の導出，直接法と間接法の併用による再調達原価の査定，賃貸事例比較法による基準階正常賃料の査定，取引利回りの査定等が挙げられるが，いずれも既出の論点で，さほど難しいものではない。

◇ 平成22年度・演習

問題　別紙2〔資料等〕に記載の不動産（II．対象不動産）について，別紙1〔指示事項〕及び別紙2〔資料等〕に基づき，不動産の鑑定評価に関する次の問に答えなさい。

問1　土地についての取引事例比較法の適用に当たり，不採用事例を挙げ，不採用とした理由をすべて記載しなさい。

問2　原価法による試算価格を求めなさい（対象不動産の確定に関する事項は，解答する必要はない。）。

問3　収益還元法による試算価格を求めなさい。

問4　問2及び問3で求めた試算価格を調整して，対象不動産の鑑定評価額を決定しなさい。また，試算価格の調整に当たっては，鑑定評価の手順の各段階について，客観的，批判的に再吟味し，その結果を踏まえた各試算価格が有する説得力の違いを適切に反映することにより，鑑定評価に即して調整の過程を具体的に述べなさい。

別紙1〔指示事項〕

I．共通事項

1．問2及び問3における各手法の適用の過程で求める数値は，別に指示がある場合を除き，小数点以下1位を四捨五入し，整数で求めること。ただし，取引事例及び建設事例から比準した価格，賃貸事例から比準した賃料，公示価格を規準とした価格，各試算価格及び鑑定評価額については，上位4桁目を四捨五入して上位3桁を有効数字として取り扱うこと。

（例）1,234,567円　→　1,230,000円

2．取引事例等における価格等には，消費税及び地方消費税は含まれておらず，計算の過程においても消費税及び地方消費税は含めないで計算すること。

3．対象不動産及び取引事例等については，土壌汚染及び埋蔵文化財に関して価格形成に影響を与えるものは何ら存しないことが判明している。また，対象不動産及び取引事例等の建物部分には，いずれも有害物質使用調査が実施されていて，アスベスト，PCB等の有害物質の使用又は貯蔵はされていないことが確認されている。

4．土地及び建物の数量は，土地登記簿〔全部事項証明書〕及び建物登記簿

〔全部事項証明書〕記載数量によること。

5．対象不動産は，不動産鑑定評価基準各論第3章の証券化対象不動産ではない。よって，同章の規定は適用せずに鑑定評価を行うものとすること。ただし，問3の解答に当たっては，同章別表2に準じて，表形式で記載すること。

Ⅱ．問1について

取引事例は，原則として近隣地域又は同一需給圏内の類似地域に存する不動産に係るもののうちから選択するものとし，必要やむを得ない場合には近隣地域の周辺の地域に存する不動産に係るもののうちから，対象不動産の最有効使用が標準的使用と異なる場合等には，同一需給圏内の代替競争不動産に係るもののうちから選択するものとするほか，次の要件の全部を備えなければならないことに留意すること。

① 取引事情が正常なものと認められるものであること又は正常なものに補正することができるものであること。

② 時点修正をすることが可能なものであること。

③ 地域要因の比較及び個別的要因の比較が可能なものであること。

Ⅲ．問2について

1．建物及びその敷地の再調達原価

(1) 土地価格の試算

① 土地価格は，取引事例比較法を適用して求めること。

② 別紙2〔資料等〕「Ⅻ．対象不動産及び事例資料等の概要」に記載の各事例を用いて，比準価格を求めること。

③ 事例の事情その他の内容は，別紙2〔資料等〕「Ⅻ．対象不動産及び事例資料等の概要」の記載事項より判断すること。

④ 取引事例が建物及びその敷地の場合には，配分法を用いて，更地に係る事例資料を求めた上で比準すること（建物の資料は，別紙2〔資料等〕「Ⅻ．対象不動産及び事例資料等の概要」の「3．取引事例等に係る建物の概要」によること。）。

⑤ 比準価格を求める場合の計算式と略号は，次のとおりである（基準値を100とする。）。

$$\text{取引事例における土地価格（更地としての価格）（総額）}\times\overset{\textbf{事}}{\frac{100}{\text{取引事例の取引事情に係る補正率}}}\times\overset{\textbf{時}}{\frac{\text{価格時点の地価指数}}{\text{取引時点の地価指数}}}\times\overset{\textbf{標}}{\frac{100}{\text{取引事例の個別的要因に係る評点}}}\times\overset{\textbf{地}}{\frac{100}{\text{取引事例の存する地域の地域要因に係る評点}}}\times\overset{\textbf{個}}{\frac{\text{対象地の個別的要因に係る評点}}{100}}\times\overset{\textbf{面}}{\frac{\text{対象地の面積}}{\text{取引事例の面積}}}=\text{手法適用により求めた価格}$$

各項の意味と略号

事：事情補正
時：時点修正
標：取引事例の個別的要因の標準化補正
地：地域要因の比較
個：対象地の個別的要因の格差修正
面：面積の比較

⑥　公示価格を規準とした価格を求める場合の計算式と略号は，次のとおりである（基準値を100とする。）。

$$\text{公示価格}\times\overset{\textbf{時}}{\frac{\text{価格時点の地価指数}}{\text{公示価格の価格時点の地価指数}}}\times\overset{\textbf{標}}{\frac{100}{\text{公示地の個別的要因に係る評点}}}\times\overset{\textbf{地}}{\frac{100}{\text{公示地の存する地域の地域要因に係る評点}}}\times\overset{\textbf{個}}{\frac{\text{対象地の個別的要因に係る評点}}{100}}\times\text{対象地の面積}=\text{公示価格を規準とした価格}$$

各項の意味と略号

時：時点修正
標：公示地の個別的要因の標準化補正
地：地域要因の比較
個：対象地の個別的要因の格差修正

⑦　地価指数の計算上の留意点は，次のとおりである。

i　地価指数の計算における経過期間（月数）の算定については，次の例のとおり，起算日（即日）の属する月を含めず，期間の末日（当日）の属する月を含めて計算すること。

（例）　平成22年３月31日から平成22年８月１日までの期間の月数は，５ヶ月

平成22年４月１日から平成22年８月１日までの期間の月数は，４ヶ月

ii　地価指数は，別紙２〔資料等〕「XIII. 地価指数，建築費指数及び賃貸事務所の新規賃料指数の推移」により求め，少なくとも一つの取引事例について，価格時点及び取引時点の地価指数の計算過程を明らかにすること。地価指数計算上の特定の時点の指数は，次の例のとおり求めることとし，小数点以下２位を四捨五入し，小数点以下１位まで求めること。

（例）　平成22年１月１日の指数を100，平成22年７月１日の指数を98として，取引時点である平成22年５月15日の指数を求める場合

$$\left\{\left(\frac{\text{平成22年7月1日の指数（98）}}{\text{平成22年1月1日の指数（100）}}-1\right)\times\frac{\text{平成22年1月1日～平成22年5月15日の月数（4）}}{\text{平成22年1月1日～平成22年7月1日の月数（6）}}+1\right\}\times\text{平成22年1月1日の指数（100）}$$

＝求める時点の指数（98.7）（小数点以下2位を四捨五入）

(2) 建物価格の試算

① 建物の再調達原価を求めるに当たっては，直接法及び間接法を併用すること。なお，直接法については，実際に要した建築工事費を建築費指数で時点修正する方法を採用し，間接法については，類似性の高い建設事例から比準して求めること。建築費指数は，別紙2〔資料等〕「XIII. 地価指数，建築費指数及び賃貸事務所の新規賃料指数の推移」により，地価指数と同様に求めること。

② 建物の再調達原価を建設事例から比準して求める場合の計算式と略号は，次のとおりである（基準値を100とする。）。

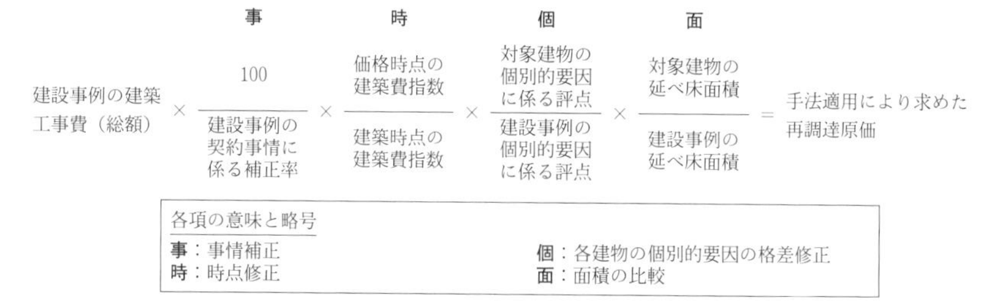

2．対象不動産の積算価格について

(1) 建物及びその敷地の積算価格は，再調達原価に減価修正を行い，さらに建物及びその敷地一体としての市場性を考慮して求めること。

(2) 建物の主体（本体）部分の耐用年数は50年，設備部分の耐用年数は15年とし，減価修正の耐用年数に基づく方法はいずれも定額法を採用し，残価率は0とすること。建物の減価の程度は，おおむね経年相応とすること。また，建物の主体部分と設備部分の構成割合は，70：30とすること。

(3) 対象不動産の個別的要因として，賃貸運営管理（借主の状況及び賃貸借契約の内容）が良好で，代替競争不動産と比較して，現行賃料水準が高位にあることが認められ，市場性が優ると判断されることから，建物及びその敷地の再調達原価に減価修正を行った額に対して，5％増価修正すること。

IV．**問3について**

1．収益還元法の適用に際しては，DCF法を採用すること。DCF法の適用に当たっては，保有期間を5年として，対象不動産を現状のまま賃貸（空室部分等については新たに賃貸）することを想定し，価格時点以降5年間の純収益の現在価値の総和と5年後の復帰価格の現在価値を加算することにより，収益価格を求めること。なお，価格時点以降5年間の純収益の現在価値の総和は，不動産鑑定評価基準各論第3章別表2に準じて，次の様式で解答すること。

（様式の例）

		1	2	3	4	5	6
運営収益							
	小　計						
	小　計						
運営収益　合計							
運営費用							
	公租公課						
	公租公課						
運営費用　合計							
運営純収益							
純収益							
	複利現価率						／
	現在価値						／
	現在価値　合計						

2．対象不動産の純収益は，運営収益から運営費用を控除して運営純収益とし，これに一時金の運用益，資本的支出を加減して求めること。なお，一時金の運用利回りは，年2.0%とすること。複利現価率については，小数点以下4位を四捨五入して，小数点以下3位まで求め，現在価値については千円未満を四捨五入し，千円単位で求めること。

3．対象不動産の空室部分等の実質賃料は，賃貸事例比較法を適用して求めること。この場合，別紙2〔資料等〕「XII．対象不動産及び事例資料等の概要」の「2．賃貸事例の概要」の，賃貸事例(あ)・(い)と比準して求めること。いずれの賃貸事例もその契約内容は賃貸事例が所在する地域における標準的なものであり，各賃貸事例の個別的要因の標準化補正も必要はないものである。賃料指数は，別紙2〔資料等〕「XIII．地価指数，建築費指数及び賃貸事務所の新規賃料指数の推移」により，地価指数と同様に求めること。

4．賃貸事例比較法の適用の際に用いる計算式と略号は次のとおりである（基準値を100とする。）。

$$\text{賃貸事例の月額実質賃料（総額）} \times \underbrace{\frac{100}{\text{賃貸事例の賃貸事情に係る補正率}}}_{\text{事}} \times \underbrace{\frac{\text{価格時点の賃料指数}}{\text{賃貸時点の賃料指数}}}_{\text{時}} \times \underbrace{\frac{100}{\text{賃貸事例の個別的要因に係る評点}}}_{\text{標}} \times \underbrace{\frac{100}{\text{賃貸事例の存する地域の地域要因に係る評点}}}_{\text{地}} \times \underbrace{\frac{\text{対象不動産の基準階の建物品等に係る評点}}{\text{賃貸事例の基準階の建物品等に係る評点}}}_{\text{品}} \times \underbrace{\frac{\text{対象不動産の賃貸面積}}{\text{賃貸事例の賃貸面積}}}_{\text{面}} = \text{手法適用により求めた賃料}$$

各項の意味と略号

事：事情補正	**地**：地域要因の比較
時：時点修正	**品**：基準階の建物品等の比較
標：賃貸事例の個別的要因の標準化補正	**面**：面積の比較

5．対象不動産の初年度運営収益を求めるに当たっては，次のとおりとすること。

⑴　運営収益は，貸室賃料収入，共益費収入，水道光熱費収入，駐車場収入を合計した総収益（満室想定）から，空室等損失及び貸倒損失を控除して求めること。

⑵　貸室賃料収入は，空室等として把握することが妥当な部分を除き，現行の賃貸条件をそのまま採用し，空室等部分については，賃貸事例比較法を適用して求めた月額実質賃料から，敷金として月額支払賃料の12ヶ月分を徴収することを想定した一時金の運用益を控除して求めること。

⑶　共益費収入は，現行の賃貸条件を妥当と認め，入居部分及び空室部分について求めること。

⑷　事務所部分の水道光熱費収入は，満室稼働を前提とした昨年度実績額である11,000,000円（年額）とすること。

⑸　駐車場収入は，現行の１台当たりの使用料を妥当と認めて採用すること。

⑹　空室等損失は，事務所部分の稼働率を80%，駐車場部分の稼働率を50%として求めること。

⑺　貸倒損失は，賃借人の状況等を勘案した結果，計上しないものとすること。

6．対象不動産の初年度運営費用を求めるに当たっては，次のとおりとすること。

⑴　運営費用は，維持管理費，水道光熱費，修繕費，プロパティマネジメントフィー（以下「PMフィー」という。），テナント募集費用等，公租公課（土地・建物），損害保険料を合計して求めること。

⑵　維持管理費は，昨年度実績額である12,000,000円（年額）とすること。

⑶　水道光熱費は，満室稼働を前提とした昨年度実績額である13,000,000円（年額）について，事務所の稼働率を乗じて査定すること。

⑷　修繕費は，建物の再調達原価の0.3%相当額とすること。

⑸　PMフィーは，現行のプロパティマネジメント契約に基づき，水道光熱費収入を除く運営収益の2.5%相当額とすること。

⑹　テナント募集費用等は，新規入居を想定した事務所部分について，仲介手数料として貸室賃料収入の１ヶ月分とすること。

⑺　公租公課（土地・建物）は，固定資産税及び都市計画税とし，その実額は，土地2,500,000円（年額），建物6,500,000円（年額）とすること。

⑻　損害保険料は，現行の保険契約に基づく400,000円（年額）とすること。

7．対象不動産の初年度純収益を求めるに当たっては，次のとおりとすること。

⑴　一時金の運用益は，貸室賃料収入の12ヶ月分及び駐車場収入の１ヶ月分の満室稼働を前提とした敷金に，稼働率を乗じて求めた額に，運用利回りの年2.0%を乗じて求めること。

⑵　資本的支出は，建物の再調達原価の0.7%相当額とすること。

8．２年目以降の純収益を求めるに当たっては，次のとおりとすること。

⑴　B市におけるオフィス市況の動向を考慮し，新規支払賃料（単価）については横ばいとし，貸室賃料収入については年５%ずつ減額されるものとすること。ただし，新規支払賃料（新規支払賃料（単価）×賃貸面積）を

下限とすること。

(2) 空室等損失は，事務所部分の稼働率を95%，駐車場部分の稼働率を50%として求めること。

(3) テナント募集費用等は，事務所の仲介手数料についてのみ，平均回転期間を10年として，以下の計算式により求めること。

新規支払賃料（年額）÷12ヶ月×１ヶ月÷10年×稼働率

(4) 公租公課（建物）は，耐用年数に基づく減価等を勘案の上，２年目と５年目に年３%減額すること。

(5) 一時金の運用益は，敷金が貸室賃料収入の変動に応じて同様に変動するものとして，当期末の稼働率を考慮した敷金残高に，運用利回りの年2.0%を乗じて求めること。

(6) その他の運営収益，運営費用については，初年度と同額又は同率により求めること。

9．復帰価格を求めるに当たっては，次のとおりとすること。

(1) 復帰価格は，６年目の純収益を最終還元利回りで還元した価格から，売却費用を控除して求めること。

(2) 最終還元利回りは，割引率に対して，建物の経過年数及び将来の収益獲得の不確実性等を考慮して，0.3ポイントを加算すること。

(3) 売却費用は，売却費用控除前の復帰価格の３%相当額とすること。

10．割引率は，Ｂ市における投資適格性を有する賃貸事務所ビルに要求される一般的な投資収益率，還元利回りに反映されている流動性に関わるリスク及び将来の純収益の変動見通し等を勘案して，5.0%を採用すること。

Ⅴ．問４について

不動産鑑定評価基準に従って，試算価格を調整すること。また，鑑定評価額の決定に当たっては，各試算価格の再吟味及び各試算価格が有する説得力に係る判断にも言及すること。

別紙2〔資料等〕

Ⅰ．依頼内容

本件は，「B駅」の北方約200mにある事務所ビル（対象不動産）について，売買の参考として，平成22年8月1日時点の現状での経済価値の判定のため，不動産鑑定士に鑑定評価を求めたものである。

Ⅱ．対象不動産

1．土地　所在及び地番　A県B市C1丁目6番1
　　　　地　　目　宅地
　　　　地　　積　520.00㎡（土地登記簿〔全部事項証明書〕記載数量）
　　　　所有者　Z株式会社

2．建物　所　　在　A県B市C1丁目6番地1
　　　　家屋番号　6番1
　　　　構造・用途　鉄骨鉄筋コンクリート造陸屋根地下1階付地上8階建て事務所
　　　　建築年月日　平成19年8月1日
　　　　床面積　（建物登記簿〔全部事項証明書〕記載数量）

1階	340.00㎡
2階	320.00㎡
3階	320.00㎡
4階	320.00㎡
5階	320.00㎡
6階	320.00㎡
7階	320.00㎡
8階	320.00㎡
地下1階	340.00㎡
合計	2,920.00㎡

　　　　所有者　Z株式会社

Ⅲ．類型　貸家及びその敷地

Ⅳ．依頼目的　売買の参考

Ⅴ．**鑑定評価によって求める価格の種類**　正常価格

Ⅵ．**価格時点**　平成22年８月１日

Ⅶ．**その他の鑑定評価の条件**　な　し

Ⅷ．**Ｂ市の状況等**

１．位置等

⑴　位置・面積　Ａ県の西部に位置する。面積は約165k㎡である。

⑵　沿　　　革　戦後大規模なニュータウン開発によって整備され，Ｔ地域の中心都市の一つとして発展してきた。

２．人口等

⑴　人　口　約55万人。近年は，微増で推移している。

⑵　世帯数　約24万世帯

３．交通施設及び道路整備の状態

⑴　鉄　道　JR○○線がＢ市の市街地の中央を東西に横断している。JR△△線がJR○○線に乗り入れている。

⑵　道　路　複数の国道が縦横に敷設され，また，Ｂ市郊外では高速道路のＤインターチェンジが設けられている。

４．供給処理施設の状態

⑴　上 水 道　普及率は，ほぼ100％

⑵　下 水 道　普及率は，ほぼ100％

⑶　都市ガス　普及率は，約95％

5．土地利用の状況

⑴　商業施設　JR○○線及びJR△△線のＢ駅周辺には，著名な百貨店，商業ビルや事務所ビルを始めとした商業施設の集積が見られる。

⑵　住　　宅　JR○○線及びJR△△線の各駅を中心とした商業ビルや事務所ビルの集積する地域の外延部に，広域的に住宅地域が形成されている。また，徒歩圏においては分譲マンションが多く建ち並んでおり，バス通勤圏においては戸建住宅が中心となっている。

6．不動産取引市場の状況

(1) 不動産取引市場の状況

近年において，事務所ビル等の投資用不動産を対象とした活発な不動産投資が行われてきたが，米国を中心とするサブプライムローン問題により，日本の不動産取引は急速に低迷し，地価は大きく下落した。今後の不動産経済の全般的な見通しについても，慎重な見方は変わらないが，やや持ち直してきている。B市内の商業地域においても，同様の動きを示している。

(2) 賃貸市場の状況

事務所ビルについて，最近では，立地の悪い物件や，築年数の経った古い物件では空室も見られるが，駅に近い築年数の浅い物件はほぼ満室となっている。

一方，賃料については，地価と同様に大幅に下落したが，最近は下落幅が縮小してきている。

Ⅸ．対象不動産の賃貸借契約の概要

階層	用途	賃貸面積 ㎡	賃借人	現行契約期間	契約の種類	月額支払賃料 円	月額共益費 円	敷金 円	備考
8階	事務所	250	g	平成21.8.1～平成23.7.31	普通借家	1,125,000	225,000	13,500,000	
7階	事務所	250	f	平成21.8.1～平成23.7.31	普通借家	1,125,000	225,000	13,500,000	
6階	事務所	250	e	平成21.8.1～平成23.7.31	普通借家	1,125,000	225,000	13,500,000	
5階	事務所	250	空室	――	――	――	――	――	(注6)
4階	事務所	250	d	平成21.8.1～平成23.7.31	普通借家	1,125,000	225,000	13,500,000	(注7)
3階	事務所	250	c	平成21.8.1～平成23.7.31	普通借家	1,125,000	225,000	13,500,000	
2階	事務所	250	b	平成21.8.1～平成23.7.31	普通借家	1,125,000	225,000	13,500,000	
1階	事務所	200	a	平成21.8.1～平成23.7.31	普通借家	900,000	180,000	10,800,000	

（注1）契約の種類に「普通借家」とあるのは，借地借家法第30条の規定の適用がある賃貸借契約である。

（注2）月額共益費は，各テナントとも900円/㎡であり，周辺の同様の賃貸物件と比較しても，同等の水準にある。

（注3）月額支払賃料及び月額共益費は，毎月末に当月分を支払う。

（注4）敷金は預り金的性格の一時金であり，退去時に無利息で賃借人に返還される。

（注5）駐車場は地下1階に20台分あり，現在10台分が賃貸されている。1台当たり月額使用料は15,000円，敷金は1ヶ月分で，周辺の同様の賃貸物件と比較しても，同等の水準にある。

（注6）他の階層の事務所と同一条件で賃貸されていたが，平成22年3月31日付で解約された。解約予告が出された時点から，同一条件で賃借人の募集を行っているが，価格時点現在において契約に至っていない。

（注7）平成22年8月4日付での解約予告が出されている。解約予告が出された時点から，同一条件で賃借人の募集を行っているが，価格時点現在において入居申込は出されていない。

X. 近隣地域及び類似地域等の概要

対象不動産の所在する近隣地域及びその類似地域等の地域の特性を略記すれば，以下のとおりである。

地　　域	位　置 （距離は，駅からの直線距離による。）	道路の状況	周辺の土地の利用状況	都市計画法等の規制で主要なもの	供給処理施設	標準的な画地規模	標準的使用
近隣地域	B駅の北方 約150m～250m	幅員 30m 舗装市道	中高層事務所ビル等の建ち並ぶ駅前商業地域	商業地域 建ぺい率　80% 容積率　500% 防火地域	上 水 道 下 水 道 都市ガス	500㎡程度	高度商業地
A 地 域	B駅の北方 約150m～250m	幅員 30m 舗装市道	高層店舗，事務所ビル等の建ち並ぶ駅前商業地域	商業地域 建ぺい率　80% 容積率　600% 防火地域	上 水 道 下 水 道 都市ガス	400㎡程度	高度商業地
B 地 域	B駅の北西方 約450m～550m	幅員 18m 舗装市道	駅前商業地域の背後に位置する，事務所ビル，小売店舗等の連担する商業地域	商業地域 建ぺい率　80% 容積率　500% 防火地域	上 水 道 下 水 道 都市ガス	400㎡程度	高度商業地
C 地 域	B駅の北西方 約50m～100m	駅前広場	駅前広場に面した，小規模な高層店舗ビル等の連担する商業地域	商業地域 建ぺい率　80% 容積率　700% 防火地域	上 水 道 下 水 道 都市ガス	300㎡程度	高度商業地
D 地 域	B駅の北方 約400m～500m	幅員 30m 舗装国道	国道沿いに中高層事務所ビル，店舗付マンション等が混在する商業地域	商業地域 建ぺい率　80% 容積率　400% 防火地域	上 水 道 下 水 道 都市ガス	600㎡程度	高度商業地
E 地 域	B駅の北東方 約450m～550m	幅員 15m 舗装市道	駅前商業地域の背後に位置する，中高層事務所ビル等が連担する旧来からの商業地域	商業地域 建ぺい率　80% 容積率　500% 防火地域	上 水 道 下 水 道 都市ガス	300㎡程度	高度商業地

XI. 対象不動産，地価公示法による標準地，取引事例等の位置図

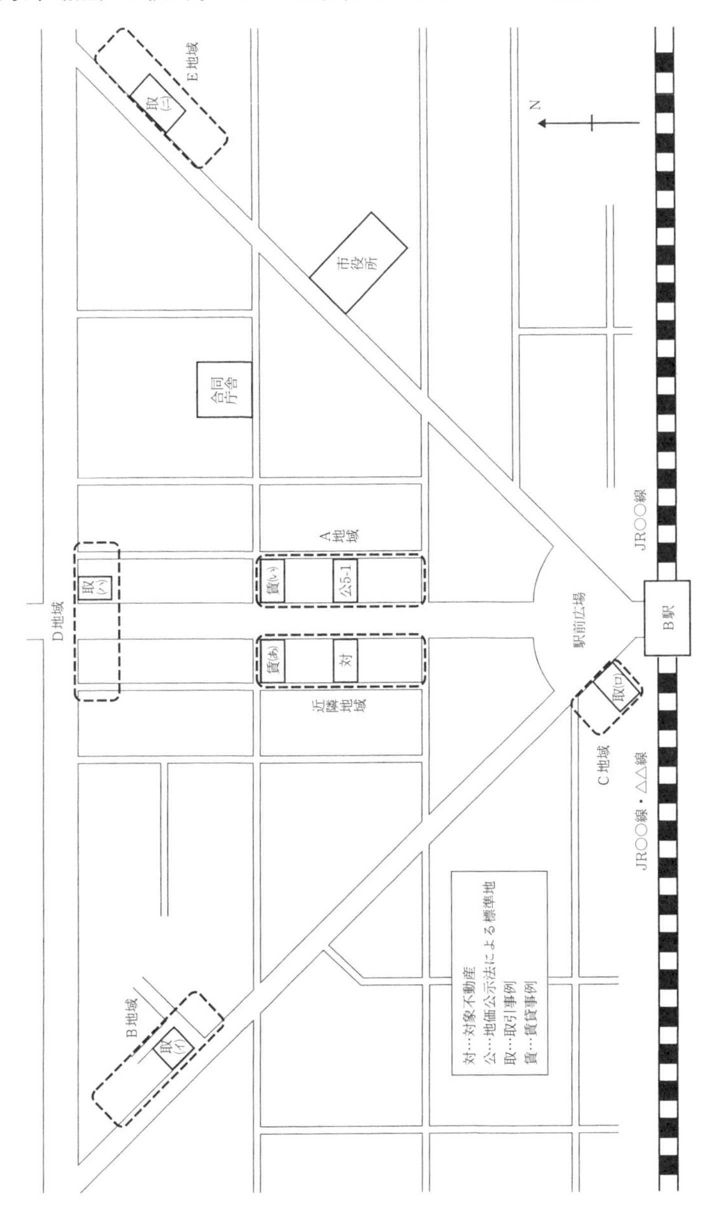

（注） この位置図は，対象不動産及び取引事例等のおおむねの配置を示したもので，実際の距離又は規模等を正確に示したものではない。

XII. 対象不動産及び事例資料等の概要

1．取引事例等の概要

事例区分	所在する地域	類型	価格時点 取引時点	公示価格 取引価格	数量等	価格時点，取引時点における敷地の利用の状況	道路・供給処理施設の状況	駅からの道路距離	備考
対象不動産	近隣地域	貸家及びその敷地	平成 22．8．1 価格時点	――	土地 520㎡ 建物延べ床面積 2,920㎡	鉄骨鉄筋コンクリート造地下1階付地上8階建て事務所	東側 幅員 30m 舗装市道 西側 幅員 6m 舗装市道 上水道 下水道 都市ガス	B駅 北方 約200m	――
標準地 5－1	A地域	更地として	平成 22．1．1 価格時点	1,080,000円/㎡	430㎡	鉄骨鉄筋コンクリート造地下1階付地上8階建て事務所	西側 幅員 30m 舗装市道 東側 幅員 6m 舗装市道 上水道 下水道 都市ガス	B駅 北方 約200m	地価公示法第6条の規定による標準地であり，利用の現況は当該標準地の存する地域における標準的使用とおおむね一致する。
取引事例(イ)	B地域	自用の建物及びその敷地	平成 21．5．12 取引時点	1,125,000,000円	土地 445㎡ 建物延べ床面積 2,314㎡	鉄骨鉄筋コンクリート造地下1階付地上8階建て事務所	南西側 幅員 18m 舗装市道 南東側 幅員 12m 舗装市道 北東側 幅員 8m 舗装市道 上水道 下水道 都市ガス	B駅 北西方 約500m	不動産投資ファンドへの売却を見込んで，竣工までに満室稼働を実現することを計画していたが，景気後退の影響から計画が頓挫したもの。空室のまま保有していたが，このほど売却に至った。
取引事例(ロ)	C地域	自用の建物及びその敷地	平成 20．2．20 取引時点	200,000,000円	土地 91㎡ 建物延べ床面積 199㎡	鉄骨造地上3階建て店舗	北東側 駅前広場 上水道 下水道 都市ガス	B駅 北西方 約 50m	地域の一体開発を計画しているディベロッパーに対して売却したもの。限定価格的な要素を含むが，どの程度買い進んだかは不明である。
取引事例(ハ)	D地域	更地	平成 22．4．15 取引時点	600,000,000円	土地 615㎡	近隣の量販店に駐車場として一時的に賃貸されていた土地である。売買するに当たり，賃貸借契約は解除された。	北側 幅員 30m 舗装国道 上水道 下水道 都市ガス	B駅 北方 約450m	特別な事情は存在しない。
取引事例(ニ)	E地域	更地	平成 21．9．10 取引時点	290,000,000円	土地 335㎡	売却のため，空地としていた土地であった。	北西側 幅員 15m 舗装市道 上水道 下水道 都市ガス	B駅 北東方 約500m	経営不振により，銀行から債務返済のために売却を急がされたものであり，市場実勢から20%売り急いだ価格で売買が成立したものである。

2．賃貸事例の概要

事例区分	所在する地域	種　類	賃貸時点	支払賃料等	物件の規模等	賃貸時点における敷地の利用の状況	道路・供給処理施設の状況	駅からの道路距離	備　考
賃貸事例(あ)	近隣地域	新規賃料	平成 21.10.20	月額支払賃料等契約内容の詳細は，「XVI.賃貸事例の契約内容等」参照のこと。	土地 558㎡ 建物延べ床面積 3,030㎡	鉄骨鉄筋コンクリート造地下１階付地上８階建て事務所	東側 幅員 30m 舗装市道 北側及び西側 幅員 6m 舗装市道 上水道 下水道 都市ガス	B駅 北方 約250m	契約に当たって，特別な事情は存在しない。
賃貸事例(い)	A地域	新規賃料	平成 22.3.23	月額支払賃料等契約内容の詳細は「XVI.賃貸事例の契約内容等」参照のこと。	土地 375㎡ 建物延べ床面積 2,470㎡	鉄骨鉄筋コンクリート造地下１階付地上８階建て事務所	西側 幅員 30m 北側及び東側 幅員 6m 舗装市道 上水道 下水道 都市ガス	B駅 北方 約250m	契約に当たって，特別な事情は存在しない。

3．取引事例等に係る建物の概要

事例区分	建築時点	建築工事費（総額）	数量等	建物構造・用途	施工の質	価格時点又は取引時点現在の経済的残存耐用年数	設備の良否	昇降機設備の有無	空調冷暖房設備の有無	近隣地域等との適合性，建物と敷地との適応性
対象不動産	平成 19.8.1	880,000,000円	建築面積 340㎡ 延べ床面積 2,920㎡	鉄骨鉄筋コンクリート造地下１階付地上８階建て事務所	中級	主体部分47年 設備部分12年	普通	あり	あり	環境と適合し，敷地と適応している。
取引事例(イ)	平成 20.8.4	716,000,000円	建築面積 302㎡ 延べ床面積 2,314㎡	鉄骨鉄筋コンクリート造地下１階付地上８階建て事務所	中級	主体部分49年 設備部分14年	普通	あり	あり	環境と適合し，敷地と適応している。
取引事例(ロ)	昭和 50.6.20	不明	建築面積 69㎡ 延べ床面積 199㎡	鉄骨造地上３階建て店舗	中級	主体部分15年 設備部分５年	普通	なし	あり	環境と適合しているが，敷地とは不適応である。

（注１）鉄骨鉄筋コンクリート造，鉄骨造においては，建築工事費に占める主体（本体）部分と設備部分の構成割合は，70：30である。
（注２）価格時点において事例内容を調査した結果，建物の減価の程度は，いずれもおおむね経年相応である。

4．建設事例の概要

事例区分	所在する地域	建築時点	建築工事費	数量等	建物構造・用途	施工の質	建物竣工時点での経済的残存耐用年数	設備の良否	昇降機設備の有無	空調冷暖房設備の有無	価格時点における建物の面積以外の個別的要因に係る評点（注1）
建設事例 α	近隣地域	平成21．11．1	995，000，000円	建築面積 388㎡ 延べ床面積 3，208㎡	鉄骨鉄筋コンクリート造地下1階付地上8階建て事務所	中級	主体部分50年 設備部分15年	普通	あり	あり	105

（注1）対象不動産に係る建物を100とした場合の比較評点である。
（注2）建築工事費に占める主体（本体）部分と設備部分の構成割合は，70：30である。
（注3）特別な事情が存在しない標準的な建築工事費である。

XIII. 地価指数，建築費指数及び賃貸事務所の新規賃料指数の推移

Ｂ市における商業地域の地価指数，事務所ビル（鉄骨鉄筋コンクリート造）の建築費指数，対象不動産と構造，規模，用途等が類似する同一需給圏内の賃貸事務所の新規賃料指数の推移は，次のとおりである。なお，平成22年１月１日以降の動向は，平成21年７月１日から平成22年１月１日までの推移とそれぞれ同じ傾向を示している。

区分／地域／年月日	地価指数						建築費指数	賃貸事務所の新規賃料指数
	近隣地域	Ａ地域	Ｂ地域	Ｃ地域	Ｄ地域	Ｅ地域		
平成19.1.1							100	
20.1.1	100	100	100	100	100	100	102.3	100
20.7.1	98	98	99	97	98	97	110.4	99
21.1.1	88	87	89	85	86	84	106.3	93
21.7.1	84	83	85	81	80	79	101.4	89
22.1.1	81	80	83	78	77	76	96.3	88

（注１）鉄骨造の店舗ビルの建築費指数も，事務所ビル（鉄骨鉄筋コンクリート造）と同様の変動であった。

（注２）平成20年１月１日から平成20年７月１日までの地価変動については，３月頃まではやや上昇していたが，その後急激に下落に転じたことが判明している。

XIV. 地域要因及び土地の個別的要因の比較

事例等／地域／比較項目	対象不動産	標準地 5－1	事例(イ)	事例(ロ)	事例(ハ)	事例(ニ)
	近隣地域	Ａ地域	Ｂ地域	Ｃ地域	Ｄ地域	Ｅ地域
地域要因に係る評点（地）	100	105	92	143	97	109
個別的要因に係る評点（個）	102	102	107	78	100	97

（注１）地域要因に係る評点（地）の比較については，近隣地域の評点を100とし，他の地域は近隣地域と比較してそれぞれの評点を付したものである。

（注２）個別的要因に係る評点（個）の比較については，それぞれの地域において標準的と認められる画地の地積以外の評点を100とし，これと取引事例に係る土地等とを比較し，それぞれの評点を付したものである。

XV．賃貸事例の価格形成の要因の比較

比較項目＼事例等	対象不動産（基準階）	賃貸事例(あ)	賃貸事例(い)
地域要因に係る評点（地）	100	100	100
基準階の建物品等に係る評点（品）	100	105	95

（注１）賃貸事例の要因比較については，対象不動産（基準階）の評点を100とし，賃貸事例(あ)・(い)と比較してそれぞれの評点を付したものである。

（注２）地域要因に係る評点（地）は，賃貸事例の存する地域の地域要因に係る評点を示している（必ずしも，不動産取引における土地の地域要因に係る評点とは一致しない。）。

（注３）基準階の建物品等に係る評点（品）は，基準階賃料に影響を与える建物品等の格差を示している。

XVI．賃貸事例の契約内容等

賃貸事例が存する地域における標準的な賃貸借の条件は，以下のとおりである。

① 支払賃料は，毎月末に当月分を支払う。

② 賃貸借に当たって授受される一時金は，預り金的性格を有する敷金のみである。標準的な敷金の額は，月額支払賃料の12ヶ月分であり，売買に当たって承継される。なお，以後の契約の更新においては，更新料等いかなる名目においても一時金の授受はない。また，同じく駐車場にあっては，預り金的性格を有する敷金のみであり，標準的な敷金の額は，月額使用料の１ヶ月分である。

③ 敷金は，賃貸借契約を解除したときは直ちに全額返還されるが，利息は付さない。

④　共益費については，いずれも標準的なものと認められる。

⑤　事務所の階層別賃料は，いずれも同一単価と認められる。

⑥　契約期間は2年，契約の形式は書面によるものが一般的である。

⑦　各テナントとの契約は，いわゆる普通借家契約であり，契約更新時に支払賃料等の改定協議を行うこととなっている。

賃貸事例の個別的な賃貸借の条件は，以下のとおりである。

1．賃貸事例(あ)

近隣地域内に所在する。鉄骨鉄筋コンクリート造地下1階付地上8階建て事務所の6階部分。平成19年3月に竣工

賃　貸　人：F株式会社
賃　借　人：G株式会社
賃貸時点：平成21年10月20日
月額支払賃料：1,280,000円
月額共益費：297,000円
敷金の額は月額支払賃料の12ヶ月分，賃貸面積330㎡

2．賃貸事例(い)

A地域内に所在する。鉄骨鉄筋コンクリート造地下1階付地上8階建て事務所の4階部分。平成19年7月に竣工

賃　貸　人：H株式会社
賃　借　人：I株式会社
賃貸時点：平成22年3月23日
月額支払賃料：750,000円
月額共益費：198,000円
敷金の額は月額支払賃料の12ヶ月分，賃貸面積220㎡

XVII．対象不動産の建築工事費について

対象不動産は，平成19年8月1日に竣工した。建築工事費は，全体で880,000,000円かかった（当該建築工事費は，特別な事情が存在しない標準的な建築工事費である。）。

以　上

解答例

問1

対象不動産を商業地の貸家及びその敷地と確定し，原価法及び収益還元法（DCF法）を適用して求めた試算価格を調整の上，鑑定評価額を決定する。なお，土地建物一体としての取引事例比較法は適用しない。

採用する事例等は投機性のない適正なもので，かつ，①場所的同一性，②事情の正常性又は正常補正可能性，③時間的同一性，④要因比較可能性の事例適格4要件を全て具備するものを，賃貸事例については，さらに契約内容も類似するものを選択する。

※ 不採用事例とその理由

取引事例(ロ)：① 限定価格的な要素を含むが，詳細が不明であり，正常補正可能性に欠ける。

② 複合不動産の取引事例だが，価格内訳が不明で，建築費等も不明なため，配分法を適用できない。

③ 上記②に加え，敷地が最有効使用の状態にないことからも，更地に対応する事例資料を導出できない。

④ 取引時点がやや古く，時間的同一性に欠ける。

⑤ 地域の特性が異なり，地域格差率が大きく，要因比較可能性に欠ける。

⑥ 敷地規模が小さく，代替性に欠ける。

問2

A．原価法

対象不動産の再調達原価を求め，これに減価修正を行って積算価格を試算する。

Ⅰ．再調達原価

土地の再調達原価に建物の再調達原価を加算して，建物及びその敷地の再調達原価を査定する。

1．土地（更地価格）

既成市街地に存し，再調達原価の把握ができないので原価法は適用せず，指示事項より，取引事例比較法を適用して更地価格を査定する。

(1) 比準価格

事例適格４要件を具備した取引事例(イ)，(ハ)，(ニ)を採用し，比準価格を査定する。

① 事例(イ)

建物及びその敷地の取引事例であるが，敷地が最有効使用の状態にあるので，配分法を適用して更地の事例資料を求める。

※ 建物価格（原価法を準用）

a．再調達原価（直接法）

事　時(※)

$$716,000\text{千円}\times\frac{100}{100}\times\frac{103.0}{109.7} \fallingdotseq 672,000\text{千円}\ (290\text{千円}/\text{m}^2)$$

※ 建築費指数採用

b．減価修正

・耐用年数に基づく方法（定額法採用，残価率０）

$$\text{主体}：672,000\text{千円}\times 0.70\times\frac{1}{1+49} = 9,408\text{千円}$$

$$\text{設備}：672,000\text{千円}\times 0.30\times\frac{1}{1+14} = 13,440\text{千円}$$

計 22,848千円

・観察減価法

経年相応の減価と判断し，耐用年数に基づく方法による減価額と同額と査定。

・減価額

２方法を併用し，建物の減価額を22,848千円と査定した。

c．事例建物価格

672,000千円 － 22,848千円 ≒ 649,000千円

※ 更地価格

1,125,000千円 － 649,000千円 ＝ 476,000千円

事　時(※)　標　地　個　面

$$476,000\text{千円}\times\frac{100}{100}\times\frac{80.7}{86.3}\times\frac{100}{107}\times\frac{100}{92}\times\frac{102}{100}\times\frac{520}{445} \fallingdotseq 539,000\text{千円}$$

(1,040千円／m²)

※　時点修正率査定根拠（地価指数採用）

分子　価格時点(H22／８)：

$$\left\{\left(\frac{83}{85}-1\right)\times\frac{7}{6}+1\right\}\times 83 \fallingdotseq 80.7$$

分母　取引時点(H21／５)：

$$\left\{\left(\frac{85}{89}-1\right)\times\frac{4}{6}+1\right\}\times 89 \fallingdotseq 86.3$$

以下同様の方法により査定し，根拠の記載は省略する。

②　事例(ハ)

$$600{,}000\text{千円}\times\underset{\text{事}}{\frac{100}{100}}\times\underset{\text{時}}{\frac{73.6}{75.6}}\times\underset{\text{標}}{\frac{100}{100}}\times\underset{\text{地}}{\frac{100}{97}}\times\underset{\text{個}}{\frac{102}{100}}\times\underset{\text{面}}{\frac{520}{615}}\fallingdotseq 519{,}000\text{千円}$$

（998千円／㎡）

③　事例(ニ)

$$290{,}000\text{千円}\times\underset{\text{事(※)}}{\frac{100}{80}}\times\underset{\text{時}}{\frac{72.6}{78.0}}\times\underset{\text{標}}{\frac{100}{97}}\times\underset{\text{地}}{\frac{100}{109}}\times\underset{\text{個}}{\frac{102}{100}}\times\underset{\text{面}}{\frac{520}{335}}\fallingdotseq 505{,}000\text{千円}$$

（971千円／㎡）

※　売り急ぎにより－20％補正

④　比準価格

以上により，３価格を得た。

事例(イ)は，自用の建物及びその敷地の取引事例に配分法を適用して更地の事例資料を求めており，取引時点もやや古く，規範性はやや劣る。

事例(ハ)は，更地の取引事例であり，取引時点も比較的新しく，地域要因・個別的要因の格差率も小さいため，規範性は高い。

事例(ニ)は，更地の取引事例だが，事情補正を行っており，取引時点もやや古く，画地規模もやや異なるため，規範性は劣る。

よって，事例(ハ)を標準とし，事例(イ)及び事例(ニ)を比較考量して比準価格を520,000千円（1,000千円／㎡）と査定した。

⑵　公示価格を規準とした価格

（標準地５－１）

$$1{,}080\text{千円}/\text{m}^2\times\overset{\text{時}}{\frac{76.6}{80.0}}\times\overset{\text{標}}{\frac{100}{102}}\times\overset{\text{地}}{\frac{100}{105}}\times\overset{\text{個}}{\frac{102}{100}}\times 520\text{m}^2 \fallingdotseq 512{,}000\text{千円}$$

（985千円／m²）

⑶　更地価格

比準価格は，現実の市場で発生した取引事例に基づき，市場の実勢を反映した実証的な価格である。本件では，規範性の高い事例に比準しており，公示価格を規準とした価格との均衡も得ており，その精度は高いものと思料する。よって，比準価格の520,000千円（1,000千円／m²）をもって，更地価格と査定した。

２．建物

指示事項により，直接法と間接法を併用し，再調達原価を査定する。

⑴　直接法

$$880{,}000\text{千円}\times\overset{\text{事}}{\frac{100}{100}}\times\overset{\text{時(※)}}{\frac{90.6}{101.3}} \fallingdotseq 787{,}000\text{千円}\ (270\text{千円}/\text{m}^2)$$

※　標準建築費指数採用

⑵　間接法（建設事例ａ）

$$995{,}000\text{千円}\times\overset{\text{事}}{\frac{100}{100}}\times\overset{\text{時}}{\frac{90.6}{98.0}}\times\overset{\text{個}}{\frac{100}{105}}\times\overset{\text{面}}{\frac{2{,}920}{3{,}208}} \fallingdotseq 797{,}000\text{千円}$$

（273千円／m²）

⑶　再調達原価

以上により，２価格が得られた。直接法による価格は，対象建物の個別性をより反映している。間接法による価格は，建築時点はやや新しいが，品等と規模がやや異なる。よって，直接法による価格を標準に，間接法による価格を比較考量して，再調達原価を790,000千円（271千円／m²）と査定した。

３．建物及びその敷地

１．＋２．＝1,310,000千円

Ⅱ．減価修正

1．土地

減価はないと判断

2．建物

⑴　耐用年数に基づく方法（定額法採用，残価率０）

$$（主体）790,000千円×0.70×\frac{3}{3+47}=33,180千円$$

$$（設備）790,000千円×0.30×\frac{3}{3+12}=47,400千円$$

合計　80,580千円

⑵　観察減価法

経年相応の減価と判断し，上記⑴と同額と査定した。

⑶　減価額

両者を併用し，減価額を80,580千円と査定した。

3．建物及びその敷地

建物は敷地と適応し，環境とも適合しており，建物及びその敷地一体としての減価はないと判断した。

4．減価額

1．＋2．＋3．＝80,580千円

Ⅲ．積算価格

対象不動産は賃貸経営管理が良好で，市場性が優ると判断されることから，指示事項より，再調達原価から減価額を控除した額に対して，5％の増価修正を行って，積算価格を以下のとおり1,290,000千円と試算した。

（1,310,000千円－80,580千円）×1.05≒1,290,000千円

問3

B．収益還元法（DCF法）

指示事項より，対象不動産の分析期間を5年とし，分析期間内の各期の純収益の現在価値の合計に復帰価格の現在価値を加算して，DCF法による収益価格を試算する。

Ⅰ．初年度純収益

1．運営収益

⑴ 貸室賃料収入

① 空室等として把握することが妥当な部分（4階及び5階と判断）

a．月額実質賃料（賃貸事例比較法により5階部分を査定）

(a) 賃貸事例(あ)

実際実質賃料

$$1{,}280{,}000円+1{,}280{,}000円\times 12ヶ月\times \overset{(※)}{0.02}\div 12ヶ月$$

$$=1{,}305{,}600円$$

※ 敷金を預り金的性格を有する一時金と判定し，運用利回りを市中の金利動向等から2％と判断。

$$1{,}305{,}600円\times\underset{事}{\frac{100}{100}}\times\underset{時(※)}{\frac{86.8}{88.5}}\times\underset{標}{\frac{100}{100}}\times\underset{地}{\frac{100}{-}}\times\underset{品}{\frac{100}{105}}\times\underset{面}{\frac{250}{330}}\fallingdotseq 924{,}000円$$

（3,700円／㎡）

※ 賃貸事務所の新規賃料指数採用

(b) 賃貸事例(い)

実際実質賃料

$$750{,}000円+750{,}000円\times 12ヶ月\times 0.02\div 12ヶ月=765{,}000円$$

$$765{,}000円\times\underset{事}{\frac{100}{100}}\times\underset{時}{\frac{86.8}{87.7}}\times\underset{標}{\frac{100}{100}}\times\underset{地}{\frac{100}{100}}\times\underset{品}{\frac{100}{95}}\times\underset{面}{\frac{250}{220}}\fallingdotseq 906{,}000円$$

（3,620円／㎡）

(c) 月額実質賃料

近隣地域に存する賃貸事例(あ)と，時点が新しく，規模も類似する賃貸事例(い)を相互に関連づけ，比準賃料を915,000円（3,660円／㎡）と査定し，これをもって5階部分の月額実質賃料と査定した。

b．支払賃料（月額支払賃料をａとおく）

$$915{,}000円=a+a\times 12ヶ月\times 0.02\div 12ヶ月$$

$$a\fallingdotseq 897{,}000円（3{,}590円／㎡）$$

$$897{,}000円\times 2F\times 12ヶ月=21{,}528千円$$

② 稼働部分

1,125,000円×５F＋900,000円＝6,525,000円（月額）

6,525,000円×12ヶ月＝78,300千円（年額）

③ 貸室賃料収入

①＋②＝99,828千円

⑵ 共益費収入

900円／㎡×（250㎡×７F＋200㎡）＝1,755,000円（月額）

1,755,000円×12ヶ月＝21,060千円（年額）

⑶ 水道光熱費収入

11,000千円

⑷ 駐車場収入

15,000円×20台＝300,000円（月額）

300,000円×12ヶ月＝3,600千円（年額）

⑸ その他収入

特になし

⑹ 総収益

⑴〜⑸　合計　135,488千円

⑺ 空室等損失

① 事務所部分

99,828千円＋21,060千円＋11,000千円

＝131,888千円（駐車場を除く可能収入）

131,888千円×（1−0.80（空室率））≒26,378千円

② 駐車場部分

3,600千円×（1−0.50（空室率））＝ 1,800千円

③ 合計

①＋②＝28,178千円

⑻ 貸倒損失

指示事項より，賃借人の状況等を勘案し，非計上

⑼ 運営収益

⑹−⑺−⑻＝107,310千円

2．運営費用

⑴　維持管理費

12,000千円

⑵　水道光熱費

13,000千円×0.80＝10,400千円

⑶　修繕費

790,000千円×0.003＝2,370千円

⑷　PMフィー

（107,310千円－11,000千円）×0.025≒2,408千円

⑸　テナント募集費用等

897,000円×２F＝1,794千円

⑹　公租公課

土地：2,500千円

建物：6,500千円

合計：9,000千円

⑺　損害保険料

400千円

⑻　その他費用

特になし

⑼　運営費用

⑴～⑻　合計　38,372千円（経費率は約36％）

3．運営純収益

１．－２．＝68,938千円

4．一時金の運用益

（8,319千円×12ヶ月×0.80＋300千円×１ヶ月×0.50）×0.02

≒1,600千円

5．資本的支出

790,000千円×0.007＝5,530千円

6．初年度純収益

３．＋４．－５．＝65,008千円

Ⅱ．割引率・還元利回り

1．割引率

指示事項より，5.0%

2．最終還元利回り

5.0%＋0.3%＝5.3%

Ⅲ．キャッシュフロー表

（単位：千円）

			1	2	3	4	5	6
運営収益	貸室賃料収入		99,828	95,913	92,194	88,660	85,304	84,006
	共益費収入		21,060	21,060	21,060	21,060	21,060	21,060
	水道光熱費収入		11,000	11,000	11,000	11,000	11,000	11,000
	駐車場収入		3,600	3,600	3,600	3,600	3,600	3,600
	その他収入		0	0	0	0	0	0
	小　　計		135,488	131,573	127,854	124,320	120,964	119,666
	空室等損失（事務所）		26,378	6,399	6,213	6,036	5,868	5,803
	空室等損失（駐車場）		1,800	1,800	1,800	1,800	1,800	1,800
	小　　計		28,178	8,199	8,013	7,836	7,668	7,603
	貸倒損失		0	0	0	0	0	0
運営収益　合計			107,310	123,374	119,841	116,484	113,296	112,063
運営費用	維持管理費		12,000	12,000	12,000	12,000	12,000	12,000
	水道光熱費		10,400	12,350	12,350	12,350	12,350	12,350
	修繕費		2,370	2,370	2,370	2,370	2,370	2,370
	PMフィー		2,408	2,809	2,721	2,637	2,557	2,527
	テナント募集費用等		1,794	665	665	665	665	665
	公租公課	土地	2,500	2,500	2,500	2,500	2,500	2,500
		建物	6,500	6,305	6,305	6,305	6,116	6,116
	損害保険料		400	400	400	400	400	400
	その他費用		0	0	0	0	0	0
運営費用　合計			38,372	39,399	39,311	39,227	38,958	38,928
運営純収益			68,938	83,975	80,530	77,257	74,338	73,135
	一時金の運用益		1,600	1,825	1,755	1,688	1,624	1,599
	資本的支出		5,530	5,530	5,530	5,530	5,530	5,530
純収益			65,008	80,270	76,755	73,415	70,432	69,204
	複利現価率		0.952	0.907	0.864	0.823	0.784	
	現在価値		61,888	72,805	66,316	60,421	55,219	
	現在価値　合計		316,649					

（注）２年目以降のキャッシュフローの変動予測

・貸室賃料収入

５年目まで稼働部分の支払賃料が５％ずつ減額。６年目は新規支払賃料を下回るため，稼働部分・空室等部分とも新規支払賃料を採用。

（２年目の貸室賃料収入）

78,300千円×0.95＋21,528千円＝95,913千円

（６年目の貸室賃料収入）

3,590円／㎡×1,950㎡×12ヶ月＝84,006千円

・空室等損失

事務所部分の稼働率を95%，駐車場部分の稼働率を50%として査定。

・水道光熱費

13,000千円（満室想定）×0.95＝12,350千円

・テナント募集費用等（新規支払賃料（年額）を基に査定）

84,006千円÷12ヶ月×１ヶ月÷10年×0.95≒665千円

・公租公課（建物）

建物のみ，２年目と５年目に年３％減額

・一時金の運用益

（２年目の敷金の運用益）

（95,913千円×0.95＋300千円×0.50）×0.02≒1,825千円

以下，同様に査定

Ⅳ．DCF法による収益価格

１．純収益の現在価値合計

316,649千円

２．復帰価格の現在価値

⑴ 復帰価格

69,204千円÷0.053≒1,305,736千円

⑵ 売却費用

1,305,736千円×0.03≒39,172千円

⑶ 復帰価格の現在価値

（1,305,736千円－39,172千円）×0.784≒992,986千円

3．DCF法による収益価格

5年間の純収益の現在価値合計に，5年目期末の復帰価格の現在価値を加算して，DCF法による収益価格を1,310,000千円と試算した。

1．＋2．≒1,310,000千円

問4

C．試算価格の調整と鑑定評価額の決定

Ⅰ．試算価格の調整

以上により，

A．積算価格　1,290,000千円

B．収益価格　1,310,000千円

を得た。採用した資料及び鑑定評価の各手法に応じた斟酌を加え，手順の各段階について客観的・批判的に再吟味して調整を行う。

1．試算価格の再吟味

Aの価格は主として費用性の観点に着目して求めた価格である。本件では，土地については取引事例比較法を適用して，公示価格との均衡に留意して査定し，建物については直接法及び間接法を適用して求めた再調達原価に減価修正を行って，さらに賃貸経営管理が優ることによる増価分も考慮して求めた。

Bの価格は主として収益性の観点に着目して求めた価格である。本件ではDCF法を適用し，純収益については，分析期間内のキャッシュフローの変動を適切に予測の上，査定し，割引率・最終還元利回りについても，両者の整合性に十分留意して査定し，結果，投資家の観点に立った理論的価格として規範性の高い価格が得られた。

2．試算価格が有する説得力に係る判断

対象不動産は，中高層事務所ビル等の建ち並ぶ駅前商業地域に存する高層の賃貸事務所ビルであり，典型的な需要者としては，収益物件の取得を企図する投資家が考えられる。B市内の商業地域においては，近年，事務所ビル等の投資用不動産を対象とした活発な不動産投資が行われてきたが，米国を中心とするサブプライムローン問題により，不動産取引は急速に低迷し，地価は大きく下落した。今後の見通しについても慎重な見方は変わらないが，一方で，やや持ち直しの動きもみられる。

積算価格は，豊富な資料に裏付けされた規範性の高い価格であるが，いわゆる供給者価格としての性格が強く，収益性を適正に反映することはやや困難である。

収益価格は不動産の収益性からアプローチした価格であり，対象不動産のような貸家及びその敷地の価格は，通常，収益物件として投資家の意思によって価格形成されること等から，より規範性・説得力の高い価格であると判断した。

Ⅱ．鑑定評価額の決定

以上の結果，本件においては収益価格を標準とし，積算価格を比較考量し，専門職業家としての良心に従い，鑑定評価額を1,310,000千円と決定した。

なお，敷金等の返還債務を買主が引き継ぐ場合には，上記鑑定評価額から敷金等を控除することが妥当である。

本件鑑定評価額は，当該課税資産の譲渡につき，通常課されるべき消費税額等を含まないものである。

以　上

解　説

本問は，「貸家及びその敷地」について，原価法と収益還元法（DCF法）を適用し，鑑定評価額を決定させる問題である。

問１の不採用事例については，取引事例(ロ)について，題意に従い，考えられる理由をすべて挙げること。

問２の原価法は，配分法による更地事例の導出，直接法と間接法の併用による再調達原価の査定等，例年どおりの基本論点のみで構成されており，ミスのない解答が求められる。賃貸経営管理が優ることによる「増価修正」を行う点は目新しいが，計算自体は簡単である。

問３の収益還元法については，ここ数年，重要論点として注目してきた「DCF法」がやっと出題された。個々の論点はさほど難度の高いものではないが，賃貸事例比較法による空室部分の賃料査定のほか，２年目以降の純収益にもやや細かい計算箇所等があるため，相当のボリュームとなっている。特に，２年目以降の純収益の査定に係る指示がやや不明瞭な面もあり，キャッシュフロー表の作成途中あたりで時間切れになった受験生も多かったものと思われる。

問４の試算価格の調整については，貸家の定石どおり，収益価格を重視して鑑定評価額を決定づければよい。

MEMO

平成23年度・演習

問題　別紙２〔資料等〕に記載の不動産（II．対象不動産）について，別紙１〔指示事項〕及び別紙２〔資料等〕に基づき，不動産の鑑定評価に関する次の問に答えなさい。

問１　土地についての取引事例比較法の適用に当たり，不採用事例を挙げ，不採用とした理由をすべて記載しなさい。

なお，取引事例等の選択要件については問題文に記載してあるため，解答する必要はありません。

問２　原価法による試算価格を求めなさい。

なお，対象不動産の確定に関する事項は，解答する必要はありません。

問３　収益還元法による試算価格を求めなさい。

問４　問２及び問３で求めた試算価格を調整して，対象不動産の鑑定評価額を決定しなさい。また，試算価格の調整に当たっては，本件鑑定評価の手順の各段階について，客観的，批判的に再吟味し，その結果を踏まえた各試算価格が有する説得力の違いを適切に反映することにより，本件鑑定評価に即して調整の過程を具体的に述べなさい。

別紙１〔指示事項〕

I．共通事項

1．問２及び問３における各手法の適用の過程で求める数値は，別に指示がある場合を除き，小数点以下１位を四捨五入し，整数で求めること。ただし，取引事例及び建設事例から比準した価格，賃貸事例から比準した賃料，公示価格を規準とした価格，各試算価格及び鑑定評価額については，上位４桁目を四捨五入して上位３桁を有効数字として取り扱うこと。

（例）1,234,567円　→　1,230,000円

2．取引事例等における価格等には，消費税及び地方消費税は含まれておらず，計算の過程においても消費税及び地方消費税は含めないで計算すること。

3．対象不動産及び取引事例等の，土壌汚染，埋蔵文化財及び地下埋設物に関しては，不動産鑑定士による独自調査や依頼者により行われた土壌汚染状況調査等により，価格形成に影響を与えるものは何ら存しないことが判明している。また，対象不動産及び取引事例等の建物部分には，いずれも有害物質

使用調査が実施されていて，アスベスト及びＰＣＢ等の有害物質の使用又は貯蔵はされていないことが確認されている。

4．土地及び建物の数量は，土地登記簿〔全部事項証明書〕及び建物登記簿〔全部事項証明書〕記載数量によること。

5．対象不動産は，不動産鑑定評価基準各論第3章の証券化対象不動産ではない。よって，同章の規定は適用せずに鑑定評価を行うこと。ただし，問3の解答に当たっては，同章別表2に準じて，表形式で記載すること。

Ⅱ．問1について

取引事例は，原則として近隣地域又は同一需給圏内の類似地域に存する不動産に係るもののうちから選択するものとし，やむを得ない場合には近隣地域の周辺の地域に存する不動産に係るもののうちから，対象不動産の最有効使用が標準的使用と異なる場合等には，同一需給圏内の代替競争不動産に係るもののうちから選択するものとするほか，次の要件の全てを備えなければならないことに留意すること。

① 取引事情が正常なものと認められるものであること又は正常なものに補正することができるものであること。

② 時点修正をすることが可能なものであること。

③ 地域要因の比較及び個別的要因の比較が可能なものであること。

Ⅲ．問2について

1．建物及びその敷地の再調達原価

⑴ 土地価格の試算

① 土地価格は，取引事例比較法を適用して求めること。

② 別紙2〔資料等〕「Ⅻ．対象不動産及び事例資料等の概要」に記載の各事例を用いて，比準価格を求めること。

③ 事例の事情その他の内容は，別紙2〔資料等〕「Ⅻ．対象不動産及び事例資料等の概要」の記載事項より判断すること。

④ 取引事例が建物及びその敷地の場合には，配分法を用いて，更地に係る事例資料を求めた上で比準すること（建物の資料は，別紙2〔資料等〕「Ⅻ．対象不動産及び事例資料等の概要」の「3．取引事例等に係る建物の概要」によること。)。

⑤　比準価格を求める場合の算式と略号は，次のとおりである（基準値を100とする。）。

$$\text{取引事例における土地価格（更地としての価格）（総額）}\times\overset{\textbf{事}}{\frac{100}{\text{取引事例の取引事情に係る補正率}}}\times\overset{\textbf{時}}{\frac{\text{価格時点の地価指数}}{\text{取引時点の地価指数}}}\times\overset{\textbf{標}}{\frac{100}{\text{取引事例の個別的要因に係る評点}}}\times\overset{\textbf{地}}{\frac{100}{\text{取引事例の存する地域の地域要因に係る評点}}}\times\overset{\textbf{個}}{\frac{\text{対象地の個別的要因に係る評点}}{100}}\times\overset{\textbf{面}}{\frac{\text{対象地の面積}}{\text{取引事例の面積}}}=\text{手法適用により求めた価格}$$

各項の意味と略号	
事：事情補正	**地**：地域要因の比較
時：時点修正	**個**：対象地の個別的要因の格差修正
標：取引事例の個別的要因の標準化補正	**面**：面積の比較

⑥　公示価格を規準とした価格を求める場合の算式と略号は，次のとおりである（基準値を100とする。）。

$$\text{公示価格}\times\overset{\textbf{時}}{\frac{\text{価格時点の地価指数}}{\text{公示価格の価格時点の地価指数}}}\times\overset{\textbf{標}}{\frac{100}{\text{公示地の個別的要因に係る評点}}}\times\overset{\textbf{地}}{\frac{100}{\text{公示地の存する地域の地域要因に係る評点}}}\times\overset{\textbf{個}}{\frac{\text{対象地の個別的要因に係る評点}}{100}}\times\text{対象地の面積}=\text{公示価格を規準とした価格}$$

各項の意味と略号	
時：時点修正	**地**：地域要因の比較
標：公示地の個別的要因の標準化補正	**個**：対象地の個別的要因の格差修正

⑦　地価指数の計算上の留意点は，次のとおりである。

ⅰ　地価指数の計算における経過期間（月数）の算定については，次の例のとおり，起算日（即日）の属する月を含めず，期間の末日（当日）の属する月を含めて計算すること。

（例）平成23年３月31日から平成23年８月１日までの期間の月数は，５か月

平成23年４月１日から平成23年８月１日までの期間の月数は，４か月

ⅱ　地価指数は，別紙２〔資料等〕「XIII．地価指数，建築費指数及び賃貸住宅の新規賃料指数の推移」により求め，少なくとも一つの取引事例について，価格時点及び取引時点の地価指数の計算過程を明らかにすること。地価指数計算上の特定の時点の指数は，次の例のとおり求めることとし，小数点以下２位を四捨五入し，小数点以下１位まで求めること。

（例）平成23年１月１日の指数を100，平成23年７月１日の指数を98として，取引時点である平成23年５月15日の指数を求める場合。

$$\left\{\left(\frac{\text{平成23年7月1日の指数（98）}}{\text{平成23年1月1日の指数（100）}}-1\right)\times\frac{\text{平成23年1月1日〜平成23年5月15日の月数（4）}}{\text{平成23年1月1日〜平成23年7月1日の月数（6）}}+1\right\}\times\text{平成23年1月1日の指数（100）}$$

＝求める時点の指数（98.7）（小数点以下２位を四捨五入）

⑵　建物価格の試算

①　建物の再調達原価を求めるに当たっては，直接法及び関節法を併用すること。なお，直接法については，実際に要した建築工事費を建築費指数で時点修正する方法を採用し，関節法については，類似性の高い建設事例から比準して求めること。建築費指数は，別紙２〔資料等〕「XIII. 地価指数，建築費指数及び賃貸住宅の新規賃料指数の推移」により，地価指数と同様に求めること。

②　建物の再調達原価を建設事例から比準して求める場合の算式と略号は，次のとおりである（基準値を100とする。）。

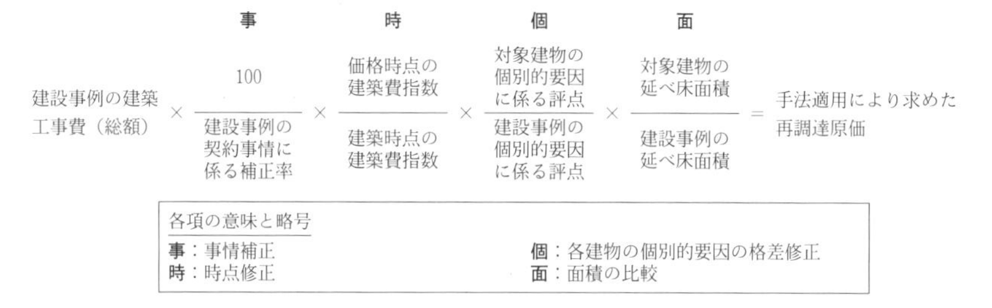

２．対象不動産の積算価格について

⑴　建物及びその敷地の積算価格は，再調達原価に減価修正を行って求めること。

⑵　建物の躯体（本体）部分の耐用年数は50年，仕上げ部分の耐用年数は30年，設備部分の耐用年数は15年とし，減価修正の耐用年数に基づく方法はいずれも定額法を採用し，残価率は０とすること。建物の減価の程度は，おおむね経年相応とすること。また，建物の躯体部分と仕上げ部分，設備部分の構成割合は40：40：20とすること。

（注）仕上げ部分とは，屋根，外壁，窓及び外部天井等の「外部仕上げ」と床，壁，天井及び内部建具等の「内部仕上げ」に係る部分をいう。

Ⅳ．問３について

１．収益還元法の過程で求める数字は，「Ⅰ．共通事項」及び特に後述する事項を除いて円未満を四捨五入して求めること。

２．収益還元法の適用に際しては，ＤＣＦ法を採用すること。ＤＣＦ法の適用に当たっては，保有期間を５年として，対象不動産を現状のまま賃貸（自用部分については新たに賃貸）することを想定し，価格時点以降５年間の純収益の現在価値の総和と５年後の復帰価格の現在価値を加算することにより，収益価格を求めること。価格時点以降５年間の純収益の現在価値の総和は，不動産鑑定評価基準各論第３章別表２に準じて，次の様式で解答すること。なお，初年度の収益費用項目及び次年度以降の変動があった収益費用項目については，別途，計算根拠を示して解答すること。

（様式の例）

		1	2	3	4	5	6
運営収益							
	小計						
	小計						
運営収益　合計							
運営費用							
運営費用　合計							
運営純収益							
純収益							
複利現価率							—
現在価値							—
現在価値　合計							
割引率							
最終還元利回り							

3．対象不動産の純収益は，運営収益から運営費用を控除して運営純収益とし，これに一時金の運用益，資本的支出を加減して求めること。なお，一時金の運用利回りは，年2.0％とすること。複利現価率については，小数点以下5位を四捨五入して，小数点以下4位まで求めること。

4．対象不動産の1階（101号室及び102号室）部分は所有者自らにより利用されている。(当該部分（自用部分）は新規に賃貸することを想定して純収益を把握すること。

5．自用部分の新規実質賃料は，賃貸事例比較法を適用して求めること。この場合，対象不動産の同一階層内の位置別の効用差は認められず，また，101号室及び102号室の賃貸面積の相違による格差も認められないため，まず，102号室の実質賃料を求め，求められた102号室の賃料を基に賃貸面積比により101号室の実質賃料を求めること。別紙2〔資料等〕「Ⅻ．対象不動産及び事例資料等の概要」の「2．賃貸事例の概要」の，賃貸事例㈤及び㈥と比準して求めること。いずれの賃貸事例もその契約内容は賃貸事例が所在する地域における標準的なものである。賃料指数は，別紙2〔資料等〕「XIII．地価指数，建築費指数及び賃貸住宅の新規賃料指数の推移」により，地価指数と同様に求めること。対象不動産及び賃貸事例の平均賃貸借期間はいずれも5年とすること。なお，対象不動産の駐車場及び駐輪場部分も専ら居住者用に限定しているため，同じ平均賃貸借期間とすること。礼金の運用益及び償却額は，償却期間を5年，運用利回りを年2.0％とし，元利均等償却率（＝0.2122）により求めること。

6．賃貸事例比較法の適用の際に用いる算式と略号は，次のとおりである（基準値を100とする。)。

	事	時	標	建	地	基	個	面	
	100	価格時点の賃料指数	100	100	100	対象不動産の基準住戸の個別的要因に係る評点	対象住戸の個別的要因に係る評点	対象不動産の賃貸面積	
賃貸事例の月額実質賃料（総額）×	賃貸事例の賃貸事情に係る補正率 ×	賃貸時点の賃料指数 ×	賃貸事例の基準住戸への標準的な補正に係る評点 ×	賃貸事例の存する1棟全体の建物品等に係る評点 ×	賃貸事例の存する地域の地域要因に係る評点 ×	賃貸事例の基準住戸の個別的要因に係る評点 ×	100 ×	賃貸事例の賃貸面積	＝手法適用により求めた賃料

$$\text{賃貸事例の月額実質賃料（総額）}\times\frac{100}{\text{賃貸事例の賃貸事情に係る補正率}}\times\frac{\text{価格時点の賃料指数}}{\text{賃貸時点の賃料指数}}\times\frac{100}{\text{賃貸事例の基準住戸への標準的な補正に係る評点}}\times\frac{100}{\text{賃貸事例の存する1棟全体の建物品等に係る評点}}\times\frac{100}{\text{賃貸事例の存する地域の地域要因に係る評点}}\times\frac{\text{対象不動産の基準住戸の個別的要因に係る評点}}{\text{賃貸事例の基準住戸の個別的要因に係る評点}}\times\frac{\text{対象住戸の個別的要因に係る評点}}{100}\times\frac{\text{対象不動産の賃貸面積}}{\text{賃貸事例の賃貸面積}}=\text{手法適用により求めた賃料}$$

各項の意味と略号

事：事情補正
時：時点修正
標：賃貸事例の基準住戸への標準化補正
建：1棟全体の建物格差修正
地：地域要因の比較
基：基準住戸の個別的要因の比較
個：対象住戸の個別的要因の格差修正
面：面積の比較

7．対象不動産の初年度運営収益を求めるに当たっては，次のとおりとすること。

(1) 運営収益は，貸室賃料収入，共益費収入，水道光熱費収入，駐車場収入，駐輪場収入，礼金収入及びその他収入を合計した総収益（満室想定）から，空室等損失及び貸倒損失を控除して求めること。

(2) 貸室賃料収入は，空室等として把握することが妥当な部分を除き，現行の賃貸条件をそのまま採用し，自用部分については，敷金及び礼金とも月額貸室支払賃料の１か月分を徴収することを想定した一時金の運用益及び償却額を，賃貸事例比較法を適用して求めた月額実質賃料から，控除して求めること。

(3) 共益費収入は，現行の賃貸条件（賃貸面積１㎡当たり150円（月額）を妥当と認め，貸室部分及び自用部分について求めること。

(4) 貸室部分の水道光熱費は，賃借人が実額を負担するものとすること。

(5) 駐車場収入及び駐輪場収入は，現行の１台当たりの使用料を妥当と認めて採用すること。

(6) 貸室部分の礼金収入は，価格時点以降締結する新規契約分より月額貸室支払賃料の１か月とし，平均賃貸借期間に基づき，次のように計算して平準化した金額を計上すること。

礼金収入＝礼金（全貸室合計）÷平均賃貸借期間

(7) その他収入は，次の情報を基に電柱使用料を計上すること。

４年６か月分の電柱使用料　13,000円

(8) 空室等損失は，貸室部分の稼働率を96％，駐車場部分の稼働率を80％，駐輪場部分の稼働率を100％として求めること。

(9) 貸倒損失は，賃借人の状況等を勘案した結果，計上しないものとすること。

8．対象不動産の初年度運営費用を求めるに当たっては，次のとおりとすること。

(1) 運営費用は，維持管理費，水道光熱費，修繕費，プロパティマネジメントフィー（以下「ＰＭフィー」という。），テナント募集費用等，公租公課（土地及び建物），損害保険料及びその他費用（賃貸人負担の原状回復費用）を合計して求めること。

(2) 維持管理費は，昨年度実績額である2,000,000円（年額）とすること。

⑶　共用部分の水道光熱費は，満室稼働を前提とした昨年度実績額である賃貸面積１㎡当たり40円（月額）とすること。

⑷　修繕費は，賃貸面積１㎡当たり40円（月額）とすること。

⑸　ＰＭフィーは，現行のプロパティマネジメント契約に基づき，貸室部分は駐車場及び駐輪場相当部分を除く運営収益の３％，駐車場及び駐輪場部分は稼働分の2.5%相当額とすること。

⑹　テナント募集費用等は，仲介手数料として，貸室支払賃料及び駐車場使用料の１か月分を計上するものとし，次の算式により求めること。

稼働分の支払賃料等（年額）÷12か月×１か月÷平均賃貸借期間

⑺　公租公課（土地及び建物）は，固定資産税及び都市計画税とし，その実額は，土地350,000円（年額），建物2,250,000円（年額）とすること。

⑻　損害保険料は，現行の保険契約に基づき100,000円（年額）とすること。

⑼　その他費用として貸室部分の賃貸人負担の原状回復費用を次の算式により求めること。

原状回復費用＝2,500円／㎡×賃貸面積×稼働率÷平均賃貸借期間

９．対象不動産の初年度純収益を求めるに当たっては，次のとおりとすること。

⑴　一時金の運用益は，貸室賃料収入の１か月分及び駐車場使用料の１か月分の満室稼働を前提とした敷金に稼働率を考慮し，さらに，運用利回りの年2.0%を乗じて求めること。

⑵　資本的支出は，建物再調達原価の0.6%相当額とすること。

10．２年目以降の純収益を求めるに当たっては，次のとおりとすること。

⑴　Ｂ市における賃貸マンション市況の動向を考慮した上で，賃料動向は横ばいとする。同一需給圏内の類似不動産では，築年数の経過に伴う影響や将来の賃料弱含みの傾向について，フリーレントの導入等により調整されることが多いため，この点を空室等損失の項目において考慮すること。

⑵　貸室部分の空室等損失は，２年目は初年度と同様に求めること。３年目及び４年目は，これに加え１か月分のフリーレントを，５年目以降は1.5か月分のフリーレントを考慮するものとし，平均賃貸借期間に基づき次のように計算した上で，初年度の稼働率より控除した数字を基に求めること。駐車場部分及び駐輪場部分の空室等損失は，各年とも初年度と同様とすること。なお，フリーレントに関し稼働率から控除する率は，小数点以下２位を四捨五入し，小数点以下１位まで求めること。

稼働率から控除する率＝（1か月あるいは1.5か月のフリーレント期間÷平均賃貸借期間）％

⑶ 公租公課（建物）は，耐用年数に基づく減価等を勘案の上，2年目と5年目に年3％減額すること。

⑷ 一時金の運用益は，当期末の貸室及び駐車場に係る敷金残高に，運用利回りの年2.0％を乗じて求めること。

⑸ その他の運営収益及び運営費用については，初年度と同額又は同率により求めること。

11. 割引率は，B市における投資適格性を有する賃貸マンションに要求される一般的な投資収益率，還元利回りに反映されている流動性に関わるリスク及び将来の純収益の変動見通し等を勘案して，5.5％を採用すること。

12. 復帰価格を求めるに当たっては，次のとおりとすること。

⑴ 復帰価格は，6年目の純収益を最終還元利回りで還元した価格から，売却費用を控除して求めること。

⑵ 最終還元利回りは，割引率に対して，建物の経過年数及び将来の収益獲得の不確実性を考慮して，0.3ポイントを加算すること。

⑶ 売却費用は，売却費用控除前の復帰価格の3％相当額とすること。

V．問4について

不動産鑑定評価基準に従って，試算価格を調整すること。また，鑑定評価額の決定に当たっては，各試算価格の再吟味及び各試算価格が有する説得力に係る判断にも言及すること。

別紙２〔資料等〕

Ⅰ．依頼内容

本件は，ＪＲ○○線「Ｂ駅」の南東方約400ｍ（道路距離）にある中層の共同住宅（対象不動産）の売買に当たっての参考とするため，不動産鑑定士に，平成23年８月１日時点の現状を所与とした鑑定評価が求められたものである。

Ⅱ．対象不動産

１．土地　所在及び地番　Ａ県Ｂ市３丁目７番５

地目　宅地

地積　620.00㎡（土地登記簿〔全部事項証明書〕記載数量）

所有者　Ｚ株式会社

２．建物　所在　Ａ県Ｂ市Ｃ町３丁目７番地５

家屋番号　７番５

構造・用途　鉄筋コンクリート造陸屋根５階建て共同住宅

建築年月日　平成18年８月１日

床面積　（建物登記簿〔全部事項証明書〕記載数量）

1	階	230.00㎡
2	階	316.00㎡
3	階	316.00㎡
4	階	285.00㎡
5	階	210.00㎡
合	計	1,357.00㎡

所有者　Ｚ株式会社

Ⅲ．類型　貸家及びその敷地（一部自用）

Ⅳ．依頼目的　売買の参考

Ⅴ．鑑定評価によって求める価格の種類　正常価格

Ⅵ．価格時点　平成23年８月１日

Ⅶ. その他の鑑定評価の条件　　なし

Ⅷ. Ｂ市の状況等

1．位置等

⑴　位置及び面積　Ａ県のほぼ中央に位置する。面積は約12㎢である。

⑵　沿　　革　　等　Ｂ市は，都心まで約20km〜30kmに位置しており，戦後，大都市圏均衡のベッドタウンとして発展してきた。市内には大学附属小中学校，私立有名中学及び高等学校等もあり，近年は，駅徒歩圏内にある利便性が良好な住宅地域において共同住宅の開発も進み，分譲又は賃貸用のマンションが増加した。

2．人口等

⑴　人　口　約12万人。近年は，微増で推移している。

⑵　世帯数　約5.5万世帯

3．交通施設及び道路整備の状態

⑴　鉄　道　ＪＲ○○線がＢ市の市街地の中央を東西に横断している。また，ＪＲ○○線はＣ駅で私鉄△△線と接続し，Ｂ市内の南東部を走っている。

⑵　バ　ス　バス路線網も充実しており，鉄道を補完している。平成15年よりＢ市地域バスも運行しており，市内の交通利便性の向上に貢献している。

⑶　道　路　複数の県道が縦横に敷設されている。市内の道路延長は250km，舗装率は約95％である。

4．供給処理施設の状態

⑴　上 水 道　普及率はほぼ100％

⑵　下 水 道　普及率は約95％

⑶　都市ガス　普及率は約90％

5．土地利用の状況

⑴　商業施設　ＪＲ○○線及び私鉄△△の駅周辺及び主要幹線道路沿いに商業地域が形成されている。Ｂ駅周辺には，大型小売店舗，中高層の商業ビル並びに店舗及び事務所併用共同住宅等の集積が見られる。

⑵ 住　　宅　ＪＲ○○線Ｂ駅を中心に大型小売店舗，中高層の商業ビル並びに店舗及び事務所併用共同住宅等が集積し，外延部に低層の住宅地域が形成されている。また，全体的な傾向として，Ｂ駅徒歩圏においては，中層の分譲または賃貸用のマンションが多く，バス通勤圏においては戸建て住宅が多い。

6．不動産取引市場等の状況

⑴ 不動産取引市場の状況

近年，事務所ビルや賃貸マンション等を対象とした活発な不動産投資が行われてきたが，米国を中心とするいわゆるサブプライムローン問題等により，日本の不動産取引は急速に低迷し，地価は大きく下落した。首都圏の不動産取引市場は，昨年上期よりやや持ち直してきてはいるものの，景気はデフレ基調にあり，雇用や所得環境は依然として厳しい状況にある。マンション取引市場においては新築及び中古いずれも契約率等に回復の兆しがみられるが，不動産投資市場では，取引時価総額が減少している。今後の全般的な不動産経済動向としては，先行きが不透明な景気動向を反映して当分の間，弱含みで推移していくものと予測される。Ｂ市内の住宅地域においても，同様の動きがみられる。

取引市場における主たる売主としては，事業再構築の一環として資産圧縮を行うことを目的とした一般企業，有利子負債低減による財務体質改善を目的としてファンド組成物件の売却を企図する投資家等が挙げられ，主たる買主としては，不動産開発業者のほか，賃貸収入等を目的とした不動産会社や，個人投資家及びファンド組成物件の改善を狙う投資家等が挙げられる。

⑵ 賃貸市場の状況

賃貸マンションは，最寄り駅から徒歩圏外等立地条件の悪い物件や，築年数の経った古い物件では空室も見られるが，最寄り駅から徒歩圏の築年数の浅い物件ではほぼ満室となっている。

賃料については，昨今の経済情勢を反映して，弱含みで推移している。

賃貸市場における主たる賃借人としては，職場や県内各所への良好なアクセスに着目した個人及び従業員のための社宅として利用することを企図した法人等が挙げられる。

Ⅸ．対象不動産の賃貸借契約の概要

1．貸室部分

階層	部屋番号	賃貸面積㎡	契約開始日	現行契約期間	契約の種類等	月額支払賃料円	月額共益費円	資金円	礼金円	備考
1	101	74.00	－	－	自用	－	－	－	－	（注5）
	102	70.00	－	－	自用	－	－	－	－	（注6）
2	201	74.00	H19.4.1	H23.4.1～H25.3.31	普通借家契約	167,000	11,100	167,000	167,000	－
	202	70.00	H18.8.1	H22.8.1～H24.7.31	普通借家契約	158,000	10,500	158,000	158,000	－
	203	70.00	H18.8.1	H22.8.1～H24.7.31	普通借家契約	168,500	0	158,000	158,000	（注7）
	204	70.00	H21.5.1	H23.5.1～H25.4.30	普通借家契約	161,000	10,500	161,000	161,000	－
3	301	74.00	H20.9.1	H22.9.1～H24.8.31	普通借家契約	185,000	11,100	185,000	170,000	（注9）
	302	70.00	H20.9.1	H22.9.1～H24.8.31	普通借家契約	161,000	10,500	161,000	161,000	－
	303	70.00	H18.8.1	H22.8.1～H24.7.31	普通借家契約	161,000	10,500	161,000	161,000	－
	304	70.00	H23.2.1	H23.2.1～H25.1.31	普通借家契約	164,000	10,500	164,000	164,000	－
4	401	115.00	H20.11.1	H22.11.1～H24.10.31	普通借家契約	240,000	17,250	240,000	240,000	－
	402	70.00	H22.3.1	H22.3.1～H24.2.29	普通借家契約	163,000	10,500	163,000	163,000	－
	403	70.00	H23.5.1	H23.5.1～H25.4.30	普通借家契約	173,500	0	163,000	163,000	（注8）
5	501	70.00	H20.8.1	H22.8.1～H24.7.31	普通借家契約	164,000	10,500	164,000	164,000	－
	502	55.00	H22.11.1	H22.11.1～H24.10.31	普通借家契約	129,000	8,250	129,000	129,000	－
	503	70.00	H21.3.1	H23.3.1～H25.2.28	普通借家契約	167,000	10,500	167,000	167,000	

（注1）契約の種類欄における「普通借家契約」とは，借地借家法第30条の規定の適用がある賃貸借契約である。

（注2）月額共益費は，各室とも賃貸面積1㎡当たり150円であり，周辺の同様の賃貸物件と比較しても，同等の水準にある。

（注3）月額支払賃料及び月額共益費は，毎月末に当月分を支払う。

（注4）敷金は預り金的性格を有する一時金であり，賃貸借終了時に無利息で賃借人に返還される。礼金は賃料の前払的性格を有する一時金であり，賃借人には返還されない。

（注５）及び（注６）所有者が社宅として自ら利用している。
（注７）及び（注８）共益費込み賃料の金額で賃貸借契約が締結されている。
（注９）駐車場使用料込みの金額で賃貸借契約が締結されている。敷金にも駐車場敷金が含まれている。

２．駐車場及び駐輪場部分

(1) 駐車場部分

番号	月額使用料 円	利用状況	敷金	備考
1	15,000	賃貸中	１か月	－
2	0	賃貸中	１か月	（注３）
3	15,000	賃貸中	１か月	－
4	－	空車	－	－
5	15,000	賃貸中	１か月	－

(2) 駐輪場部分

番号	月額使用料 円	利用状況	敷金	備考
1	300	賃貸中	なし	—
2	300	賃貸中	なし	—
3	300	賃貸中	なし	—
4	300	賃貸中	なし	—
5	300	賃貸中	なし	—
6	300	賃貸中	なし	—
7	300	賃貸中	なし	—
8	300	賃貸中	なし	—
9	300	賃貸中	なし	—
10	300	賃貸中	なし	—
11	300	賃貸中	なし	—
12	300	賃貸中	なし	—
13	300	賃貸中	なし	—
14	300	賃貸中	なし	—
15	300	賃貸中	なし	—
16	300	賃貸中	なし	—
17	300	賃貸中	なし	—
18	300	賃貸中	なし	—
19	300	賃貸中	なし	—
20	300	賃貸中	なし	—
21	300	賃貸中	なし	—
22	300	賃貸中	なし	—
23	300	賃貸中	なし	—
24	300	賃貸中	なし	—
25	300	賃貸中	なし	—
26	300	賃貸中	なし	—
27	300	賃貸中	なし	—
28	300	賃貸中	なし	—
29	300	賃貸中	なし	—
30	300	賃貸中	なし	—
31	300	賃貸中	なし	—
32	300	賃貸中	なし	—

（注１）駐車場は５台分のスペースがあり，現在４台分が賃貸されている。１台当たりの月額使用料は15,000円で，敷金は月額使用料の１か月分であり，周辺の賃貸事例と比較しても，同等の水準にある。専ら対象不動産の居住者のみを対象として賃貸されている。

（注２）敷金は預り金的性格を有する一時金であり，賃貸借終了時に無利息で賃借人に返還される。

（注３）301号室の賃借人が貸室賃料とともに合算して駐車場使用料を支払っている。

X．近隣地域及び類似地域等の概要

対象不動産の所在する近隣地域及びその類似地域等の地域の特性を略記すれば，次のとおりである。

地　域	位　置 （距離は，駅からの道路距離による。）	道路の状況	周辺の土地の利用状況	都市計画法等の規制で主要なもの	供給処理施設	標準的な画地規模	標準的使用
近隣地域	B駅の南東方 約350m～500m	幅員７m 舗装市道	中層共同住宅等が建ち並ぶ住宅地域	第一種住居地域 建ぺい率　60% 容積率　200% 準防火地域	上水道 下水道 都市ガス	600㎡程度	中層住宅地
A 地 域	B駅の南東方 約500m～700m	幅員７m 舗装市道	中層共同住宅や，一部店舗併用共同住宅，病院等が見られる住宅地域	第一種住居地域 建ぺい率　60% 容積率　200% 準防火地域	上水道 下水道 都市ガス	700㎡程度	中層住宅地
B 地 域	B駅の南東方 約600m～800m	幅員７m 舗装市道	中層共同住宅の他，店舗併用共同住宅や事務所併用共同住宅等が見られる住宅地域	第一種住居地域 建ぺい率　60% 容積率　200% 準防火地域	上水道 下水道 都市ガス	700㎡程度	中層住宅地
C 地 域	B駅の北西方 約350m～500m	幅員６m 舗装市道	駅前商業地域背後に位置し，中層の共同住宅の他，店舗併用共同住宅，病院等も見られる住宅地域	第一種住居地域 建ぺい率　60% 容積率　200% 準防火地域	上水道 下水道 都市ガス	500㎡程度	中層住宅地
D 地 域	B駅の東方 約400m～500m	幅員８m 舗装市道	ＪＲ○○線沿いに中層の事務所，事業所及び企業の研究所等が見られる地域	準工業地域 建ぺい率　60% 容積率　200% 準防火地域	上水道 下水道 都市ガス	600㎡程度	中層業務地
E 地 域	B駅の南西方 約400m～600m	幅員７m 舗装市道	駅前商業地域の背後に位置し，中層共同住宅等が連たんする住宅地域	第一種中高層住居専用地域 建ぺい率　60% 容積率　200% 準防火地域	上水道 下水道 都市ガス	800㎡程度	中層住宅地
F 地 域	B駅の北東方 約600m～800m	幅員５m 舗装市道	駅前商業地域の背後に位置し，戸建て住宅等が連たんする比較的閑静な住宅地域	第一種低層住居専用地域 建ぺい率　40% 容積率　80%	上水道 下水道 都市ガス	120㎡程度	低層住宅地

XI．対象不動産，地価公示法による標準地，取引事例等の位置図

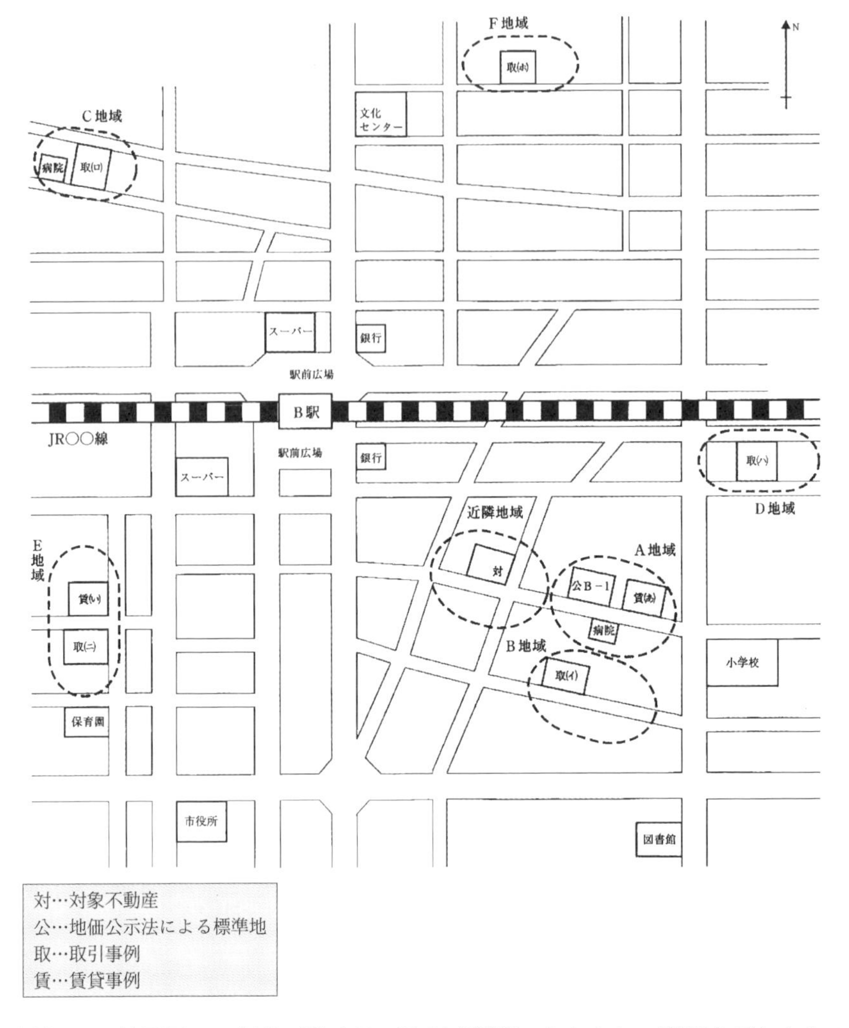

対…対象不動産
公…地価公示法による標準地
取…取引事例
賃…賃貸事例

（注）この位置図は，対象不動産及び取引事例等のおおむねの配置を示したもので，実際の距離又は規模等を正確に示したものではない。

XII. 対象不動産及び事例資料等の概要

1．取引事例等の概要

事例区分	所在する地域	取引の対象	価格時点 取引時点	公示価格 取引価格	数量等	価格時点及び取引時点における敷地の利用の状況	道路・供給処理施設の状況	駅からの道路距離	備考（売主は下段の所有者）
対象不動産	近隣地域	建物及びその敷地	平成 23．8．1 価格時点	――――	土地 620㎡ 建物延べ床面積 1,357㎡	鉄筋コンクリート造5階建て共同住宅	南西側 幅員 7ｍ 舗装市道 南東側 幅員 5ｍ 舗装市道 上水道 下水道 都市ガス	B駅 南東方 約400m	第三者に賃貸している部分と自用部分が混在する建物及びその敷地
標準地 B－1	A地域	宅地	平成 23．1．1 価格時点	250,000円／㎡	土地 700㎡	鉄筋コンクリート造5階建て共同住宅	南西側 幅員 7ｍ 舗装市道 上水道 下水道 都市ガス	B駅 南東方 約550m	地価公示法第6条の規定による標準地であり，利用の現況は当該標準地の存する地域における標準的使用とおおむね一致する。更地としての価格が公示されている。
取引事例(イ)	B地域	宅地	平成 22．11．11 取引時点	166,000,000円	土地 680㎡	従前は近隣住民を対象に駐車場として賃貸されていた土地である。売買契約を締結するにあたり各賃貸借契約は解約された。	南西側 幅員 7ｍ 舗装市道 上水道 下水道 都市ガス	B駅 南東方 約600m	相続に際し，ディベロッパーに対して売却されたもの。取引に当たり特別な事情はない。 土地所有者：甲藤 京輔
取引事例(ロ)	C地域	建物及びその敷地	平成 23．2．2 取引時点	362,000,000円	土地 540㎡ 建物延べ床面積 1,180㎡	鉄筋コンクリート造5階建て共同住宅	南西側 幅員 6ｍ 舗装市道 北東側 幅員 6ｍ 舗装市道 上水道 下水道 都市ガス	B駅 北西方 約400m	地元企業が社宅として利用していたが不要となり，売却した。取引に当たり特別な事情はない。 土地所有者：乙浦 秀紀 建物所有者：乙浦 秀紀
取引事例(ハ)	D地域	宅地	平成 22．7．29 取引時点	170,000,000円	土地 615㎡	開発や売却等を念頭に未利用の状況に置かれていた宅地	北側 幅員 8ｍ 舗装市道 南側 幅員 6ｍ 舗装市道 上水道 下水道 都市ガス	B駅 東方 約450m	一体開発を期す隣接地所有者に高めに売却されたもの。限定価格的な要素を含むが，取引に当たっての詳細な事情については不明である。 土地所有者：丙野 稔彦
取引事例(ニ)	E地域	建物及びその敷地	平成 23．6．19 取引時点	577,000,000円	土地 800㎡ 建物延べ床面積 1,650㎡	鉄筋コンクリート造5階建て共同住宅	東側 幅員 7ｍ 舗装市道 北側 幅員 6ｍ 舗装市道 上水道 下水道 都市ガス	B駅 南西方 約500m	大手ディベロッパーが土地を購入し，分譲を計画して建築したが，不動産投資ファンドからの一括買受の申し出を受け，このほど売却されたもの。取引に当たり特別な事情はない。 土地所有者：丁村不動産 建物所有者：丁村不動産
取引事例(ホ)	F地域	建物及びその敷地等	平成 22．10．21 取引時点	117,000,000円	土地 500㎡ 建物延べ床面積 200㎡	木造2階建て住宅	南側 幅員 5ｍ 舗装市道 上水道 下水道 都市ガス	B駅 北東方 約700m	取引価格は，地元不動産業者が戸建て分譲開発を目的に，土地所有者及び建物所有者双方から各々を同日に購入した取引の合算値である。建物は老朽化していたが，取壊し費用（2,000,000円）相当分は買主負担とすることで取引が行われた。 土地所有者：戊辰 くに 建物所有者：己斐 典之

2．賃貸事例の概要

事例区分	所在する地域	種　類	賃貸時点	支払賃料等	物件の規模等	賃貸時点における敷地の利用の状況	道路及び供給処理施設の状況	駅からの道路距離	備　考
賃貸事例(あ)	A地域	新規賃料	平成 22. 11. 6	月額支払賃料等契約内容の詳細は，「XVI. 賃貸事例の契約内容等」参照のこと。	土地 680㎡ 建物延べ床面積 1，370㎡	鉄筋コンクリート造 5階建て共同住宅	南東側 幅員 7 m 舗装市道 上水道 下水道 都市ガス	B駅 南東方 約600m	契約に当たって，特別な事情は存在しない。
賃貸事例(い)	E地域	新規賃料	平成 22. 8. 9	月額支払賃料等契約内容の詳細は，「XVI. 賃貸事例の契約内容等」参照のこと。	土地 760㎡ 建物延べ床面積 1，520㎡	鉄筋コンクリート造 5階建て共同住宅	東側 幅員 7 m 舗装市道 南側 幅員 6 m 舗装市道 上水道 下水道 都市ガス	B駅 南西方 約500m	契約に当たって，特別な事情は存在しない。

3．取引事例等に係る建物の概要

事例区分	建築時点	建築工事費（総額）	数量等	建物構造及び用途	施工の質	価格時点又は取引時点現在の経済的残存耐用年数	設備の良否	昇降機設備の有無	空調冷暖房設備の有無	近隣地域等との適合性，建物と敷地との適応性
対象不動産	平成 18. 8. 1	320，000，000円	建築面積 316㎡ 延べ床面積 1，357㎡	鉄筋コンクリート造 5階建て共同住宅	中級	主体部分 45年 仕上げ部分 25年 設備部分 10年	普通	あり	あり	環境と適合し，敷地と適応している。
取引事例(ロ)	平成 19. 3. 1	282，000，000円	建築面積 270㎡ 延べ床面積 1，180㎡	鉄筋コンクリート造 5階建て共同住宅	中級	主体部分 46年 仕上げ部分 26年 設備部分 11年	普通	あり	あり	環境と適合し，敷地と適応している。
取引事例(ニ)	平成 23. 4. 20	363，000，000円	建築面積 360㎡ 延べ床面積 1，650㎡	鉄筋コンクリート造 5階建て共同住宅	中級	主体部分 50年 仕上げ部分 30年 設備部分 15年	普通	なし	あり	環境と適合し，敷地と適応している。

（注１）建築工事費はいずれも特別な事情が存在しない標準的な建築工事費である。
（注２）転勤コンクリート造の，建築工事費に占める躯体（本体）部分と仕上げ部分及び設備部分の構成割合は，40：40：20である。
（注３）価格時点において事例内容を調査した結果，建物の減価の程度は，いずれもおおむね経年相応である。

4．建設事例の概要

事例区分	所在する地域	建築時点	建築工事費	数量等	建物構造及び用途	施工の質	建物竣工時点での経済的残存耐用年数	設備の良否	昇降機設備の有無	空調冷暖房設備の有無	価格時点における建物の面積以外の個別的要因に係る評点（注1）
建設事例 α	E 地域	平成22.10.1	355,000,000円	建築面積 305㎡ 延べ床面積 1,500㎡	鉄筋コンクリート造5階建て共同住宅	中級	主体部分 50年 仕上げ部分 30年 設備部分 15年	普通	あり	あり	105

（注１）対象不動産に係る建物を100とした場合の比較評点である。
（注２）建築費に占める躯体（本体）部分と仕上げ部分及び設備部分の構成割合は，40：40：20である。
（注３）特別な事情が存在しない標準的な建築工事費である。

XIII. 地価指数，建築費指数及び賃貸住宅の新規賃料指数の推移

B市における中層住宅地域の地価指数，中層共同住宅（鉄筋コンクリート造）の建築費指数，対象不動産と構造，規模及び用途等が類似する同一需給圏内の賃貸住宅の新規賃料指数の推移は，次のとおりである。なお，平成23年1月1日以降の動向は，平成22年7月1日から平成23年1月1日までの推移とそれぞれ同じ傾向を示している。

区分 / 地域 / 年月日	地価指数							建築費指数	賃貸住宅の新規賃料指数
	近隣地域	A地域	B地域	C地域	D地域	E地域	F地域		
平成18. 1. 1	－	－	－	－	－	－	－	100	－
19. 1. 1	－	－	－	－	－	－	－	102.8	－
20. 1. 1	－	－	－	－	－	－	－	107.6	－
21. 1. 1	100	100	100	100	100	100	100	103.1	100
21. 7. 1	96	95	94	97	92	96	97	101.0	100
22. 1. 1	93	93	91	95	89	94	96	99.2	99.5
22. 7. 1	93	92	90	94	89	93	95	97.7	99.5
23. 1. 1	92	91	89	93	88	92	94	96.2	99.0

XIV. 地域要因及び土地の個別的要因の比較

事例等 / 地域 / 比較項目	対象不動産	標準地B－1	事例(イ)	事例(ロ)	事例(ハ)	事例(ニ)	事例(ホ)
	近隣地域	A地域	B地域	C地域	D地域	E地域	F地域
地域要因に係る評点（地）	100	98	95	98	88	103	120
個別的要因に係る評点（個）	103	100	98	102	103	102	80

（注1）地域要因に係る評点（地）の比較については，近隣地域の評点を100とし，他の地域は近隣地域と比較してそれぞれの評点を付したものである。

（注2）個別的要因に係る評点（個）の比較については，それぞれの地域において標準的と認められる画地の地積以外の評点を100とし，これと取引事例に係る土地等とを比較し，それぞれの評点を付したものである。

XV. 賃貸事例の価格形成要因の比較

補正項目＼事例等	対象不動産（1階住戸）	賃貸事例(あ)	賃貸事例(い)
1棟全体の建物に係る評点（建）	100	100	100
地域要因に係る評点（地）	100	98	103
基準住戸の個別的要因に係る評点（基）	100	100	101
個別的要因に係る評点（標）（個）	97	100	102

（注1）1棟全体の建物に係る評点（建）は，対象不動産（住戸）の存する1棟全体の建物の評点を100とした場合の，賃貸事例の存する1棟全体の建物の比較評点を示している。

（注2）地域要因に係る評点（地）は，賃貸事例の存する地域の地域要因に係る評点を示している。

（注3）基準住戸の個別的要因に係る評点（基）は，対象不動産の基準住戸を100とした場合の賃貸事例各々の基準住戸の比較評点を示している。

（注4）個別的要因に係る評点（標）（個）は，対象不動産及び賃貸事例と各々の基準住戸との比較評点を示している。なお，対象不動産101号室及び102号室は同じ評点である。

XVI. 賃貸事例の契約内容等

賃貸事例が存する地域における標準的な賃貸借の条件は，次のとおりである。

① 支払賃料は，毎月末にその月分を支払う。

② 貸室の賃貸借に当たって授受される一時金は，預り金的性格を有する敷金及び賃料の前払的性格を有する礼金の2種類である。標準的な敷金の額は月額支払賃料の1か月分であり，売買に当たって承継される。また，標準的な礼金の額も月額支払賃料の1か月分である。なお，以後の契約の更新においては，更新料等いかなる名目においても一時金の授受はない。

③ 駐車場の賃貸借にあっては預り金的性格を有する敷金のみが授受され，

標準的な敷金の額は，月額使用料の１か月分である。駐輪場の賃貸借に際しては地域の慣行同様，一時金の授受は行われない。

④　敷金は，賃貸借契約を解除したときは直ちに全額返還されるが，利息は付さない。

⑤　共益費については，いずれも標準的なものと認められる。

⑥　いずれの賃貸事例の基準階も３階をとっており，賃貸事例の存する１棟の建物内の階層別効用の差は標準化補正に反映されている。また，対象不動産内の階層別効用の差は個別的要因の比較における評点に反映されている。なお，賃貸事例及び対象不動産（１階部分）のいずれにおいても同一階層内の位置別効用の差は認められなかった。

⑦　貸室の契約期間は２年，契約の形式は書面によるものが一般的である。

⑧　各テナントとの貸室の賃貸借契約は，いわゆる普通借家契約であり，契約更新時に支払賃料等の改定協議を行うこととなっている。

賃貸事例の個別の賃貸借の条件は，次のとおりである。

いずれも賃貸借にあたり特別な事情はない。

１．賃貸事例(あ)

Ａ地域内に所在する。鉄筋コンクリート造５階建て共同住宅の３階部分。

平成18年８月に竣工。

賃　貸　人：Ｉ株式会社

賃　借　人：Ｊ株式会社

賃 貸 時 点：平成22年11月６日

月額支払賃料：159,000円

月 額 共 益 費：10,500円

敷金及び礼金の額は月額支払賃料の１か月分，賃貸面積70㎡

２．賃貸事例(い)

Ｅ地域内に所在する。鉄筋コンクリート造５階建て共同住宅の５階部分。

平成19年３月に竣工。

賃　貸　人：Ｇ株式会社

賃　借　人：Ｈ株式会社

賃 貸 時 点：平成22年８月９日

月額支払賃料：162,000円

月 額 共 益 費：10,000円

敷金及び礼金の額は月額支払賃料の１か月分，賃貸面積66㎡

XVII．対象不動産の建築工事費について

対象不動産は，平成18年８月１日に竣工した。建築工事費は，全体で320,000,000円かかった（当該建築工事費は，特別な事情が存在しない竣工時点における標準的な建築工事費である。）。

以　上

解答例

問1

対象不動産を住宅地の貸家及びその敷地と確定し，原価法及び収益還元法（ＤＣＦ法）を適用して求めた試算価格を調整の上，鑑定評価額を決定する。なお，土地建物一体としての取引事例比較法は適用しない。

※　不採用事例とその理由

取引事例(ハ)：①　限定価格的な要素を含むが，詳細が不明であり，正常補正可能性に欠ける。

②　地域の特性が異なり，要因比較可能性に欠ける。

取引事例(ホ)：①　最有効使用が異なり，代替性に欠ける。

②　地域の特性が異なり，要因比較可能性に欠ける。

問2

Ａ．原価法

対象不動産の再調達原価を求め，これに減価修正を行って積算価格を試算する。

Ⅰ．再調達原価

土地の再調達原価に建物の再調達原価を加算して，建物及びその敷地の再調達原価を査定する。

1．土地（更地価格）

既成市街地に存し，再調達原価の把握ができないので原価法は適用せず，指示事項より，取引事例比較法を適用して更地価格を査定する。

(1)　比準価格

事例適格４要件を具備した取引事例(イ)，(ロ)，(ニ)を採用し，比準価格を査定する。

①　事例(イ)

$$\overset{}{166,000\text{千円}}\times\underset{\text{事}}{\frac{100}{100}}\times\underset{\text{時}}{\frac{87.8}{89.3}}\times\underset{\text{標}}{\frac{100}{98}}\times\underset{\text{地}}{\frac{100}{95}}\times\underset{\text{個}}{\frac{103}{100}}\times\underset{\text{面}}{\frac{620}{680}}\fallingdotseq 165,000\text{千円}$$

（266千円／㎡）

※　時点修正率査定根拠（地価指数採用）

分子　価格時点（H23／8）：

$$\left\{\left(\frac{89}{90}-1\right)\times\frac{7}{6}+1\right\}\times 89 \fallingdotseq 87.8$$

分母　取引時点（H22／11）：

$$\left\{\left(\frac{89}{90}-1\right)\times\frac{4}{6}+1\right\}\times 90 \fallingdotseq 89.3$$

以下同様の方法により査定し，根拠の記載は省略する。

② 事例(ロ)

建物及びその敷地の取引事例であるが，敷地が最有効使用の状態にあるので，配分法を適用して更地の事例資料を求める。

※　建物価格（原価法を準用）

a．再調達原価（直接法）

$$282{,}000\text{千円}\times\overset{\text{事}}{\frac{100}{100}}\times\overset{\text{時※}}{\frac{96.0}{103.6}} \fallingdotseq 261{,}000\text{千円}$$

※　建築費指数採用

b．減価修正

・耐用年数に基づく方法（定額法採用，残価率０）

$$\text{主体：}261{,}000\text{千円}\times 0.40\times\frac{4}{4+46} = 8{,}352\text{千円}$$

$$\text{仕上：}261{,}000\text{千円}\times 0.40\times\frac{4}{4+26} = 13{,}920\text{千円}$$

$$\text{設備：}261{,}000\text{千円}\times 0.20\times\frac{4}{4+11} = 13{,}920\text{千円}$$

計　36,192千円

・観察減価法

経年相応の減価と判断し，耐用年数に基づく方法による減価額と同額と査定。

・減価額

２方法を併用し，建物の減価額を36,192千円と査定した。

c．事例建物価格

$$261{,}000\text{千円} - 36{,}192\text{千円} \fallingdotseq 225{,}000\text{千円}$$

※　更地価格

362,000千円 － 225,000千円 ＝ 137,000千円

$$\underset{}{137,000千円}\times\overset{事}{\frac{100}{100}}\times\overset{時}{\frac{91.8}{92.8}}\times\overset{標}{\frac{100}{102}}\times\overset{地}{\frac{100}{98}}\times\overset{個}{\frac{103}{100}}\times\overset{面}{\frac{620}{540}}\fallingdotseq 160,000千円$$

（258千円／㎡）

③　事例㈡

建物及びその敷地の取引事例であるが，敷地が最有効使用の状態にあるので，配分法を適用して更地の事例資料を求める。

※　建物価格（原価法を準用）

a．再調達原価（直接法）

$$363,000千円\times\overset{事}{\frac{100}{100}}\times\overset{時}{\frac{95.0}{95.5}}\fallingdotseq 361,000千円$$

b．減価修正

事例建物は取引時点において新築直後であり，減価はないと判断した。

c．事例建物価格

361,000千円 － 0円 ＝ 361,000千円

※　更地価格

577,000千円 － 361,000千円 ＝ 216,000千円

$$216,000千円\times\overset{事}{\frac{100}{100}}\times\overset{時}{\frac{90.8}{91.2}}\times\overset{標}{\frac{100}{102}}\times\overset{地}{\frac{100}{103}}\times\overset{個}{\frac{103}{100}}\times\overset{面}{\frac{620}{800}}\fallingdotseq 163,000千円$$

（263千円／㎡）

④　比準価格

以上により，３価格を得た。

事例㈠は，更地の事例だが，取引時点がやや古く，地域の特性もやや異なる。

事例㈡は，配分法を施しているが，取引時点が新しく，地域の特性も類似している。

事例㈡は，配分法を施しているが，取引時点が最も新しい。

以上より，３事例を相互に関連づけ，比準価格を163,000千円（263

千円／㎡）と査定した。

⑵ 公示価格を規準とした価格

（標準地Ｂ－１）

$$250千円/m^2 \times \overset{時}{\frac{89.8}{91.0}} \times \overset{標}{\frac{100}{100}} \times \overset{地}{\frac{100}{98}} \times \overset{個}{\frac{103}{100}} \times 620m^2 \fallingdotseq 161,000千円$$

（260千円／㎡）

⑶ 更地価格

比準価格は，現実の市場で発生した取引事例に基づき，市場の実勢を反映した実証的な価格である。本件では，規範性の高い事例を用いて比準し，また，公示価格を規準とした価格との均衡も得ており，その精度は高いものと思料する。よって，比準価格の163,000千円（263千円／㎡）をもって，更地価格と査定した。

２．建物

指示事項により，直接法と間接法を併用し，再調達原価を査定する。

⑴ 直接法

$$320,000千円 \times \overset{事}{\frac{100}{100}} \times \overset{時}{\frac{94.5}{101.6}} \fallingdotseq 298,000千円（220千円/m^2）$$

⑵ 間接法（建設事例α）

$$355,000千円 \times \overset{事}{\frac{100}{100}} \times \overset{時}{\frac{94.5}{97.0}} \times \overset{個}{\frac{100}{105}} \times \overset{面}{\frac{1,357}{1,500}} \fallingdotseq 298,000千円$$

（220千円／㎡）

⑶ 再調達原価

以上により，２価格が得られた。直接法による価格は，対象建物の個別性をより反映しているが，建築時点がやや古い。間接法による価格は，建築時点は新しいが，品等と規模がやや異なる。よって，両者を関連づけ，再調達原価を298,000千円（220千円／㎡）と査定した。

３．建物及びその敷地

１．＋２．＝ 461,000千円

Ⅱ．減価修正

1．土地

減価はないと判断

2．建物

(1) 耐用年数に基づく方法（定額法採用，残価率０）

$$\text{主体：}298,000\text{千円}\times 0.40\times\frac{5}{5+45}=11,920\text{千円}$$

$$\text{仕上：}298,000\text{千円}\times 0.40\times\frac{5}{5+25}\fallingdotseq 19,867\text{千円}$$

$$\text{設備：}298,000\text{千円}\times 0.20\times\frac{5}{5+10}\fallingdotseq 19,867\text{千円}$$

計　51,654千円

(2) 観察減価法

経年相応の減価と判断し，上記(1)と同額と査定した。

(3) 減価額

両者を併用し，減価額を51,654千円と査定した。

3．建物及びその敷地

建物は敷地と適応し，環境とも適合しており，建物及びその敷地一体としての減価はないと判断した。

4．減価額

1．＋2．＋3．＝51,654千円

Ⅲ．積算価格

再調達原価から減価額を控除して，積算価格を以下のとおり409,000千円と試算した。

461,000千円－51,654千円 ≒ 409,000千円

問３

B．収益還元法（ＤＣＦ法）

指示事項より，対象不動産の分析期間を５年とし，分析期間内の各期の純収益の現在価値の合計に復帰価格の現在価値を加算して，ＤＣＦ法による収益価格を試算する。

Ⅰ．初年度純収益

1．運営収益

(1) 貸室賃料収入

① 自用部分（101号室・102号室）

a．月額実質賃料（賃貸事例比較法により102号室について査定）

(a) 賃貸事例(あ)

実際実質賃料

159,000円＋159,000円×１ヶ月×0.02（※1）÷12ヶ月＋159,000円×１ヶ月×0.2122（※2）÷12ヶ月 ≒ 162,000円

※1 敷金は預り金的性格を有する一時金であり，指示事項より運用利回りは2.0%を採用。

※2 礼金は賃料の前払的性格を有する一時金であり，指示事項より運用利回り2.0%，平均回転期間５年の元利均等償還率0.2122を採用。

事	時※	標	建	地	基	個	面

$$162,000円\times\frac{100}{100}\times\frac{98.4}{99.2}\times\frac{100}{100}\times\frac{100}{100}\times\frac{100}{98}\times\frac{100}{100}\times\frac{97}{100}\times\frac{70}{70}\fallingdotseq 159,000円$$

（2,270円／㎡）

※ 賃貸住宅の新規賃料指数採用

(b) 賃貸事例(い)

実際実質賃料

162,000円＋162,000円×１ヶ月×0.02÷12ヶ月＋162,000円×１ヶ月×0.2122÷12ヶ月 ≒ 165,000円

事	時	標	建	地	基	個	面

$$165,000円\times\frac{100}{100}\times\frac{98.4}{99.4}\times\frac{100}{102}\times\frac{100}{100}\times\frac{100}{103}\times\frac{100}{101}\times\frac{97}{100}\times\frac{70}{66}\fallingdotseq 158,000円$$

（2,260円／㎡）

(c) 102号室の月額実質賃料

時点が新しく，規模も類似する賃貸事例(あ)を重視し，比準賃料を159,000円（2,270円／㎡）と査定し，これをもって102号室の月額実質賃料と査定した。

(d) 101号室の月額実質賃料

$$159,000円 \times \frac{\overset{面}{74}}{70} \fallingdotseq 168,000円（2,270円／m^2）$$

b．支払賃料（月額支払賃料をａとおく）

（101号室）

168,000円 ＝ ａ＋ａ×１ヶ月×0.02÷12ヶ月＋ａ×１ヶ月×0.2122÷12ヶ月

ａ≒ 165,000円（2,230円／㎡）

（102号室）

159,000円 ＝ ａ＋ａ×１ヶ月×0.02÷12ヶ月＋ａ×１ヶ月×0.2122÷12ヶ月

ａ≒ 156,000円（2,230円／㎡）

（合計）

165,000円＋156,000円 ＝ 321,000円（月額）

321,000円×12ヶ月 ＝ 3,852千円（年額）

② 稼働部分

（２階部分）

167,000円＋158,000円＋158,000円※＋161,000円 ＝ 644,000円

※ 203号室は共益費を除く

（３階部分）

170,000円※＋161,000円＋161,000円＋164,000円 ＝ 656,000円

※ 301号室は駐車場使用料を除く

（４階部分）

240,000円＋163,000円＋163,000円※ ＝ 566,000円

※ 403号室は共益費を除く

（５階部分）

164,000円＋129,000円＋167,000円 ＝ 460,000円

計 2,326,000円（月額）

2,326,000円×12ヶ月 ＝ 27,912千円（年額）

③　貸室賃料収入

①＋②＝31,764千円

⑵　共益費収入

150円／m²×1,162m²　＝　174,300円（月額）

174,300円×12ヶ月　≒　2,092千円（年額）

⑶　水道光熱費収入

賃借人が実額を負担するものとし，計上しない。

⑷　駐車場収入

15,000円×５台　＝　75,000円（月額）

75,000円×12ヶ月　＝　900千円（年額）

⑸　駐輪場収入

300円×32台　＝　9,600円（月額）

9,600円×12ヶ月　≒　115千円（年額）

⑹　礼金収入

2,647,000円÷５年　≒　529千円

⑺　その他収入（電柱使用料）

13,000円÷4.5年　≒　３千円

特になし

⑻　総収益（満室想定）

⑴〜⑺　合計　35,403千円

⑼　空室等損失

①　貸室部分

31,764千円＋2,092千円＝33,856千円

33,856千円×（１－0.96（空室率））≒　1,354千円

②　駐車場部分

900千円×（１－0.80（空室率））＝　180千円

③　駐輪場部分

稼働率100％のため空室等損失は計上しない。

④　合計

①＋②＋③＝1,534千円

⑽　貸倒損失

指示事項より，賃借人の状況等を勘案し，計上しない。

⑾　運営収益

⑻－⑼－⑽＝33,869千円

2．運営費用

⑴　維持管理費

2,000千円

⑵　水道光熱費

40円／㎡×1,162㎡×12ヶ月　≒　558千円

⑶　修繕費

40円／㎡×1,162㎡×12ヶ月　≒　558千円

⑷　ＰＭフィー

（貸室部分）

31,764千円＋2,092千円＋529千円＋3千円－1,354千円＝33,034千円

33,034千円×0.03　≒　991千円

（駐車場部分及び駐輪場部分）

900千円＋115千円－180千円　＝　835千円

835千円×0.025　≒　21千円

（合計）1,012千円

⑸　テナント募集費用等

（31,764千円×0.96＋900千円×0.80）÷12ヶ月×1ヶ月÷5年

≒　520千円

⑹　公租公課

土地：　350千円

建物：2,250千円

合計：2,600千円

⑺　損害保険料

100千円

⑻　その他費用（原状回復費用）

2,500円／㎡×1,162㎡×0.96÷5年　≒　558千円

⑼　運営費用

⑴～⑻　合計　7,906千円（経費率は約23%）

3．運営純収益

1．－ 2．＝25,963千円

4．一時金の運用益

（321千円＋2,326千円）×0.96＋75千円×0.80 ≒ 2,601千円

2,601千円×0.02 ≒ 52千円

5．資本的支出

298,000千円×0.006 ＝ 1,788千円

6．初年度純収益

3．＋4．－5．＝24,227千円

Ⅱ．割引率・還元利回り

1．割引率

指示事項より，5.5％

2．最終還元利回り

5.5％＋0.3％＝5.8％

Ⅲ．キャッシュフロー表

（単位：千円）

		1	2	3	4	5	6
運営収益	貸室賃料収入	31,764	31,764	31,764	31,764	31,764	31,764
	共益費収入	2,092	2,092	2,092	2,092	2,092	2,092
	水道光熱費収入	0	0	0	0	0	0
	駐車場収入	900	900	900	900	900	900
	駐輪場収入	115	115	115	115	115	115
	礼金収入	529	529	529	529	529	529
	その他収入	3	3	3	3	3	3
	小計	35,403	35,403	35,403	35,403	35,403	35,403
	空室等損失	1,534	1,534	2,110	2,110	2,381	2,381
	貸倒損失	0	0	0	0	0	0
運営収益　合計		33,869	33,869	33,293	33,293	33,022	33,022
運営費用	維持管理費	2,000	2,000	2,000	2,000	2,000	2,000
	水道光熱費	558	558	558	558	558	558
	修繕費	558	558	558	558	558	558
	ＰＭフィー	1,012	1,012	995	995	987	987
	テナント募集費用等	520	520	511	511	507	507
	公租公課（土地）	350	350	350	350	350	350
	公租公課（建物）	2,250	2,183	2,183	2,183	2,118	2,118
	損害保険料	100	100	100	100	100	100
	その他費用	558	558	548	548	543	543
運営費用　合計		7,906	7,839	7,803	7,803	7,721	7,721
運営純収益		25,963	26,030	25,490	25,490	25,301	25,301
	一時金の運用益	52	52	51	51	51	51
	資本的支出	1,788	1,788	1,788	1,788	1,788	1,788
純収益		24,227	24,294	23,753	23,753	23,564	23,564
	複利現価率	0.9479	0.8985	0.8516	0.8072	0.7651	－
	現在価値	22,965	21,828	20,228	19,173	18,029	－
	現在価値　合計	102,223					

（注１）複利現価率

1年目：$\frac{1}{(1+0.055)^{1}} \fallingdotseq 0.9479$

2年目以降についても，同様の方法により査定。

（注２）2年目以降のキャッシュフローの変動予測

・空室等損失

フリーレントを考慮し，貸室部分に係る稼働率（96%）から控除する率を以下のとおり求めたうえで，空室等損失を査定。

（3・4年目）

1ヶ月÷60ヶ月≒0.017（1.7%）

（5年目以降）

1.5ヶ月÷60ヶ月＝0.025（2.5%）

・PMフィー，テナント募集費用，その他費用，一時金の運用益

空室等損失同様，3・4年目と5年目以降について，それぞれ上記の率を稼働率から控除のうえ，査定。

・公租公課（建物）

建物のみ，2年目と5年目に年3%減額。

Ⅳ．DCF法による収益価格

1．純収益の現在価値合計

102,223千円

2．復帰価格の現在価値

(1) 復帰価格

23,564千円　÷0.058 ≒ 406,276千円

(2) 売却費用

406,276千円×0.03 ≒ 12,188千円

(3) 復帰価格の現在価値

（406,276千円－12,188千円）×0.7651 ≒ 301,517千円

3．DCF法による収益価格

5年間の純収益の現在価値合計に，5年目期末の復帰価格の現在価値を加算して，DCF法による収益価格を404,000千円と試算した。

1．＋ 2．≒ 404,000千円

問4

C．試算価格の調整と鑑定評価額の決定

Ⅰ．試算価格の調整

以上により，

A．積算価格　409,000千円

B．収益価格　404,000千円

を得た。採用した資料及び鑑定評価の各手法に応じた斟酌を加え，手順の各

段階について客観的・批判的に再吟味して調整を行う。

1．試算価格の再吟味

Ａの価格は主として費用性の観点に着目して求めた価格である。本件では，土地については取引事例比較法を適用し，公示価格との均衡に留意して査定し，建物については直接法及び間接法を適用して求めた再調達原価に減価修正を行って求めたが，いわゆる供給者価格としての性格が強く，借家人居付による増減価等を適切に反映することはやや困難であった。

Ｂの価格は主として収益性の観点に着目して求めた価格である。本件ではＤＣＦ法を適用し，純収益については，分析期間内のキャッシュフローの変動を適切に予測の上，査定し，割引率・最終還元利回りについても，両者の整合性に十分留意して査定し，結果，投資家の観点に立った理論的価格として規範性の高い価格が得られた。

2．試算価格が有する説得力に係る判断

対象不動産は，中層共同住宅が建ち並ぶ住宅地域に存する賃貸共同住宅であり，典型的な需要者としては，収益物件の取得を企図する投資家が考えられる。Ｂ市内においては，近年，事務所ビルや賃貸マンション等を対象とした活発な不動産投資が行われてきたが，米国を中心とするサブプライムローン問題等により，不動産取引は急速に低迷し，地価は大きく下落した。

積算価格は，豊富な資料に裏付けされた規範性の高い価格であるが，いわゆる供給者価格としての性格が強く，収益性を適正に反映することはやや困難である。

収益価格は不動産の収益性からアプローチした価格であり，対象不動産のような貸家及びその敷地の価格は，通常，収益物件として投資家の意思によって価格形成されること等から，より規範性・説得力の高い価格であると判断した。

Ⅱ．鑑定評価額の決定

以上の結果，本件においては収益価格を標準とし，積算価格を比較考量し，専門職業家としての良心に従い，鑑定評価額を405,000千円と決定した。

なお，敷金等の返還債務を買主が引き継ぐ場合には，上記鑑定評価額から敷金等を控除することが妥当である。

本件鑑定評価額は，当該課税資産の譲渡につき，通常課されるべき消費税額等を含まないものである。

以　上

解　説

本問は,「貸家及びその敷地」について, 原価法と収益還元法（ＤＣＦ法）を適用し, 鑑定評価額を決定させる問題で, 昨年の本試験問題と類似した構成になっている。

問１の不採用事例については, 取引事例(ハ)と(ホ)について, 問題文に従い, 考えられる理由をすべて挙げること。

問２の原価法は, 配分法による更地事例の導出, 直接法と間接法の併用による再調達原価の査定等, 例年どおりの基本論点のみで構成されており, ミスのない解答が求められる。減価修正（耐用年数に基づく方法）に際し, 従来の「躯体・設備」ではなく,「躯体・仕上・設備」の３項目に分けるところは目新しいが, 計算自体は簡単である。

問３の収益還元法は, 昨年と同じく「ＤＣＦ法」が出題された。初年度純収益については, 特に賃貸事例比較法による自用部分の賃料査定と, 運営費用項目の計算がポイントとなる。２年目以降の収益費用項目については, フリーレントを考慮した修正稼働率を空室等損失やＰＭフィー, テナント募集費用等に反映できるかがポイントとなるが, ここをきちんと処理できた受験生はほとんどいなかったのではないだろうか。

問４の試算価格の調整については, 貸家の定石どおり, 収益価格を重視して鑑定評価額を決定づければよい。

平成24年度・演習

問題　別紙2〔資料等〕に記載の不動産（II．対象不動産）について，別紙1〔指示事項〕及び別紙2〔資料等〕に基づき，不動産の鑑定評価に関する次の問に答えなさい。

問1　原価法による試算価格を求めなさい。

　　なお，対象不動産の確定に関する事項は，解答する必要はありません。

問2　収益還元法による試算価格を求めなさい。

問3　問1及び問2で求めた試算価格を調整して，対象不動産の鑑定評価額を決定しなさい。

別紙1〔指示事項〕

I．共通事項

1．問1及び問2における各手法の適用の過程で求める数値は，別に指示がある場合を除き，小数点以下1位を四捨五入し，整数で求めること。ただし，取引事例及び建設事例から比準した価格，賃貸事例から比準した賃料，公示価格を規準とした価格，各試算価格及び鑑定評価額については，上位4桁目を四捨五入して上位3桁を有効数字として取り扱うこと。

　（例）1,234,567円　→　1,230,000円

2．取引事例等における価格等には，消費税及び地方消費税は含まれておらず，計算の過程においても消費税及び地方消費税は含めないで計算すること。

3．対象不動産及び取引事例等については，土壌汚染，埋蔵文化財及び地下埋設物に関して価格形成に影響を与えるものは何ら存しないことが判明している。また，対象不動産及び取引事例等の建物部分には，いずれも有害物質使用調査が実施されていて，アスベスト及びPCB等の有害物質の使用又は貯蔵はされていないことが確認されている。

4．土地及び建物の数量は，土地登記簿〔全部事項証明書〕及び建物登記簿〔全部事項証明書〕記載数量によること。

5．対象不動産は，不動産鑑定評価基準各論第3章の証券化対象不動産ではない。よって，同章の規定は適用せずに鑑定評価を行うこと。評価方針は次のとおりである。

　対象不動産の価格を試算するに際して，取引事例比較法については，適切

に要因比較を行い得る類似不動産の取引事例を収集することが困難であるため土地建物一体とした取引事例比較法は適用せず，原価法による積算価格と収益還元法による収益価格を試算し，試算価格を調整の上，鑑定評価額を決定する。

Ⅱ．問１について

1．建物及びその敷地の再調達原価

(1) 土地価格の試算

① 対象不動産は既成市街地に存し，土地の再調達原価は把握できないため原価法は適用せず，土地の収益性については土地建物一体としての収益還元法を適用する過程で考慮するので収益還元法（土地残余法）も適用しない。

よって，土地価格は，取引事例比較法を適用して求めること。

② 別紙２〔資料等〕「XII．対象不動産及び事例資料等の概要」に記載の各事例を用いて，比準価格を求めること。

なお，下記事例の選択要件に照らして不採用とすべき事例があれば，その事例番号及び不採用とすべき理由をすべて記載すること（取引事例の選択要件については解答する必要はない。）。

（事例の選択要件）

取引事例は，原則として近隣地域又は同一需給圏内の類似地域に存する不動産に係るもののうちから選択するものとし，必要やむを得ない場合には近隣地域の周辺の地域に存する不動産に係るもののうちから，対象不動産の最有効使用が標準的使用と異なる場合等には，同一需給圏内に存し対象不動産と代替，競争等の関係が成立していると認められる不動産に係るもののうちから選択するものとするほか，次の要件の全部を備えなければならないことに留意すること。

i 取引事情が正常なものと認められるものであること又は正常なものに補正することができるものであること。

ii 時点修正をすることが可能なものであること。

iii 地域要因の比較及び個別的要因の比較が可能なものであること。

③ 事例の事情及びその他の内容は，別紙２〔資料等〕「XII．対象不動産及び事例資料等の概要」の記載事項より判断すること。

④　取引事例が建物及びその敷地の場合には，配分法を用いて，更地に係る事例資料を求めた（更地価格を査定した）上で比準すること（建物の資料は，別紙２〔資料等〕「XII．対象不動産及び事例資料等の概要」の「３．取引事例等に係る建物の概要」によること。）。

⑤　比準価格を求める場合の計算式と略号は，次のとおりである（基準値を100とする。）。

$$\text{取引事例における土地価格（更地としての価格）（総額）} \times \underset{\textbf{事}}{\frac{100}{\text{取引事例の取引事情に係る補正率}}} \times \underset{\textbf{時}}{\frac{\text{価格時点の地価指数}}{\text{取引時点の地価指数}}} \times \underset{\textbf{標}}{\frac{100}{\text{取引事例の個別的要因に係る評点}}} \times \underset{\textbf{地}}{\frac{100}{\text{取引事例の存する地域の地域要因に係る評点}}} \times \underset{\textbf{個}}{\frac{\text{対象地の個別的要因に係る評点}}{100}} \times \underset{\textbf{面}}{\frac{\text{対象地の面積}}{\text{取引事例の面積}}} = \text{手法適用により求めた価格}$$

各項の意味と略号	
事：事情補正	**地**：地域要因の比較
時：時点修正	**個**：対象地の個別的要因の格差修正
標：取引事例の個別的要因の標準化補正	**面**：面積の比較

⑥　公示価格を規準とした価格を求める場合の計算式と略号は，次のとおりである（基準値を100とする。）。

$$\text{公示価格} \times \underset{\textbf{時}}{\frac{\text{価格時点の地価指数}}{\text{公示価格の価格時点の地価指数}}} \times \underset{\textbf{標}}{\frac{100}{\text{公示地の個別的要因に係る評点}}} \times \underset{\textbf{地}}{\frac{100}{\text{公示地の存する地域の地域要因に係る評点}}} \times \underset{\textbf{個}}{\frac{\text{対象地の個別的要因に係る評点}}{100}} \times \text{対象地の面積} = \text{公示価格を規準とした価格}$$

各項の意味と略号	
時：時点修正	**地**：地域要因の比較
標：公示地の個別的要因の標準化補正	**個**：対象地の個別的要因の格差修正

⑦　地価指数の計算上の留意点は，次のとおりである。

ｉ　地価指数の計算における経過期間（月数）の算定については，次の例のとおり，起算日（即日）の属する月を含めず，期間の末日（当日）の属する月を含めて計算すること。

（例）平成24年３月31日から平成24年８月１日までの期間の月数は，５か月

平成24年４月１日から平成24年８月１日までの期間の月数は，４か月

ii　地価指数は，別紙２〔資料等〕「XIII．地価指数，建築費指数及び賃貸住宅の新規賃料指数の推移」により求め，少なくとも一つの取引事

例について，価格時点及び取引時点の地価指数の計算過程を明らかにすること。地価指数計算上の特定の時点の指数は，次の例のとおり求めることとし，小数点以下２位を四捨五入し，小数点以下１位まで求めること。

（例）平成24年１月１日の指数を100，平成24年７月１日の指数を98として，取引時点である平成24年５月15日の指数を求める場合。

$$\left\{\left(\frac{\text{平成24年７月１日の指数（98）}}{\text{平成24年１月１日の指数（100）}}-1\right)\times\frac{\text{平成24年１月１日～平成24年５月15日の月数（４）}}{\text{平成24年１月１日～平成24年７月１日の月数（６）}}+1\right\}\times\text{平成24年１月１日の指数（100）}$$

＝求める時点の指数（98.7）（小数点以下２位を四捨五入）

⑵　建物価格の試算

①　建物の再調達原価を求めるに当たっては，直接法及び間接法を併用すること。直接法については，実際に要した建築工事費を建築費指数で時点修正する方法を採用し，間接法については，別紙２〔資料等〕「Ⅻ．対象不動産及び事例資料等の概要」の「４．建設事例の概要」の，建設事例αから比準して求めること。建築費指数は，別紙２〔資料等〕「XIII．地価指数，建築費指数及び賃貸住宅の新規賃料指数の推移」により，地価指数と同様に求めること（土地価格の試算において地価指数の計算過程を記載している場合は，建築費指数の計算過程の記載は要しない。）。

②　建物の再調達原価を建設事例から比準して求める場合の計算式と略号は，次のとおりである（基準値を100とする。）。

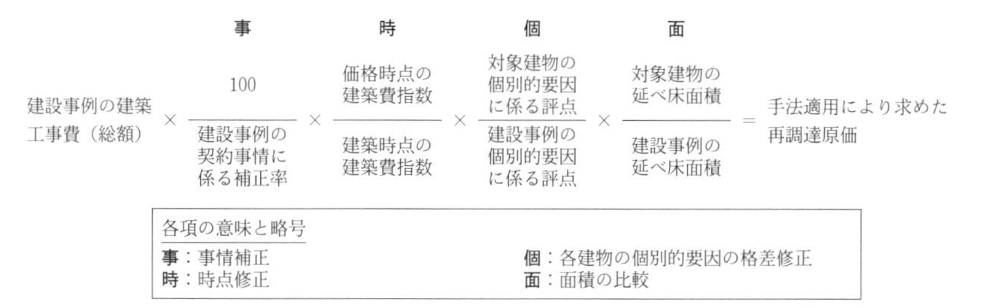

２．対象不動産の積算価格について

⑴　建物及びその敷地の積算価格は，再調達原価に減価修正を行って求めること。

⑵　建物の躯体（本体）部分の耐用年数は50年，仕上げ部分の耐用年数は30年，設備部分の耐用年数は15年とし，減価修正は耐用年数に基づく方法の

うちいずれも定額法を採用し，残価率は0とすること。建物の減価の程度は，おおむね経年相応とすること。また，建物の躯体（本体）部分，仕上げ部分，設備部分の構成割合は，40：40：20とすること。

（注）仕上げ部分とは，屋根，外壁，窓及び外部天井等の「外部仕上げ」と床，壁，天井及び内部建具等の「内部仕上げ」に係る部分をいう。

Ⅲ．問2について

1．収益還元法の適用に際しては，直接還元法を採用すること。

直接還元法の適用に当たっては，不動産鑑定評価基準各論第3章におけるDCF法の収益費用項目を採用し，運営収益から運営費用を控除した運営純収益に一時金の運用益及び資本的支出を加減して求めた純収益を還元利回りで還元することにより収益価格を求めること。

2．対象不動産の運営収益を求めるに当たっては，次のとおりとすること。

⑴　運営収益は，貸室賃料収入，共益費収入，水道光熱費収入，駐車場収入及びその他収入（礼金収入）を合計した総収益（満室想定）から，空室等損失及び貸倒れ損失を控除して求めること。

⑵　貸室賃料収入は，現行の賃貸条件をそのまま採用し，空室部分については，賃貸事例比較法を適用して求めた月額実質賃料から，敷金（預り金的性格を有する一時金であり，賃貸借終了時に無利息で賃借人に返還される。）及び礼金（賃料の前払的性格を有する一時金）ともに月額支払賃料の1か月分を徴収することを想定した一時金の運用益及び償却額を控除し，その上位3桁目を四捨五入して上位2桁を有効数字として月額支払賃料を求めること。

（例）12,345円　→　12,000円

⑶　賃貸事例比較法は，別紙2〔資料等〕「Ⅻ．対象不動産及び事例資料等の概要」の「2．賃貸事例の概要」の，賃貸事例㈠及び㈡と比準して求めること。いずれの賃貸事例もその契約内容は賃貸事例が所在する地域における標準的なものであり，賃料指数は，別紙2〔資料等〕「XIII．地価指数，建築費指数及び賃貸住宅の新規賃料指数の推移」により，地価指数と同様に求めること（問1の解答において地価指数の計算過程を記載している場合は，賃料指数の計算過程の記載は要しない。）。対象不動産及び賃貸事例の平均賃貸借期間はいずれも4年とすること。なお，対象不動産の駐車場

部分も専ら居住者用に限定しているため，同じ平均賃貸借期間とすること。礼金の運用益及び償却額は，償却期間を４年，運用利回りを年2.0％とし，年賦償還率（＝0.2626）により求めること。

⑷ 賃貸事例比較法の適用の際に用いる計算式と略号は，次のとおりである（基準値を100とする。）。

事　時　標　建　地　基　個　面

$$\text{賃貸事例の月額実質賃料（総額）} \times \frac{100}{\text{賃貸事例の賃貸事情に係る補正率}} \times \frac{\text{価格時点の賃料指数}}{\text{賃貸時点の賃料指数}} \times \frac{100}{\text{賃貸事例の基準住戸への標準的な補正に係る評点}} \times \frac{100}{\text{賃貸事例の存する一棟全体の建物品等に係る評点}} \times \frac{100}{\text{賃貸事例の存する地域の地域要因に係る評点}} \times \frac{\text{対象不動産の基準住戸の個別的要因に係る評点}}{\text{賃貸事例の基準住戸の個別的要因に係る評点}} \times \frac{\text{対象住戸の個別的要因に係る評点}}{100} \times \frac{\text{対象不動産の賃貸面積}}{\text{賃貸事例の賃貸面積}} = \text{手法適用により求めた賃料}$$

各項の意味と略号

事：事情補正	**地**：地域要因の比較
時：時点修正	**基**：基準住戸の個別的要因の比較
標：賃貸事例の基準住戸への標準化補正	**個**：対象住戸の個別的要因の格差修正
建：一棟全体の建物格差修正	**面**：面積の比較

⑸ 共益費収入は，現行の賃貸条件（賃貸面積１㎡当たり200円（月額））を妥当と認め，貸室部分及び空室部分について求めること。

⑹ 貸室部分の水道光熱費は，賃借人が実額を負担するものとすること。

⑺ 駐車場収入は，現行の１台当たりの使用料を妥当と認めて採用すること。

⑻ その他収入は，貸室部分の礼金収入のみで，価格時点以降締結する新規契約分より貸室支払賃料の１か月分とし，平均賃貸借期間に基づき，次のように計算して平準化した金額を計上すること。

礼金収入＝礼金（全貸室合計）÷平均賃貸借期間

⑼ 空室等損失は，貸室賃料収入，共益費収入及び礼金収入について，貸室部分の稼働率を95％，駐車場部分の稼働率を80％として求めること。

⑽ 貸倒れ損失は，賃借人の状況等を勘案した結果，計上しないものとすること。

3．対象不動産の運営費用を求めるに当たっては，次のとおりとすること。

⑴ 運営費用は，維持管理費，水道光熱費，修繕費，プロパティマネジメントフィー（以下「PMフィー」という。），テナント募集費用等，公租公課（土地及び建物），損害保険料及びその他費用を合計して求めること。

⑵ 維持管理費は，賃貸面積１㎡当たり150円（月額）とすること。

⑶ 共用部分の水道光熱費は，昨年度実績額を考慮して賃貸面積１㎡当たり

45円（月額）とすること。

⑷　修繕費は，建物の通常の維持管理のための費用と貸室部分の賃貸人負担の原状回復費をそれぞれ次の計算式により求めて合算すること。

建物の通常の維持管理のための費用＝建物再調達原価×0.3%（年額）

原状回復費＝2,300円／㎡×賃貸面積×稼働率÷平均賃貸借期間

⑸　PMフィーは，現行の管理運営委託契約に基づき，その他収入（礼金収入）を除く運営収益の３%相当額とすること。

⑹　テナント募集費用等は，仲介手数料として，貸室支払賃料及び駐車場使用料の１か月分を計上するものとし，次の計算式により求めること。

テナント募集費用等＝貸室賃料収入等（年額）÷12か月×１か月×稼働率÷平均賃貸借期間

⑺　公租公課（土地及び建物）は，固定資産税及び都市計画税とし，実額である土地280,000円（年額），建物1,860,000円（年額）とすること。

⑻　損害保険料は，現行の保険契約に基づき130,000円（年額）とすること。

⑼　その他費用としてケーブルテレビ使用料（一棟全体）5,000円（月額）を計上すること。

4．対象不動産の純収益を求めるに当たっては，次のとおりとすること。

⑴　一時金の運用益は，貸室賃料収入の１か月分及び駐車場使用料の１か月分の満室稼働を前提とした敷金に稼働率を考慮し，さらに，運用利回りの年2.0%を乗じて求めること。

⑵　資本的支出は，建物再調達原価の0.7%相当額（年額）とすること。

5．上記により求めた純収益に対応する還元利回りは，B市における対象不動産と類似の不動産の取引事例から求められる利回り，不動産投資の標準とされる利回り，対象不動産の立地条件等及び今後の賃料水準の変動等を勘案して5.8%を採用すること。

Ⅳ．問３について

試算価格の調整に当たっては，本件鑑定評価の手順の各段階について，客観的，批判的に再吟味し，その結果を踏まえた各試算価格が有する説得力の違いを適切に反映すること。

別紙2〔資料等〕

Ⅰ．依頼内容

本件は，「B駅」の北東方約300m（道路距離）にある中層共同住宅（対象不動産）について，売買の参考として，平成24年8月1日時点の現状での経済価値の判定のため，不動産鑑定士に鑑定評価が求められたものである。

Ⅱ．対象不動産

1．土地　所在及び地番　A県B市C町1丁目4番2

地　　目　宅地

地　　積　500.00㎡（土地登記簿〔全部事項証明書〕記載数量）

所 有 者　Z株式会社

2．建物　所　　在　A県B市C町1丁目4番地2

家屋番号　4番2

構造・用途　鉄筋コンクリート造陸屋根4階建て共同住宅

建築年月日　平成17年8月1日

床 面 積　（建物登記簿〔全部事項証明書〕記載数量）

1	階	245.00㎡
2	階	235.00㎡
3	階	235.00㎡
4	階	235.00㎡
合	計	950.00㎡

所 有 者　Z株式会社

Ⅲ．類型　貸家及びその敷地

Ⅳ．依頼目的　売買の参考

Ⅴ．鑑定評価によって求める価格の種類　正常価格

Ⅵ．価格時点　平成24年8月1日

Ⅶ．その他の鑑定評価の条件　なし

Ⅷ．Ｂ市の状況等

１．位置等

⑴　位置及び面積　Ａ県のほぼ中央に位置し，面積は約20㎢である。

⑵　沿　　革　　等　Ｂ市は，都心まで約20㎞～30㎞に位置し，大都市近郊のベッドタウンとして発展してきた。市内には商業施設をはじめとする生活上の利便施設が整備され，近年は，駅徒歩圏の利便性が良好な住宅地域において分譲又は賃貸用のマンションが増加している。

２．人口等

⑴　人　　口　約16万人。近年は，微増で推移している。

⑵　世帯数　約７万世帯

３．交通施設及び道路整備の状態

⑴　鉄　　道　Ｂ市のほぼ中央を南北に縦断している。

⑵　バ　　ス　バス路線網も充実しており，鉄道を補完している。

⑶　道　　路　国県道を幹線道路とし市道が縦横に敷設されている。市内の道路延長は約300㎞，舗装率は約95％である。

４．供給処理施設の状態

⑴　上 水 道　普及率はほぼ100％

⑵　下 水 道　普及率は約90％

⑶　都市ガス　普及率は約90％

５．土地利用の状況

⑴　商業施設　駅周辺及び主要幹線道路沿いの核となる商業施設を中心に商業地域が形成されている。

⑵　住　　　宅　全体的な傾向として，Ｂ駅徒歩圏においては，中層共同住宅が多く，バス圏においては戸建て住宅が多い。

６．不動産取引市場等の状況

⑴　不動産取引市場の状況

米国を中心とするいわゆるサブプライムローン問題等により端を発した金融市場の混乱を受けて低迷していた日本の不動産市場は，平成21年後半頃から不動産投資ファンド等の投資意欲回復に牽引されて市況は回復傾向となったものの，景気はデフレ基調にあり，雇用や所得環境は依然として厳しい状況にある。マンション取引市場においては市況が悪化し始めた初期において管理の困難性から取引対象として敬遠される傾向もあったが，賃料の安定性等が見直され，需要は回復傾向にある。今後の全般的な不動産経済動向としては，先行きが不透明な景気動向を反映して当分の間，弱含みで推移していくものと予測される。B市内の住宅地域においても，同様の動きがみられる。

取引市場における主たる売主としては，事業再構築の一環として資産圧縮を行うことを目的とした一般企業，有利子負債低減による財務体質改善を目的としてファンド組成物件の売却を企図する投資家等が挙げられ，主たる買主としては，不動産開発業者のほか，賃貸収入等を目的とした不動産会社や，個人投資家及びファンド組成物件の改善を狙う投資家等が挙げられる。

⑵　賃貸市場の状況

賃貸マンションは，最寄り駅から徒歩圏外等立地条件の悪い物件や，築年数の経った古い物件では空室も見られるが，最寄り駅から徒歩圏の築年数の浅い物件ではほぼ満室となっている。

賃料については，昨今の経済情勢を反映して，弱含みで推移している。

賃貸市場における主たる賃借人としては，職場や県内各所への良好なアクセスに着目した個人，従業員のための社宅として利用することを企図した法人等が挙げられる。

Ⅸ．対象不動産の賃貸借契約の概要

1．貸室

階層	部屋番号	賃貸面積 ㎡	賃借人	現行契約期間	契約の種類	月額支払賃料 円	月額共益費 円	敷金 円	礼金 円	備考
1	101	45.00	個人	H22.11.1～ H24.10.31	普通借家契約	100,000	9,000	100,000	100,000	－
	102	34.00	個人	H23.5.1～ H25.4.30	普通借家契約	80,000	6,800	80,000	80,000	－
	103	34.00	法人	H23.8.1～ H25.7.31	普通借家契約	80,000	6,800	80,000	80,000	－
	104	34.00	個人	H24.3.1～ H26.2.28	普通借家契約	80,000	6,800	80,000	80,000	－
2	201	45.00	法人	H23.4.1～ H25.3.31	普通借家契約	101,000	9,000	101,000	101,000	－
	202	34.00	個人	H22.10.1～ H24.9.30	普通借家契約	81,000	6,800	81,000	81,000	－
	203	34.00	個人	H23.6.1～ H25.5.31	普通借家契約	83,000	6,800	83,000	83,000	－
	204	34.00	空室	－	－	－	－	－	－	－
	205	34.00	個人	H23.12.1～ H25.11.30	普通借家契約	81,000	6,800	81,000	81,000	－
	206	34.00	個人	H24.1.1～ H26.12.31	普通借家契約	81,000	6,800	81,000	81,000	－
3	301	45.00	個人	H22.10.1～ H24.9.30	普通借家契約	102,000	9,000	102,000	102,000	－
	302	34.00	個人	H23.6.1～ H25.5.31	普通借家契約	82,000	6,800	82,000	82,000	－
	303	34.00	個人	H22.12.1～ H24.11.30	普通借家契約	81,000	6,800	81,000	81,000	－
	304	34.00	個人	H24.5.1～ H26.4.30	普通借家契約	81,000	6,800	81,000	81,000	－
	305	34.00	個人	H23.11.1～ H25.10.31	普通借家契約	83,000	6,800	83,000	83,000	－
	306	34.00	個人	H23.4.1～ H25.3.31	普通借家契約	82,000	6,800	82,000	82,000	－
4	401	45.00	法人	H23.2.1～ H25.1.31	普通借家契約	103,000	9,000	103,000	103,000	－
	402	34.00	個人	H24.2.1～ H26.1.31	普通借家契約	83,000	6,800	83,000	83,000	－
	403	34.00	法人	H23.1.1～ H25.12.31	普通借家契約	83,000	6,800	83,000	83,000	－
	404	34.00	個人	H23.2.1～ H25.1.31	普通借家契約	83,000	6,800	83,000	83,000	－
	405	34.00	個人	H23.10.1～ H25.9.30	普通借家契約	83,000	6,800	83,000	83,000	－
	406	34.00	個人	H23.8.1～ H25.7.31	普通借家契約	82,000	6,800	82,000	82,000	－

(注１) 賃借人欄における「個人」とは個人名義での契約，「法人」とは法人名義での契約でのいずれも住宅としての使用を目的とする賃貸借契約である。

(注２) 契約の種類欄における「普通借家契約」とは，借地借家法第30条の規定の適用がある賃貸借契約である（以下同じ。)。

(注３) 月額共益費は，各室とも賃貸面積１㎡当たり200円であり，周辺の同様の賃貸物件と比較しても，同等の水準にある。

(注４) 月額支払賃料及び月額共益費は，毎月末に当月分を支払う。

(注５) 敷金は預り金的性格を有する一時金であり，賃貸借終了時に無利息で賃借人に返還される。礼金は賃料の前払的性格を有する一時金であり，賃借人には返還されない。

２．駐車場

番号	月額使用料 円	賃借人	敷金 円	備考
1	8,000	個人	8,000	－
2	－	空車	－	－
3	8,000	個人	8,000	－
4	8,000	個人	8,000	－
5	8,000	個人	8,000	－

(注１) 駐車場は対象不動産の入居者のみを対象として５台分のスペースがあり，現在４台分が賃貸されている。１台当たりの月額使用料は8,000円で，敷金は月額使用料の１か月分であり，周辺の同様の賃貸事例と比較しても，同等の水準にある。

(注２) 敷金は預り金的性格を有する一時金であり，賃貸借終了時に無利息で賃借人に返還される。

X．近隣地域及び類似地域等の概要

対象不動産の所在する近隣地域及びその類似地域等の地域の特性を略記すれば，次のとおりである。

地　　域	位　置 （距離は，駅からの道路距離による。）	道路の状況	周辺の土地の利用状況	都市計画法等の規制で主要なもの	供給処理施設	標準的な画地規模	標準的使用
近隣地域	B駅の北東方 約250m～350m	幅員６m 舗装市道	中層共同住宅等が建ち並ぶ住宅地域	第一種住居地域 建ぺい率　60% 容積率　200% 準防火地域	上水道 下水道 都市ガス	500㎡程度	中層住宅地
A 地 域	B駅の南東方 約300m～400m	幅員６m 舗装市道	中層共同住宅のほか，病院等が見られる住宅地域	第一種住居地域 建ぺい率　60% 容積率　200% 準防火地域	上水道 下水道 都市ガス	500㎡程度	中層住宅地
B 地 域	B駅の南東方 約150m～250m	幅員６m 舗装市道	中層共同住宅のほか，中層店舗や中層店舗付共同住宅も見られる地域	第一種住居地域 建ぺい率　60% 容積率　200% 準防火地域	上水道 下水道 都市ガス	700㎡程度	中層住宅地
C 地 域	B駅の北西方 約250m～350m	幅員６m 舗装市道	中層共同住宅のほか，駐車場等が混在する住宅地域	第一種住居地域 建ぺい率　60% 容積率　200% 準防火地域	上水道 下水道 都市ガス	450㎡程度	中層住宅地
D 地 域	B駅の南東方 約250m～350m	幅員６m 舗装市道	中層共同住宅等が建ち並ぶ住宅地域	第一種住居地域 建ぺい率　60% 容積率　200% 準防火地域	上水道 下水道 都市ガス	550㎡程度	中層住宅地
E 地 域	B駅の北西方 約180m～280m	幅員６m 舗装市道	中層共同住宅のほか，店舗付共同住宅や事務所併用住宅等が見られる住宅地域	第一種中高層住居専用地域 建ぺい率　60% 容積率　200% 準防火地域	上水道 下水道 都市ガス	400㎡程度	中層住宅地
F 地 域	B駅の南西方 約200m～300m	幅員６m 舗装市道	中層共同住宅等が建ち並ぶ住宅地域	第一種住居地域 建ぺい率　60% 容積率　200% 準防火地域	上水道 下水道 都市ガス	600㎡程度	中層住宅地

XI. 対象不動産，地価公示法による標準地，取引事例等の位置図

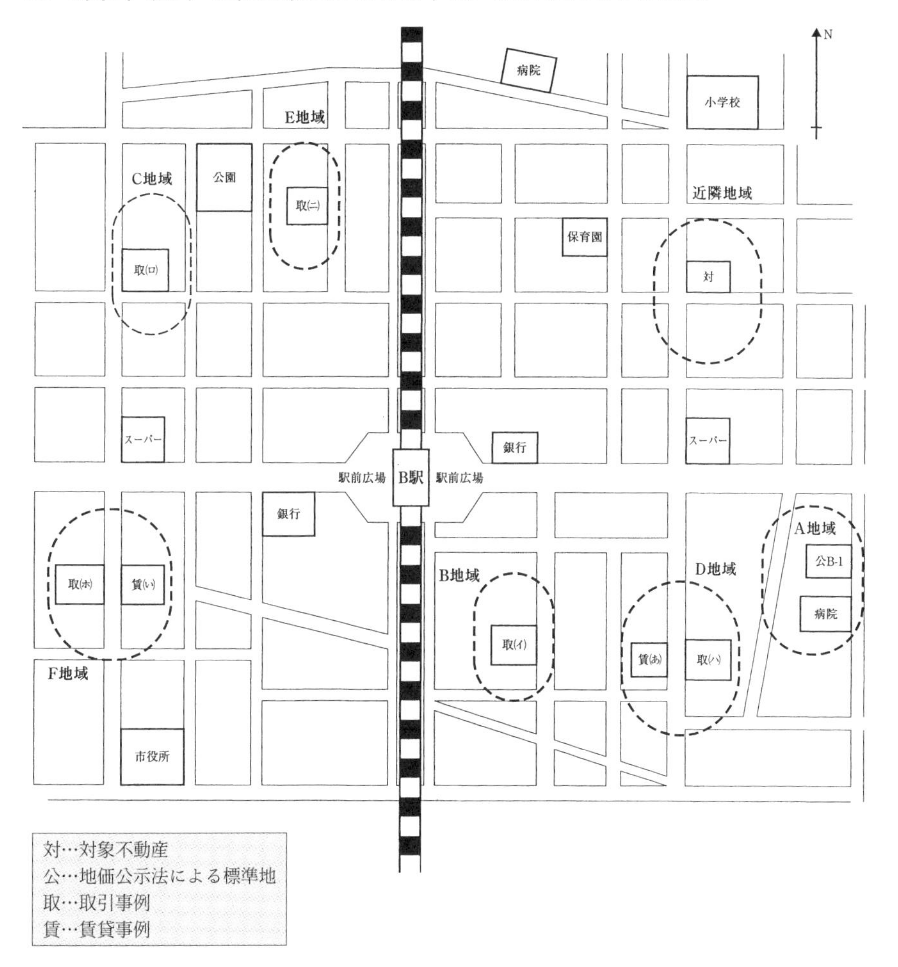

（注）この位置図は，対象不動産及び取引事例等のおおむねの配置を示したもので，実際の距離又は規模等を正確に示したものではない。

XII. 対象不動産及び事例資料等の概要

1．取引事例等の概要

事例区分	所在する地域	類型	価格時点 取引時点	公示価格 取引価格	数量等	価格時点及び取引時点における敷地の利用の状況	道路及び供給処理施設の状況	駅からの道路距離	備考
対象不動産	近隣地域	貸家及びその敷地	平成 24．8．1 価格時点	――――	土地 500㎡ 建物延べ床面積 950㎡	鉄筋コンクリート造4階建て共同住宅	西側 幅員 6ｍ 舗装市道 南側 幅員 4ｍ 舗装市道 上水道 下水道 都市ガス	Ｂ駅 北東方 約300ｍ	――――
標準地 Ｂ－１	Ａ地域	更地として	平成 24．1．1 価格時点	225,000円/㎡	土地 500㎡	鉄筋コンクリート造4階建て共同住宅	東側 幅員 6ｍ 舗装市道 上水道 下水道 都市ガス	Ｂ駅 南東方 約350ｍ	地価公示法第6条の規定による標準地であり，利用の現況は当該標準地の存する地域における標準的使用とおおむね一致する。更地としての価格が公示されている。
取引事例(イ)	Ｂ地域	自用の建物及びその敷地	平成 24．4．2 取引時点	421,000,000円	土地 650㎡ 建物延べ床面積 1,250㎡	鉄筋コンクリート造5階建て共同住宅	東側 幅員 6ｍ 舗装市道 上水道 下水道 都市ガス	Ｂ駅 南東方 約200ｍ	企業が社宅として利用していた自社所有の建物及びその敷地について，中間利益の取得を目的として系列会社に売却した取引であるが，詳細な事情については不明である。
取引事例(ロ)	Ｃ地域	更地	平成 23．12．15 取引時点	110,000,000円	土地 450㎡	売却のため，空地とされていた土地	西側 幅員 6ｍ 舗装市道 南側 幅員 4ｍ 舗装市道 上水道 下水道 都市ガス	Ｂ駅 北西方 約300ｍ	取引に当たり特別な事情は存在しない。
取引事例(ハ)	Ｄ地域	自用の建物及びその敷地	平成 24．5．7 取引時点	280,000,000円	土地 540㎡ 建物延べ床面積 1,050㎡	鉄筋コンクリート造4階建て共同住宅	西側 幅員 6ｍ 舗装市道 上水道 下水道 都市ガス	Ｂ駅 南東方 約300ｍ	企業が社宅として利用していた自社所有の建物及びその敷地を，社宅の閉鎖に伴い不動産業者に売却した取引で，取引に当たり特別な事情は存在しない。
取引事例(ニ)	Ｅ地域	更地	平成 24．3．26 取引時点	75,000,000円	土地 400㎡	従前は駐車場として利用されていた。	東側 幅員 6ｍ 舗装市道 上水道 下水道 都市ガス	Ｂ駅 北西方 約230ｍ	相続のために売り急いで取引が行われたが，詳細な事情は不明である。
取引事例(ホ)	Ｆ地域	自用の建物及びその敷地	平成 24．2．24 取引時点	398,000,000円	土地 600㎡ 建物延べ床面積 1,150㎡	鉄筋コンクリート造4階建て共同住宅	東側 幅員 6ｍ 舗装市道 上水道 下水道 都市ガス	Ｂ駅 南西方 約250ｍ	個人事業主が賃貸経営のための共同住宅を建築していたが，賃貸に供さずに竣工と同時に地元不動産業者に建物及びその敷地を一括して売却した取引で，特別な事情は存在しない。

2．賃貸事例の概要

事例区分	所在する地域	種類	賃貸時点	支払賃料等	物件の規模等	賃貸時点における敷地の利用の状況	道路及び供給処理施設の状況	駅からの道路距離	備考
賃貸事例(あ)	D地域	新規賃料	平成24．5．15	月額支払賃料等契約内容の詳細は，「XVI．賃貸事例の契約内容等」参照のこと。	土地 520㎡ 建物延べ床面積 1,000㎡	鉄筋コンクリート造 4階建て 共同住宅	東側 幅員 6ｍ 舗装市道 上水道 下水道 都市ガス	B駅 南東方 約300ｍ	契約に当たって，特別な事情は存在しない。
賃貸事例(い)	F地域	新規賃料	平成23．12．5	月額支払賃料等契約内容の詳細は，「XVI．賃貸事例の契約内容等」参照のこと。	土地 450㎡ 建物延べ床面積 830㎡	鉄筋コンクリート造 5階建て 共同住宅	西側 幅員 6ｍ 舗装市道 上水道 下水道 都市ガス	B駅 南西方 約250ｍ	契約に当たって，特別な事情は存在しない。

3．取引事例等に係る建物の概要

事例区分	建築時点	建築工事費（総額）	数量等	建物構造及び用途	施工の質	価格時点又は取引時点現在の経済的残存耐用年数	設備の良否	昇降機設備の有無	空調冷暖房設備の有無	近隣地域等との適合性，建物と敷地との適応性
対象不動産	平成17．8．1	230,000,000円	建築面積 245㎡ 延べ床面積 950㎡	鉄筋コンクリート造 4階建て 共同住宅	中級	主体部分 43年 仕上げ部分 23年 設備部分 8年	普通	あり	あり	環境と適合し，敷地と適応している。
取引事例(イ)	平成21．4．14	250,000,000円	建築面積 300㎡ 延べ床面積 1,250㎡	鉄筋コンクリート造 5階建て 共同住宅	中級	主体部分 47年 仕上げ部分 27年 設備部分 12年	普通	あり	あり	環境と適合し，敷地と適応している。
取引事例(ハ)	平成20．5．10	200,000,000円	建築面積 300㎡ 延べ床面積 1,050㎡	鉄筋コンクリート造 4階建て 共同住宅	中級	主体部分 46年 仕上げ部分 26年 設備部分 11年	普通	あり	あり	環境と適合し，敷地と適応している。
取引事例(ホ)	平成24．2．24	251,000,000円	建築面積 285㎡ 延べ床面積 1,150㎡	鉄筋コンクリート造 4階建て 共同住宅	中級	主体部分 50年 仕上げ部分 30年 設備部分 15年	普通	あり	あり	環境と適合し，敷地と適応している。

（注１）建築工事費はいずれも特別な事情が存在しない標準的な建築工事費である。
（注２）鉄筋コンクリート造の，建築工事費に占める躯体（本体）部分と仕上げ部分及び設備部分の構成割合は，40：40：20である。
（注３）価格時点において事例内容を調査した結果，建物の減価の程度は，いずれもおおむね経年相応である。

4．建設事例の概要

事例区分	所在する地域	建築時点	建築工事費（総額）	数量等	建物構造及び用途	施工の質	建物竣工時点での経済的残存耐用年数	設備の良否	昇降機設備の有無	空調冷暖房設備の有無	価格時点における建物の面積以外の個別的要因に係る評点（注1）
建設事例 α	A 地域	平成 23. 11. 1	215,000,000円	建築面積 250㎡ 延べ床面積 975㎡	鉄筋コンクリート造4階建て 共同住宅	中級	主体部分 50年 仕上げ部分 30年 設備部分 15年	普通	あり	あり	95

（注１）対象不動産に係る建物を100とした場合の比較評点である。
（注２）建築費に占める躯体（本体）部分と仕上げ部分及び設備部分の構成割合は，40：40：20である。
（注３）特別な事情が存在しない標準的な建築工事費である。

XIII. 地価指数，建築費指数及び賃貸住宅の新規賃料指数の推移

B市における中層住宅地域の地価指数，中層共同住宅（鉄筋コンクリート造）の建築費指数，対象不動産と構造，規模及び用途等が類似する同一需給圏内の賃貸住宅の新規賃料指数の推移は，次のとおりである。なお，平成24年1月1日以降の動向は，平成23年7月1日から平成24年1月1日までの推移とそれぞれ同じ傾向を示している。

区分／地域／年月日	地価指数							建築費指数	賃貸住宅の新規賃料指数
	近隣地域	A地域	B地域	C地域	D地域	E地域	F地域		
平成17. 1. 1	−	−	−	−	−	−	−	100.0	−
18. 1. 1	−	−	−	−	−	−	−	101.5	−
19. 1. 1	−	−	−	−	−	−	−	103.0	−
20. 1. 1	−	−	−	−	−	−	−	108.5	−
21. 1. 1	−	−	−	−	−	−	−	102.5	−
22. 1. 1	100	100	100	100	100	100	100	99.0	100.0
22. 7. 1	97	96	95	98	96	97	98	98.0	100.0
23. 1. 1	95	95	93	96	94	95	97	97.5	99.0
23. 7. 1	93	93	90	93	92	93	94	97.0	98.0
24. 1. 1	92	92	89	91	91	92	92	96.5	97.5

XIV. 地域要因及び土地の個別的要因の比較

事例等／地域／比較項目	対象不動産	標準地B－1	事例(イ)	事例(ロ)	事例(ハ)	事例(ニ)	事例(ホ)
	近隣地域	A地域	B地域	C地域	D地域	E地域	F地域
地域要因に係る評点（地）	100	96	115	97	101	105	105
個別的要因に係る評点（個）	102	100	100	102	97	95	100

（注1）地域要因に係る評点（地）の比較については，近隣地域の評点を100とし，他の地域は近隣地域と比較してそれぞれの評点を付したものである。
（注2）個別的要因に係る評点（個）の比較については，それぞれの地域において標準的と認められる画地の地積以外の評点を100とし，これと取引事例に係る土地等とを比較し，それぞれの評点を付したものである。

XV. 賃貸事例の価格形成要因の比較

補正項目＼事例等	対象不動産（空室部分）	賃貸事例(あ)	賃貸事例(い)
一棟全体の建物に係る評点（建）	100	100	102
地域要因に係る評点（地）	100	101	105
基準住戸の格差に係る評点（基）	100	98	95
個別的要因に係る評点（標）（個）	100	100	98

（注１）一棟全体の建物に係る評点（建）は，対象不動産（一棟全体の建物）の評点を100とし，賃貸事例の存する一棟全体の建物の比較評点を付したものである。

（注２）地域要因に係る評点（地）は，近隣地域の評点を100とし，賃貸事例の存する地域は近隣地域と比較してそれぞれの評点を付したものである。

（注３）基準住戸の格差に係る評点（基）は，対象不動産の基準住戸を100とした場合の賃貸事例の基準住戸の比較評点を示している。

なお，対象不動産及び賃貸事例ともに基準階を２階としている。

（注４）個別的要因に係る評点（個）及び（標）は，対象不動産（空室部分）及び賃貸事例の各々の基準階における基準住戸との比較評点を示している。

XVI. 賃貸事例の契約内容等

賃貸事例が存する地域における標準的な賃貸借の条件は，次のとおりである。

① 支払賃料は，毎月末にその月分を支払う。

② 貸室の賃貸借に当たって授受される一時金は，預り金的性格を有する敷金及び賃料の前払的性格を有する礼金の２種類である。標準的な敷金の額は月額支払賃料の１か月分であり，売買に当たって承継される。また，標準的な礼金の額も月額支払賃料の１か月分である。なお，以後の契約の更新においては，更新料等いかなる名目においても一時金の授受はない。

③ 駐車場の賃貸借にあっては預り金的性格を有する敷金のみが授受され，

標準的な敷金の額は，月額使用料の１か月分である。
④　敷金は，賃貸借契約を解除したときは直ちに全額返還されるが，利息は付さない。
⑤　共益費については，いずれも標準的なものと認められる。
⑥　貸室の契約期間は２年，契約の形式は書面によるものが一般的である。
⑦　各賃借人との賃貸借契約は，普通借家契約であり，契約更新時に支払賃料等の改定協議を行うこととなっている。

賃貸事例の個別の賃貸借の条件は，次のとおりである。
いずれも賃貸借に当たり特別な事情はない。

１．賃貸事例(あ)
　Ｄ地域内に所在する。鉄筋コンクリート造４階建て共同住宅の２階部分。平成17年９月に竣工。
　賃　貸　人：Ｇ株式会社
　賃　借　人：Ｈ株式会社
　賃 貸 時 点：平成24年５月15日
　月額支払賃料：75,000円
　月 額 共 益 費：6,400円
　敷金及び礼金の額は月額支払賃料の１か月分，賃貸面積32㎡

２．賃貸事例(い)
　Ｆ地域内に所在する。鉄筋コンクリート造５階建て共同住宅の１階部分。平成19年１月に竣工。
　賃　貸　人：Ｉ株式会社
　賃　借　人：Ｊ株式会社
　賃 貸 時 点：平成23年12月５日
　月額支払賃料：89,000円
　月 額 共 益 費：7,600円
　敷金及び礼金の額は月額支払賃料の１か月分，賃貸面積38㎡

XVII．対象不動産の建築工事費について

対象不動産は，平成17年８月１日に竣工した。建築工事費は，全体で230,000,000円であった（当該建築工事費は，特別な事情が存在しない竣工時点における標準的な建築工事費である。）。

解答例

問1

指示事項に従い，原価法及び収益還元法を適用して求めた試算価格を調整の上，鑑定評価額を決定する。

A．原価法

対象不動産の再調達原価を求め，これに減価修正を行って，積算価格を試算する。

Ⅰ．再調達原価

1．土地（更地価格）

対象地は既成市街地にあり，再調達原価の把握が困難なため，指示事項に従い，取引事例比較法を適用し，公示価格を規準とした価格との均衡に留意の上，更地価格を査定する。

(1) 比準価格

事例適格4要件を具備した取引事例(ロ)，(ハ)及び(ホ)を採用し，比準価格を査定する。

※　不採用事例とその理由

・事例(イ)：中間利益の取得を目的として系列会社に売却した取引だが，事情補正率等が不明なため，正常補正可能性に欠ける。

・事例(ニ)：相続のために売り急いだ取引だが，事情補正率等が不明なため，正常補正可能性に欠ける。

① 事例(ロ)

事　時※　標　地　個　面

$$110{,}000\text{千円}\times\frac{100}{100}\times\frac{88.7}{91.3}\times\frac{100}{102}\times\frac{100}{97}\times\frac{102}{100}\times\frac{500}{450}\fallingdotseq 122{,}000\text{千円}$$

（244,000円／㎡）

※　時点修正率査定根拠（地価指数採用）

価格時点（H24. 8） $\left\{\left(\frac{91}{93}-1\right)\times\frac{7}{6}+1\right\}\times 91\fallingdotseq 88.7$

取引時点（H23.12） $\left\{\left(\frac{91}{93}-1\right)\times\frac{5}{6}+1\right\}\times 93\fallingdotseq 91.3$

以下，同様の方法により査定し，根拠の記述は省略。

② 事例(ハ)

複合不動産の取引事例であるが，敷地が最有効使用の状態にあるので，配分法を適用して更地の事例資料を求める。

※ 建物価格の査定（原価法を準用）

a．再調達原価

$$\overset{}{200,000\text{千円}}\times\overset{\text{事}}{\frac{100}{100}}\times\overset{\text{時}*}{\frac{96.2}{106.5}}\fallingdotseq 181,000\text{千円}$$

＊ 標準建築費指数採用。以下同様。

b．減価修正

・耐用年数に基づく方法（定額法採用，残価率０）

$$\text{躯体}\quad：181,000\text{千円}\times0.40\times\frac{4}{4+46}=5,792\text{千円}$$

$$\text{仕上げ}：181,000\text{千円}\times0.40\times\frac{4}{4+26}\fallingdotseq 9,653\text{千円}$$

$$\text{設備}\quad：181,000\text{千円}\times0.20\times\frac{4}{4+11}\fallingdotseq 9,653\text{千円}$$

計 25,098千円

・観察減価法

経年相応の減価と判断し，耐用年数に基づく方法による減価額と同額と査定。

・減価額

両方法を併用して，建物の減価額を25,098千円と査定した。

c．事例建物価格

$$181,000\text{千円}-25,098\text{千円}\fallingdotseq 156,000\text{千円}$$

※ 更地価格

$$280,000\text{千円}-156,000\text{千円}=124,000\text{千円}$$

$$124,000\text{千円}\times\overset{\text{事}}{\frac{100}{100}}\times\overset{\text{時}}{\frac{89.8}{90.3}}\times\overset{\text{標}}{\frac{100}{97}}\times\overset{\text{地}}{\frac{100}{101}}\times\overset{\text{個}}{\frac{102}{100}}\times\overset{\text{面}}{\frac{500}{540}}\fallingdotseq 119,000\text{千円}$$

（238,000円／㎡）

③ 事例(ホ)

複合不動産の取引事例であるが，敷地が最有効使用の状態にあるので，配分法を適用して更地の事例資料を求める。

※　建物価格の査定（原価法を準用）

a．再調達原価

$$\overset{\text{事}}{} \quad \overset{\text{時}}{}$$

$$251{,}000\text{千円}\times\frac{100}{100}\times\frac{96.4}{96.4}=251{,}000\text{千円}$$

c．事例建物価格

事例建物は新築かつ最有効使用のため，減価修正は不要と判断し，再調達原価をもって建物価格と査定した。

※　更地価格

$$398{,}000\text{千円}-251{,}000\text{千円}=147{,}000\text{千円}$$

事　時　標　地　個　面

$$147{,}000\text{千円}\times\frac{100}{100}\times\frac{89.7}{91.7}\times\frac{100}{100}\times\frac{100}{105}\times\frac{102}{100}\times\frac{500}{600}\fallingdotseq 116{,}000\text{千円}$$

（232,000円／㎡）

④　比準価格

以上より３価格が得られた。

事例(ロ)は，取引時点がやや古いが，更地の事例であり，規範性が高い。

事例(ハ)は，配分法を要したが，取引時点が最も新しく，規範性が高い。

事例(ホ)は，配分法を要したが，地域の標準的な土地であり，取引時点も新しく，規範性が高い。

よって本件では，３事例を関連づけ，比準価格を119,000千円（238,000円／㎡）と査定した。

(2)　公示価格（標準地Ｂ－１）を規準とした価格

時　標　地　個　面

$$225{,}000\text{円}/\text{㎡}\times\frac{90.8}{92.0}\times\frac{100}{100}\times\frac{100}{96}\times\frac{102}{100}\times 500\text{㎡}\fallingdotseq 118{,}000\text{千円}$$

（236,000円／㎡）

(3)　更地価格

比準価格は実際に市場で発生した取引事例を価格判定の基礎としており，実証的な価格である。本件では，規範性の高い複数の事例を採用して求められており，その精度は高いものと判断する。また，公示価格を規準とした価格との均衡も得ており妥当である。

よって比準価格119,000千円（238,000円／㎡）をもって更地価格と査定した。

2．建物

指示事項により，直接法及び間接法を併用し，再調達原価を査定する。

(1) 直接法

$$230{,}000\text{千円}\times\overset{\text{事}}{\frac{100}{100}}\times\overset{\text{時}}{\frac{95.9}{100.9}}\fallingdotseq 219{,}000\text{千円}\ (231{,}000\text{円／㎡})$$

(2) 間接法（建設事例 α を採用）

$$215{,}000\text{千円}\times\overset{\text{事}}{\frac{100}{100}}\times\overset{\text{時}}{\frac{95.9}{96.7}}\times\overset{\text{個}}{\frac{100}{95}}\times\overset{\text{面}}{\frac{950}{975}}\fallingdotseq 219{,}000\text{千円}$$

（231,000円／㎡）

(3) 再調達原価

直接法は，対象建物の個別性を十分反映している。

間接法は，採用した建設事例に係る建築時点が新しい。

よって本件では，両方法の規範性は同程度と判断し，両価格を関連づけて，対象建物の再調達原価を219,000千円（231,000円／㎡）と査定した。

3．建物及びその敷地

1．＋2．＝ 338,000千円

Ⅱ．減価修正

1．土地

単独での減価は特にないと判断した。

2．建物

(1) 耐用年数に基づく方法（定額法採用，残価率0）

$$\text{躯体}\quad：219{,}000\text{千円}\times0.40\times\frac{7}{7+43}=12{,}264\text{千円}$$

$$\text{仕上げ}：219{,}000\text{千円}\times0.40\times\frac{7}{7+23}=20{,}440\text{千円}$$

設備　：219,000千円×0.20× $\frac{7}{7+8}$ ＝ 20,440千円

計 53,144千円

⑵　観察減価法

経年相応の減価と判断し，上記⑴と同額と査定した。

⑶　減価額

両方法を併用して，建物の減価額を53,144千円と査定した。

3．建物及びその敷地

建物は敷地と適応し，環境とも適合しているため，土地建物一体としての減価はないと判断した。

4．減価額

1．＋2．＋3．＝ 53,144千円

Ⅲ．積算価格

再調達原価から減価額を控除して，積算価格を以下のとおり試算した。

338,000千円 － 53,144千円 ≒ 285,000千円

問2

B．収益還元法（直接還元法）

指示事項に従い，不動産鑑定評価基準各論第3章における収益費用項目を採用の上，純収益を還元利回りで還元して収益価格を試算する。

Ⅰ．純収益

1．運営収益

⑴　貸室賃料収入

①　稼働部分

月額合計：1,795千円

②　空室部分（204号室）

事例適格4要件を具備し，契約内容も類似する賃貸事例㈠及び㈡の実際実質賃料に賃貸事例比較法を適用して求めた月額実質賃料から，一時金の運用益及び償却額を控除して月額支払賃料を査定する。

a．賃貸事例㈠

※1

実際実質賃料＝75,000円＋（75,000円×1×0.02÷12ヶ月）

※2
＋（75,000円×1×0.2626÷12ヶ月）≒76,766円

※1　敷金は預り金的性格を有する一時金であり，指示事項に従い，運用利回りとして年2.0%を採用。

※2　礼金は賃料の前払的性格を有する一時金であり，指示事項に従い，運用利回り年2.0%，償却期間4年の年賦償還率として0.2626を採用。

事　時※　標　建　地　基　個　面

$$76,766円\times\frac{100}{100}\times\frac{96.9}{97.2}\times\frac{100}{100}\times\frac{100}{100}\times\frac{100}{101}\times\frac{100}{98}\times\frac{100}{100}\times\frac{34}{32}\fallingdotseq 82,200円$$

（2,420円／㎡）

※　賃貸住宅の新規賃料指数採用。

b．賃貸事例(い)

実際実質賃料＝89,000円＋（89,000円×1×0.02÷12ヶ月）
＋（89,000円×1×0.2626÷12ヶ月）≒91,096円

事　時　標　建　地　基　個　面

$$91,096円\times\frac{100}{100}\times\frac{96.9}{97.6}\times\frac{100}{98}\times\frac{100}{102}\times\frac{100}{105}\times\frac{100}{95}\times\frac{100}{100}\times\frac{34}{38}\fallingdotseq 81,200円$$

（2,390円／㎡）

c．空室部分の月額実質賃料

以上により2賃料が得られた。

事例(あ)は，賃貸時点が新しく，階層も同じであること等から，規範性が高い。

事例(い)は，賃貸時点がやや古く，階層も異なること等から，規範性はやや低い。

よって本件では，事例(あ)を標準に，事例(い)を比較考量して，空室部分の月額実質賃料を82,000円（2,410円／㎡）と査定した。

d．空室部分の月額支払賃料（月額支払賃料をaとおく）

82,000円＝a＋（a×1×0.02÷12ヶ月）
＋（a×1×0.2626÷12ヶ月）

a ≒ 80,000円

③　計

①＋② ＝ 1,875千円

1,875千円×12ヶ月 ＝ 22,500千円

⑵ 共益費収入

200円／㎡×792㎡×12ヶ月 ＝ 1,900,800円

⑶ 水道光熱費収入

賃借人が実額を負担するものとし，計上しない。

⑷ 駐車場収入

8,000円×５台×12ヶ月 ＝ 480,000円

⑸ その他収入（礼金収入）

1,875千円÷４年 ＝ 468,750円

⑹ 総収益（満室想定）

⑴～⑸計　25,349,550円

⑺ 空室等損失

① 貸室部分

（22,500千円＋1,900,800円＋468,750円）×0.05 ≒ 1,243,478円

② 駐車場部分

480,000円×0.20 ＝ 96,000円

③ 計　1,339,478円

⑻ 貸倒れ損失

賃借人の状況等を勘案し，計上しない。

⑼ 運営収益

⑹−⑺−⑻ ＝ 24,010,072円

２．運営費用

⑴ 維持管理費

150円／㎡×792㎡×12ヶ月 ＝ 1,425,600円

⑵ 水道光熱費

45円／㎡×792㎡×12ヶ月 ≒ 427,680円

⑶ 修繕費

① 建物の通常の維持管理のための費用

219,000千円×0.003 ＝ 657,000円

② 貸室部分の賃貸人負担の原状回復費

2,300円／㎡×792㎡×0.95÷４年 ≒ 432,630円

③ 計　1,089,630円

(4) ＰＭフィー

(24,010,072円－468,750円）×0.03 ≒ 706,240円

(5) テナント募集費用等

① 貸室部分

22,500千円÷12ヶ月×１ヶ月×0.95÷４年 ≒ 445,313円

② 駐車場部分

480千円÷12ヶ月×１ヶ月×0.80÷４年 ＝ 8,000円

③ 計 453,313円

(6) 公租公課（土地及び建物）

280千円＋1,860千円 ＝ 2,140千円

(7) 損害保険料

現行の保険契約に基づき130千円

(8) その他費用（ケーブルテレビ使用料）

5,000円×12ヶ月 ＝ 60,000円

(9) 運営費用

(1)〜(8)計 6,432,463円（経費率約27％）

３．運営純収益

１．－ ２．＝ 17,577,609円

４．一時金の運用益

(1,875千円×0.95＋40千円×0.80）×0.02 ＝ 36,265円

５．資本的支出

219,000千円×0.007 ＝ 1,533,000円

６．純収益

３．＋ ４．－ ５．＝ 16,080,874円

Ⅱ．還元利回り

指示事項により，Ｂ市における対象不動産と類似の不動産の取引事例から求められる利回り，不動産投資の標準とされる利回り，対象不動産の立地条件等及び今後の賃料水準の変動等を勘案して5.8％を採用する。

Ⅲ．収益価格

純収益を還元利回りで還元して，収益価格を以下のとおり試算した。

16,080,874円÷0.058 ≒ 277,000千円

問3

C．試算価格の調整及び鑑定評価額の決定

Ⅰ．試算価格の調整

以上により　A．積算価格　285,000千円

B．収益価格　277,000千円

の2試算価格が得られた。

1．試算価格の再吟味

Aの積算価格は，費用性の観点から対象不動産の市場価値を求めたものである。再調達原価の査定に当たり，土地については取引事例比較法により更地価格を適切に求め，建物については直接法及び間接法を併用して適切に求めた。減価修正に当たっても，対象不動産に係る各減価要因を耐用年数に基づく方法と観察減価法によって十分反映できた。

Bの収益価格は，収益性の観点から対象不動産の市場価値を求めたものであり，本件では，直接還元法を適用し，現行の賃貸条件に基づく純収益を還元利回りで還元して収益価格を試算した。空室部分についても複数の賃貸事例から適正な賃料を求めており，豊富な資料に裏付けられた説得力ある価格が得られた。

2．試算価格が有する説得力に係る判断

対象不動産は，B駅の北東方約300mの中層共同住宅等が建ち並ぶ住宅地域内に位置する稼働中の賃貸共同住宅である。B市内の住宅地域における今後の不動産経済動向については，先行きが不透明な景気動向を反映して，当分の間，弱含みで推移していくものと予測される。取引市場における主たる買主としては，不動産開発業者のほか，賃貸収入等を目的とした不動産会社や，個人投資家及びファンド組成物件の改善を狙う投資家等が挙げられる。

このような中，対象不動産はほぼ満室で稼働中の賃貸共同住宅であることから，典型的な需要者としては，収益物件の取得を企図する不動産会社や個人投資家等と考えられ，投資対象となる不動産の収益性を特に重視して取引意思を決定するものと判断される。

Ⅱ．鑑定評価額の決定

以上により，本件では収益価格を標準とし，積算価格を比較考量して，鑑定評価額を280,000千円と決定した。

本件鑑定評価額は，当該課税資産の譲渡につき通常課される消費税を含まないものである。

なお，敷金の返還債務を買主が引き継ぐ場合，取引に当たっての代金決済額は上記鑑定評価額から敷金等を控除した額とすることが妥当である。

以　上

解　説

本問の類型は「貸家及びその敷地」であり，原価法と収益還元法（直接還元法）の２手法を適用し，鑑定評価額を決定させる基本的な問題といえる。

主な計算論点としては，配分法の適用による更地事例の導出，直接法と間接法の併用による再調達原価の査定，賃貸事例比較法による空室部分の賃料査定，各論３章型の収益費用項目立て等が挙げられるが，いずれも既出のものであり，目新しい計算論点は見られない。したがって，２時間で収益価格の試算あたりまで，極力ノーミスでたどり着いてほしい。

平成25年度・演習

問題　別紙２〔資料等〕に記載の不動産（II．対象不動産）について，別紙１〔指示事項〕及び別紙２〔資料等〕に基づき，不動産の鑑定評価に関する次の問に答えなさい。

問１　原価法による試算価格を求めなさい（対象不動産の確定に関する事項は，解答する必要はありません。）。

問２　収益還元法による試算価格を求めなさい。

問３　問１及び問２で求めた試算価格を調整して，対象不動産の鑑定評価額を決定しなさい。また，試算価格の調整に当たっては，鑑定評価の手順の各段階について，客観的，批判的に再吟味し，その結果を踏まえた各試算価格が有する説得力の違いを適切に反映することにより，鑑定評価に即して調整の過程を具体的に述べなさい。

別紙１〔指示事項〕

Ⅰ．共通事項

1．問１及び問２における各手法の適用の過程で求める数値は，別に指示がある場合を除き，小数点以下１位を四捨五入し，整数で求めること。ただし，取引事例及び建設事例から比準した価格，賃貸事例から比準した賃料，公示価格を規準とした価格，各試算価格及び鑑定評価額については，上位４桁目を四捨五入して上位３桁を有効数字として取り扱うこと。

（例）1,234,567円　→　1,230,000円

2．取引事例等における価格等には，消費税及び地方消費税は含まれておらず，計算の過程においても消費税及び地方消費税は含めないで計算すること。

3．対象不動産及び取引事例等については，土壌汚染，埋蔵文化財及び地下埋設物に関して価格形成に影響を与えるものは何ら存しないことが判明している。また，対象不動産及び取引事例等の建物部分には，いずれも竣工時期及び有害物質使用調査の結果等から，アスベスト及びPCB等の有害物質の使用又は貯蔵はされていないことが確認されている。

4．土地及び建物の数量は，土地登記簿〔全部事項証明書〕及び建物登記簿〔全部事項証明書〕記載数量によること。

5．対象不動産は，不動産鑑定評価基準各論第３章の証券化対象不動産ではな

い。よって，同章の規定は適用せずに鑑定評価を行うこと。

6．評価方針は，次のとおりとすること。

対象不動産の価格を試算するに際して，取引事例比較法については，適切に要因比較を行い得る類似不動産の取引事例を収集することが困難であるため，土地建物一体とした取引事例比較法は適用せず，原価法による積算価格と収益還元法による収益価格を試算し，試算価格を調整の上，鑑定評価額を決定する。

Ⅱ．問1について

1．建物及びその敷地の再調達原価

⑴　土地価格の査定

①　土地価格は，取引事例比較法及び開発法を適用して求めること。

②　比準価格を求める際には，下記の事項により行うこと。

1）別紙2〔資料等〕「Ⅻ．対象不動産及び事例資料等の概要」に記載の各事例を用いて，比準価格を求めること。

なお，下記事例の選択要件に照らして不採用とすべき事例があれば，その事例番号及び不採用とすべき理由をすべて記載すること（取引事例の選択要件については解答する必要はない。）。

（事例の選択要件）

取引事例は，原則として近隣地域又は同一需給圏内の類似地域に存する不動産に係るもののうちから選択するものとし，必要やむを得ない場合には近隣地域の周辺の地域に存する不動産に係るもののうちから，対象不動産の最有効使用が標準的使用と異なる場合等には，同一需給圏内に存し対象不動産と代替，競争等の関係が成立していると認められる不動産に係るもののうちから選択するものとするほか，次の要件の全部を備えなければならないことに留意すること。

ⅰ　取引事情が正常なものと認められるものであること又は正常なものに補正することができるものであること。

ⅱ　時点修正をすることが可能なものであること。

ⅲ　地域要因の比較及び個別的要因の比較が可能なものであること。

2）事例の事情及びその他の内容は，別紙2〔資料等〕「Ⅻ．対象不動産及び事例資料等の概要」の記載事項より判断すること。

3）取引事例が建物及びその敷地の場合には，配分法を用いて，更地に係る事例資料を求めた（更地価格を査定した）上で比準すること（建物の資料は，別紙２〔資料等〕「Ⅻ．対象不動産及び事例資料等の概要」の「３．取引事例等に係る建物の概要」によること。）。

4）比準価格を求める場合の計算式と略号は，次のとおりである（基準値を100とする。）。

$$\text{取引事例における土地価格（更地としての価格）（総額）}\times\overset{\text{事}}{\frac{100}{\text{取引事例の取引事情に係る補正率}}}\times\overset{\text{時}}{\frac{\text{価格時点の地価指数}}{\text{取引時点の地価指数}}}\times\overset{\text{標}}{\frac{100}{\text{取引事例の個別的要因に係る評点}}}\times\overset{\text{地}}{\frac{100}{\text{取引事例の存する地域の地域要因に係る評点}}}\times\overset{\text{個}}{\frac{\text{対象地の個別的要因に係る評点}}{100}}\times\overset{\text{面}}{\frac{\text{対象地の面積}}{\text{取引事例の面積}}}=\text{手法適用により求めた価格}$$

各項の意味と略号

事：事情補正
時：時点修正
標：取引事例の個別的要因の標準化補正
地：地域要因の比較
個：対象地の個別的要因の格差修正
面：面積の比較

5）公示価格を規準とした価格を求める場合の計算式と略号は，次のとおりである（基準値を100とする。）。

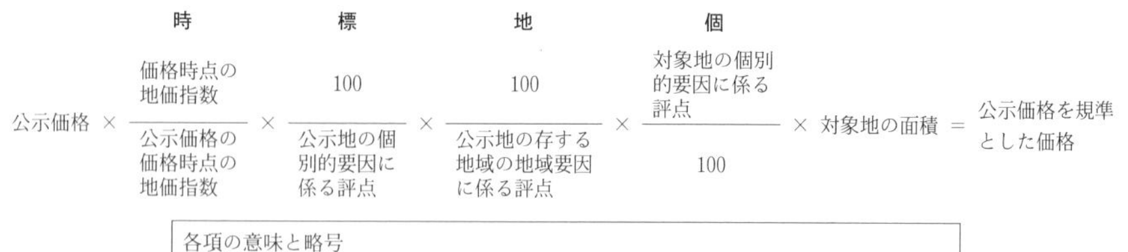

$$\text{公示価格}\times\overset{\text{時}}{\frac{\text{価格時点の地価指数}}{\text{公示価格の価格時点の地価指数}}}\times\overset{\text{標}}{\frac{100}{\text{公示地の個別的要因に係る評点}}}\times\overset{\text{地}}{\frac{100}{\text{公示地の存する地域の地域要因に係る評点}}}\times\overset{\text{個}}{\frac{\text{対象地の個別的要因に係る評点}}{100}}\times\text{対象地の面積}=\text{公示価格を規準とした価格}$$

各項の意味と略号

時：時点修正
標：公示地の個別的要因の標準化補正
地：地域要因の比較
個：対象地の個別的要因の格差修正

6）地価指数の計算上の留意点は，次のとおりである。

i　地価指数の計算における経過期間（月数）の算定については，次の例のとおり，起算日（即日）の属する月を含めず，期間の末日（当日）の属する月を含めて計算すること。

（例）平成25年３月31日から平成25年８月１日までの期間の月数は，５か月

平成25年４月１日から平成25年８月１日までの期間の月数は，４か月

ii　地価指数は，別紙２〔資料等〕「XIII．地価指数，建築費指数及び賃貸住宅の新規賃料指数の推移」により求め，少なくとも一つの取

引事例について，価格時点及び取引時点の地価指数の計算過程を明らかにすること。地価指数計算上の特定の時点の指数は，次の例のとおり求めることとし，小数点以下2位を四捨五入し，小数点以下1位まで求めること。

（例）平成25年1月1日の指数を100，平成25年7月1日の指数を98として，取引時点である平成25年5月15日の指数を求める場合。

$$\left\{\left(\frac{\text{平成25年7月1日の指数（98）}}{\text{平成25年1月1日の指数（100）}}-1\right)\times\frac{\text{平成25年1月1日～平成25年5月15日の月数（4）}}{\text{平成25年1月1日～平成25年7月1日の月数（6）}}+1\right\}\times\text{平成25年1月1日の指数（100）}$$

＝求める時点の指数（98.7）（小数点以下2位を四捨五入）

③　開発法の適用に際しては，以下の事項により行うこと。

1）対象地上に想定する建物は，次のとおりである。

ⅰ．建物の用途，規模，階数，形状，床面積等については，すべて現況建物と同様とする。

ⅱ．各専有部分のタイプは，南西の角部屋をAタイプ，南向きの中間住戸をBタイプ，南東の角部屋をCタイプとし，各戸の専有面積は，各タイプすべて70㎡とする。

ⅲ．各階の配置は，2階から6階はAタイプ・Bタイプ・Cタイプともに1戸ずつとし，1階はAタイプ・Cタイプが1戸ずつ（1階にはBタイプはない），7階はBタイプ・Cタイプが1戸ずつ（7階にはAタイプはない）とする。

ⅳ．駐車場はすべて屋外の平面駐車場とし，台数は全部で5台とする（すべて居住者に賃貸される月極駐車場とする。）。

2）開発スケジュール（事業実施計画）は，次のとおりである。

ⅰ．建築着工までの準備期間は，価格時点から6か月間とする。

ⅱ．開発負担金は，水道設備負担金を建築確認時点（建築着工時点）に支払うものとする。

ⅲ．建築工事は，価格時点より6か月後に着工して建築着工から10か月後で竣工するものとし，建築工事費は，建築着工時点に10%，工事中間時点に10%，竣工時点に80%を支払うものとする。

ⅳ．建築着工の2か月後に分譲を開始する。分譲販売収入は，販売開始の3か月後を平均的な契約時期として，そのタイミングで手付金として収入の10%を計上し，残りは建物竣工時に計上する。

v．販売費及び一般管理費は，販売開始時と残金収受時（建物竣工時）にそれぞれ50%ずつ支払うものとする。

3）収入及び費用については，次のとおりとする。

i．分譲販売総収入の査定に当たっては，基準戸を3階Bタイプとして，対象地に想定する建物の階層別・位置別の効用比に基づく効用総積数を用いて計算の上，求められた結果（分譲販売総収入）については千円未満を四捨五入すること。その際，階層別効用比については1階部分：90，2階部分：97，3階部分：100，4階部分：102，5階部分：104，6階部分：106，7階部分：108とし，位置別効用比についてはAタイプ：105，Bタイプ：100，Cタイプ：108とする。

ii．基準戸（3階Bタイプ）の分譲価格を34,300,000円（490,000円／㎡）とする。

iii．水道設備負担金は，一戸当たり220,000円とする。

iv．建築工事費は，分譲マンションとしての仕様や内装等を鑑み，440,000,000円とする（対象不動産の建物再調達原価と異なることに留意すること。）。なお，土地の造成費等は要しないものとする。

v．販売費及び一般管理費は，分譲販売収入総額の8%とする。

4）投下資本収益率は年10%とし，対応する複利現価率は，以下の数値を採用すること。

月数	複利現価率	月数	複利現価率
1	0.9921	11	0.9163
2	0.9842	12	0.9091
3	0.9765	13	0.9019
4	0.9687	14	0.8948
5	0.9611	15	0.8877
6	0.9535	16	0.8807
7	0.9459	17	0.8737
8	0.9384	18	0.8668
9	0.9310	19	0.8599
10	0.9236	20	0.8531

⑵　建物価格の査定

①　建物の再調達原価を求めるに当たっては，直接法及び間接法を併用すること。直接法については，実際に要した建築工事費を建築費指数で時点修正する方法を採用し，間接法については，別紙2〔資料等〕「Ⅻ．対象不動産及び事例資料等の概要」の「4．建設事例の概要」の，建設事例αから比準して求めること。建築費指数は，別紙2〔資料等〕「XIII．地価指数，建築費指数及び賃貸住宅の新規賃料指数の推移」により，地価指数と同様に求めること（土地価格の査定において地価指数の計算過程を記載している場合は，建築費指数の計算過程の記載は要しない。）。

②　建物の再調達原価を建設事例から比準して求める場合の計算式と略号は，次のとおりである（基準値を100とする。）。

		事		時		個		面		
建設事例の建築工事費（総額）	×	100 / 建設事例の契約事情に係る補正率	×	価格時点の建築費指数 / 建築時点の建築費指数	×	対象建物の個別的要因に係る評点 / 建設事例の個別的要因に係る評点	×	対象建物の延べ床面積 / 建設事例の延べ床面積	＝	手法適用により求めた再調達原価

各項の意味と略号

事：事情補正　**個**：各建物の個別的要因の格差修正
時：時点修正　**面**：面積の比較

2．対象不動産の積算価格について

⑴　建物及びその敷地の積算価格は，再調達原価に減価修正を行って求めること。

⑵　建物の躯体（本体）部分の耐用年数は50年，仕上げ部分の耐用年数は30年，設備部分の耐用年数は15年とし，減価修正は耐用年数に基づく方法のうちいずれも定額法を採用し，残価率は0とすること。建物の減価の程度は，おおむね経年相応とすること。また，建物の躯体（本体）部分，仕上げ部分，設備部分の構成割合は，40：40：20とすること。

（注）仕上げ部分とは，屋根，外壁，窓，外部天井等の「外部仕上げ」と床，壁，天井，内部建具等の「内部仕上げ」に係る部分をいう。

Ⅲ．問２について

1．収益還元法の適用に際しては，直接還元法を採用すること。

直接還元法の適用に当たっては，不動産鑑定評価基準各論第３章におけるDCF法の収益費用項目を採用し，運営収益から運営費用を控除した運営純収益に一時金の運用益及び資本的支出を加減して求めた純収益を還元利回りで還元することにより収益価格を求めること。

2．対象不動産の運営収益を求めるに当たっては，次のとおりとすること。

⑴　運営収益は，貸室賃料収入，共益費収入，水道光熱費収入，駐車場収入及びその他収入を合計した総収益（満室想定）から，空室等損失及び貸倒れ損失を控除して求めること。

⑵　貸室賃料収入は，現行の賃貸条件（別紙２〔資料等〕「Ⅸ．対象不動産の賃貸借契約の概要」の「1．貸室」を参照）をそのまま採用し，これに空室部分（304号室）につき下記のとおり査定して求めた額を加えることにより求めること。

空室部分は，賃貸事例比較法を適用して求めた月額実質賃料から，敷金（預り金的性格を有する一時金であり，賃貸借終了時に無利息で賃借人に返還される。）及び礼金（賃料の前払的性格を有する一時金）ともに月額支払賃料の１か月分を徴収することを想定した一時金の運用益及び償却額を控除し，その上位３桁目を四捨五入して上位２桁を有効数字として月額支払賃料を求めること。

（例）12,345円　→　12,000円

⑶　賃貸事例比較法は，別紙２〔資料等〕「Ⅻ．対象不動産及び事例資料等の概要」の「2．賃貸事例の概要」の，賃貸事例㈤及び㈥と比準して求めること。いずれの賃貸事例もその契約内容は賃貸事例が所在する地域における標準的なものであり，賃料指数は，別紙２〔資料等〕「XIII．地価指数，建築費指数及び賃貸住宅の新規賃料指数の推移」により，地価指数と同様に求めること（問１の解答において地価指数の計算過程を記載している場合は，賃料指数の計算過程の記載は要しない。）。対象不動産及び賃貸事例の平均賃貸借期間は，いずれも４年とすること。なお，対象不動産の駐車場部分も専ら居住者用に限定しているため，同じ平均賃貸借期間とすること。礼金の運用益及び償却額は，償却期間を４年，運用利回りを年2.0％とし，年賦償還率（＝0.2626）により求めること。

(4) 賃貸事例比較法の適用の際に用いる計算式と略号は，次のとおりである（基準値を100とする。）。

事　時　標　建　地　基　個　面

$$\text{賃貸事例の月額実質賃料（総額）}\times\frac{100}{\text{賃貸事例の賃貸事情に係る補正率}}\times\frac{\text{価格時点の賃料指数}}{\text{賃貸時点の賃料指数}}\times\frac{100}{\text{賃貸事例の基準住戸への標準的な補正に係る評点}}\times\frac{100}{\text{賃貸事例の存する一棟全体の建物品等に係る評点}}\times\frac{100}{\text{賃貸事例の存する地域の地域要因に係る評点}}\times\frac{\text{対象不動産の基準住戸の個別的要因に係る評点}}{\text{賃貸事例の基準住戸の個別的要因に係る評点}}\times\frac{\text{対象住戸の個別的要因に係る評点}}{100}\times\frac{\text{対象不動産の賃貸面積}}{\text{賃貸事例の賃貸面積}}=\text{手法適用により求めた賃料}$$

各項の意味と略号

事：事情補正
時：時点修正
標：賃貸事例の基準住戸への標準化補正
建：一棟全体の建物格差修正
地：地域要因の比較
基：基準住戸の個別的要因の比較
個：対象住戸の個別的要因の格差修正
面：面積の比較

(5) 共益費収入は，現行の賃貸条件（賃貸面積1㎡当たり250円（月額））を妥当と認めて計上すること。

(6) 貸室部分の水道光熱費は，賃借人が実額を負担するものとすること。

(7) 駐車場収入は，現行の1台当たりの使用料を妥当と認めて採用すること。

(8) その他収入は，貸室部分の礼金収入のみで，価格時点以降締結する新規契約分より貸室支払賃料の1か月分とし，平均賃貸借期間に基づき，次のように計算して平準化した金額を計上すること。

礼金収入＝礼金（全貸室合計）÷平均賃貸借期間

(9) 空室等損失は，貸室賃料収入，共益費収入及び礼金収入について，貸室部分の稼働率を95%，駐車場部分の稼働率を80%として求めること。

(10) 貸倒れ損失は，賃借人の状況等を勘案した結果，計上しないものとすること。

3．対象不動産の運営費用を求めるに当たっては，次のとおりとすること。

(1) 運営費用は，維持管理費，水道光熱費，修繕費，プロパティマネジメントフィー（以下「PMフィー」という。），テナント募集費用等，公租公課（土地及び建物），損害保険料及びその他費用を合計して求めること。

(2) 維持管理費は，賃貸面積1㎡当たり150円（月額）とすること。

(3) 共用部分の水道光熱費は，昨年度実績額を考慮して賃貸面積1㎡当たり50円（月額）とすること。

(4) 修繕費は，建物の通常の維持管理のための費用と貸室部分の賃貸人負担の原状回復費をそれぞれ次の計算式により求めて合算すること。

建物の通常の維持管理のための費用＝建物再調達原価×0.3%（年額）
原状回復費＝2,100円／㎡×賃貸面積×稼働率÷平均賃貸借期間

(5) PMフィーは，現行の管理運営委託契約に基づき，稼働率を考慮の上，貸室賃料収入及び共益費収入の３%，並びに駐車場収入の2.5%として，両方を合算した額とすること。

(6) テナント募集費用等は，仲介手数料として，貸室支払賃料及び駐車場使用料のそれぞれ１か月分につき，稼働率を考慮の上，平均賃貸借期間で平均化した金額を計上のこと。

(7) 公租公課（土地及び建物）は，固定資産税及び都市計画税とし，実額である土地380,000円（年額），建物3,740,000円（年額）とすること。

(8) 損害保険料は，現行の保険契約に基づき180,000円（年額）とすること。

(9) その他費用は，特段計上すべきものはない。

4．対象不動産の純収益を求めるに当たっては，次のとおりとすること。

(1) 一時金の運用益は，貸室支払賃料の１か月分及び駐車場使用料の１か月分の満室稼働を前提とした敷金に稼働率を考慮し，さらに，運用利回りの年2.0%を乗じて求めること。

(2) 資本的支出は，建物再調達原価の0.7%相当額（年額）とすること。

5．上記により求めた純収益に対応する還元利回りは，B市における対象不動産と類似の不動産の取引事例から求められる利回り，不動産投資の標準とされる利回り，対象不動産の立地条件等及び今後の賃料水準の変動等を勘案して5.7%を採用すること。

別紙２〔資料等〕

Ⅰ．依頼内容

本件は，「Ｂ駅」の南西方約250ｍ（道路距離）にある中高層共同住宅（対象不動産）である。対象不動産は，もともと個人の資産家が土地の有効活用のために建設したものであるが，その後，相続が発生したため売却を検討しており，今般，売主である個人の資産家が売買の参考として不動産鑑定士に鑑定評価を依頼したものである。

Ⅱ．対象不動産

１．土地　所在及び地番　Ａ県Ｂ市Ｃ町１丁目７番１
　　　　　地　　　　目　宅地
　　　　　地　　　　積　580.00㎡（土地登記簿〔全部事項証明書〕記載数量）
　　　　　所　有　者　Ｚ（個人）

２．建物　所　　　　在　Ａ県Ｂ市Ｃ町１丁目７番地１
　　　　　家 屋 番 号　７番１
　　　　　構 造・用 途　鉄筋コンクリート造陸屋根７階建て共同住宅
　　　　　建築年月日　平成20年８月１日
　　　　　床　面　積　（建物登記簿〔全部事項証明書〕記載数量）

1	階	270.00㎡
2	階	240.00㎡
3	階	240.00㎡
4	階	240.00㎡
5	階	240.00㎡
6	階	240.00㎡
7	階	160.00㎡
合	計	1,630.00㎡

　　　　　所　有　者　Ｚ（個人）

Ⅲ．類型　　貸家及びその敷地

Ⅳ．依頼目的　　売買の参考

Ⅴ．鑑定評価によって求める価格の種類　正常価格

Ⅵ．価格時点　平成25年８月１日

Ⅶ．その他の鑑定評価の条件　なし

Ⅷ．Ｂ市の状況等

１．位置等

⑴　位置及び面積　Ａ県のほぼ中央に位置し，面積は約20㎢である。

⑵　沿　革　等　Ｂ市は，都心まで約10㎞～20㎞に位置し，周辺部は豊かな自然も残しながらも，住環境が良好な大都市近郊のベッドタウンとして発展してきた。

また，市内には有名大学，中学・高校等の教育施設や各種研究施設等も立地しており，市内の教育水準は高い。

市内の商業施設については，JR・私鉄の各駅前や主要幹線沿道には各種商業施設の集積が見られるが，特にJR・私鉄等の快速・急行停車駅であるＢ駅には，駅北側を中心として大型小売店舗や商店街等が立地している。

なお，近年は都心への良好なアクセスを背景に駅徒歩圏の利便性が良好な住宅地域において中高層共同住宅等が増加しており，特に良好な住環境や各種教育施設の充実等から分譲マンションの人気が高い状況となっている。

２．人口等

⑴　人　　口　約30万人。増加傾向で推移している。

⑵　世 帯 数　約10万世帯

３．交通施設及び道路整備の状態

⑴　鉄　　道　JR・私鉄の各線がＢ市の中央からやや南側を東西に横断している。

⑵　バ　　ス　バス路線網も充実し，かつ，Ｂ駅を中心とした路線は運行便数も多く，鉄道を補完している。

⑶　道　　路　国県道を幹線道路とし，市道が縦横に敷設されている。市内の道路延長は約500㎞，舗装率は約95％である。

4．供給処理施設の状態

⑴　上 水 道　普及率は，ほぼ100％

⑵　下 水 道　普及率は，約95％

⑶　都市ガス　普及率は，約95％

5．土地利用の状況

⑴　商業施設　JR・私鉄の各駅周辺及び主要幹線道路沿いを中心に商業地域が形成されている。
特にB駅周辺には，駅の北側を中心に大型小売店舗，量販店，駅前商店街などの各種商業施設が集積している。

⑵　住　　宅　全体的な傾向として，B駅徒歩圏においては，中高層共同住宅，店舗兼共同住宅等が多く，バス圏においては，戸建て住宅や比較的低層の共同住宅が多い。

6．不動産取引市場等の状況

⑴　不動産取引市場の状況

日本の不動産市場は，金融市場の混乱等を受けて低迷してきたが，今年に入ってから日銀の金融緩和策，政府の各種景気刺激策等により景気は着実に持ち直しており，都心中心部など一部においては投資家等の投資意欲の回復に伴い取引が活発化しつつある地域も見受けられる。ただし，全体の傾向としては，いまだ厳しい状況が続いており，総じて弱含みで推移している。

取引市場における主たる売主としては，事業再構築の一環として資産圧縮を行うことを目的とした一般企業，有利子負債低減による財務体質改善を目的としてファンド組成物件の売却を企図する投資家等が挙げられ，主たる買主としては，不動産開発業者のほか，賃貸収入等を目的とした不動産会社や，個人投資家，ファンド組成物件の改善を狙う投資家等が挙げられる。

⑵　賃貸市場の状況

賃貸マンションは，都心への良好なアクセス等もあり，最寄り駅であるB駅周辺では築年数の浅い物件を中心にほぼ満室となっている。

賃料については，昨今の経済情勢を反映して，やや弱含みで推移している。

7．賃貸市場における主たる賃借人としては，職場，学校等へのアクセスに着目した社会人や学生，従業員のための社宅として利用することを企図した法人等が挙げられる。

Ⅸ．対象不動産の賃貸借契約の概要

1．貸室

階	部屋番号	賃借人	床面積（㎡）	月額支払賃料（円）	月額共益費（円）	敷金（円）	礼金（円）
1	101	個人	35.00	83,000	8,750	83,000	83,000
	102	個人	30.00	74,000	7,500	74,000	74,000
	103	法人	35.00	80,000	8,750	80,000	80,000
	104	個人	40.00	93,000	10,000	93,000	93,000
2	201	個人	35.00	83,000	8,750	83,000	83,000
	202	個人	30.00	78,000	7,500	78,000	78,000
	203	法人	35.00	82,000	8,750	82,000	82,000
	204	個人	35.00	83,000	8,750	83,000	83,000
	205	個人	35.00	83,000	8,750	83,000	83,000
	206	法人	40.00	94,000	10,000	94,000	94,000
3	301	法人	35.00	83,000	8,750	83,000	83,000
	302	個人	30.00	76,000	7,500	76,000	76,000
	303	個人	35.00	85,000	8,750	85,000	85,000
	304	空室	35.00	－	－	－	－
	305	個人	35.00	84,000	8,750	84,000	84,000
	306	法人	40.00	95,000	10,000	95,000	95,000
4	401	個人	35.00	84,000	8,750	84,000	84,000
	402	個人	30.00	77,000	7,500	77,000	77,000
	403	法人	35.00	85,000	8,750	85,000	85,000
	404	法人	35.00	84,000	8,750	84,000	84,000
	405	個人	35.00	87,000	8,750	87,000	87,000
	406	法人	40.00	97,000	10,000	97,000	97,000
5	501	法人	35.00	84,000	8,750	84,000	84,000
	502	個人	30.00	78,000	7,500	78,000	78,000
	503	法人	35.00	86,000	8,750	86,000	86,000
	504	個人	35.00	81,000	8,750	81,000	81,000
	505	個人	35.00	83,000	8,750	83,000	83,000
	506	法人	40.00	98,000	10,000	98,000	98,000
6	601	個人	35.00	86,000	8,750	86,000	86,000
	602	個人	30.00	79,000	7,500	79,000	79,000
	603	個人	35.00	88,000	8,750	88,000	88,000
	604	法人	35.00	88,000	8,750	88,000	88,000
	605	個人	35.00	88,000	8,750	88,000	88,000
	606	個人	40.00	99,000	10,000	99,000	99,000
7	701	個人	35.00	87,000	8,750	87,000	87,000
	702	個人	30.00	80,000	7,500	80,000	80,000
	703	法人	35.00	90,000	8,750	90,000	90,000
	704	個人	40.00	101,000	10,000	101,000	101,000
合計			1,330.00	3,166,000	323,750	3,166,000	3,166,000

(注1) 賃借人欄における「個人」とは個人名義での契約,「法人」とは法人名義での契約で,いずれも住宅としての使用を目的とする賃貸借契約である。

(注2) すべての貸室の賃貸借契約の種類は,通常の賃貸借契約(借地借家法第30条の規定の適用がある賃貸借契約)とし,契約期間は2年間とする。なお,当該契約には「貸主・借主の双方から特段の申出をしなければ,同条件で同期間,自動更新する」という条項が付されている。

(注3) 月額共益費は,各室とも賃貸面積1㎡当たり250円であり,周辺の同様の賃貸物件と比較しても,同等の水準にある。

(注4) 月額支払賃料及び月額共益費は,毎月末に当月分を支払う。

(注5) 敷金は預り金的性格を有する一時金であり,賃貸借終了時に無利息で賃借人に返還される。礼金は賃料の前払的性格を有する一時金であり,賃借人には返還されない。

(注6) 空室部分(304号室)を除く,現在賃貸中の貸室賃料の合計は3,166,000円(月額)である。

2.駐車場

番号	月額使用料(円)	賃借人	敷金
1	18,000	個人	18,000
2	18,000	個人	18,000
3	18,000	個人	18,000
4	―	―	―
5	18,000	個人	18,000
合計	72,000		72,000

(注1) 駐車場は対象不動産の入居者のみを対象として5台分のスペースがあり,現在4台分が賃貸されている。1台当たりの月額使用料は18,000円,敷金は月額使用料の1か月分(その他の一時金はない)とし,周辺の同様の賃貸事例と比較しても,同等の水準にある。

(注2) 月額使用料は,毎月末に当月分を支払う。

(注3) 敷金は預り金的性格を有する一時金であり,賃貸借終了時に無利息で賃借人に返還される。

(注4) 4番を除く,現在賃貸中の駐車場使用料の合計は72,000円(月額)である。

X．近隣地域及び類似地域等の概要

対象不動産の所在する近隣地域及びその類似地域等の地域の特性を略記すれば，次のとおりである。

地　域	位置（距離は，駅からの道路距離による。）	道路の状況	周辺の土地の利用状況	都市計画法等の規制で主要なもの	供給処理施設	標準的な画地規模	標準的使用
近隣地域	B駅の南西方 約200m～300m	幅員18m 舗装市道	中高層共同住宅等が建ち並ぶ住宅地域	第一種住居地域 建ぺい率 60% 容積率 300% 準防火地域	上水道 下水道 都市ガス	600㎡程度	中高層共同住宅地
A 地 域	B駅の南西方 約300m～400m	幅員18m 舗装市道	中高層共同住宅のほか，保育園等が見られる住宅地域	第一種住居地域 建ぺい率 60% 容積率 300% 準防火地域	上水道 下水道 都市ガス	600㎡程度	中高層共同住宅地
B 地 域	B駅の南西方 約100m～200m	幅員15m 舗装市道	中高層共同住宅のほか，店舗や店舗付共同住宅も見られる住宅地域	第一種住居地域 建ぺい率 60% 容積率 300% 準防火地域	上水道 下水道 都市ガス	700㎡程度	中高層共同住宅地
C 地 域	B駅の南西方 約450m～550m	幅員20m 舗装市道	中高層共同住宅のほか，事業所や路線商業施設等も混在する住商混在地域	準住居地域 建ぺい率 60% 容積率 300% 準防火地域	上水道 下水道 都市ガス	700㎡程度	住商混在地
D 地 域	B駅の南東方 約350m～450m	幅員12m 舗装市道	中高層共同住宅等が建ち並ぶ住宅地域	第一種住居地域 建ぺい率 60% 容積率 300% 準防火地域	上水道 下水道 都市ガス	600㎡程度	中高層共同住宅地
E 地 域	B駅の南東方 約200m～300m	幅員15m 舗装市道	中高層共同住宅のほか，店舗兼共同住宅等が見られる住宅地域	第一種住居地域 建ぺい率 60% 容積率 300% 準防火地域	上水道 下水道 都市ガス	600㎡程度	中高層共同住宅地
F 地 域	B駅の南東方 約800m～900m	幅員6m 舗装市道	低層の戸建住宅が建ち並ぶ閑静な住宅地域	第一種低層住居専用地域 建ぺい率 50% 容積率 80%	上水道 下水道 都市ガス	200㎡程度	低層戸建住宅地

XI. 対象不動産，地価公示法による標準地，取引事例等の位置図

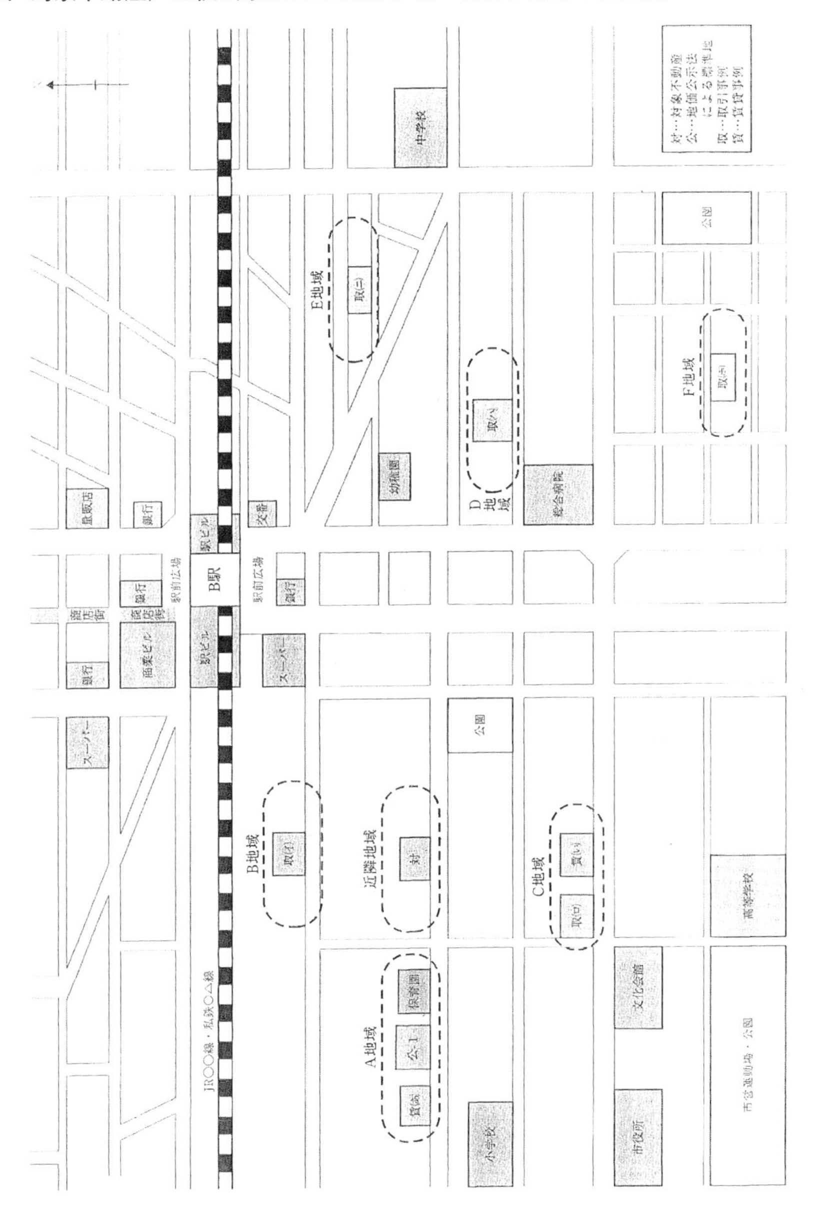

（注）この位置図は，対象不動産，取引事例等のおおむねの配置を示したもので，実際の距離，規模等を正確に示したものではない。

XII. 対象不動産及び事例資料等の概要

1．取引事例等の概要

事例区分	所在する地域	類型	価格時点 取引時点	公示価格 取引価格	数量等	価格時点及び取引時点における敷地の利用の状況	道路及び供給処理施設の状況	駅からの道路距離	備考
対象不動産	近隣地域	貸家及びその敷地	平成 25．8．1 価格時点	—	土地 580㎡ 建物延べ床面積 1,630㎡	鉄筋コンクリート造7階建て共同住宅	南側 幅員 18m 舗装市道 上水道 下水道 都市ガス	B駅 南西方 約250m	—
標準地－1	A地域	更地として	平成 25．1．1 価格時点	275,000円/㎡	土地 600㎡	鉄筋コンクリート造7階建て共同住宅	南側 幅員 18m 舗装市道 上水道 下水道 都市ガス	B駅 南西方 約350m	地価公示法第6条の規定による標準地であり，利用の現況は当該標準地の存する地域における標準的使用とおおむね一致する。更地としての価格が公示されている。
取引事例(イ)	B地域	自用の建物及びその敷地	平成 25．5．1 取引時点	698,000,000円	土地 700㎡ 建物延べ床面積 2,060㎡	鉄筋コンクリート造7階建て共同住宅	南側 幅員 15m 舗装市道 上水道 下水道 都市ガス	B駅 南西方 150m	地元の不動産会社が分譲を目的として開発したが，その後経営難のため分譲できず，この度不動産投資ファンドへ一括で売却したもの。取引に当たり特別な事情は存在しない。
取引事例(ロ)	C地域	更地	平成 24．10．15 取引時点	157,000,000円	土地 700㎡	従前は駐車場として利用されていた。	南側 幅員 20m 舗装市道 西側 幅員 10m 舗装市道 上水道 下水道 都市ガス	B駅 南西方 約500m	駐車場として利用されている空地を親族間で取引したものであり，詳細な事情は不明である。
取引事例(ハ)	D地域	自用の建物及びその敷地	平成 25．3．19 取引時点	139,000,000円	土地 550㎡ 建物延べ床面積 150㎡	木造2階建て住宅	南側 幅員 12m 舗装市道 上水道 下水道 都市ガス	B駅 南東方 約400m	相続により名義が変わり，この度売却に出されたもの。建物は老朽化しているが，取り壊し費用相当分については買主が負担して取引された。（取壊費用1,500,000円）
取引事例(ニ)	E地域	更地	平成 24．12．21 取引時点	191,000,000円	土地 620㎡	売却に当たって整備された空地。	北側 幅員 15m 舗装市道 南側 幅員 8m 舗装市道 上水道 下水道 都市ガス	B駅 南東方 約250m	隣地を所有する不動産会社が開発素地として購入したものである。別途同時期に当該土地単独で鑑定評価を取得しており，それによると今回の取引価格は当該土地が単独で取引された場合よりも10%高く取引されたとのことである。
取引事例(ホ)	F地域	更地	平成 25．3．24 取引時点	49,800,000円	土地 200㎡	売却に当たって整備された空地。	北側 幅員 6m 舗装市道 上水道 下水道 都市ガス	B駅 南東方 約850m	取引に当たり特別な事情は存在しない。

2．賃貸事例の概要

事例区分	所在する地域	種類	賃貸時点	支払賃料等	物件の規模等	賃貸時点における敷地の利用状況	道路及び供給処理施設の状況	駅からの道路距離	備考
賃貸事例(あ)	A地域	新規賃料	平成25．6．1	月額支払賃料等契約内容の詳細は，「XVI．賃貸事例の契約内容等」参照のこと。	土地 650㎡ 建物延べ床面積 2,000㎡	鉄筋コンクリート造 8階建て 共同住宅	南側 幅員 18m 舗装市道 上水道 下水道 都市ガス	B駅 南西方 約400m	契約に当たって，特別な事情は存在しない。
賃貸事例(い)	C地域	新規賃料	平成24．11．10	月額支払賃料等契約内容の詳細は，「XVI．賃貸事例の契約内容等」参照のこと。	土地 500㎡ 建物延べ床面積 1,400㎡	鉄筋コンクリート造 6階建て 共同住宅	南側 幅員 20m 舗装市道 上水道 下水道 都市ガス	B駅 南西方 約450m	契約に当たって，特別の事情は存在しない。

3．取引事例等に係る建物の概要

事例区分	建築時点	建築工事費（総額）	数量等	建物構造及び用途	施工の質	価格時点又は取引時点現在の経済的残存耐用年数	設備の良否	昇降機設備の有無	空調冷暖房設備の有無	近隣地域等との適合性，建物と敷地との適応性
対象不動産	平成20．8．1	416,000,000円	建築面積 270㎡ 延べ床面積 1,630㎡	鉄筋コンクリート造 7階建て共同住宅	中級	主体部分 45年 仕上げ部分 25年 設備部分 10年	普通	あり	あり	環境と適合し，敷地と適応している。
取引事例(イ)	平成24．4．1	510,000,000円	建築面積 350㎡ 延べ床面積 2,060㎡	鉄筋コンクリート造 7階建て共同住宅	中級	主体部分 49年 仕上げ部分 29年 設備部分 14年	普通	あり	あり	環境と適合し，敷地と適応している。
取引事例(ハ)	昭和41．5．10	不明	建築面積 100㎡ 延べ床面積 150㎡	木造2階建て住宅	—	—	—	—	—	環境と不適合であり，敷地とも不適合である。

（注1）建築工事費は，いずれも特別な事情が存在しない標準的な建築工事費である。
（注2）鉄筋コンクリート造の，建築工事費に占める躯体（本体）部分と仕上げ部分及び設備部分の構成割合は，40：40：20である。
（注3）価格時点において事例内容を調査した結果，建物の減価の程度は，いずれもおおむね経年相応である。

4．建設事例の概要

事例区分	所在する地域	建築時点	建築工事費（総額）	数量等	建物構造及び用途	施工の質	建物竣工時点での経済的残存耐用年数	設備の良否	昇降機設備の有無	空調冷暖房設備の有無	価格時点における建物の面積以外の個別的要因に係る評点(注1)
建設事例α	B地域	平成24.11.5	462,000,000円	建築面積 300㎡ 延べ床面積 1,920㎡	鉄筋コンクリート造7階建て 共同住宅	中級	主体部分 50年 仕上げ部分 30年 設備部分 15年	普通	あり	あり	98

（注1）対象不動産に係る建物を100とした場合の比較評点である。
（注2）建築費に占める躯体（本体）部分と仕上げ部分及び設備部分の構成割合は，40：40：20である。
（注3）特別な事情が存在しない標準的な建築工事費である。

XIII. 地価指数，建築費指数及び賃貸住宅の新規賃料指数の推移

B市における中高層住宅地域の地価指数，中高層共同住宅（鉄筋コンクリート造）の建築費指数，対象不動産と構造，規模，用途等が類似する同一需給圏内の賃貸住宅の新規賃料指数の推移は，次のとおりである。なお，平成25年1月1日以降の動向は，平成24年7月1日から平成25年1月1日までの推移とそれぞれ同じ傾向を示している。

区分／地域／年月日	地価指数							建築費指数	賃貸住宅の新規賃料指数
	近隣地域	A地域	B地域	C地域	D地域	E地域	F地域		
20. 1. 1	−	−	−	−	−	−	−	100	−
21. 1. 1	−	−	−	−	−	−	−	97.3	−
22. 1. 1	−	−	−	−	−	−	−	96.9	−
22. 7. 1	−	−	−	−	−	−	−	96.5	−
23. 1. 1	100	100	100	100	100	100	100	96.2	100
23. 7. 1	98	99	97	98	96	97	98	95.7	100
24. 1. 1	97	98	96	96	94	95	97	95.4	99
24. 7. 1	96	97	96	94	92	93	94	95.2	99
25. 1. 1	95	96	95	92	91	92	92	95	98.5

XIV. 地域要因及び土地の個別的要因の比較

事例等／地域／比較項目	対象不動産	標準地−1	事例(イ)	事例(ロ)	事例(ハ)	事例(ニ)	事例(ホ)
	近隣地域	A地域	B地域	C地域	D地域	E地域	F地域
地域要因に係る評点（地）	100	98	105	97	90	98	90
個別的要因に係る評点（個）	100	100	100	103	100	101	100

（注1）地域要因に係る評点（地）の比較については，近隣地域の評点を100とし，他の地域は近隣地域と比較してそれぞれの評点を付したものである。

（注2）個別的要因に係る評点（個）の比較については，それぞれの地域において標準的と認められる画地における地積以外の評点を100とし，これと取引事例に係る土地等とを比較し，それぞれの評点を付したものである。

XV. 賃貸事例の価格形成要因の比較

事例等 補正項目	対象不動産 （空室部分）	賃貸事例 (あ)	賃貸事例 (い)
一棟全体の建物に係る評点（建）	100	103	100
地域要因に係る評点（地）	100	98	97
基準住戸の格差に係る評点（基）	100	100	100
個別的要因に係る評点（標）（個）	100	102	100

（注１）一棟全体の建物に係る評点（建）は，対象不動産（一棟全体の建物）の評点を100とし，賃貸事例の存する一棟全体の建物の比較評点を付したものである。

（注２）地域要因に係る評点（地）は，近隣地域の評点を100とし，賃貸事例の存する地域は近隣地域と比較してそれぞれの評点を付したものである。

（注３）基準住戸の格差に係る評点（基）は，対象不動産の基準住戸を100とした場合の賃貸事例の基準住戸の比較評点を示している。

なお，対象不動産及び賃貸事例ともに基準階を３階としている。

（注４）個別的要因に係る評点（個）及び（標）は，対象不動産（空室部分）及び賃貸事例の各々の基準階における基準住戸との比較評点を示している。

XVI. 賃貸事例の契約内容等

賃貸事例が存する地域における標準的な賃貸借の条件は，次のとおりである。

① 支払賃料は，毎月末に当月分を支払う。

② 貸室の賃貸借に当たって授受される一時金は，預り金的性格を有する敷金及び賃料の前払的性格を有する礼金の２種類である。標準的な敷金の額は月額支払賃料の１か月分であり，売買に当たって承継される。また，標準的な礼金の額も月額支払賃料の１か月分である。なお，以後の契約の更新においては，更新料等いかなる名目においても一時金の授受はない。

③ 駐車場の賃貸借にあっては預り金的性格を有する敷金のみが授受され，

標準的な敷金の額は，月額使用料の１か月分である。

④　敷金は，賃貸借契約を解除したときは直ちに全額返還されるが，利息は付さない。

⑤　共益費については，いずれも標準的なものと認められる。

⑥　貸室の契約期間は２年，契約の形式は書面によるものが一般的である。

⑦　各賃借人との賃貸借契約は，普通借家契約であり，契約更新時に支払賃料等の改定協議を行うこととなっている。

賃貸事例の個別の賃貸借の条件は，次のとおりである。

いずれも賃貸借に当たり特別な事情はない。

１．賃貸事例(あ)

Ａ地域内に所在する。鉄筋コンクリート造８階建て共同住宅の４階部分。平成23年３月に竣工。

賃　貸　人：Ｇ株式会社

賃　借　人：Ｈ株式会社

賃 貸 時 点：平成25年６月１日

月額支払賃料：83,000円

月 額 共 益 費：8,000円

敷金及び礼金の額は月額支払賃料の１か月分，賃貸面積33㎡

２．賃貸事例(い)

Ｃ地域内に所在する。鉄筋コンクリート造６階建て共同住宅の３階部分。平成20年５月に竣工。

賃　貸　人：Ｉ株式会社

賃　借　人：Ｊ株式会社

賃 貸 時 点：平成24年11月10日

月額支払賃料：90,000円

月 額 共 益 費：10,000円

敷金及び礼金の額は月額支払賃料の１か月分，賃貸面積38㎡

XVII．対象不動産の建築工事費について

対象不動産は，平成20年８月１日に竣工した。建築工事費は，全体で416,000,000円であった（当該建築工事費は，特別な事情が存在しない竣工時点における標準的な建築工事費である。）。

解答例

問1

指示事項に従い，原価法及び収益還元法を適用して求めた試算価格を調整の上，鑑定評価額を決定する。

A．原価法

対象不動産の再調達原価を求め，これに減価修正を行って，積算価格を試算する。

Ⅰ．再調達原価

1．土地（更地価格）

対象地は既成市街地にあり，再調達原価の把握が困難なため，指示事項に従い，取引事例比較法及び開発法を適用し，公示価格を規準とした価格との均衡に留意の上，更地価格を査定する。

⑴ 比準価格

事例適格4要件を具備した取引事例㈠，㈧及び㈡を採用し，比準価格を査定する。

※ 不採用事例とその理由

・事例㈺：親族間取引だが，詳細な事情が不明なため，正常補正可能性に欠ける。

・事例㈭：地域の特性及び規模が対象不動産と異なり，要因比較可能性に欠ける。

① 事例㈠

複合不動産の取引事例であるが，敷地が最有効使用の状態にあるので，配分法を適用して更地の事例資料を求める。

※ 建物価格の査定（原価法を準用）

a．再調達原価

事　時※

$$510,000千円\times\frac{100}{100}\times\frac{94.9}{95.3}\fallingdotseq 508,000千円$$

※ 標準建築費指数採用。以下同様。

b．減価修正

・耐用年数に基づく方法（定額法採用，残価率0）

躯体　：$508,000千円\times0.40\times\frac{1}{1+49}=4,064千円$

仕上げ：$508,000千円\times0.40\times\frac{1}{1+29}\fallingdotseq6,773千円$

設備　：$508,000千円\times0.20\times\frac{1}{1+14}\fallingdotseq6,773千円$

計 17,610千円

・観察減価法

経年相応の減価と判断し，耐用年数に基づく方法による減価額と同額と査定。

・減価額

両方法を併用して，建物の減価額を17,610千円と査定した。

c．事例建物価格

508,000千円－17,610千円 ≒ 490,000千円

※　更地価格

698,000千円 － 490,000千円 ＝ 208,000千円

事　時※　標　地　個　面

$$208,000千円\times\frac{100}{100}\times\frac{93.8}{94.3}\times\frac{100}{100}\times\frac{100}{105}\times\frac{100}{100}\times\frac{580}{700}\fallingdotseq163,000千円$$

（281,000円／㎡）

※　時点修正率査定根拠（地価指数採用）

$$価格時点（H25.8）\left\{\left(\frac{95}{96}-1\right)\times\frac{7}{6}+1\right\}\times95\fallingdotseq93.8$$

$$取引時点（H25.5）\left\{\left(\frac{95}{96}-1\right)\times\frac{4}{6}+1\right\}\times95\fallingdotseq94.3$$

以下，同様の方法により査定し，根拠の記述は省略。

②　事例(ハ)

買主負担の建物取壊し費用を取引価格に加算して，更地の事例資料を求める。

139,000千円＋1,500千円 ＝ 140,500千円

事　時　標　地　個　面

$$140,500千円\times\frac{100}{100}\times\frac{89.8}{90.7}\times\frac{100}{100}\times\frac{100}{90}\times\frac{100}{100}\times\frac{580}{550}\fallingdotseq163,000千円$$

（281,000円／㎡）

③　事例(ニ)

事※　時　標　地　個　面

$$191,000千円\times\frac{100}{110}\times\frac{90.8}{92.2}\times\frac{100}{101}\times\frac{100}{98}\times\frac{100}{100}\times\frac{580}{620}\fallingdotseq 162,000千円$$

（279,000円／㎡）

※　隣地併合による限定価格水準での取引のため10%減額補正。

④　比準価格

以上より３価格が得られた。

事例(イ)は，配分法を要したが，取引時点が最も新しく，規範性が高い。

事例(ハ)は，更地化を前提とした取引で，取引時点も新しく，規範性が高い。

事例(ニ)は，事情補正を行っており，取引時点もやや古く，規範性はやや低い。

よって本件では，事例(イ)及び(ハ)を関連づけ，事例(ニ)を比較考量し，比準価格を163,000千円（281,000円／㎡）と査定した。

(2)　開発法による価格

最有効使用のマンション開発計画を想定し，分譲販売総収入の複利現価から開発諸費用等の複利現価を控除して，開発法による価格を査定する。

①　分譲販売総収入

想定建物の基準戸（３階Ｂタイプ）の分譲単価に階層別・位置別の効用比に基づく効用総積数を乗じて分譲販売総収入を査定する。

ａ．基準戸の分譲価格

指示事項により，34,300千円（490,000円／㎡）。

ｂ．効用総積数

	階層別効用比		位置別効用比 Ａタイプ		Ｂタイプ		Ｃタイプ		専有面積		効用積数
7階	108	×（			100×１戸	＋	108×１戸）	×	70㎡	＝	1,572,480
6階	106	×（	105×１戸	＋	100×１戸	＋	108×１戸）	×	70㎡	＝	2,322,460
5階	104	×（			〃		）	×	70㎡	＝	2,278,640
4階	102	×（			〃		）	×	70㎡	＝	2,234,820

3階	100 × (	〃	) × 70㎡	=	2,191,000
2階	97 × (	〃	) × 70㎡	=	2,125,270
1階	90 × (105×1戸	+ 108×1戸)	× 70㎡	=	1,341,900
			効用総積数		14,066,570

c．分譲販売総収入

$$490,000円/㎡ \times \frac{14,066,570}{100 \times 100} \fallingdotseq 689,262千円$$

② 開発諸費用等

a．水道設備負担金

220,000円/戸×19戸 ＝ 4,180千円

b．建築工事費

指示事項により，440,000千円

c．販売費及び一般管理費

689,262千円×0.08 ＝ 55,140,960円

③ 投下資本収益率

指示事項により，年10%

④ 開発法による価格

分譲販売総収入の複利現価から開発諸費用等の複利現価を控除して，開発法による価格を以下のとおり査定した。

（開発スケジュール）

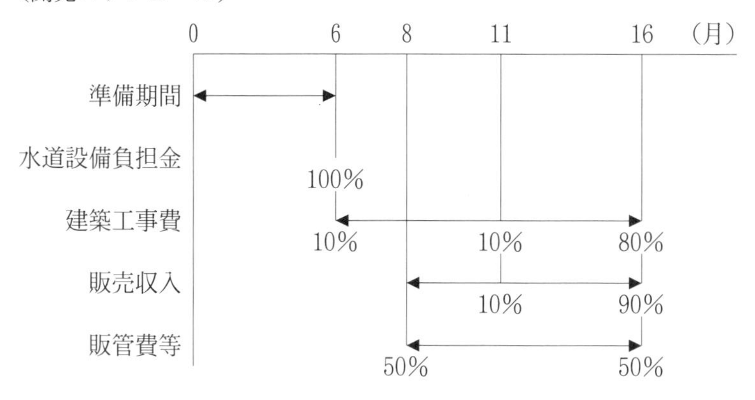

	項目	金額（円）	割合	割引期間（月）	複利現価率	複利現価（円）
収入	分譲販売収入	68,926,200	10%	11	0.9163	63,157,077
		620,335,800	90%	16	0.8807	546,329,739
	小計	計 689,262,000				（a）計 609,486,816
支出	水道設備負担金	4,180,000	100%	6	0.9535	3,985,630
	建築工事費	44,000,000	10%	6	0.9535	41,954,000
		44,000,000	10%	11	0.9163	40,317,200
		352,000,000	80%	16	0.8807	310,006,400
	販売費及び一般管理費	27,570,480	50%	8	0.9384	25,872,138
		27,570,480	50%	16	0.8807	24,281,322
	小計	計 499,320,960				（b）計 446,416,690

開発法による価格：（a）−（b）≒ 163,000千円（281,000円／㎡）

⑶　公示価格（標準地－１）を規準とした価格

　　　　時　　標　　地　　個　　面

$$275{,}000\text{円}/\text{m}^2\times\frac{94.8}{96.0}\times\frac{100}{100}\times\frac{100}{98}\times\frac{100}{100}\times580\text{m}^2\doteqdot161{,}000\text{千円}$$

（278,000円／㎡）

⑷　更地価格

比準価格は実際に市場で発生した取引事例を価格判定の基礎としており，実証的な価格である。本件では，規範性の高い複数の事例を採用して求められており，その精度は高いものと判断する。

開発法による価格は開発事業者の投資採算性に着目した価格である。本件では，最有効使用のマンション開発計画を想定しており，対象不動産の個別性を十分反映した価格が得られた。

本件では，２価格はいずれも等しく規範性が高いものと判断し，２価格を関連づけ，公示価格を規準とした価格との均衡にも留意の上，更地価格を163,000千円（281,000円／㎡）と査定した。

２．建物

指示事項により，直接法及び間接法を併用し，再調達原価を査定する。

⑴　直接法

　　　　事　　時

$$416{,}000\text{千円}\times\frac{100}{100}\times\frac{94.8}{98.4}\doteqdot401{,}000\text{千円}\ (246{,}000\text{円}/\text{m}^2)$$

⑵ 間接法（建設事例αを採用）

$$462{,}000千円 \times \overset{事}{\frac{100}{100}} \times \overset{時}{\frac{94.8}{95.1}} \times \overset{個}{\frac{100}{98}} \times \overset{面}{\frac{1{,}630}{1{,}920}} \fallingdotseq 399{,}000千円（245{,}000円／m^2）$$

⑶ 再調達原価

直接法は，対象建物の個別性を十分反映している。

間接法は，採用した建設事例に係る建築時点が新しい。

よって本件では，両方法の規範性は同程度と判断し，両価格を関連づけて，対象建物の再調達原価を400,000千円（245,000円／㎡）と査定した。

3．建物及びその敷地

1．＋2．＝ 563,000千円

Ⅱ．減価修正

1．土地

単独での減価は特にないと判断した。

2．建物

⑴ 耐用年数に基づく方法（定額法採用，残価率0）

$$躯体\quad：400{,}000千円 \times 0.40 \times \frac{5}{5+45} = 16{,}000千円$$

$$仕上げ：400{,}000千円 \times 0.40 \times \frac{5}{5+25} \fallingdotseq 26{,}667千円$$

$$設備\quad：400{,}000千円 \times 0.20 \times \frac{5}{5+10} \fallingdotseq 26{,}667千円$$

計 69,334千円

⑵ 観察減価法

経年相応の減価と判断し，上記⑴と同額と査定した。

⑶ 減価額

両方法を併用して，建物の減価額を69,334千円と査定した。

3．建物及びその敷地

建物は敷地と適応し，環境とも適合しているため，土地建物一体としての減価はないと判断した。

4．減価額

1．＋2．＋3．＝ 69,334千円

Ⅲ．積算価格

再調達原価から減価額を控除して，積算価格を以下のとおり試算した。

563,000千円 － 69,334千円 ≒ 494,000千円

問２

B．収益還元法（直接還元法）

指示事項に従い，不動産鑑定評価基準各論第３章における収益費用項目を採用の上，純収益を還元利回りで還元して収益価格を試算する。

Ⅰ．純収益

1．運営収益

(1) 貸室賃料収入

① 稼働部分

月額合計：3,166千円

② 空室部分（304号室）

事例適格４要件を具備し，契約内容も類似する賃貸事例(あ)及び(い)の実際実質賃料に賃貸事例比較法を適用して求めた月額実質賃料から，一時金の運用益及び償却額を控除して月額支払賃料を査定する。

a．賃貸事例(あ)

実際実質賃料 ＝ 83,000円＋（83,000円×１×0.02÷12ヶ月）※1

＋（83,000円×１×0.2626÷12ヶ月）※2 ≒ 84,955円

※1 敷金は預り金的性格を有する一時金であり，指示事項により，運用利回りとして年2.0％を採用。

※2 礼金は賃料の前払的性格を有する一時金であり，指示事項により，運用利回り年2.0％，償却期間４年の年賦償還率として0.2626を採用。

	事	時※	標	建	地	基	個	面	
84,955円	× 100/100	× 97.9/98.1	× 100/102	× 100/103	× 100/98	× 100/100	× 100/100	× 35/33	≒ 87,300円

（2,490円／㎡）

※ 賃貸住宅の新規賃料指数採用。

b．賃貸事例(い)

実際実質賃料 ＝ 90,000円＋（90,000円×１×0.02÷12ヶ月）

＋（90,000円×１×0.2626÷12ヶ月）≒ 92,120円

事　時　標　建　地　基　個　面

$$92,120円\times\frac{100}{100}\times\frac{97.9}{98.7}\times\frac{100}{100}\times\frac{100}{100}\times\frac{100}{97}\times\frac{100}{100}\times\frac{100}{100}\times\frac{35}{38}\fallingdotseq 86,800円$$

（2,480円／㎡）

c．空室部分の月額実質賃料

以上により２賃料が得られた。

事例(あ)は，要因格差はあるが，賃貸時点が新しく，規範性が高い。

事例(い)は，賃貸時点はやや古いが，要因格差が小さく，規範性が高い。

本件では，事例(あ)及び(い)の規範性は同程度と判断し，２賃料を関連づけ，空室部分の月額実質賃料を87,000円（2,490円／㎡）と査定した。

d．空室部分の月額支払賃料（月額支払賃料をａとおく）

87,000円 ＝ ａ＋（ａ×１×0.02÷12ヶ月）＋（ａ×１×0.2626÷12ヶ月）

ａ ≒ 85,000円（2,430円／㎡）

③ 計

①＋② ＝ 3,251千円

3,251千円×12ヶ月 ＝ 39,012千円

(2) 共益費収入

250円／㎡×1,330㎡×12ヶ月 ＝ 3,990千円

(3) 水道光熱費収入

賃借人が実額を負担するものとし，計上しない。

(4) 駐車場収入

18,000円×５台 ＝ 90千円

90千円×12ヶ月 ＝ 1,080千円

(5) その他収入（礼金収入）

3,251千円÷４年 ＝ 812,750円

⑹　総収益（満室想定）

⑴～⑸計　44,894,750円

⑺　空室等損失

①　貸室部分

（39,012千円＋3,990千円＋812,750円）×（１－0.95）≒ 2,190,738円

②　駐車場部分

1,080千円×（１－0.80）＝ 216千円

③　計　2,406,738円

⑻　貸倒れ損失

賃借人の状況等を勘案し，計上しない。

⑼　運営収益

⑹－⑺－⑻ ＝ 42,488,012円

２．運営費用

⑴　維持管理費

150円／㎡×1,330㎡×12ヶ月 ＝ 2,394千円

⑵　水道光熱費

50円／㎡×1,330㎡×12ヶ月 ＝ 798千円

⑶　修繕費

①　建物の通常の維持管理のための費用

400,000千円×0.003 ＝ 1,200千円

②　貸室部分の賃貸人負担の原状回復費

2,100円／㎡×1,330㎡×0.95÷４年 ≒ 663,338円

③　計　1,863,338円

⑷　ＰＭフィー

①　貸室部分

（39,012千円＋3,990千円）×0.95×0.03 ＝ 1,225,557円

②　駐車場部分

1,080千円×0.80×0.025 ＝ 21,600円

③　計　1,247,157円

⑸　テナント募集費用等

①　貸室部分

3,251千円×１ヶ月×0.95÷４年 ≒ 772,113円

② 駐車場部分

90千円×１ヶ月×0.80÷４年 ＝ 18千円

③ 計 790,113円

(6) 公租公課（土地及び建物）

380千円＋3,740千円 ＝ 4,120千円

(7) 損害保険料

現行の保険契約に基づき180千円

(8) その他費用

特段計上すべきものはない。

(9) 運営費用

(1)〜(8)計 11,392,608円（経費率約27%）

3．運営純収益

1．－ 2．＝ 31,095,404円

4．一時金の運用益

（3,251千円×0.95＋90千円×0.80）×0.02 ＝ 63,209円

5．資本的支出

400,000千円×0.007 ＝ 2,800千円

6．純収益

3．＋ 4．－ 5．＝ 28,358,613円

Ⅱ．還元利回り

指示事項により，Ｂ市における対象不動産と類似の不動産の取引事例から求められる利回り，不動産投資の標準とされる利回り，対象不動産の立地条件等及び今後の賃料水準の変動等を勘案して5.7%を採用する。

Ⅲ．収益価格

純収益を還元利回りで還元して，収益価格を以下のとおり試算した。

28,358,613円÷0.057 ≒ 498,000千円

問３

Ｃ．試算価格の調整及び鑑定評価額の決定

Ⅰ．試算価格の調整

以上により　Ａ．積算価格　494,000千円

　　　　　　Ｂ．収益価格　498,000千円

の２試算価格が得られた。

１．試算価格の再吟味

Ａの積算価格は，費用性の観点から対象不動産の市場価値を求めたものである。再調達原価の査定に当たり，土地については取引事例比較法と開発法により更地価格を適切に求め，建物については直接法及び間接法を併用して適切に求めた。減価修正に当たっても，対象不動産に係る各減価要因を耐用年数に基づく方法と観察減価法によって十分反映できた。

Ｂの収益価格は，収益性の観点から対象不動産の市場価値を求めたものであり，本件では，直接還元法を適用し，現行の賃貸条件に基づく純収益を還元利回りで還元して収益価格を試算した。空室部分についても複数の賃貸事例から適正な賃料を求めており，豊富な資料に裏付けられた説得力ある価格が得られた。

２．試算価格が有する説得力に係る判断

対象不動産は，Ｂ駅の南西方約250ｍの中高層共同住宅等が建ち並ぶ住宅地域内に存する稼働中の賃貸共同住宅である。都心中心部など一部においては投資家等の投資意欲の回復に伴い取引が活発化しつつある地域も見受けられるが，Ｂ市内の住宅地域における今後の不動産経済動向としては，当分の間，弱含みで推移していくものと予測される。取引市場における主たる買主としては，不動産開発業者のほか，賃貸収入等を目的とした不動産会社や，個人投資家及びファンド組成物件の改善を狙う投資家等が挙げられる。

このような中，対象不動産はほぼ満室で稼働中の賃貸共同住宅であることから，典型的な需要者としては，収益物件の取得を企図する不動産会社や個人投資家等と考えられ，投資対象となる不動産の収益性を特に重視して取引意思を決定するものと判断される。

Ⅱ．鑑定評価額の決定

以上により，本件では収益価格を標準とし，積算価格を比較考量の上，鑑定評価額を498,000千円と決定した。

本件鑑定評価額は，当該課税資産の譲渡につき通常課される消費税を含まないものである。

なお，敷金の返還債務を買主が引き継ぐ場合，取引に当たっての代金決済額は上記鑑定評価額から敷金等を控除した額とすることが妥当である。

以　上

解説

本問の類型は,「貸家及びその敷地」であり,原価法と収益還元法(直接還元法)の2手法を適用し,鑑定評価額を決定させる基本的な問題といえる。開発法以外の計算箇所は,前年の本試験問題とほぼ同じである。

開発法については,本年初めて出題されたが,想定マンションの基準住戸の価格や階層別・位置別効用比が直接指定されているため,難易度はそれほど高くない。「効用総積数」の計算と「試算表」の作成に注意し,正確な解答を目指してほしい。

◇ 平成26年度・演習

問題　別紙２〔資料等〕に記載の不動産（Ⅱ．対象不動産）について，別紙１〔指示事項〕及び別紙２〔資料等〕に基づき，不動産の鑑定評価に関する次の問に答えなさい。

問１　対象不動産の最有効使用を判定し，鑑定評価の方針について簡潔に述べなさい（対象不動産の確定に関する事項は解答不要）。

問２　取引事例比較法，収益還元法（土地残余法）及び開発法を適用して更地価格を求めなさい。

問３　問１の評価方針に則り，問２で求めた更地価格を基に対象不動産の鑑定評価額を決定しなさい。

別紙１〔指示事項〕

Ⅰ．共通事項

１．問２及び問３における各手法の適用の過程で求める数値は，別に指示がある場合を除き，小数点以下第１位を四捨五入し，整数で求めること。ただし，取引事例及び建設事例等から比準した価格，賃貸事例から比準した資料，公示価格を規準とした価格，各手法を適用して査定した価格及び鑑定評価額については，上位４桁目を四捨五入して上位３桁を有効数字として取り扱うこと。

（例）1,234,567円　→　1,230,000円

２．消費税及び地方消費税は，各手法の適用の過程において考慮せず，各資料の数値を前提に計算すること。

３．対象不動産及び取引事例等については，土壌汚染，埋蔵文化財及び地下埋設物に関して価格形成に影響を与えるものは何ら存しないことが判明している。また，対象不動産及び取引事例等の建物部分において，吹付けアスベスト，PCB等の有害物質の使用及び保管はないことが確認されている。

４．土地及び建物の数量は，土地登記簿〔全部事項証明書〕及び建物登記簿〔全部事項証明書〕記載数量によること。

５．対象不動産は，不動産鑑定評価基準各論第３章の証券化対象不動産ではない。よって，同章の規定は適用せずに鑑定評価を行うこと。

Ⅱ．問２について

１．取引事例比較法

⑴　比準価格は，下記事項に従って査定すること。

①　別紙２（資料３）「対象不動産及び事例資料等の概要」に記載の各事例を用いて，比準価格を求めること。なお，下記事例の選択要件に照らして不採用とすべき事例があれば，その事例番号及び不採用とすべき理由をすべて記載すること（取引事例の選択要件については解答不要である。）。

（事例の選択要件）

取引事例は，原則として近隣地域又は同一需給圏内の類似地域に存する不動産から選択するものとし，必要やむを得ない場合には近隣地域の周辺の地域に存する不動産から，対象不動産の最有効使用が標準的使用と異なる場合等には，同一需給圏内に存し対象不動作と代替，競争等の関係が成立していると認められる不動産から選択するものとするほか，次の要件の全部を備えなければならない。

ⅰ　取引事情が正常なものと認められるものであること又は正常なものに補正することができるものであること。

ⅱ　時点修正をすることが可能なものであること。

ⅲ　地域要因の比較及び個別的要因の比較が可能なものであること。

②　事例の事情その他の内容は，（資料３－１）「取引事例等の概要」の記載事項より判断すること。

③　取引事例が建物及びその敷地の場合には，配分法を用いて，更地価格を査定した上で比準すること（建物の資料は，（資料３－２）「対象不動産及び取引事例に係る建物の概要」によること。）。

④　比準価格を求める場合の計算式と略号は，次のとおりである（基準値：100）。

$$\text{取引事例における土地価格（更地としての価格）（総額）} \times \overset{\textbf{事}}{\frac{100}{\text{取引事例の取引事情に係る補正率}}} \times \overset{\textbf{時}}{\frac{\text{価格時点の地価指数}}{\text{取引時点の地価指数}}} \times \overset{\textbf{標}}{\frac{100}{\text{取引事例の個別的要因に係る評点}}} \times \overset{\textbf{地}}{\frac{100}{\text{取引事例の存する地域の地域要因に係る評点}}} \times \overset{\textbf{個}}{\frac{\text{対象地の個別的要因に係る評点}}{100}} \times \overset{\textbf{面}}{\frac{\text{対象地の面積}}{\text{取引事例の面積}}} = \text{手法適用により求めた価格}$$

各項の意味と略号	
事：事情補正	**地**：地域要因の比較
時：時点修正	**個**：対象地の個別的要因の格差修正
標：取引事例の個別的要因の標準化補正	**面**：面積の比較

⑤　公示価格を規準とした価格を求める場合の計算式と略号は，次のとおりである（基準値：100）。

$$\text{公示価格} \times \overset{\textbf{時}}{\frac{\text{価格時点の地価指数}}{\text{公示価格の価格時点の地価指数}}} \times \overset{\textbf{標}}{\frac{100}{\text{公示地の個別的要因に係る評点}}} \times \overset{\textbf{地}}{\frac{100}{\text{公示地の存する地域の地域要因に係る評点}}} \times \overset{\textbf{個}}{\frac{\text{対象地の個別的要因に係る評点}}{100}} \times \text{対象地の面積} = \text{公示価格を規準とした価格}$$

各項の意味と略号	
時：時点修正	**地**：地域要因の比較
標：公示地の個別的要因の標準化補正	**個**：対象地の個別的要因の格差修正

⑥　地価指数の計算上の留意点は，次のとおりである。

i　地価指数の計算における経過期間（月数）の算定については，次の例のとおり，起算日（即日）の属する月を含めず，期間の末日（当日）の属する月を含めて計算すること。

（例）平成26年３月31日から平成26年８月１日までの期間の月数は，５か月

平成26年４月１日から平成26年８月１日までの期間の月数は，４か月

ii　地価指数は，（資料４）「地価指数，建築費指数及び賃貸住宅の新規賃料指数の推移」により求め，少なくとも一つの取引事例について，価格時点及び取引時点の地価指数の計算過程を明らかにすること。地価指数計算上の特定の時点の指数は，次の例のとおり算定することとし，小数点以下第２位を四捨五入し，小数点以下第１位まで求めること。

（例）平成26年１月１日の指数を100，平成26年７月１日の指数を102として，取引時点である平成26年５月31日の指数を求める場合。

$$\left\{\left(\frac{\text{平成26年7月1日の指数}(102)}{\text{平成26年1月1日の指数}(100)}-1\right)\times\frac{\text{平成26年1月1日～平成26年5月31日の月数}(4)}{\text{平成26年1月1日～平成26年7月1日の月数}(6)}+1\right\}\times\text{平成26年1月1日の指数}(100)$$

≒求める時点の指数(101.3)（小数点以下第２位を四捨五入）

⑦　建物の経過年数を算定する場合における端数（１年未満）のうち，１か月以上経過したものについては，経過期間を１年に切り上げること。

⑧　土地の要因格差は，（資料５）「地域要因及び土地の個別的要因の比較」の数値を用いること。

2．収益還元法（土地残余法）

収益価格は，下記事項に従って査定すること。

(1) 対象地上の想定建物は次のとおりとする。

①　鉄筋コンクリート造６階建の共同住宅で，１階に管理人室，エントランスが設置されていることを除き，各階の設計は同一である。

②　各専有部分の間取りは南西・北西角部屋のＡタイプ，南西向き中間住戸のＢ・Ｃタイプ，南西・南東角部屋のＤタイプとし，各階の配置等は（資料９）「対象地上の想定建物」を参照のこと。

③　駐車場は屋外機械式３段駐車場とし，18台分を想定する。

④　躯体部分，仕上部分及び設備部分の経済的耐用年数，構成割合は次のとおりとする。

・躯体部分（経済的耐用年数：50年，構成割合：40％）
・仕上部分（経済的耐用年数：30年，構成割合：40％）
・設備部分（経済的耐用年数：15年，構成割合：20％）

(2) 還元式は次の式を採用する。なお，利回り等は（資料７）「還元利回り等」の数値を用いること。

$PL=(aL\times\alpha)/(r-g)$

PL：土地の収益価格

aL：土地に帰属する初年度の純利益　α：未収入期間修正率（注）

r：基本利率　　g：賃料変動率

（注）未収入期間は類似建物の標準的な建築期間等を勘案して16か月とし，土地純収益の継続期間は建物の経済的耐用年数を勘案して50年とする。

(3) 総収益は，次の手順で求めること。

①　総収益は，貸室支払賃料収入とその他収入（駐車場使用料）を合計し

た額から，貸倒れ損失及び空室等による損失相当額を控除して有効総収益を求め，当該有効総収益に空室等損失を考慮した一時金の運用益等を加算して算定すること。なお，共益費に係る収支は，実費相当額が収受されているため，計上しないこととする。

② 貸室支払賃料収入については，まず，想定建物の3階Bタイプ（基準住戸）に係る正常実質賃料を，（資料3－6）「賃貸事例の概要」・（資料3－7）「賃貸事例の契約内容等」の事例(あ)・(い)から賃貸事例比較法を適用して求め（注1），次に，当該基準住戸の正常支払賃料（注2）と想定建物の効用総積数（注3）を用いて，全住戸分の正常支払賃料を査定すること。

（注1）賃貸事例との要因比較は（資料6）「賃貸事例の賃料形成要因の比較」，時点修正率については（資料4）「地価指数，建築費指数及び賃貸住宅の新規賃料指数の推移」，想定建物及び賃貸事例に係る一時金の運用利回り等は（資料7）「還元利回り等」の数値を用いること。なお，取引事例比較法の解答において地価指数の計算過程を記載している場合は，賃料指数の計算過程を示す必要はない。

（注2）正常支払賃料は，正常実質賃料から敷金（預り金的性格を有する一時金であり，賃貸借契約終了後に無利息で賃借人に返還される。）を月額支払賃料の2か月分，礼金（賃料の前払的性格を有する一時金）を同1か月分徴収することを想定した一時金の運用益及び償却額を控除し，その上位4桁目を四捨五入して上位3桁を有効数字として求めること。

（注3）想定建物の効用総積数は，階層別・位置別効用比を賃貸事例(い)の賃料単価比（3階Bタイプの基準住戸を100とする。）により求め，これに専有面積を乗じて査定すること。

③ 駐車場使用料（その他収入）は，1台当たり月額17,000円（敷金1か月）とする。

④ 貸倒れ損失は，類似不動産の賃借人の状況等を考慮し，計上しない。

⑤ 空室等による損失相当額は，稼働率が貸室部分：95%，駐車場部分：90%であることを前提に査定する。

⑥ 賃貸事例比較法を適用する際に用いる計算式と略号は，次のとおりである（基準値：100）。

$$\underset{}{\text{賃貸事例の月額実質賃料（総額）}} \times \overset{\text{事}}{\frac{100}{\text{賃貸事例の賃貸事情に係る補正率}}} \times \overset{\text{時}}{\frac{\text{価格時点の賃料指数}}{\text{賃貸時点の賃料指数}}} \times \overset{\text{標}}{\frac{100}{\text{賃貸事例の基準住戸への標準化補正に係る評点}}} \times \overset{\text{建}}{\frac{100}{\text{賃貸事例の存する一棟全体の建物品等に係る評点}}} \times \overset{\text{地}}{\frac{100}{\text{賃貸事例の存する地域の地域要因に係る評点}}} \times \overset{\text{基}}{\frac{\text{対象不動産の基準住戸の個別的要因に係る評点}}{\text{賃貸事例の基準住戸の個別的要因に係る評点}}} \times \overset{\text{個}}{\frac{\text{対象住戸の個別的要因に係る評点}}{100}} \times \overset{\text{面}}{\frac{\text{対象不動産の賃貸面積}}{\text{賃貸事例の賃貸面積}}} = \text{手法適用により求めた賃料}$$

各項の意味と略号

事：事情補正	**地**：地域要因の比較
時：時点修正	**基**：基準住戸の個別的要因の比較
標：賃貸事例の基準住戸への標準化補正	**個**：対象住戸の個別的要因の格差修正
建：一棟全体の建物格差修正	**面**：面積の比較

(4) 総費用は次のものを計上すること。

① 修繕費は建物再調達原価の１％とする。

なお，建物再調達原価は間接法を用いて，類似性の高い（資料３－３）「建設事例の概要」の事例①・②から比準して求めること。計算式と略号は，次のとおりである（基準値：100）。

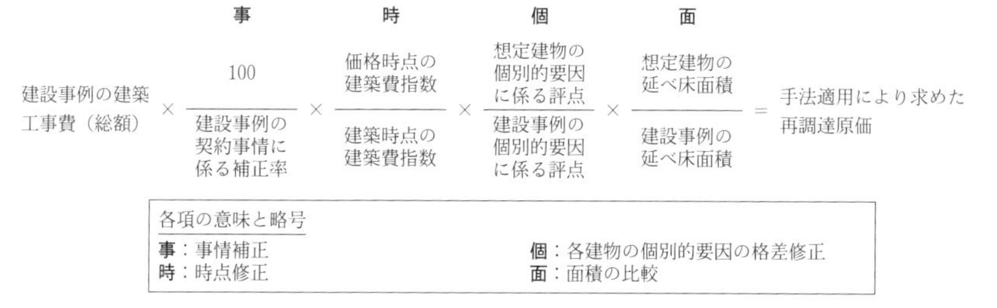

$$\text{建設事例の建築工事費（総額）} \times \overset{\text{事}}{\frac{100}{\text{建設事例の契約事情に係る補正率}}} \times \overset{\text{時}}{\frac{\text{価格時点の建築費指数}}{\text{建築時点の建築費指数}}} \times \overset{\text{個}}{\frac{\text{想定建物の個別的要因に係る評点}}{\text{建設事例の個別的要因に係る評点}}} \times \overset{\text{面}}{\frac{\text{想定建物の延べ床面積}}{\text{建設事例の延べ床面積}}} = \text{手法適用により求めた再調達原価}$$

各項の意味と略号

事：事情補正	**個**：各建物の個別的要因の格差修正
時：時点修正	**面**：面積の比較

② 維持管理費は，駐車場使用料等を含む総収益（上記(3)で査定）の３％とする。

③ 公租公課（固定資産税及び都市計画税）は，土地建物の合計4,286,800円を計上する。

④ 損害保険料は，建物再調達原価の0.1％とする。

⑤ 建物取壊費用等の積立金は，建物再調達原価の0.06％とする。

３．開発法

開発法による価格は，下記事項に従って査定すること。

(1) 対象地上の想定建物は，土地残余法で用いた建物と同一の規模・構造・用途とする。

(2) 開発スケジュールは，次のとおりとする。

① 建築着工までの準備期間は，価格時点から6か月間とする。

② 建築工事は，価格時点から6か月後に着工し，期間10か月で竣工するものとし，建築工事費は着工時点に10%，工事中間時点に10%，竣工時点に80%を計上する。

③ 分譲は着工から2か月後に開始する。分譲販売収入は竣工時販売率を80%とし，当該竣工前販売部分に係る手付金（10%（注1））は分譲開始から4か月目（平均収入時点），残金（90%（注2））は建物引渡し時（竣工時）に計上する。また，竣工時の売れ残り20%部分の分譲収入については，分譲開始から9か月目（平均収入時点）に計上する。

（注1）分譲販売収入総額の8%（80%×10%）

（注2）分譲販売収入総額の72%（80%×90%）

④ 販売費及び一般管理費は，価格時点から5か月目，13か月目にそれぞれ50%を計上する。

(3) 分譲販売収入及び建築工事費等は，次のとおりとする。

① 基準住戸（3階Bタイプ）の分譲価格は，35,700,000円（510,000円／㎡）とする。

② 分譲販売収入総額は，上記①の単価と収益還元法で査定した効用比（効用総積数）を前提に査定する。

③ 建築工事費は，分譲仕様としての建物品等格差を考慮して，収益還元法で求めた再調達原価に修正率（108%）を乗じて査定することとし，その上位4桁目を四捨五入して上位3桁を有効数字として求めること。

④ 販売費及び一般管理費は，分譲販売収入総額の15%とする。

(4) 投下資本収益率は年13%とし，複利現価率は（資料8）「複利現価率（資本収益率：年13%）」の数値を採用する。

Ⅲ．問3について

対象建物の継続利用を最有効使用と判断する場合は下記1．により建物価格を査定し，対象建物に経済的価値を認めず，取り壊して更地化することを最有効使用と判断する場合は下記2．により建物等解体撤去費を査定することとし，問2で求めた更地価格を基に鑑定評価額を決定すること。

1．建物価格

(1) 建物の再調達原価を求めるに当たっては，実際に要した建築工事費を建築費指数で時点修正する直接法を採用する。

(2) 建築費指数は（資料４）「地価指数，建築費指数及び賃貸住宅の新規賃料指数の推移」により，地価指数と同様に求めることとし，竣工時点の指数は55とする。

(3) 建物及びその敷地の積算価格は，再調達原価に減価修正を行って求めることとし，建物の減価修正は耐用年数に基づく方法のうち定額法を採用し，残価率は０とする。

２．建物等解体撤去費

(1) 対象建物等の解体撤去費については，建設業者より21,000千円（20,200円／㎡）の見積書を価格時点で取得しているが，当該見積額の妥当性を解体事例から求めた価格（注）により検証すること。

（注）（資料３－４）「解体事例の概要」の事例に，事情補正，時点修正及び要因比較等を行って査定する。

(2) 時点修正は，建築費指数を準用すること。

(3) 建物等解体撤去費は，直接解体費，発生材処理費及び仮設費等から構成され，建築物の構造・資材，敷地の形状・規模，隣接地及び前面道路の状況，建設副産物の種類と量等により変動するが，解体事例と対象不動産との要因比較は（資料３－４）「解体事例の概要」の数値（評点）を採用すること。

(4) 対象建物等の解体に伴う発生材料に市場価値は認められない。

(5) 解体撤去工事期間の逸失利益及び工事を要することに伴う市場性減価を考慮する必要はなく，取壊し最有効使用の市場価値は，更地価格から当該工事費を控除した額となる。

別紙2〔資料等〕

Ⅰ．依頼内容

対象不動産は「Z駅」の北西方約350m（道路距離）に所在する中層共同住宅（社宅）であるが，所有者である中堅メーカーの甲社が当該資産を処分することとなり，売買の参考として不動産鑑定士に鑑定評価を依頼したものである。

Ⅱ．対象不動産

1．土地　所在及び地番　W県X市Y町2丁目11番1

地　　　目　宅地

地　　　積　850.00㎡（土地登記簿〔全部事項証明書〕記載数量）

所　有　者　甲株式会社

2．建物　所　　　在　W県X市Y町2丁目11番地1

家屋番号　11番1

構造・用途　鉄筋コンクリート造陸屋根4階建　共同住宅

建築年月日　昭和49年12月1日

床　面　積　（建物登記簿〔全部事項証明書〕記載数量）

1　階	260.00㎡
2　階	260.00㎡
3　階	260.00㎡
4　階	260.00㎡
合　計	1,040.00㎡

所　有　者　甲株式会社

Ⅲ．鑑定評価の基本的事項

1．類型　自用の建物及びその敷地

2．依頼目的　売買の参考

3．鑑定評価によって求める価格の種類　正常価格

4．価格時点　平成26年8月1日

5．その他の鑑定評価の条件　ない

6．X市の状況等

(1)　位置等

①　位置及び面積　W県の東部に位置し，面積は約35㎢である。

② 沿　革　等　X市は，都心まで約10km～20kmに位置し，地形的には丘陵が多く，市西部を南北に流れる○○川沿いには田園風景が残されているが，近年は住環境が良好なベッドタウンとして大手鉄道会社により開発され，人口増加が続いている。

市北部には区画整理により計画的に開発された良好な住宅地域が広がっており，特にゾーニングされたニュータウンのエリアでは，都市と自然が調和した街づくりが進められ，大学，高校等の教育施設や各種研究施設，データセンター等が立地している。

主な交通施設としては，大手私鉄○○線がX市の中央部を東西に横断しており，Z駅等の主要駅には急行が停車し，都心へのアクセスは良好である。

X市は都心部への就業率が高く，駅周辺の利便性が良好な地域においては，このような都心就業者のファミリー層を中心とした住宅需要が大きいため，マンション供給が継続しているが，新築分譲マンションの売れ行きは好調で，賃貸マンションも空室率が低位となっている。

(2) 人口等

① 人　口　現在約30万人で，近年は社会動態，自然動態ともにプラスで推移している。

② 世帯数　約13万世帯

(3) 交通施設及び道路整備の状態

① 鉄　道　市内には大手私鉄○○線の駅が7つあり，このうちZ駅を含む3つの主要駅（急行停車駅）は乗降客数が多い。

② バ　ス　Z駅等の主要駅から郊外部へはバス路線網が充実しており，運行便数も多く，鉄道を補完している。

③ 道　路　幹線道路としては，国道○○号が鉄道に平行して東西に，県道○○線が南北に走っており，周辺都市と連絡している。市内の道路延長は約700km，舗装率は98％である。

⑷　供給処理施設の状態

①　上 水 道　普及率はほぼ100%

②　下 水 道　普及率は約98%

③　都市ガス　普及率は約95%

⑸　土地利用の状況

①　商業施設　　鉄道各駅周辺及び主要幹線道路沿いを中心に商業地域が形成されている。Z駅周辺では，駅北側のエリアを中心に，大型商業施設，金融機関，飲食店舗，各種小売店舗等が集積している。

②　住　　宅　　堅調な住宅需要を背景に，Z駅等の主要駅から徒歩圏においては中層共同住宅，バス圏においては戸建住宅を中心とした地域が形成されている。駅周辺では分譲マンションのほか，賃貸マンションも多く供給されている。

⑹　不動産市場等の状況

W県における昨今の景気は，大胆な金融政策，機動的な財政政策により緩やかに回復しており，不動産マーケットにおいても投資資金の動きが活発化し，規模や立地，用途によって格差はあるが，都市部を中心に改善傾向が認められる。

①　社宅・従業員寮の市場動向

対象不動産はファミリー層を対象とした社宅として設計された建物である。近年，企業は資産効率を重視する経営判断から，資産の有効活用や持たざる経営への転換を進め，収益性の低い社宅・従業員寮・研修所・グラウンド等の福利厚生施設を閉鎖・売却してきた。

上記のとおり，景気回復によって企業業績は改善しつつあるが，ファミリー層を対象とした企業の社宅需要は現時点では不透明であり，また，対象不動産は築後約40年を経過し，旧式化していること等から，社宅運営事業者による需要も限定的である。

②　投資用マンションの市場動向

対象不動産の構造・設計等を考慮すると，物理的にはファミリータイプの賃貸マンションへ転用が可能であり，転用を前提とした場合には，地元不動産業者等による需要が想定される。対象不動産の最寄り駅となるZ駅周辺の賃貸住宅市場を概観すると，需要は都心部へ通勤する世帯が中心であり，賃料水準も駅から徒歩圏に立地する物件は底堅く推移しているが，今後は複数の新築物件が供給される予定もあるため，旧式化した物件は空室率の上昇，賃料の下落リスクが高まり，築浅の物件と二極化が進むと考えられる。

③　開発素地の市場動向

対象不動産の所在するX市内では，近年，築年の経過した社宅・従業員寮がマンション開発のため取り壊される事例が多く認められる。これは，都市部へのアクセスや住環境の良さから，ファミリー層の需要が大きく，賃料，分譲価格とも堅調に推移しており，賃貸マンション及び分譲マンションの供給が活発となっているためである。

開発素地の需要者としては，賃貸市場のニーズに合致した建物を建設することにより安定的なテナント収入の獲得を見込むプライベート・ファンド等の不動産投資家，ファミリー層を対象とした分譲マンションを建築，販売することを目的とする中堅ディベロッパーが想定され，不動産マーケットも回復傾向にあることから，立地条件，形状・規模等の画地条件が優れた開発素地については，複数の需要者による競合が見込まれる。

（資料１）近隣地域及び類似地域の概要

対象不動産の所在する近隣地域及びその類似地域の特性を略記すれば，次のとおりである。

地　域	位置（距離は駅からの道路距離による。）	標準的な道路の状況	土地の利用状況	都市計画法等の規制で主要なもの	供給処理施設	標準的な画地規模	標準的使用
近隣地域	Ｚ駅の北西方 約350m～450m	幅員18m 舗装市道	中層共同住宅等が建ち並ぶ住宅地域	近隣商業地域 建ぺい率　80% 容積率　200% 準防火地域	上水道 下水道 都市ガス	800㎡	中層共同住宅地
Ａ 地 域	Ｚ駅の北西方 約700m～800m	幅員18m 舗装市道	中層共同住宅を中心に，駐車場等が介在する住宅地域	第２種中高層住居専用地域 建ぺい率　60% 容積率　150% 準防火地域	上水道 下水道 都市ガス	800㎡	中層共同住宅地
Ｂ 地 域	Ｚ駅の北方 約350m～450m	幅員16m 舗装市道	中層共同住宅等が建ち並ぶ住宅地域	準住居地域 建ぺい率　60% 容積率　200% 準防火地域	上水道 下水道 都市ガス	700㎡	中層共同住宅地
Ｃ 地 域	Ｚ駅の北東方 約200m～300m	幅員16m 舗装市道	中層共同住宅のほか，中層店舗付共同住宅等が見られる住宅地域	近隣商業地域 建ぺい率　80% 容積率　200% 準防火地域	上水道 下水道 都市ガス	500㎡	中層共同住宅地
Ｄ 地 域	Ｚ駅の北東方 約550m～650m	幅員18m 舗装市道	中層共同住宅，低層店舗等が混在する商住混在地域	準住居地域 建ぺい率　60% 容積率　200% 準防火地域	上水道 下水道 都市ガス	600㎡	中層店舗付共同住宅地
Ｅ 地 域	Ｚ駅の北東方 約750m～850m	幅員６m 舗装市道	低層の戸建住宅が建ち並ぶ区画整然とした住宅地域	第１種低層住居専用地域 建ぺい率　50% 容積率　80%	上水道 下水道 都市ガス	200㎡	戸建住宅地
Ｆ 地 域	Ｚ駅の南西方 約450m～550m	幅員18m 舗装市道	中層共同住宅のほか，中層店舗付共同住宅等が見られる住宅地域	準住居地域 建ぺい率　60% 容積率　200% 準防火地域	上水道 下水道 都市ガス	600㎡	中層共同住宅地
Ｇ 地 域	Ｚ駅の南東方 約350m～450m	幅員12m 舗装市道	中層共同住宅のほか，中層店舗付共同住宅等が見られる住宅地域	第１種住居地域 建ぺい率　60% 容積率　200% 準防火地域	上水道 下水道 都市ガス	600㎡	中層共同住宅地

（資料２）対象不動産，地価公示法による標準地，取引事例等の位置図

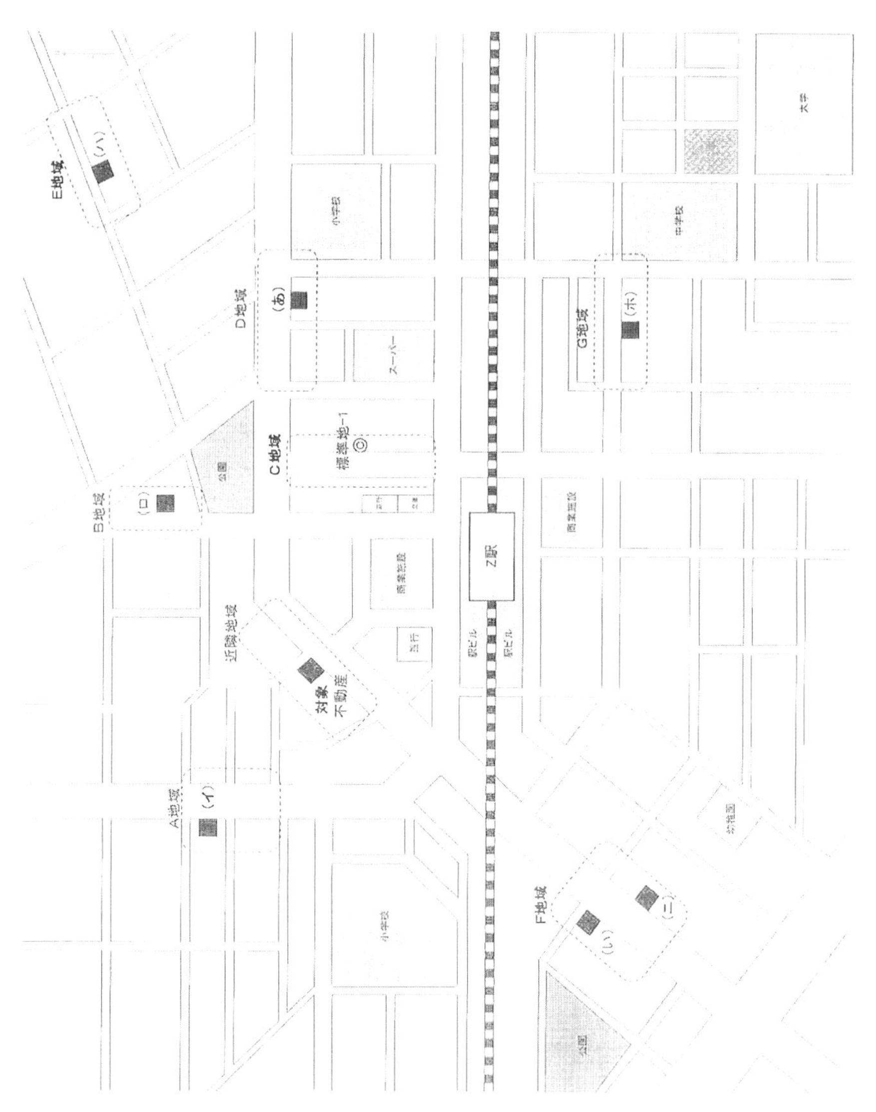

（注）この位置図は，対象不動産，取引事例等のおおむねの配置を示したもので，実際の距離，規模等を正確に示したものではない。

（資料３）対象不動産及び事例資料等の概要

（資料３－１）取引事例等の概要

事例区分	所在する地域	類型	価格時点 取引時点	公示価格 取引価格	数量等	価格時点及び取引時点における敷地の利用の状況	道路及び供給処理施設の状況	駅からの道路距離	備考
対象不動産	近隣地域	自用の建物及びその敷地	平成 26.8.1	—	土地 850㎡ 建物延床面積 1,040㎡	鉄筋コンクリート造 ４階建 共同住宅	南東側 幅員 18m 舗装市道 北東側 幅員 6.5m 舗装市道 上水道 下水道 都市ガス	Ｚ駅 北西方 約350m	—
標準地－１	Ｃ地域	更地として	平成 26.1.1	208,000円／㎡	土地 540㎡	鉄筋コンクリート造 ４階建 共同住宅	西側 幅員 16m 舗装市道 上水道 下水道 都市ガス	Ｚ駅 北東方 約250m	地価公示法第３条の規定により選定された標準地であり，利用の現況は当該標準地の存する地域における標準的使用とおおむね一致する。更地としての価格が公示されている。
取引事例(イ)	Ａ地域	自用の建物及びその敷地	平成 25.10.24	397,000,000円	土地 880㎡ 建物延床面積 1,330㎡	鉄筋コンクリート造 ４階建 共同住宅	東側 幅員 18m 舗装市道 上水道 下水道 都市ガス	Ｚ駅 北西方 約750m	企業に一括賃貸されていたが，契約終了に伴い売却された事例であり，取引に当たり特別な事情はない。
取引事例(ロ)	Ｂ地域	貸家及びその敷地	平成 25.1.15	204,000,000円	土地 1,100㎡ 建物延床面積 300㎡	鉄骨造 ２階建 共同住宅	西側 幅員 16m 舗装市道 上水道 下水道 都市ガス	Ｚ駅 北方 約400m	老朽化した建物の取壊し費用及びテナントの立退料は買主が負担したとのことであるが，詳細は不明である。
取引事例(ハ)	Ｅ地域	更地	平成 24.11.29	87,100,000円	土地 520㎡	売却に当たって整備された空地。	北西側 幅員 6ｍ 舗装市道 上水道 下水道 都市ガス	Ｚ駅 北東方 約800m	個人間で売買された事例であり，取引に当たり特別な事情はない。
取引事例(ニ)	Ｆ地域	更地	平成 25.6.18	83,400,000円	土地 425㎡	月極駐車場として暫定利用されている（更地化に当たり特段の費用及び期間は要しない）。	北西側 幅員 18m 舗装市道 上水道 下水道 都市ガス	Ｚ駅 南西方 約500m	隣接地所有者が事業目的のため，周辺の地価水準を超える水準で取得した事例である（詳細は（資料３－５）参照）。
取引事例(ホ)	Ｇ地域	更地	平成 26.3.24	122,000,000円	土地 640㎡	宅地利用に当たっては一部造成を要する空地。	北側 幅員 12m 舗装市道 上水道 下水道 都市ガス	Ｚ駅 南東方 約400m	個人が開発事業者に売却した事例であり，取引に当たり特別な事情はない。

（資料３－２）対象不動産及び取引事例に係る建物の概要

事例区分	着工時点 建築時点	建築工事費 （注１・２）	数　量　等	建物構造・用途	施工の質	価格時点又は取引時点現在の経済的残存耐用年数（注３）	設備の良否	昇降機設備の有無	空調冷暖房設備の有無	近隣地域等との適合性，建物と敷地との適応性
対象不動産	昭和 49.4着工 49.12竣工	117,000,000円	建築面積　260㎡ 延床面積　1,040㎡	鉄筋コンクリート造 ４階建 共同住宅（注４）	中級	躯体：10年 仕上：５年 設備：０年	普通	あり	あり	環境と不適合であり，敷地とも不適応である。（注４）
取引事例(イ)	平成 20.8着工 21.4竣工	293,000,000円	建築面積　350㎡ 延床面積　1,330㎡	鉄筋コンクリート造 ４階建 共同住宅	中級	躯体：45年 仕上：25年 設備：10年	普通	あり	あり	環境と適合し，敷地と適応している。
取引事例(ロ)	昭和 46.1着工 46.5竣工	不明	建築面積　150㎡ 延床面積　300㎡	鉄骨造 ２階建 共同住宅	――	――	――	――	――	環境と不適合であり，敷地とも不適応である。

（注１）特別な事情が存在しない標準的な着工時点の建築工事費である。建築工事請負契約は着工時点に締結され，その後追加工事等による金額変更はない。

（注２）建築工事費に占める躯体部分，仕上部分及び設備部分の構成割合は，いずれも40：40：20である。

（注３）価格時点において事例内容を調査した結果，建物の減価の程度は概ね経年相応である。

（注４）対象建物の状況は，下記のとおりである。

「設計等」総戸数は19戸（１階：４戸，２～４階：５戸）で，各住戸の間取りは２ＤＫ（約50㎡），主要開口部の方位は南西側である。構造的に各住戸は独立しており，賃貸マンションへの転用も可能であるが，ＤＫを除く居室がすべて和室である等，周辺で供給されている賃貸マンションと比較すると設備・仕様が劣っており，機能的陳腐化が著しい。

「耐震性」昭和56年６月の建築基準法施行令改正以前のいわゆる旧耐震基準に基づく建築物であり，平成22年に実施された耐震診断によると「耐震性能が不足しており，耐震改修が必要」と判定されている。

「修繕等」建物は平成23年10月に閉鎖されており，平成３年の外壁補修・屋上防水塗装を除いては，近年，大規模修繕・設備の更新及び仕様の変更等は実施されていない。現在，建物は機械警備により監視されているが，特段の維持管理はなされていない。

再稼働に当たっては，建物全体の給排水設備等の更新，劣化した建具交換等の全面的なリニューアル工事及び耐震改修工事が必要であり，多額の費用が見込まれるが，当該大規模修繕を行った場合にも，追加投資額に見合う収益性及び市場性の回復は困難と判断される。

（資料３－３）建設事例の概要

事例区分	所在	着工時点 建築時点	建築工事費 （注１・２）	数　量　等	建物構造及び用途	施工の質	建物竣工時点での経済的残存耐用年数	設備の良否	昇降機設備の有無	空調冷暖房設備の有無	価格時点における建物の面積以外の個別的要因に係る評点（注３）
建設事例① （注４）	Ｘ市内	平成 25.6着工 26.3竣工	431,000,000円	建築面積 350㎡ 延床面積 1,950㎡	鉄筋コンクリート造 ６階建 共同住宅	中級	躯体：50年 仕上：30年 設備：15年	普通	あり	あり	98
建設事例②	Ｘ市内	平成 25.4着工 26.2竣工	424,000,000円	建築面積 330㎡ 延床面積 1,810㎡	鉄筋コンクリート造 ６階建 共同住宅	中級	躯体：50年 仕上：30年 設備：15年	普通	あり	あり	103

（注１）特別な事情が存在しない標準的な着工時点の建築工事費である。建築工事請負契約は着工時点に締結され，その後追加工事等による金額変更はない。
（注２）建築工事費に占める躯体部分，仕上部分及び設備部分の構成割合は，いずれも40：40：20である。
（注３）対象地上に想定される賃貸仕様の建物（共同住宅）を100とした場合の比較評点である。
（注４）賃貸事例(い)が存する一棟の建物である。

（資料３－４）解体事例の概要

事例区分	所在	解体時点	解体撤去費 （注１）	数　量　等	建物構造及び用途	価格時点における建物の面積以外の個別的要因に係る評点（注２）
解体事例	Ｘ市内	平成 26.2	28,100,000円	建築面積 350㎡ 延床面積 1,380㎡	鉄筋コンクリート造 ４階建 共同住宅	103

（注１）特別な事情が存在しない標準的な着工時点の解体撤去費である。解体撤去工事請負契約は着工時点に締結され，その後追加工事等による金額変更はない。
（注２）建築物の構造・資材，敷地の形状・規模，隣接地及び前面道路の状況，建設副産物の種類と量等から生じる解体撤去費の比較評点で，対象建物を100とした場合の数値である。

（資料３－５）事例㈡の取引価格に係る事情補正資料

事例㈡は，下記のとおり，隣接地所有者が併合を目的として取得したものである。

各画地の単価は，地域の標準的な画地を100とすると，併合後の一体地は100，事例㈡は90，隣接地は95であり，事例㈡の取引価格は，一体利用により生じる増分価値を総額比で配分した額であったことが判明している。

【事例㈡概略図】

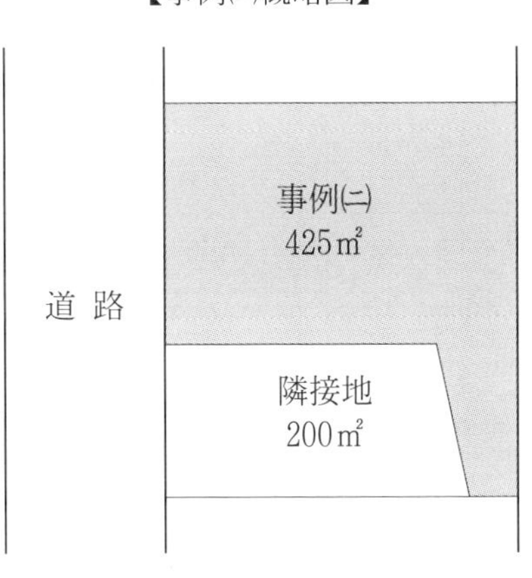

（資料３－６）賃貸事例の概要

事例区分	所在する地域	種　類	賃貸時点	支払賃料等	物件の規模等	賃貸時点における敷地の利用の状況	道路及び供給処理施設の状況	駅からの道路距離	備　考
賃貸事例(あ)	Ｄ地域	新規賃料	平成25.10.15	月額支払賃料等契約内容の詳細は，「（資料３－７）賃貸事例の契約内容等」参照のこと。	土地 650㎡ 建物延床面積 1,200㎡	鉄筋コンクリート造 ６階建 店舗付共同住宅	北側 幅員 18m 舗装市道 上水道 下水道 都市ガス	Ｚ駅 北東方 約600m	契約に当たり特別な事情は存在しない。
賃貸事例(い)	Ｆ地域	新規賃料	平成26.4.1	月額支払賃料等契約内容の詳細は，「（資料３－７）賃貸事例の契約内容等」参照のこと。	土地 870㎡ 建物延床面積 1,950㎡	鉄筋コンクリート造 ６階建 共同住宅	南東側 幅員 18m 舗装市道 北東側 幅員 6.5m 舗装市道 上水道 下水道 都市ガス	Ｚ駅 南西方 約500m	契約に当たり特別の事情は存在しない。

（資料３－７）賃貸事例の契約内容等

賃貸事例が存する地域における標準的な賃貸借の条件は，次のとおりである。

① 支払賃料は，毎月末にその月分を支払う。

② 貸室の賃貸借に当たって授受される一時金は，預り金的性格を有する敷金及び賃料の前払的性格を有する礼金の２種類である。標準的な敷金の額は月額支払賃料の２か月分であり，売買に当たって継承される。また，標準的な礼金の額は月額支払賃料の１か月分である。なお，以後の契約の更新においては，更新料等いかなる名目においても一時金の授受はない。

③ 駐車場の賃貸借においては預り金的性格を有する敷金のみが授受され，標準的な敷金の額は，月額使用料の１か月分である。

④ 敷金は，賃貸借契約終了後に返還されるが利息は付さない。

⑤ 礼金は，賃貸借契約締結後は一切返却されない。

⑥ 共益費の額については，いずれも標準的で実費相当額と認められる。

⑦ 貸室の契約期間は２年，契約の形式は書面によるものが一般的である。

⑧ 各賃借人との賃貸借契約は普通借家契約で，更新時に支払賃料等の改定協議を行うこととなっている。

賃貸事例の個別の賃貸借の条件は，次のとおりであり，いずれも賃貸借に当たり特別な事情はない。

なお，近隣地域を含む周辺地域において，類似住戸に係る賃借人の平均回転期間は５年である。

１．賃貸事例㈠

Ｄ地域内に所在する。鉄筋コンクリート造６階建共同住宅の２階部分。平成23年２月に竣工。

「賃貸人」：○○株式会社，「賃借人」：個人

「賃貸時点」：平成25年10月15日

「月額支払賃料」：173,000円，「月額共益費」：8,000円

「敷金」：月額支払賃料の２か月分，「礼金」：月額支払賃料の１か月分

「賃貸面積」：73㎡

2．賃貸事例(い)

F地域内に所在する。鉄筋コンクリート造6階建共同住宅の4階部分。平成26年3月に竣工。

「賃貸人」：○○株式会社，「賃借人」：個人

「賃貸時点」：平成26年4月1日

「月額支払賃料」：167,000円，「月額共益費」：7,000円

「敷金」：月額支払賃料の2か月分，「礼金」：月額支払賃料の1か月分

「賃貸面積」：69㎡

賃貸事例(い)の存する一棟の建物に係る月額支払賃料等は次のとおりであり（一時金の月数は全住戸同一），平成26年1月から募集を開始したが，価格時点現在では満室稼働している。

南西面（建物正面のバルコニー側より）　単位：円

	Aタイプ 角住戸・72㎡	Bタイプ 中間住戸・70㎡	Cタイプ 中間住戸・69㎡	Dタイプ 角住戸・71㎡
6階	190,000	179,000	176,000	194,000
5階	184,000	174,000	172,000	189,000
4階	179,000	169,000	167,000(事例(い))	183,000
3階	174,000	164,000(基準住戸)	162,000	178,000
2階	167,000	158,000	155,000	171,000
1階	157,000	148,000	146,000	エントランス

（資料４）地価指数，建築費指数及び賃貸住宅の新規賃料指数の推移

Ｘ市における中高層住宅地域の地価指数，中高層共同住宅（鉄筋コンクリート造）の建築費指数，対象地上の想定建物と構造・規模及び用途等が類似する同一需給圏内の賃貸住宅の新規賃料指数の推移は，次のとおりである。なお，平成26年１月１日以降の動向は，平成25年７月１日から平成26年１月１日までの推移とそれぞれ同じ傾向を示している。

区分／地域／年月日	地価指数								建築費指数	賃貸住宅の新規賃料指数
	近隣地域	Ａ地域	Ｂ地域	Ｃ地域	Ｄ地域	Ｅ地域	Ｆ地域	Ｇ地域		
平成20.1.1	−	−	−	−	−	−	−	−	100	−
平成21.1.1	−	−	−	−	−	−	−	−	98.7	−
平成22.1.1	−	−	−	−	−	−	−	−	97.6	−
平成22.7.1	−	−	−	−	−	−	−	−	96.5	−
平成23.1.1	−	−	−	−	−	−	−	−	95.5	−
平成23.7.1	−	−	−	−	−	−	−	−	94.3	−
平成24.1.1	100	100	100	100	100	100	100	100	94.6	100
平成24.7.1	101	100	100	101	101	100	101	100	95.1	99
平成25.1.1	102	101	101	103	102	101	102	101	95.9	99
平成25.7.1	103	102	102	105	104	102	103	102	97.1	99.5
平成26.1.1	105	103	104	107	106	103	105	104	98.5	100

（資料５）地域要因及び土地の個別的要因の比較

事例等／地域／比較項目	対象地	標準地−１	事　例(イ)	事　例(ロ)	事　例(ハ)	事　例(ニ)	事　例(ホ)
	近隣地域	Ｃ地域	Ａ地域	Ｂ地域	Ｅ地域	Ｆ地域	Ｇ地域
地域要因に係る評点（地）（注１）	100	105	94	101	88	99	98
個別的要因に係る評点（個）（注２）	105	100	96	100	99	90	（注３）

（注１）地域要因に係る評点（地）の比較については，近隣地域の評点を100とし，他の地域は近隣地域と比較してそれぞれの評点を付したものである。

（注２）個別的要因に係る評点（個）の比較については，それぞれの地域におい

て標準的と認められる画地の地積以外の評点を100とし，これと取引事例等に係る土地とを比較し，それぞれの評点を付したものである。

（注３）事例㈭は，宅地利用に当たり造成を要する法地部分（面積割合10%）を含むやや不整形な画地である。「標準的な画地に対する形状（やや不整形）の減価率」は－３%，「法地部分（面積割合10%）の価値率」は80%とし，事例㈭の個別的要因に係る評点を相乗積により査定すること。

（資料６）賃貸事例の賃料形成要因の比較

補正項目＼事例等	対象地上の想定建物	賃貸事例㈠	賃貸事例㈡
一棟全体の建物に係る評点（建）（注１）	100	103	98
地域要因に係る評点（地）（注２）	100	97	99
基準住戸の格差に係る評点（基）（注３）	100	100	100
個別的要因に係る評点（個）（標）（注４）	100	97	103

（注１）一棟全体の建物に係る評点（建）は，対象地上の想定建物（一棟全体の建物）の評点を100とし，賃貸事例の存する一棟全体の建物の比較評点を付したものである。

（注２）地域要因に係る評点（地）は，近隣地域の評点を100とし，賃貸事例の存する地域は近隣地域と比較してそれぞれの評点を付したものである。

（注３）基準住戸の格差に係る評点（基）は，対象地上の想定建物の基準住戸を100とした場合の賃貸事例の基準住戸の比較評点を示している。なお，対象地上の想定建物及び賃貸事例ともに基準階を３階としている。

（注４）個別的要因に係る評点（個）及び（標）は，対象地上の想定建物及び賃貸事例の各々の基準階における基準住戸との比較評点を示している。

（資料７）還元利回り等

土地残余法の適用に当たっては，以下の数値を用いること。

① 一時金の運用利回り：年2.0％

② 年賦償還率：0.2122（運用利回り2.0％，平均回転期間５年）

③ 土地・建物の基本利率（割引率） r ：年5.2％

④ 賃料変動率 g ：年0.3％

⑤ 未収入期間修正率 α ：0.9326（未収入期間16か月，土地純収益の継続期間50年）

⑥ 元利逓増償還率：基本利率（割引率），賃料の変動率及び経済的耐用年数に基づいて躯体部分，仕上部分，設備部分の元利逓増償還率を下表より確定し，それぞれの構成割合により加重平均して建物全体の数値を求めること。なお，当該数値は小数点以下第５位を四捨五入し，小数点以下第４位まで算定すること。

（ r ：5.2％， g ：0.3％）

年数 n	元利逓増償還率	年数 n	元利逓増償還率
５年	0.2309	30年	0.0644
10年	0.1292	35年	0.0604
15年	0.0959	40年	0.0575
20年	0.0797	45年	0.0555
25年	0.0704	50年	0.0540

（資料８）複利現価率（資本収益率：年13%）

月数	複利現価率	月数	複利現価率
1	0.9899	11	0.8940
2	0.9798	12	0.8850
3	0.9699	13	0.8760
4	0.9601	14	0.8671
5	0.9504	15	0.8583
6	0.9407	16	0.8496
7	0.9312	17	0.8410
8	0.9218	18	0.8325
9	0.9124	19	0.8241
10	0.9032	20	0.8157

（資料９）対象地上の想定建物

対象地上に想定される最有効使用の建物は以下のとおりである。なお，賃貸仕様の建物と分譲仕様の建物は，建物品等の格差から建築工事費が異なるが，規模・構造等は同一である。

① 敷地面積：850㎡
② 有効面積：850㎡
③ 構造・用途：鉄筋コンクリート造陸屋根６階建・共同住宅
④ 戸数：23戸
⑤ 建築面積：350㎡
⑥ 延床面積：1,930㎡
⑦ 専有面積：1,614㎡
⑧ 駐車場台数：18台（機械式３段）
⑨ 駐車場設置率：78%
⑩ 各住戸の配置状況：下図のとおり

6階	601 Aタイプ 73㎡	602 Bタイプ 70㎡	603 Cタイプ 66㎡	604 Dタイプ 72㎡
5階	501 Aタイプ 73㎡	502 Bタイプ 70㎡	503 Cタイプ 66㎡	504 Dタイプ 72㎡
4階	401 Aタイプ 73㎡	402 Bタイプ 70㎡	403 Cタイプ 66㎡	404 Dタイプ 72㎡
3階	301 Aタイプ 73㎡	302 Bタイプ 70㎡（基準住戸）	303 Cタイプ 66㎡	304 Dタイプ 72㎡
2階	201 Aタイプ 73㎡	202 Bタイプ 70㎡	203 Cタイプ 66㎡	204 Dタイプ 72㎡
1階	101 Aタイプ 73㎡	102 Bタイプ 70㎡	103 Cタイプ 66㎡	エントランスホール

解答例

問1

I．最有効使用の判定

1．市場動向

⑴ 社宅

対象不動産はファミリー層を対象とした社宅として設計された建物であるが，近年，企業は収益性の低い社宅等の福利厚生施設を閉鎖・売却していること，対象不動産は築後約40年が経過し，旧式化していること等から，現況の社宅としての需要は僅少である。

⑵ 投資用マンション

対象不動産は，物理的にはファミリータイプの賃貸マンションへの転用が可能であるが，複数の新築物件の供給が予定されていること等から，対象不動産のように旧式化した物件に対する用途変更を前提とした需要も少ないものと思われる。

⑶ 開発素地

近年，賃貸マンション及び分譲マンションの供給が活発で，立地条件や画地条件の優れた開発素地については，プライベートファンド等の不動産投資家や中堅ディベロッパー等，複数の需要者による競合が見込まれる。

以上により，対象不動産については，開発素地としての需要が最も強いものと考えられる。

2．個別分析

⑴ 設計等

賃貸マンションへの転用は可能だが，機能的陳腐化が著しい。

⑵ 耐震性

旧耐震基準に基づく建物で，耐震改修を要する。

⑶ 修繕等

近年，適切な維持管理・修繕等がされておらず，再稼働に当たっては大規模なリニューアル工事等を要するが，当該工事費用に見合う収益性及び市場性の回復は困難と判断される。

3．対象不動産の最有効使用

(1) 更地として

中層共同住宅の敷地としての使用と判定した。

(2) 建物及びその敷地

現況建物を取壊して更地化することと判定した。

Ⅱ．鑑定評価の方針

対象不動産は自用の建物及びその敷地だが，最有効使用は現況建物を取壊すことと判定されている。したがって，まず敷地部分の最有効使用に基づく更地としての価格を求め，これから建物取壊し費用を控除して，鑑定評価額を決定する。

問2

A．更地価格の査定

指示事項により，取引事例比較法，土地残余法及び開発法を適用して更地価格を査定する。

Ⅰ．比準価格

事例適格4要件を具備する取引事例(イ)，(ニ)及び(ホ)を採用して比準価格を査定する。

※ 不採用事例とその理由

・事例(ロ)：買主負担の建物取壊し費用及びテナント立退料が不明で，更地の事例資料を求められない。

・事例(ハ)：地域の特性及び最有効使用が異なり，代替性を欠いている。

1．事例(イ)

複合不動産の取引事例であるが，敷地が最有効使用の状態にあるので，配分法を適用して更地の事例資料を求める。

※ 建物価格の査定（原価法を準用）

① 再調達原価

$$293{,}000\text{千円} \times \underset{\text{事}}{\frac{100}{100}} \times \underset{\text{時}*}{\frac{97.8}{99.2}} \fallingdotseq 289{,}000\text{千円}\ (217{,}000\text{円}/\text{m}^2)$$

＊建築費指数採用

② 減価修正

・耐用年数に基づく方法（定額法採用，残価率０）

躯体　：$289{,}000千円\times 0.40\times\frac{5}{5+45} = 11{,}560千円$

仕上げ：$289{,}000千円\times 0.40\times\frac{5}{5+25} \fallingdotseq 19{,}267千円$

設備　：$289{,}000千円\times 0.20\times\frac{5}{5+10} \fallingdotseq 19{,}267千円$

計　50,094千円

・観察減価法

経年相応の減価と判断し，耐用年数に基づく方法による減価額と同額と査定。

・減価額

二方法を併用し，建物の減価額を50,094千円と査定した。

③ 事例建物価格

$289{,}000千円 - 50{,}094千円 \fallingdotseq 239{,}000千円$

※ 更地価格

$397{,}000千円 - 239{,}000千円 = 158{,}000千円$

$$158{,}000千円\times\underset{事}{\frac{100}{100}}\times\underset{時*}{\frac{104.2}{102.5}}\times\underset{標}{\frac{100}{96}}\times\underset{地}{\frac{100}{94}}\times\underset{個}{\frac{105}{100}}\times\underset{面}{\frac{850}{880}} \fallingdotseq 181{,}000千円$$

（213,000円／㎡）

＊ 時点修正率査定根拠（地価指数採用）

価格時点（H26．8．1）$\left\{\left(\frac{103}{102}-1\right)\times\frac{7}{6}+1\right\}\times 103 \fallingdotseq 104.2$

取引時点（H25．10．24）$\left\{\left(\frac{103}{102}-1\right)\times\frac{3}{6}+1\right\}\times 102 \fallingdotseq 102.5$

以下，同様の方法により査定し，根拠の記述は省略。

２．事例㈡

隣接地の併合利用を目的とした限定価格水準での取引事例であるが，指示事項より適正な価格に補正可能であるので，以下のとおり事情補正率を求め，採用する。

※ 事情補正率の査定

指示事項により，限定価格の評価方法を準用して事情補正率を査定する。

1．各画地の評点積数

・事例地　：　90×425㎡　＝　38,250

・隣接地　：　95×200㎡　＝　19,000

・一体地　：100×625㎡　＝　62,500

2．併合による増分価値

62,500－（38,250＋19,000）＝　5,250

3．増分価値のうち事例地への配分額（総額比）

$$5,250\times\frac{38,250}{38,250+19,000}\fallingdotseq 3,508$$

4．事情補正率（評点）

$$\frac{38,250+3,508}{38,250}\times 100\fallingdotseq 109$$

事　時　標　地　個　面

$$83,400\text{千円}\times\frac{100}{109}\times\frac{107.4}{102.8}\times\frac{100}{90}\times\frac{100}{99}\times\frac{105}{100}\times\frac{850}{425}\fallingdotseq 188,000\text{千円}$$

（221,000円／㎡）

3．事例(ホ)

事　時　標＊　地　個　面

$$122,000\text{千円}\times\frac{100}{100}\times\frac{106.4}{104.7}\times\frac{100}{95}\times\frac{100}{98}\times\frac{105}{100}\times\frac{850}{640}\fallingdotseq 186,000\text{千円}$$

（219,000円／㎡）

＊　個別的要因の補正率（相乗計算）

形状　法地

{(100－３）／100} × {(100－20×0.10）／100} ≒ 95

4．比準価格

以上により３価格が得られた。

事例(イ)は複合不動産に係る事例で，取引時点もやや古く，規範性はやや劣る。

事例(ニ)は隣地併合に係る事情補正を要する事例で，取引時点が古く，規模も異なり，規範性は劣る。

事例(ホ)は更地の事例で，取引時点も新しく，最も規範性が高い。

よって本件では，事例㈭を重視し，事例㈠を比較考量し，事例㈡は参考にとどめ，比準価格を185,000千円（218,000円／㎡）と査定した。

Ⅱ．土地残余法による収益価格

対象地上に共同住宅を建築して賃貸することを想定し，土地帰属純収益を還元利回りで還元して収益価格を査定する。

1．純収益

⑴　総収益

①　貸室賃料収入

賃貸事例比較法を準用し，想定建物の基準住戸（3階Bタイプ住戸）の実質賃料を求めてから支払賃料を算出し，当該支払賃料単価に想定建物に係る効用総積数を乗じて，建物全体の貸室賃料収入を査定する。

a．基準住戸の実質賃料

新規契約に係る賃貸事例㈤及び㈥を採用し，比準賃料を査定する。

(a)　事例㈤

実際実質賃料：173,000円＋(173,000円×2[*1]×0.02＋173,000円×1[*2]×0.2122）÷12ヶ月 ≒176,636円

＊1　敷金を預り的性格の一時金と判断し，指示事項により運用利回りとして2.0%を採用。

＊2　礼金を賃料の前払的性格の一時金と判断し，指示事項により上記運用利回り及び賃借人の平均回転期間（5年）に基づく年賦償還率として0.2122を採用。

	事	時＊	標	建	地	基	個	面	
176,636円	× 100/100	× 100.6/99.7	× 100/97	× 100/103	× 100/97	× 100/100	× 100/100	× 70/73	≒ 176,000円

$$176{,}636\text{円}\times\frac{100}{100}\times\frac{100.6}{99.7}\times\frac{100}{97}\times\frac{100}{103}\times\frac{100}{97}\times\frac{100}{100}\times\frac{100}{100}\times\frac{70}{73}\fallingdotseq 176{,}000\text{円}$$

（2,510円／㎡）

＊新規賃料指数採用

(b)　事例㈥

実際実質賃料：167,000円＋（167,000円×2×0.02＋167,000円×1×0.2122）÷12ヶ月 ≒170,510円

事　時　標　建　地　基　個　面

$$170{,}510円\times\frac{100}{100}\times\frac{100.6}{100.3}\times\frac{100}{103}\times\frac{100}{98}\times\frac{100}{99}\times\frac{100}{100}\times\frac{100}{100}\times\frac{70}{69}\fallingdotseq 174{,}000円$$

（2,490円／㎡）

(c)　基準住戸の実質賃料

事例(あ)は築年がやや経過しており，規範性はやや劣る。

事例(い)はほぼ新築の事例で，賃貸時点も新しく，規模も類似しており，規範性が高い。

よって本件では，事例(い)を重視し，事例(あ)を比較考量し，比準賃料を174,000円（2,490円／㎡）と査定し，これをもって基準住戸の実質賃料とした。

b．基準住戸の支払賃料（支払賃料をαとおく）

α＋（α×２ヶ月×0.02＋α×１ヶ月×0.2122）÷12ヶ月

＝ 174,000円

α ≒ 170,000円（2,430円／㎡）

c．効用総積数

(a)　想定建物の階層別効用比及び位置別効用比

指示事項により，賃貸事例(い)の存する一棟の建物内の各住戸の賃料単価比をもって，想定建物の階層別効用比及び効用比として採用する。なお，一時金に係る条件が全住戸同一であることから，支払賃料単価を用いて査定する。

ア．階層別効用比（Ｂタイプ住戸につき，３階を100として査定）

階	支払賃料	面積	単価	階層別効用比
6	179,000円	70㎡	2,557円／㎡	109
5	174,000円	70㎡	2,486円／㎡	106
4	169,000円	70㎡	2,414円／㎡	103
3	164,000円	70㎡	2,343円／㎡	100
2	158,000円	70㎡	2,257円／㎡	96
1	148,000円	70㎡	2,114円／㎡	90

イ．位置別効用比（3階部分につき，Bタイプ住戸を100として査定）

タイプ	支払賃料	面積	単価	位置別効用比
A	174,000円	72㎡	2,417円／㎡	103
B	164,000円	70㎡	2,343円／㎡	100
C	162,000円	69㎡	2,348円／㎡	100
D	178,000円	71㎡	2,507円／㎡	107

(b) 効用総積数

階層別効用比	位置別効用比×専有面積	
6階：109×	(103×73㎡＋100×70㎡＋100×66㎡＋107×72㎡)≒	3,141,707
5階：106×	(〃)≒	3,055,238
4階：103×	(〃)≒	2,968,769
3階：100×	(〃)≒	2,882,300
2階：96×	(〃)≒	2,767,008
1階：90×	(103×73㎡＋100×70㎡＋100×66㎡)≒	1,900,710
	効用総積数	16,715,732

d．建物全体の貸室賃料収入

$$2,430円／㎡ \times \frac{16,715,732}{100\times100} \fallingdotseq 4,061,923円$$

4,061,923円×12ヶ月 ＝ 48,743,076円

② 駐車場使用料収入

17,000円×18台 ＝ 306,000円

306,000円×12ヶ月 ＝ 3,672,000円

③ 合計

①＋② ＝ 52,415,076円

④ 貸倒れ損失

指示事項により計上しない。

⑤ 空室等による損失相当額

48,743,076円×0.05＋3,672,000円×0.10 ＝ 2,804,354円

⑥ 有効総収益

③－（④＋⑤）＝ 49,610,722円

⑦　一時金の運用益等

貸　室：（4,061,923円×２ヶ月×0.02＋4,061,923円×１ヶ月×0.2122）×0.95≒ 973,196円

駐車場：（306,000円×1ヶ月×0.02）×0.90 ≒ 5,508円

973,196円＋5,508円 ＝ 978,704円

⑧　総収益

⑥＋⑦ ＝ 50,589,426円

(2)　総費用

①　修繕費

※　想定建物に係る再調達原価

建設事例①及び②を採用し，再調達原価を査定する。

a．事例①

$$\overset{}{431{,}000\text{千円}}\times\underset{事}{\frac{100}{100}}\times\underset{時^*}{\frac{100.2}{96.9}}\times\underset{品}{\frac{100}{98}}\times\underset{面}{\frac{1{,}930}{1{,}950}}\fallingdotseq 450{,}000\text{千円}$$

（233,000円／㎡）

＊　建築費指数採用

b．事例②

$$424{,}000\text{千円}\times\underset{事}{\frac{100}{100}}\times\underset{時}{\frac{100.2}{96.5}}\times\underset{品}{\frac{100}{103}}\times\underset{面}{\frac{1{,}930}{1{,}810}}\fallingdotseq 456{,}000\text{千円}$$

（236,000円／㎡）

c．再調達原価

建築時点が相対的に新しく，規模，品等も類似する事例①を重視し，再調達原価を452,000千円（234,000円／㎡）と査定した。

452,000千円×0.01 ＝ 4,520,000円

②　維持管理費

50,589,426円×0.03 ≒ 1,517,683円

③　公租公課

指示事項より，4,286,800円

④　損害保険料

452,000千円×0.001 ＝ 452,000円

⑤　建物取壊費用等の積立金

452,000千円×0.0006 ＝ 271,200円

⑥　総費用

①～⑤計　11,047,683円（経費率約22%で妥当と判断）

(3)　純収益

(1)－(2) ＝ 39,541,743円

(4)　建物帰属純収益

452,000千円×0.0665[*] ＝ 30,058,000円

＊　建物の還元利回り（元利逓増償還率）

躯体		仕上		設備	
0.0540×0.40	＋	0.0644×0.40	＋	0.0959×0.20	≒ 0.0665

(5)　土地帰属純収益

(3)－(4) ＝ 9,483,743円

(6)　未収入期間考慮後土地帰属純収益

(5)×0.9326 ≒ 8,844,539円

2．還元利回り

5.2%－0.3% ＝ 4.9%

3．収益価格

以上より，土地帰属純収益を還元利回りで還元して，収益価格を以下のとおり査定した。

1．÷ 2．≒ 181,000千円（213,000円／㎡）

Ⅲ．開発法による価格

最有効使用のマンション開発計画を想定し，開発法による価格を試算する。

1．分譲販売総収入

(1)　基準住戸の販売価格

指示事項より，35,700千円（510,000円／㎡）

(2)　効用総積数

前記Ⅱ．土地残余法より，16,715,732

(3)　分譲販売総収入

$$510{,}000\text{円／㎡} \times \frac{16{,}715{,}732}{100 \times 100} = 852{,}502{,}332\text{円}$$

2．開発諸費用等

⑴ 建築工事費

452,000千円×1.08 ≒ 488,000千円

⑵ 販売費及び一般管理費

852,502,332円×0.15 ≒ 127,875,350円

3．投下資本収益率

指示事項より，年13.0%

4．開発法による価格

以上より，分譲販売収入の複利現価の合計から開発諸費用の複利現価の合計を控除して，開発法による価格を以下のとおり査定した。

（開発スケジュール）

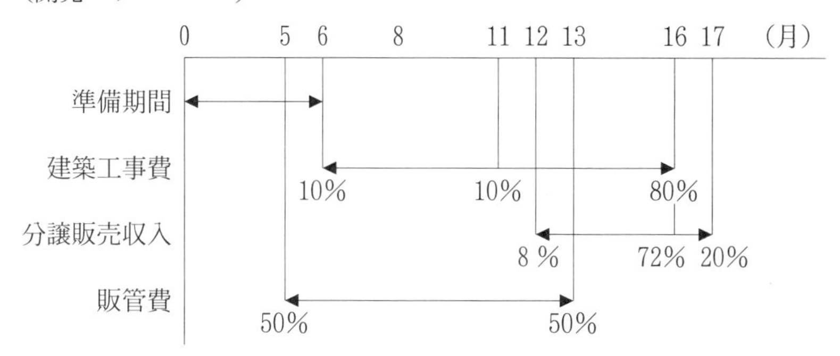

項目		金額（円）	割合	割引期間（月）	複利現価率	複利現価（円）
収入	分譲販売収入	68,200,187	8%	12	0.8850	60,357,165
		613,801,679	72%	16	0.8496	521,485,906
		170,500,466	20%	17	0.8410	143,390,892
		計 852,502,332				（a）計 725,233,963
支出	建築工事費	48,800,000	10%	6	0.9407	45,906,160
		48,800,000	10%	11	0.8940	43,627,200
		390,400,000	80%	16	0.8496	331,683,840
	販売費及び一般管理費	63,937,675	50%	5	0.9504	60,766,366
		63,937,675	50%	13	0.8760	56,009,403
						（b）計 537,992,969

開発法による価格：（a）－（b） ≒ 187,000千円（220,000円／㎡）

Ⅳ．公示価格を規準とした価格

（標準地－１）

$$208{,}000円／㎡\times\frac{109.4}{107.0}\times\frac{100}{100}\times\frac{100}{105}\times\frac{105}{100}\times850㎡ \fallingdotseq 181{,}000千円$$

（時　標　地　個）

（213,000円／㎡）

Ⅴ．更地価格の査定

以上により　Ⅰ．比準価格　185,000千円（218,000円／㎡）
　　　　　　Ⅱ．収益価格　181,000千円（213,000円／㎡）
　　　　　　Ⅲ．開発法による価格　187,000千円（220,000円／㎡）

の３価格を得た。

比準価格は，市場性に着目し，現実の市場で実際に発生した取引事例との比較によって求めたものであり，本件では，特に対象不動産と代替性が強く認められる共同住宅用地に係る取引事例や，取引時点の新しい取引事例を複数採用しており，客観的かつ実証的な価格が得られた。

土地残余法による収益価格は，対象地の収益性に着目して求めたものであり，本件では賃貸住宅市場の需給動向等を十分勘案のうえ，６階建の賃貸マンションを想定しており，投資家の観点に立つ理論的価格が得られた。

開発法による価格は，開発事業者の期待する事業採算性に着目して求めたものであり，本件では分譲マンションの市場動向等を十分勘案のうえ，最有効使用の６階建の分譲マンション開発計画を想定しており，対象不動産の個別性を十分反映した価格が得られた。

対象不動産の所在するＸ市内では，近年，マンション開発が活発化しており，立地条件や画地条件の優れた開発素地については，プライベートファンド等の不動産投資家や中堅ディベロッパー等，複数の需要者による競合が見込まれる。このような中，対象不動産に係る典型的な需要者は開発事業者と想定され，当該需要者の期待する投資採算性が個別具体的に反映された開発法による価格の説得力が最も高いものと判断される。また，取引価格にも当該市場の特性は反映されていることから，比準価格の説得力も相応に高いものと判断される。

よって本件では，開発法による価格を重視し，比準価格を関連づけ，収益価格を比較考量し，公示価格を規準とした価格との均衡にも留意のうえ，更地価格を186,000千円（219,000円／㎡）と査定した。

問3

B．鑑定評価額の決定

Ⅰ．建物取壊し費用

1．建設業者による見積額

21,000千円（20,200円／㎡）

2．解体事例から求めた価格

$$28{,}100\text{千円}\times\overset{\text{事}}{\frac{100}{100}}\times\overset{\text{時}}{\frac{100.2}{98.7}}\times\overset{\text{品}}{\frac{100}{103}}\times\overset{\text{面}}{\frac{1{,}040}{1{,}380}}\fallingdotseq 20{,}900\text{千円}（20{,}100\text{円}／\text{m}^2）$$

3．建物取壊し費用

上記解体事例から求めた価格との均衡を得ていることから，建設業者による見積額21,000千円（20,200円／㎡）をもって対象建物の取壊し費用と査定した。

Ⅱ．鑑定評価額

以上より，対象不動産の更地としての価格から建物取壊し費用を控除し，鑑定評価額を165,000千円と決定した。

186,000千円－21,000千円 ＝ 165,000千円

以　上

解　説

本問の類型は建物取壊しが最有効使用の「自用の建物及びその敷地」である。

問1は，対象不動産に係る市場動向や現況建物の状況等に関する記述を資料の中から適宜抜粋し，「建物取壊し」が最有効使用であるという結論を明確に示すこと。評価方針についても，余計な説明等はせずに，「鑑定評価額＝更地価格－建物取壊し」を明確に示せば十分である。問2のボリュームを考慮し，ここでは速やかに解答を済ませる必要がある。

問2は，取引事例比較法，土地残余法及び開発法の3手法を併用して更地価格を求めるもので，相当ボリュームがある。

特に土地残余法は，3手法のうち最もボリュームがあり，賃貸事例比較法によ

る基準住戸の正常賃料査定，事例建物に係る各住戸の賃料単価による階層別・位置別効用比の査定，効用総積数を用いた建物全体の賃料収入の査定等，手間のかかる計算論点が多い。

更地価格の査定に当たっては，「試算価格の調整」と同様に，各価格の再吟味と，各価格の説得力について言及し，重み付けを行うこと。

問3は，建物取壊し費用の見積額の妥当性について，解体事例から求めた価格によって検証してから，鑑定評価額を「更地価格－建物取壊し費用」によって決定する。

MEMO

◇ 平成27年度・演習

問題　別紙２〔資料等〕に記載の不動産（Ⅱ．に係る対象不動産）について，別紙１〔指示事項〕及び別紙２〔資料等〕に基づき，不動産の鑑定評価に関する次の問に答えなさい。

問１　対象不動産の類型及び求めるべき価格の種類について説明しなさい。

問２　対象不動産の更地価格を求めなさい。

問３　対象不動産の借地権価格（正常価格）を求めなさい。

問４　対象不動産の底地価格（正常価格）を求めなさい。

問５　問２から問４で求めた結果をもとに，対象不動産の鑑定評価額を決定しなさい。

別紙１〔指示事項〕

Ⅰ．共通事項

1．問2から問5における各手法の適用の過程で求める数値は，別に指示がある場合を除き，小数点以下第1位を四捨五入し，整数で求めること。ただし，取引事例等から比準した価格，公示価格を規準とした価格，各手法を適用して査定した試算価格及び鑑定評価額については，上位4桁目を四捨五入して上位3桁を有効数字として取り扱うこと。

(例) 1,234,567円　→　1,230,000円

2．消費税及び地方消費税は，各手法の適用の過程において考慮せず，各資料の数値を前提に計算すること。

3．対象不動産及び取引事例等については，土壌汚染，埋蔵文化財及び地下埋設物に関して価格形成に影響を与えるものは何ら存しないことが判明している。また，対象不動産及び取引事例等に係る建物部分において，吹付けアスベスト，PCB等の有害物質の使用又は保管はないことが確認されている。

4．土地及び建物の数量は，土地登記簿〔全部事項証明書〕及び建物登記簿〔全部事項証明書〕記載数量によること。

5．対象不動産は，不動産鑑定評価基準各論第3章の証券化対象不動産ではない。よって，同章の規定は適用せずに鑑定評価を行うこと。

Ⅱ．問1について

価格の種類については，鑑定評価の依頼内容及び依頼目的との関連に留意し具体的に説明すること。

Ⅲ．問2について

1．更地価格は，取引事例比較法を適用して求めること（適用しない手法について不適用の理由の記載は不要）。

2．取引事例比較法の適用に当たっては，下記事項に留意すること。

① 別紙2Ⅷ「対象不動産及び事例資料等の概要」に記載の各事例から，下記事例の選択要件に照らして選択した事例を用いて比準価格を求めること（取引事例の選択要件については記載不要）。

（事例の選択要件）

取引事例は，原則として近隣地域又は同一需給圏内の類似地域に存する不動産から選択するものとし，必要やむを得ない場合には近隣地域の周辺の地域に存する不動産から，対象不動産の最有効使用が標準的使用と異なる場合等には，同一需給圏内に存し対象不動産と代替，競争等の関係が成立していると認められる不動産から選択するものとするほか，次の要件の全部を備えなければならない。

ⅰ 取引事情が正常なものと認められるものであること又は正常なものに補正することができるものであること。

ⅱ 時点修正をすることが可能なものであること。

ⅲ 地域要因の比較及び個別的要因の比較が可能なものであること。

② 事例の事情その他の内容は，別紙2（Ⅷ－1）「対象不動産及び取引事例等の概要」及び別紙2（Ⅷ－3）「対象不動産及び取引事例等に係る地域要因及び土地の個別的要因の比較」の記載事項より判断すること。

③ 比準価格を求める場合の計算式と略号は，次のとおりである（基準値：100)。

事　時　標　地　個　面

$$\text{取引事例における土地価格（更地としての価格）（総額）}\times\frac{100}{\text{取引事例の取引事情に係る補正率}}\times\frac{\text{価格時点の地価指数}}{\text{取引時点の地価指数}}\times\frac{100}{\text{取引事例の個別的要因に係る評点}}\times\frac{100}{\text{取引事例の存する地域の地域要因に係る評点}}\times\frac{\text{対象地の個別的要因に係る評点}}{100}\times\frac{\text{対象地の面積}}{\text{取引事例の面積}}=\text{手法適用により求めた価格}$$

各項の意味と略号

事：事情補正	**地**：地域要因の比較
時：時点修正	**個**：対象地の個別的要因の格差修正
標：取引事例の個別的要因の標準化補正	**面**：面積の比較

④　地価指数の計算上の留意点は，次のとおりである。

i　地価指数の計算における経過期間（月数）の算定については，次の例のとおり，起算日（即日）の属する月を含めず，期間の末日（当日）の属する月を含めて計算すること。

（例）平成27年３月31日から平成27年８月１日までの期間の月数は，５か月平成27年４月１日から平成27年８月１日までの期間の月数は，４か月

ii　地価指数は，別紙２Ⅸ.「地価指数及び建築費指数の推移」により求め，少なくとも１つの取引事例について，価格時点及び取引時点の地価指数の計算過程を明らかにすること。地価指数計算上の特定の時点の指数は，次の例のとおり算定することとし，小数点以下第２位を四捨五入し，小数点以下第１位まで求めること。

（例）平成27年１月１日の指数を100，平成27年７月１日の指数を102として，取引時点である平成27年５月31日の指数を求める場合。

$$\left\{\left[\frac{\text{平成27年７月１日の指数(102)}}{\text{平成27年１月１日の指数(100)}}-1\right]\times\frac{\text{平成27年１月１日～平成27年５月31日の月数(４)}}{\text{平成27年１月１日～平成27年７月１日の月数(６)}}+1\right\}\times\text{平成27年１月１日の指数(100)}$$

≒求める時点の指数(101.3)（小数点以下第２位を四捨五入）

⑤　土地の要因格差は，別紙２（Ⅷ－３）「対象不動産及び取引事例等に係る地域要因及び土地の個別的要因の比較」の数値を用いること。

⑥　取引事例が建物及びその敷地で配分法の適用が可能な場合は，配分法を用いて，更地価格を査定した上で比準すること（建物資料は，別紙２（Ⅷ－２）「取引事例に係る建物の概要」によること）。配分法の適用に当たっては，次の点に留意すること。

i　建物の再調達原価は，実際に要した建築工事費を建築費指数で時点修

正する直接法を採用すること。なお，建物の再調達原価及び求めた建物価格については，上位4桁目を四捨五入して上位3桁を有効数字として取り扱うこと。

ii　建築費指数は別紙2 Ⅸ.「地価指数及び建築費指数の推移」により，地価指数と同様に求めること。

iii　建物の減価修正において耐用年数に基づく方法を適用する場合は，定額法を採用し，残価率は0とすること。

iv　建物の経過年数を算定する場合における端数（1年未満）のうち，1か月以上経過したものについては，経過期間を1年に切り上げること。

3．更地価格の査定に当たっては，公示価格を規準とした価格との均衡に留意すること。公示価格を規準とした価格を求める場合の計算式と略号は，次のとおりである（基準値：100）。

$$\text{公示価格} \times \overset{\textbf{時}}{\frac{\text{価格時点の地価指数}}{\text{公示価格の価格時点の地価指数}}} \times \overset{\textbf{標}}{\frac{100}{\text{公示地の個別的要因に係る評点}}} \times \overset{\textbf{地}}{\frac{100}{\text{公示地の存する地域の地域要因に係る評点}}} \times \overset{\textbf{個}}{\frac{\text{対象地の個別的要因に係る評点}}{100}} \times \text{対象地の面積} = \text{公示価格を規準とした価格}$$

各項の意味と略号

時：時点修正　　**地**：地域要因の比較
標：公示地の個別的要因の標準化補正　　**個**：対象地の個別的要因の格差修正

Ⅳ．問3について

1．借地権価格については，第三者間取引における正常価格を不動産鑑定評価基準に則った手法を用いて求めること。なお，収益還元法（土地残余法）は適用しないものとする（不適用の理由についての記載は不要）。

2．取引事例比較法を適用する場合は，Ⅲ．2．の更地価格についての指示事項を準用することとするが，下記事項に留意すること。

①　地域要因の比較に当たって，取引事例の存する地域の地域要因に係る評点は，次の例のとおり算定すること。

（例）土地についての地域要因に係る評点が107（注1），借地権についての地域要因に係る評点が97（注2）である取引事例の地域要因に係る評点（地）を求める場合。

取引事例の存する地域の地域要因に係る評点（地）

＝土地についての地域要因に係る評点（107）×借地権についての地域

要因に係る評点（97）÷100 ＝ 104（小数点以下四捨五入）

（注１）：別紙２（Ⅷ－３）に基づき査定すること。

（注２）：別紙２（Ⅷ－５）に基づき査定すること。

② 個別的要因の比較に当たって，対象不動産及び取引事例の個別的要因に係る評点は，上記①に準じて算定すること。

③ 時点修正に当たっては，地価指数を用いることとし，Ⅲ．２．④と同様に求めること。

３．借地権の設定契約に基づく賃料差額のうち取引の対象となっている部分を還元して価格を求める手法（以下「賃料差額還元法」という。）を適用する場合は，下記事項に留意すること。

① 賃料差額は，対象不動産の経済価値に即応した適正な実質賃料（年額）から，実際支払賃料（年額）を控除して求めること。

② 対象不動産の経済価値に即応した適正な実質賃料は，積算法により求めること。

ⅰ 基礎価格は問２で求めた更地価格に基づくこと。なお，宅地の最有効使用を制約するような借地条件は認められない。

ⅱ 期待利回りは3.5%とすること。

ⅲ 必要諸経費等は土地の公租公課のみとし，別紙２（Ⅷ－６）「対象不動産に係る固定資産税・都市計画税納税通知書の抜粋」に基づき，実額（100円未満切捨）を算定の上，計上すること。

③ 賃料差額還元法を適用する場合の還元利回りは，5.8%とすること。

４．地域の借地権割合により求める手法（以下「借地権割合法」という。）を適用する場合は，下記事項に留意すること。

① 問２で求めた更地価格に借地権割合を乗じて価格を求めること。

② 借地権割合の査定に当たっては，別紙２Ⅵ．「借地権価格及び底地の価格の形成要因」等に基づき，地域の標準的な借地権割合を把握し，当該割合について対象不動産の個別性を考慮して適正に求めること。

５．更地価格から底地価格を控除して得た価格を求める手法（以下「底地価格控除法」という。）を適用する場合は，借地権の取引慣行の成熟の程度との関連についても説明すること。

Ⅴ．問４について

1．底地価格は，第三者間取引における正常価格を不動産鑑定評価基準に則って求めること。なお，適用できない手法がある場合は，その理由を簡潔に述べること。

2．収益還元法を適用する場合は，下記事項に留意すること。

① 総費用は土地の公租公課のみとし，別紙２（Ⅷ－６）「対象不動産に係る固定資産税・都市計画税納税通知書の抜粋」に基づき，実額（100円未満切捨）を算定の上，計上すること（問３で賃料差額還元法を適用した場合は，手法適用の過程で算定した結果を用いることとし，算定根拠の説明は不要である。）。

② 還元利回りは５％とすること。

③ 将来の一時金の授受等による経済的利益及び借地権が消滅し完全所有権に復帰することによる経済的利益（の可能性）については，この手法の適用に当たって考慮する必要はない。

3．取引事例比較法を適用する場合は，Ⅳ．２．の借地権価格についての指示事項を準用すること。

Ⅵ．問５について

1．鑑定評価額を求める手順は，次のとおりとする。

① 問２から問４の結果をもとに，経済価値の増分（増分価値）を求める。

② ①のうち適切な配分額を査定し，当該配分額を正常価格に加算して，鑑定評価額を決定する。

2．配分額の査定に当たっては，別紙２Ⅵ．「借地権価格及び底地の価格の形成要因」等に基づき，地域の底地の取引慣行を分析し，適切に配分すること。

別紙２〔資料等〕

Ⅰ．依頼内容

本鑑定評価は，土地の借地権者が，土地の所有者から当該底地を買い受けるに当たって，売買の参考として不動産鑑定士に適正な購入価額の鑑定評価を依頼したものである。

Ⅱ．対象不動産及び地上建物

（土　　地）

所在及び地番　　A県B市C町五丁目３番１
地　　　　目　　宅　地
地　　　　積　　121.50㎡（土地登記簿〔全部事項証明書〕記載数量）
所　有　者　　甲寺

（地上建物）

所　　　　在　　A県B市C町五丁目３番地１
家屋番号　　３番１
構造・用途　　木造瓦葺２階建居宅
建築年月日　　平成18年11月15日
床　面　積　　（建物登記簿〔全部事項証明書〕記載数量）

1	階	55.00㎡
2	階	55.00㎡
合	計	110.00㎡

所　有　者　　乙（個人）

Ⅲ．鑑定評価の基本的事項

1．類型　問1
2．依頼目的　売買の参考
3．鑑定評価によって求める価格の種類　問1
4．価格時点　平成27年８月１日
5．その他の鑑定評価の条件　ない

Ⅳ．B市の状況等

⑴　位置等

①　位置及び面積　A県の北西部に位置し，面積は約150㎢である。

②　沿　革　等　B市は，都心まで約50㎞の圏域に位置し，市中心を東西に流れるD川流域に平野が広がっている。古くから城下町として拓け，中心市街地には寺社や古い街並みも残る一方，近年は住環境が良好な首都圏のベッドタウンとしての役割も果たしている。

主な交通施設としては，市内各地を結ぶ路線バスが多く運行されており，市民の足として利用されている。また，市内は，JR○○線と私鉄○○線が並走し，主要駅であるE駅から都心まで，1時間以内でのアクセスが可能である。

⑵　人口等

①　人　口　現在約35万人で，近年はほぼ横ばいで推移している。

②　世帯数　約14万世帯

⑶　交通施設及び道路整備の状態

①　交通施設　JR○○線と私鉄○○線が並走し，主要駅であるE駅は都心に向かう乗降客数が多い。市内交通は，○○バスが多方面へ運行し，中心街のバスセンターを中心に，市民の足として利用されている。

②　道　路　都心へ向かう国道○○号のほか，県道や市道が整備されており，また，○○自動車道のB中央インターチェンジが設けられ，首都圏をはじめとした周辺都市と連絡している。

⑷　供給処理施設の状態

①　上水道　普及率はほぼ100％

②　下水道　普及率は約90％

③　都市ガス　○○ガスにより，市街全域に供給されている。

⑸　土地利用の状況

①　商業施設　B市の中心街は，B城公園の周辺で，繁華街，市役所，オフィスビルが集まっている。E駅は中心街から約3㎞離れているが，近年，駅前に大型商業施設がオープンし，従来の中

心街から商圏の中心が移動しつつある。

② 住　　宅　住宅地については，E駅裏口にて進捗している土地区画整理事業により整備された新興の住宅地において，都心への通勤層や若年世帯による戸建住宅や分譲マンションの売れ行きが堅調である一方，旧来の中心街に近い住宅地は，高齢化等により，需要が弱含みで推移している。

(6) 不動産市場等の状況

国の経済政策により，景気は緩やかに回復しており，不動産マーケット全般においては不動産投資の活性化の動きが見られる。地方都市においても，長く続いた地価下落傾向が縮小ないしは横ばい傾向を示し，一部で上昇に転じている。B市における地価動向についても，下落から上昇へ転じた地域が多い。

V．近隣地域及び類似地域等の概要

対象不動産の所在する近隣地域及びその類似地域等の特性を略記すれば，次のとおりである。

地　域	位置 (距離は駅から中心までの道路距離による。)	標準的な道路の状況	土地の利用状況	都市計画法等の規制で主要なもの	供給処理施設	標準的な画地規模	標準的使用
近隣地域	E駅の略北西方 約3.5km	幅員5m 舗装市道	低層戸建住宅が建ち並ぶ住宅地域	第1種低層住居専用地域 建ぺい率　60% 容積率　150%	上水道 下水道 都市ガス	120㎡	低層戸建住宅地
a 地 域	E駅の西方 約3.5km	幅員5m 舗装市道	低層戸建住宅が建ち並ぶ，閑静な住宅地域	第1種低層住居専用地域 建ぺい率　60% 容積率　150%	上水道 下水道 都市ガス	150㎡	低層戸建住宅地
b 地 域	E駅の西方 約2km	幅員6m 舗装市道	低層戸建住宅や共同住宅が建ち並び，店舗付住宅も散見される住宅地域	第1種住居地域 建ぺい率　60% 容積率　200%	上水道 下水道 都市ガス	150㎡	低層戸建住宅地
c 地 域	E駅の略南西方 約3.3km	幅員4m 舗装市道	低層戸建住宅やアパートが建ち並ぶ住宅地域	第1種住居地域 建ぺい率　60% 容積率　200%	上水道 下水道 都市ガス	100㎡	低層共同住宅地
d 地 域	E駅の東方 約350m	幅員6m 舗装市道	区画整理区域内に存し，中層賃貸住宅が建ち並ぶほか，分譲マンションも散見される駅に近い住宅地域	第2種中高層住居専用地域 建ぺい率　60% 容積率　200%	上水道 下水道 都市ガス	150㎡	中層共同住宅地

Ⅵ. 借地権価格及び底地の価格の形成要因

対象不動産の所在する近隣地域及びその類似地域における借地権価格及び底地の価格の形成要因を略記すれば，次のとおりである。

⑴ 借地権取引の態様

① 借地権の取引慣行は成熟しており，建物の取引に随伴して，又は借地権単独で取引される。

② 地元精通者の意見によると，借地権を当該借地権に係る土地所有者以外の第三者へ売却する場合，住宅の所有を目的とする標準的な借地権は，ほとんどの取引において更地価格の50％で取引されている。

③ 借地権は新規で設定されることはほとんど認められず，相続又は売買により継承されることが多い。また，住宅の所有を目的とする定期借地権の設定も少ない。

④ 旧来からの熟成した住宅地では，建物の老朽化や相続の発生を契機に売買や建て替えが行われることが多く，借地権についての権利意識は貸主，借主ともに強い。

⑤ 建替承諾料，条件変更承諾料等の一時金の授受は慣行化している。これらの一時金は，借地権の経済価値を増大させるものであり，借地権価格を形成する要素と認められる。更新料については，契約書に明記されていない場合には，慣行化されているとまでは認められない。住宅所有目的の借地権に係る建替承諾料は，概ね更地価格の３％～５％程度が授受される場合が多い。

⑥ 借地権の譲渡時の名義書替料は，借地権の取引に対する手数料的性格を有するため，借地権の取引価格とは別に，売主から土地所有者に支払われるのが一般的であり，借地権価格を形成する要素とは認められていない。

⑵ 借地権の態様

① 継承された賃借権が多い。

② 既存の借地権に係る土地所有者は，ほとんどが個人地主や寺社である。

③ 住宅地域では，住宅の所有を目的とする借地権が多い。

④ 契約は書面によるものが多いが，古くからの借地権の場合は書面化されていない場合も散見される。

⑤ 賃借権が登記される場合は極めて少なく，建物所有権登記による対抗要件の具備がなされている場合が多い。

(3) 底地の取引の態様

① 住宅の所有を目的とする借地権の付着した土地（底地）の売買は，当該借地権者が買い受ける場合，又は，底地所有者と借地権者が共同して底地と借地権を同時に更地として第三者に売却する場合に限られ，底地を第三者が単独で購入する事例は極めてまれである。

② 地元精通者の意見によると，借地権者が底地を買い受ける場合，建物及びその敷地が同一所有者に帰属することによる市場性の回復等に起因する経済価値の増分については，全額底地の価格に含まれて取引される慣行が認められる。

③ 地元精通者の意見によると，底地所有者と借地権者が共同して底地と借地権を同時に更地として第三者に売却する場合，売買代金の配分率については，底地所有者と借地権者間での権利割合として，借地権の割合，底地の割合ともに50%ずつで合意されるのが一般的である。

Ⅶ．近隣地域及び類似地域等の位置図

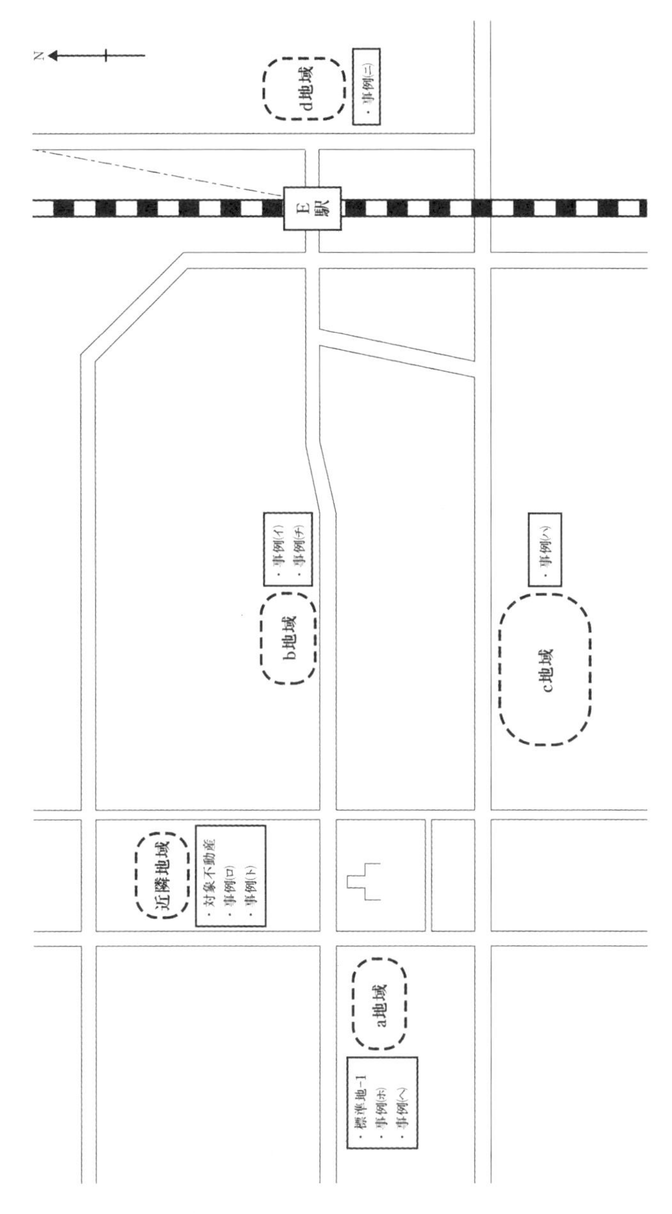

（注）この位置図は、近隣地域及び類似地域等の概ねの配置を示したもので、実際の距離又は規模等を正確に示したものではない。

Ⅷ．対象不動産及び事例資料等の概要

（Ⅷ－１）対象不動産及び取引事例等の概要

事例区分	所在する地域	類型	価格時点 取引時点	公示価格 取引価格	数　量　等	価格時点及び取引時点における敷地の利用の状況	道路及び供給処理施設の状況	駅からの道路距離	備　　考
対象不動産	近隣地域	－	平成 27．8．1	－	土地　121.50㎡	住宅の所有を目的とする土地賃借権が設定されている。	西側 幅員５ｍ 舗装市道 上水道 下水道 都市ガス	Ｅ駅 略北西方 約3.5km	－
標準地－１	ａ地域	更地として	平成 27．1．1	144,000円/㎡	土地　160㎡	木造 ２階建 居宅	北側 幅員５ｍ 舗装市道 上水道 下水道 都市ガス	Ｅ駅 西方 約3.5km	地価公示法第３条の規定により選定された標準地であり，利用の現況は当該標準地の存する地域における標準的使用とおおむね一致する。更地としての価格が公示されている。
取引事例(イ)	ｂ地域	更地	平成 26．9．4	22,500,000円	土地　130.50㎡	月極駐車場として暫定利用されている（更地化に当たり特段の費用及び期間は要しない）。	東側 幅員６ｍ 舗装市道 上水道 下水道 都市ガス	Ｅ駅 西方 約２km	店舗付住宅建設のため購入された。取引価格は，買い進みのため適正な市場価格より10%高く取引されたと認められる。
取引事例(ロ)	近隣地域	自用の建物及びその敷地	平成 27．3．4	19,000,000円	土地190.21㎡ 建物 延床面積　60㎡	木造 平家建 居宅	東側 幅員５ｍ 舗装市道 上水道 下水道 都市ガス	Ｅ駅 略北西方 約3.6km	競売による早期売却事例。相場水準より安く取引されたが，詳細は不明。建物は老朽化しており，市場価値はない。
取引事例(ハ)	ｃ地域	自用の建物及びその敷地	平成 26．9．10	30,300,000円	土地　100.10㎡ 建物 延床面積　120㎡	木造 ２階建 居宅	南側 幅員4m 舗装私道 上水道 下水道 都市ガス	Ｅ駅 略南西方 約3.3km	個人間で売買された事例であり，取引に当たり特別な事情はない。
取引事例(ニ)	ｄ地域	更地	平成 26．1．10	22,100,000円	土地　162.31㎡	未利用地	北側 幅員６ｍ 舗装市道 上水道 下水道 都市ガス	Ｅ駅 東方 約350m	土地区画整理事業区域内の分譲地。取引に当たり特別な事情はない。
取引事例(ホ)	ａ地域	自用の建物及びその敷地	平成 27．6．1	20,800,000円	土地　140.22㎡ 建物 延床面積　83㎡	木造 ２階建 居宅	南側 幅員５ｍ 舗装市道 上水道 下水道 都市ガス	Ｅ駅 西方 約3.6km	古屋が存する現況有姿にて，買主負担で建物を取り壊す条件での売買取引。解体見積費用は建物延床面積当たり15,000円/㎡で地域の標準的な水準と認められる。

取引事例(ヘ)	a 地域	借地権付建物	平成 26. 9. 2	22,800,000円	土地103.10㎡ 建物 延床面積 108㎡	木造 2階建 居宅	北側 幅員5m 舗装市道 東側 幅員4m 舗装市道 上水道 下水道 都市ガス	E駅 西方 約3.4km	個人間で売買された事例である。取引価格は鑑定評価額による。価格の内訳は，借地権価格が8,900,000円，建物価格が13,900,000円であった。
取引事例(ト)	近隣地域	借地権	平成 27. 5. 7	7,800,000円	土地 115.70㎡	売買に際し，売主負担により建物は取り壊わされた。	西側 幅員5m 舗装市道 上水道 下水道 都市ガス	E駅 略北西方 約3.6km	売買に際し，名義変更料として売主から700,000円，建替承諾料として買主から500,000円が，それぞれ土地所有者に対して直接支払われた。
取引事例(チ)	b 地域	底地	平成 26.12. 3	12,500,000円	土地 160.32㎡	共同住宅の所有を目的とする土地賃借権が設定されている。	西側 幅員6m 舗装市道 上水道 下水道 都市ガス	E駅 西方 約2km	借地権者が土地所有者から底地を買い受けた取引。第三者間売買で成立するであろう価格に比して高額で取引されているが，その程度や取引事情についての詳細は不詳。

（Ⅷ－２）取引事例に係る建物の概要

事例区分	着工時点 建築時点	建築工事費 （注１・２）	数量等	建物構造・用途	施工の質	取引時点現在の経済的残存耐用年数（注３）	設備の良否	近隣地域等との適合性，建物と敷地との適応性
取引事例(ロ)	昭和 40.11着工 41. 4竣工	1,100,000円	建築面積 60㎡ 延床面積 60㎡	木造 平家建 居宅	中級	躯体：0年 設備：0年	普通	環境と適合している。敷地規模に比して建物が小さく，やや不適応である。
取引事例(ハ)	平成 23. 6着工 23.11竣工	17,400,000円	建築面積 60㎡ 延床面積 120㎡	木造 2階建 居宅	中級	躯体：22年 設備：12年	普通	環境と適合しており，敷地とも適応している。
取引事例(ホ)	昭和 45.10着工 46. 4竣工	2,700,000円	建築面積 58㎡ 延床面積 83㎡	木造 2階建 居宅	中級	－	普通	環境と不適合であり，敷地とも不適応である。
取引事例(ヘ)	平成 21. 5着工 21.10竣工	17,300,000円	建築面積 54㎡ 延床面積 108㎡	木造 2階建 居宅	中級	躯体：20年 設備：10年	普通	環境と適合しており，敷地とも適応している。

（注１）いずれも，特別な事情が存在しない標準的な建築工事費であった。建築工事請負契約は着工時に締結され，その後追加工事等による金額変更はない。
（注２）建築工事費に占める躯体部分（仕上部分を含む。）及び設備部分の構成割合は，いずれも80：20 であった。
（注３）価格時点において事例内容を調査した結果，建物の減価の程度はいずれもおおむね経年相応である。

（Ⅷ－３）対象不動産及び取引事例等に係る地域要因及び土地の個別的要因の比較

比較項目 ＼ 事例等地	対象地	標準地－１	事例(イ)	事例(ロ)	事例(ハ)	事例(ニ)	事例(ホ)	事例(ヘ)	事例(ト)	事例(チ)
地域	近隣地域	a 地域	b 地域	近隣地域	c 地域	d 地域	a 地域	a 地域	近隣地域	b 地域
地域要因に係る評点（地）（注１）	100	107	110	100	96	95	107	107	100	110
個別的要因に係る評点（個）（注２）	102	100	102	97	105	100	105	105	102	95

（注１）地域要因に係る評点（地）は，近隣地域の評点を100とし，他の地域は近隣地域と比較してそれぞれの評点を付したものである。

（注２）個別的要因に係る評点（個）は，それぞれの地域において標準的と認められる画地の地積以外の評点を100とし，これと取引事例に係る土地等とを比較し，それぞれの評点を付したものである。

(Ⅷ－４）対象不動産に係る借地条件等の概要

・権利の態様　自用の住宅所有を目的とする土地賃貸借
・賃　貸　人　甲寺
・賃　借　人　乙（個人）
・契約数量　121.50㎡
・契約の経緯　Ｃ町に古くから存する甲寺が多数保有している所有地の１つで，昭和20年代に乙の祖父が住宅所有目的で借地した。その後相続により，現在は乙が賃借人の地位を承継している。当初は口頭での契約であったが，その後昭和50年代に書面による契約が締結され，現在の契約は，現存建物の建て替えの際に，書面による契約が改めて締結されたものである。
・契約期間　平成18年６月１日より30年間
・月額地代　11,000円。過去に数度改定されたが，平成18年６月から変更なし。今後の賃料改定の予定は特にない。
・一　時　金　平成18年の建物建て替えの際に，建替承諾料として500,000円が授受されている。その他の一時金についての規定はない。当初契約時に一時金の授受があったかどうかは不明。
・特　　　約　特になし
・そ　の　他　標準的な態様の借地権である。

土地の最有効使用は低層戸建住宅地であると認められることから，最有効使用を制約する借地条件等は特に認められない。

賃料水準についてはおおむね周辺の地代水準の範囲内であり，賃料差額についても特に過大とは認められず，その全部分が取引の対象となっていると判断される。

（Ⅷ－５）取引事例に係る借地条件等の概要

事例区分	対象不動産	取引事例(ヘ)	取引事例(ト)	取引事例(チ)
権利の態様	（Ⅷ－４）参照	建物の所有を目的とする地上権	住宅の所有を目的とする土地賃借権	非堅固建物の所有を目的とする土地賃借権
契約当事者		賃貸人　個人 賃借人　個人	賃貸人　寺院 賃借人　個人	賃貸人　個人 賃借人　個人
契約数量		103.10㎡	115.70㎡	160.32㎡
契約の経緯		従来の土地賃貸借を昭和54年に地上権に変更し，平成21年の建物建て替えの際に契約を更新したもの。地上権設定登記もなされ，標準的な借地権に比して権利性が強い。	戦前から継続する土地賃貸借。借地権者の相続が発生したため，相続人が土地所有者から借地権売却の同意を得た上で，契約の更新を行ったもの。更新料の授受はなかった。	昭和20年代に設定された土地賃貸借が更新されたもの。借地権者はアパート経営を行っている。更新料の約定はなく，過去に授受された経緯もない。
契約期間		平成21年３月１日より30年	平成27年３月１日より20年	平成13年３月１日より30年
月額支払賃料		12,000円	11,500円	15,000円
一時金の定め		なし	建替承諾料として500,000円の約定がある。	なし
特約等		特になし	特になし	特になし
借地権（底地）の地域要因に係る評点（注１）	100	100	100	100
借地権（底地）の個別的要因に係る評点（注２）	100	110	100	100

（注１）借地権（底地）の地域要因に係る評点は，（Ⅷ－３）に記載されている土地（更地）に関する地域要因以外の借地権（底地）固有の地域要因について，近隣地域の評点を100とし，他の地域は近隣地域と比較してそれぞれの評点を付したものである。

（注２）借地権（底地）の個別的要因に係る評点は，（Ⅷ－３）に記載されている土地（更地）に関する個別的要因以外の借地権（底地）固有の個別的要因について，それぞれの地域において標準的な態様と認められる借地権（底地）の地積以外の評点を100とし，これと取引事例に係る借地権等とを比較し，それぞれの評点を付したものである。

（Ⅷ－６）対象不動産に係る固定資産税・都市計画税納税通知書の抜粋
・固定資産税土地課税標準額　1,250,000円
・都市計画税土地課税標準額　2,500,000円
・税率　固定資産税　1.4%
　　　　都市計画税　0.2%

Ⅸ．地価指数及び建築費指数の推移

Ｂ市における低層住宅地域の地価指数，低層戸建住宅（木造）の建築費指数の推移は，次のとおりである。なお，平成27年１月１日以降の動向は，平成26年７月１日から平成27年１月１日までの推移とそれぞれ同じ傾向を示している。

区分 地域 年月日	地価指数					建築費指数（平成21.1.1＝100）
	近隣地域	ａ地域	ｂ地域	ｃ地域	ｄ地域	
昭和40．７．１	－	－	－	－	－	18.7
昭和41．１．１	－	－	－	－	－	18.8
昭和41．７．１	－	－	－	－	－	19.0
｜	｜	｜	｜	｜	｜	｜
昭和45．７．１	－	－	－	－	－	26.3
昭和46．１．１	－	－	－	－	－	26.4
昭和46．７．１	－	－	－	－	－	26.9
｜	｜	｜	｜	｜	｜	｜
平成21．１．１	－	－	－	－	－	100
平成21．７．１	－	－	－	－	－	99.2
平成22．１．１	－	－	－	－	－	96.7
平成22．７．１	－	－	－	－	－	96.8
平成23．１．１	－	－	－	－	－	97.0
平成23．７．１	－	－	－	－	－	97.4
平成24．１．１	－	－	－	－	－	96.9
平成24．７．１	－	－	－	－	－	96.8
平成25．１．１	100	100	100	100	100	98.0
平成25．７．１	99	98	98	98	100	99.9
平成26．１．１	100	99	100	99	100	101.4
平成26．７．１	102	100	101	99	102	102.9
平成27．１．１	103	101	102	100	103	104.2

解答例

問1

本鑑定評価は，土地の借地権者が土地の所有者から当該土地を買い受けるに当たって，売買の参考として不動産鑑定士に適正な購入価額の鑑定評価を依頼したものであることから，対象不動産の類型は「底地」である。

また，後記問5のとおり，借地権者が底地を併合することにより増分価値が発生し，市場が相対的に限定されることから，求めるべき価格の種類は「限定価格」である。

問2

A．更地価格

取引事例比較法を適用して更地価格を査定する。

Ⅰ．取引事例比較法

事例適格4要件を具備する取引事例(イ)，(ハ)及び(ホ)を採用して比準価格を査定する。

1．事例(イ)

事＊1　時＊2　標　地　個　面

$$22,500千円\times\frac{100}{110}\times\frac{103.2}{101.3}\times\frac{100}{102}\times\frac{100}{110}\times\frac{102}{100}\times\frac{121.50}{130.50}\fallingdotseq 17,600千円$$

(145,000円／㎡)

＊1　買い進みにより，10%減額補正。

＊2　時点修正率査定根拠（地価指数採用）

価格時点（H27. 8. 1）$\{(\frac{102}{101}-1)\times\frac{7}{6}+1\}\times 102\fallingdotseq 103.2$

取引時点（H26. 9. 4）$\{(\frac{102}{101}-1)\times\frac{2}{6}+1\}\times 101\fallingdotseq 101.3$

以下，同様の方法により査定し，根拠の記述は省略。

2．事例(ハ)

複合不動産の取引事例であるが，敷地が最有効使用の状態にあるので，配分法を適用して更地の事例資料を求める。

※　建物価格の査定（原価法を準用）

①　再調達原価

$$17,400千円 \times \overset{事}{\frac{100}{100}} \times \overset{時*}{\frac{103.3}{97.3}} \fallingdotseq 18,500千円$$

＊ 建築費指数採用

② 減価修正

・耐用年数に基づく方法（定額法採用，残価率０）

$$躯体：18,500千円 \times 0.80 \times \frac{3}{3+22} = 1,776千円$$

$$設備：18,500千円 \times 0.20 \times \frac{3}{3+12} = 740千円$$

計 2,516千円

・観察減価法

経年相応の減価と判断し，耐用年数に基づく方法による減価額と同額と査定。

・減価額

二方法を併用し，建物の減価額を2,516千円と査定した。

③ 事例建物価格

$$18,500千円 - 2,516千円 \fallingdotseq 16,000千円$$

※ 更地価格

$$30,300千円 - 16,000千円 = 14,300千円$$

$$14,300千円 \times \overset{事}{\frac{100}{100}} \times \overset{時}{\frac{101.2}{99.3}} \times \overset{標}{\frac{100}{105}} \times \overset{地}{\frac{100}{96}} \times \overset{個}{\frac{102}{100}} \times \overset{面}{\frac{121.50}{100.10}} \fallingdotseq 17,900千円$$

（147,000円／㎡）

３．事例㈭

買主負担の建物取壊費用を取引価格に加算して更地価格を求める。

$$20,800千円 + (15,000円/㎡ \times 83㎡) = 22,045千円$$

$$22,045千円 \times \overset{事}{\frac{100}{100}} \times \overset{時}{\frac{102.2}{101.8}} \times \overset{標}{\frac{100}{105}} \times \overset{地}{\frac{100}{107}} \times \overset{個}{\frac{102}{100}} \times \overset{面}{\frac{121.50}{140.22}} \fallingdotseq 17,400千円$$

（143,000円／㎡）

４．比準価格

以上により３価格が得られた。

事例㈵は更地事例で規模も類似しているが，事情補正を施しており，地域格差もやや大きく，規範性は劣る。

事例(ハ)は複合不動産に係る事例で，画地規模もやや異なり，規範性はやや劣る。

事例(ホ)は更地化を前提とした事例で，取引時点も新しく，規範性は高い。

よって本件では，事例(ホ)を重視し，事例(ハ)を比較考量し，事例(イ)は参考にとどめ，比準価格を17,500千円（144,000円／㎡）と査定した。

Ⅱ．公示価格を規準とした価格

（標準地－１）

$$144{,}000\text{円}/\text{m}^2 \times \overset{\text{時}}{\frac{102.2}{101.0}} \times \overset{\text{標}}{\frac{100}{100}} \times \overset{\text{地}}{\frac{100}{107}} \times \overset{\text{個}}{\frac{102}{100}} \times 121.50\text{m}^2 \fallingdotseq 16{,}900\text{千円}$$

（139,000円／㎡）

Ⅲ．更地価格

比準価格は，市場性に着目し，現実の市場で実際に発生した取引事例との比較によって求めたものであり，本件では，特に対象不動産と代替性が強く認められる取引事例を複数採用しており，客観的かつ実証的な価格が得られた。

また，公示価格を規準とした価格との均衡も得ている。

よって本件では，比準価格を採用し，更地価格を17,500千円（144,000円／㎡）と査定した。

問３

B．借地権価格

取引事例比較法，賃料差額還元法及び借地権割合法を適用して借地権価格を求める。

なお，対象不動産は借地権の取引慣行の成熟の程度の高い地域に存するため，底地価格控除法は適用しない。

Ⅰ．取引事例比較法

事例適格４要件及び契約内容の類似性を具備する取引事例(ヘ)及び(ト)を採用して比準価格を査定する。

１．事例(ヘ)

複合不動産に係る取引事例だが，鑑定評価額に基づく価格内訳が判明しているので，配分法により借地権価格を8,900千円と査定した。

$$\begin{array}{ccccccc} & \text{事} & \text{時} & \text{標*} & \text{地} & \text{個} & \text{面} \\ 8,900\text{千円}\times & \dfrac{100}{100}\times & \dfrac{102.2}{100.3}\times & \dfrac{100}{116}\times & \dfrac{100}{107}\times & \dfrac{102}{100}\times & \dfrac{121.50}{103.10} \end{array} \fallingdotseq 8,780\text{千円}$$

（72,300円／㎡）

＊　個別的要因に係る評点：105×110÷100 ≒ 116

以下，地域要因の比較も同様の方法により査定し，根拠の記述は省略。

2．事例(ト)

買主負担の建替承諾料を加算して借地権価格を求める。

7,800千円＋500千円 ＝ 8,300千円

$$\begin{array}{ccccccc} & \text{事} & \text{時} & \text{標} & \text{地} & \text{個} & \text{面} \\ 8,300\text{千円}\times & \dfrac{100}{100}\times & \dfrac{104.2}{103.7}\times & \dfrac{100}{102}\times & \dfrac{100}{-}\times & \dfrac{102}{100}\times & \dfrac{121.50}{115.70} \end{array} \fallingdotseq 8,760\text{千円}$$

（72,100円／㎡）

3．比準価格

以上により2価格が得られた。

事例(ヘ)は複合不動産に係る事例で，契約内容も地上権でやや異なり，規範性は劣る。

事例(ト)は近隣地域内に存し，取引時点も新しく，規範性は高い。

よって本件では，事例(ト)を標準とし，事例(ヘ)を比較考量し，比準価格を8,760千円（72,100円／㎡）と査定した。

Ⅱ．賃料差額還元法

正常実質賃料と実際支払賃料の差額（賃料差額）のうち取引対象部分を還元利回りで還元して試算価格を求める。

1．正常実質賃料

積算法を採用し，基礎価格に期待利回りを乗じて得た額に必要諸経費等を加算して積算賃料を求め，これをもって正常実質賃料とする。

(1)　基礎価格

宅地の最有効使用を制約するような借地条件は認められないため，前記問2で求めた更地価格17,500千円をもって基礎価格と査定した。

(2)　期待利回り

指示事項により，3.5％

⑶　純賃料相当額

⑴×⑵　=　612,500円

⑷　必要諸経費等

・固定資産税：　1,250千円×1.4%　=　17,500円
・都市計画税：　2,500千円×0.2%　=　5,000円
計　22,500円

⑸　積算賃料（正常実質賃料）

⑶+⑷　=　635,000円

2．実際支払賃料

11,000円×12ヶ月　=　132,000円

3．賃料差額

1．－　2．=　503,000円

4．賃料差額のうち取引対象部分

賃料水準は概ね標準的で，賃料差額についても特に過大とは認められないことから，賃料差額の全部が取引の対象となると判断した。

5．還元利回り

指示事項により，5.8%

6．賃料差額還元法による試算価格

4．÷　5．≒　8,670千円（71,400円／㎡）

Ⅲ．借地権割合法

更地価格に借地権割合を乗じて試算価格を求める。

1．更地価格

前記問2より，17,500千円

2．借地権割合

対象借地権の態様は地域の標準的なものであることから，地元精通者意見に基づく借地権割合50%を採用した。

3．借地権割合法による試算価格

1．×　2．=　8,750千円（72,000円／㎡）

Ⅳ．借地権価格

以上により，

Ⅰ．比準価格：　8,760千円（72,100円／㎡）
Ⅱ．賃料差額還元法による試算価格：8,670千円（71,400円／㎡）

Ⅲ．借地権割合法による試算価格：　8,750千円（72,000円／㎡）

の3価格を得た。

Ⅰ．の価格は，市場性に着目したもので，採用した事例は2事例とやや少ないが，対象不動産との代替性は十分認められ，客観的，実証的な価格が得られた。

Ⅱ．の価格は，借り得としての賃料差額に着目したものだが，賃料差額のうち取引対象部分の査定にやや困難性が認められる点は否めない。

Ⅲ．の価格は，更地価格と地域の慣行的な借地権割合に着目したものだが，対象借地権の個別性の反映がやや困難であった。

よって本件では，Ⅰ．の価格を標準とし，Ⅱ．の価格とⅢ．の価格を比較考量し，借地権価格を8,760千円（72,100円／㎡）と査定した。

問4

C．底地価格

収益還元法を適用して借地権価格を求める。

なお，資料にある底地の取引事例は㈠のみだが，当該事例は当事者間による割高な価格での取引で，その程度や取引事情についての詳細等が不明なため，採用することはできない。よって取引事例比較法は不適用とした。

Ⅰ．収益還元法

実際支払賃料に基づく純収益を還元利回りで還元して収益価格を試算する。

1．純収益

⑴　総収益

11,000円×12ヶ月　＝　132,000円

⑵　総費用（土地公租公課）

前記問3より，22,500円

⑶　純収益

⑴－⑵　＝　109,500円

2．還元利回り

指示事項により，5％

3．収益価格

1．÷　2．≒　2,190千円（18,000円／㎡）

Ⅱ．底地価格

収益価格は，収益性に着目したもので，本件では各収支項目，還元利回り等について特に誤りはみられず，投資家の視点に基づく説得力の高い価格が得られた。

よって本件では，収益価格を採用し，底地価格を2,190千円（18,000円／㎡）と査定した。

問５

D．鑑定評価額の決定

Ⅰ．併合による増分価値

　更地価格　　　借地権価格　底地価格
17,500千円 －（8,760千円＋2,190千円）＝ 6,550千円

Ⅱ．鑑定評価額（底地の限定価格）

借地権者が底地を買い受ける場合，市場性の回復等に起因する経済価値の増分については全額底地の価格に含まれて取引される慣行が認められるため，上記増分価値の全額を底地の正常価格に加算して，鑑定評価額（底地の限定価格）を8,740千円と決定した。

2,190千円＋6,550千円 ＝ 8,740千円

以　上

解　説

本問の類型は，「底地の限定価格」である。

問１は，依頼内容を抜粋し，「底地」の「限定価格」の評価である点を明確に示すこと。

問２の更地価格は，取引事例比較法のみ適用すればよく，内容についても典型的な計算論点のみなので，ここはパーフェクトな解答が求められる。

問３の借地権価格は，取引事例比較法，賃料差額還元法及び借地権割合法の３手法を適用する必要がある。賃料差額還元法や借地権割合法は借地権固有の手法だが，流れをおさえておけば解答は可能である。ただし，どちらの手法も適用過程で更地価格を用いることから，やはり問２が大切である。

問４の底地価格は，収益還元法のみ適用すればよく，収支項目や還元利回りに

ついても，単純計算か直接数値指定があるので，難なく解答できるはずである。

問5の鑑定評価額（底地価格）は，更地価格から借地権価格と底地価格を控除して併合による増分価値を求め，この全額を底地価格に加算することで求められる。

◇ 平成28年度・演習

問題　別紙２〔資料等〕に記載の不動産（Ⅱ．対象不動産）について，別紙１〔指示事項〕及び別紙２〔資料等〕に基づき，不動産の鑑定評価に関する次の問に答えなさい。

問１　求めるべき賃料の種類について説明しなさい。

問２　対象不動産の確認に関して，別紙２〔資料等〕「（資料３）対象不動産の確認資料〔予定賃貸借契約書〕」を用いて，賃貸借契約に係る権利の態様について確認すべき事項及び確認した内容を５つ説明しなさい。なお，月額支払賃料及び賃貸条件等に係る特約については解答する必要はありません。

問３　地域分析及び個別分析の観点から，対象不動産の最有効使用の判定理由を具体的に説明しなさい。

問４　不動産鑑定評価基準各論第２章に基づき，本件鑑定評価についてどのような手法を適用するか説明しなさい。また，適用できない手法がある場合は，その理由も併せて説明しなさい。なお，対象不動産の更地価格の査定における手法については解答する必要はありません。

問５　積算法について次の問に答えなさい。なお，本問に関する指示事項が別紙１〔指示事項〕のⅡ．に記載してあります。

(1)　対象不動産の更地価格を査定しなさい。

(2)　基礎価格について次の問に答えなさい。

①　宅地の賃料を求める場合，基礎価格の査定において留意すべき事項を説明しなさい。

②　基礎価格を査定しなさい。

(3)　積算賃料を試算しなさい。

問６　賃貸事業分析法について次の問に答えなさい。なお，本問に関する指示事項が別紙１〔指示事項〕のⅢ．に記載してあります。

(1)　賃貸事業分析法を適用する際に，下記の事項について留意すべき点を説明しなさい。

①　予定建物

②　未収入期間

(2)　５ページ（賃貸事業分析法による賃料の試算表）のＡ～Ｈの空欄部分を計算し，賃貸事業分析法による賃料を試算しなさい。

別紙１〔指示事項〕

Ⅰ．共通事項

1．問５における積算法及び問６における賃貸事業分析法の適用の過程で求める数値は，別に指示がある場合を除き，小数点以下第１位を四捨五入し，整数で求めること。

ただし，取引事例から比準した価格，対象不動産の比準価格，公示価格を規準とした価格，対象不動産の更地価格，基礎価格，積算賃料（月額）及び賃貸事業分析法による賃料（月額）については，上位４桁目を四捨五入して上位３桁を有効数字として取り扱うこと。

（例）1,234,567円　→　1,230,000円

また，積算法及び賃貸事業分析法の適用の過程で求める数値の査定根拠は，記載の指示がある場合のみ解答すること。

2．消費税及び地方消費税は，別に指示がある場合を除き，各手法の適用の過程において考慮せず，各資料の数値を前提に計算すること。

3．対象不動産及び取引事例等については，土壌汚染，埋蔵文化財及び地下埋設物に関して価格形成に影響を与えるものは何ら存しないことが判明している。また，取引事例の建物部分において，吹付けアスベスト，ＰＣＢ等の有害物質の使用又は保管はないことが確認されている。

4．対象不動産の数量は，予定賃貸借契約書記載数量によること。

Ⅱ．問５について

1．対象不動産の更地価格は取引事例比較法を適用して求めること。なお，適用しない手法について，不適用の理由を解答する必要はありません。

2．取引事例比較法の適用にあたっては，下記事項に留意すること。

⑴　別紙２〔資料等〕「（資料５）事例資料等の概要」に記載の各事例から，下記事例の選択要件に照らして選択した事例を用いて取引事例から比準した価格を求めること。なお，選択する事例は３事例とし，事例の選択要件については解答する必要はありません。また，選択しない事例について，不選択の理由を解答する必要はありません。

（事例の選択要件）

取引事例は，原則として近隣地域又は同一需給圏内の類似地域に存する不動産から選択するものとし，必要やむを得ない場合には近隣地域の周辺

の地域に存する不動産から，対象不動産の最有効使用が標準的使用と異なる場合等には，同一需給圏内に存し対象不動産と代替，競争等の関係が成立していると認められる不動産から選択するものとするほか，次の要件の全部を備えなければならない。

① 取引事情が正常なものと認められるものであること又は正常なものに補正することができるものであること。

② 時点修正をすることが可能なものであること。

③ 地域要因の比較及び個別的要因の比較が可能なものであること。

⑵ 事例の事情その他の内容は，別紙２〔資料等〕「（資料５）事例資料等の概要」の記載事項より判断すること。

⑶ 取引事例が建物及びその敷地の場合は，配分法等により，取引事例の土地価格（更地としての価格）（単価）を査定したうえで比準すること。また，取引事例の土地価格（更地としての価格）（単価）の査定根拠を記載すること。

⑷ 選択した各取引事例から比準した価格を査定すること。

⑸ 取引事例から比準した価格を求める場合の計算式と略号は，次のとおりである。

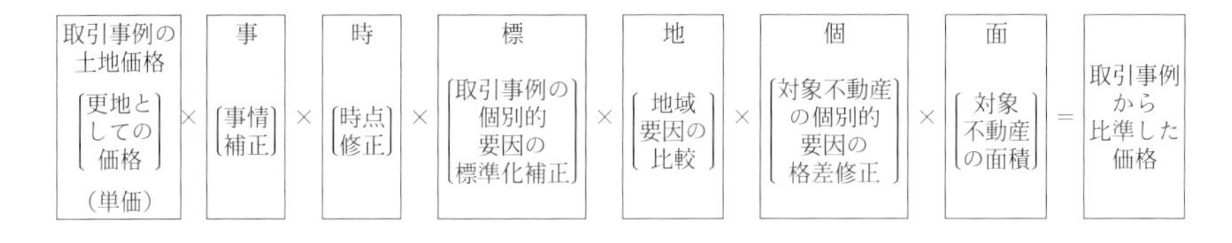

⑹ 取引事例から比準する際に用いる数値は，別紙２〔資料等〕の「Ⅷ．個別分析」，「（資料４）類似地域等の概要」及び「（資料５）事例資料等の概要」の記載事項より判断すること。

⑺ 対象不動産の個別的要因の格差修正率及び取引事例の個別的要因の標準化補正率の査定は相乗積をもって査定すること。

例）取引事例地　二方路（＋２％），不整形地（－５％）

取引事例の個別的要因の標準化補正率

（100％＋２％）×（100％－５％）≒97％（小数点以下第１位四捨五入）

⑻ 各取引事例から比準した価格をもとに対象不動産の比準価格を査定すること。

3．対象不動産の更地価格の査定にあたっては，公示価格を規準とした価格との均衡に留意すること。

なお，公示価格を規準とした価格を求めるにあたっては，上記2．に準じて行うこと。

また，公示価格を規準とした価格を求める場合の計算式と略号は，次のとおりである。

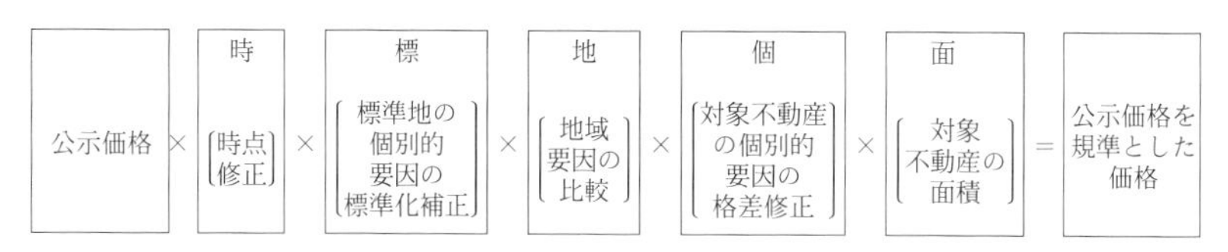

4．期待利回りは，3.0％とすること。

5．必要諸経費等は，土地の公租公課のみとし，以下の数値を用いて計算し，百円未満切捨のうえ計上すること。また，必要諸経費等の査定根拠を記載すること。

⑴　固定資産税の課税標準額：136,000,000円
　　都市計画税の課税標準額：136,000,000円

⑵　固定資産税の税率：1.4％
　　都市計画税の税率：0.3％

Ⅲ．問6について

賃貸事業分析法の適用に際しては，賃貸事業に基づく総収益から総費用（土地の公租公課を除く。）を控除した建物及びその敷地に係る賃貸事業に基づく純収益（以下「地代控除前純収益」という。）から，建物所有者（借地権者）に帰属する純収益（以下「建物帰属純収益」という。）を控除して，土地に帰属する部分を求め，当該部分に未収入期間を考慮した修正率を乗じることにより賃貸事業分析法による賃料を試算すること。

（賃貸事業分析法による賃料の試算表）

項目	査定値	査定根拠
貸室支払賃料収入	A　円	類似不動産の賃料水準等をもとに，賃貸面積（予定建物の延床面積）あたりの月額支払賃料を2,400円／㎡と査定のうえ計上
共益費収入	0円	
その他収入	0円	
貸倒れ損失	0円	
空室等による損失相当額	0円	
有効総収益	A　円	
一時金の運用益等	144,000円	
賃貸事業に基づく総収益	B　円	
修繕費	750,000円	
維持管理費	900,000円	
公租公課（建物）	C　円	固定資産税（税率1.4%）及び都市計画税（税率0.3%）について，建物再調達原価（150,000,000円）の60%を固定資産税及び都市計画税の課税標準額として計算し，当該課税標準額に税率を乗じて百円未満切捨のうえ計上
損害保険料	150,000円	
建物取壊し費用等の積立金	560,000円	
その他費用	0円	
賃貸事業に基づく総費用 （土地の公租公課を除く。）	D　円	
地代控除前純収益	E　円	
建物再調達原価	150,000,000円	
元利均等償還率	0.0902	
建物帰属純収益	F　円	
土地に帰属する部分	G　円	
未収入期間を考慮した修正率	0.9373	
賃貸事業分析法による賃料（月額）	H　円	

（注）貸室支払賃料収入及び公租公課（建物）については査定根拠により計算すること。

別紙２〔資料等〕

Ⅰ．依頼内容

本件は，ＪＲ○○線Ｂ駅の北東方約1.5km（道路距離）にある営業所跡地（対象不動産，現況更地）について，所有者である一般事業会社（依頼者）の甲株式会社が，第三者の乙株式会社に当該土地を賃貸するにあたり，賃貸借の参考として不動産鑑定士に鑑定評価を依頼したものである。

Ⅱ．対象不動産

所在及び地番　Ａ県Ｂ市Ｃ町三丁目３番15
地　　　　目　宅地
地　　　　積　2,300.00㎡（予定賃貸借契約書記載数量）
所　有　者　甲株式会社

Ⅲ．鑑定評価の基本的事項

１．種別及び類型　地代
２．鑑定評価の条件　価格時点において，予定賃貸借契約書の契約内容に基づき新規に賃貸借する場合の月額支払賃料の鑑定評価
３．依頼目的　賃貸借の参考
４．鑑定評価によって求める賃料の種類　問１
５．価格時点　平成28年８月１日
６．その他の鑑定評価の条件　なし

Ⅳ．予定賃貸借契約内容の確認　問２

Ⅴ．対象不動産が所在するＢ市の概況

１．位置等

⑴　位置及び面積　Ａ県の西部に位置し，面積は約50㎢である。
⑵　沿革等　Ｂ市は，Ａ県中心部まで約20kmに位置し，北部は丘陵が多く，中央部から南部は平野が広がっている。古くから交通の要衝として開け，近年は，Ａ県の中心都市の一つとして，また，Ａ県中心部のベッドタウンとして発展してきた。

市内には，Ｂ駅北口周辺や幹線道路沿いを中心に商業施設の集積が見ら

れ，B駅南口徒歩圏の利便性が良好な地域では，中高層の分譲又は賃貸マンションが増加している。また，B市中央部の○○高速道路Bインターチェンジ周辺では，複数の工業団地が造成・分譲されている。

2．人口等

⑴　人　口　現在約30万人で，近年はほぼ横ばいで推移している。

⑵　世帯数　約13万世帯

3．交通施設及び道路整備の状態

⑴　鉄　道　ＪＲ○○線がB市の南部を東西に横断している。

⑵　バ　ス　B駅を中心としてバス路線網が整備され，運行便数も多く，鉄道を補完している。

⑶　道　路　幹線道路としては，国道○号が鉄道の北側を平行に走っているほか，県道○号○○線がB市を南北に縦断し，当該国道とB市中央部を東西に横断する○○高速道路Bインターチェンジに接続している。その他，県道及び市道が縦横に敷設されている。

4．供給処理施設の状態

⑴　上水道　普及率は，ほぼ100%

⑵　下水道　普及率は，約90%

⑶　都市ガス　普及率は，約90%

5．土地利用の状況

⑴　商業施設　B駅北口周辺及び幹線道路沿いを中心に商業地域が形成されている。駅周辺には，金融機関，小売店舗，飲食店舗等の中高層の商業施設が集積し，幹線道路沿いには，小売店舗，飲食店舗，自動車関連店舗等の沿道サービス型の商業施設が集積しているほか，○○高速道路Bインターチェンジ近くの県道○号○○線沿いには，大規模商業施設が立地している。

⑵　住　宅　全体的な傾向として，B駅徒歩圏においては，南口周辺を中心に中高層の共同住宅，店舗兼共同住宅が多く，バス圏においては，戸建住宅や低層の共同住宅が多い。

Ⅵ．対象不動産に係る市場の特性

1．同一需給圏の判定

対象不動産と代替・競争関係が成立する類似不動産の存する圏域（同一需

給圏）は，Ｂ市内の幹線道路沿いの商業地域である。

2．同一需給圏における市場参加者の属性及び行動

幹線道路沿いの商業地に係る売買市場又は賃貸市場における市場参加者の属性として，土地を取得又は借地し，沿道サービス型店舗を建築のうえ自ら営業する法人事業者が中心となるほか，周辺には賃貸に供されている店舗も見られることから，沿道サービス型店舗を建築のうえ賃貸に供する不動産業者も考えられる。

主たる需要者の法人事業者は，不動産取引に際し，接面道路・背後人口等の立地条件や敷地の形状・規模等の画地条件を重視する傾向にある。これらの条件を満たす土地においては，土地・建物所有，借地又は借家による新規出店や店舗拡張の動きが見られ，借地の場合には，借地借家法による事業用定期借地権が活用されている。

3．市場の需給動向

Ｂ市内の幹線道路沿いには，小売店舗，飲食店舗，自動車関連店舗等の沿道サービス型の商業施設が集積しており，立地条件や画地条件が優れた土地においては，複数の需要者による競合が見込まれる。

4．同一需給圏における地価の推移・動向

地価は，全般的に下落幅が縮小傾向にあり，横ばい又は上昇へ転じている地域も見られる。

5．事業用定期借地権の活用状況

事業用定期借地権は，小売店舗，飲食店舗，自動車関連店舗等の沿道サービス型店舗での活用が中心で，建築コストを抑えた建物により比較的短期間で投下資本を回収する法人事業者の店舗展開に活用されている。

6．同一需給圏における賃貸借の契約慣行

沿道サービス型店舗の所有を目的に事業用定期借地権を設定する場合，契約期間については，20年間が多い。

新規賃料水準については，立地条件や契約内容により異なるが，年額支払賃料を土地価格で除した割合は３～５％程度が多い。

一時金については，預り金的性格を有する一時金として，保証金を授受することが多く，金額は月額支払賃料の６か月程度が中心である。

特約については，契約期間満了時に賃借人が建物を解体撤去のうえ原状回復を行い更地返還する条項を設定することが通常である。

Ⅶ．近隣地域の状況

1．近隣地域の範囲

対象不動産が南側で接面する幅員約25ｍの舗装県道（県道○○号○○線）北側沿いで，対象不動産を起点に東方約140ｍ，西方約270ｍの地域と判定した。

2．地域の特性等

⑴　街路条件

接面道路は，南側の幅員約25ｍの舗装県道（県道○○号○○線）が標準である。系統・連続性は優れている。

⑵　交通・接近条件

ＪＲ○○線Ｂ駅から，近隣地域の中心まで北東方へ約1.5㎞に位置する。

⑶　環境条件

地勢は平坦であり，供給処理施設としては，上水道・下水道・都市ガスが整備されている。危険・嫌悪施設は特にない。

⑷　行政的条件

市街化区域，準住居地域，指定建ぺい率60％，指定容積率200％，準防火地域に指定されている。

3．土地利用の状況及び将来動向等

近隣地域は，沿道サービス型店舗が建ち並ぶ路線商業地域であり，地域要因に格別の変化が認められないので，概ね現状のまま推移していくものと予測する。

4．標準的使用及び標準的画地

⑴　標準的使用

沿道サービス施設地

⑵　標準的画地

近隣地域のほぼ中央に位置する，幅員約25ｍの舗装県道沿いで，間口約60ｍ・奥行約40ｍ・規模2,400㎡程度の長方形の中間画地と判定した。

Ⅷ．個別分析

1．近隣地域における位置

近隣地域の中央やや東寄りに位置する。

2．対象不動産の状況

⑴　街路条件

南側：幅員約25mの舗装県道（県道○○号○○線，建築基準法第42条第1項第1号道路）

東側：幅員約15mの舗装市道（市道第○○号線，建築基準法第42条第1項第1号道路）

(2) 交通・接近条件

近隣地域の標準的画地とほぼ同じである。

(3) 環境条件

近隣地域の標準的画地と同じである。

(4) 行政的条件

近隣地域の標準的画地と同じである。

(5) 画地条件

間口約60m・奥行約40m・規模2,300.00㎡の北東端が欠けたやや不整形な角地である。

3．標準的画地と比較した増減価要因

増価要因：角地（＋5％）

減価要因：やや不整形地（－2％）

4．対象不動産の市場分析

(1) 対象不動産に係る典型的な需要者層

対象不動産に係る売買市場又は賃貸市場における典型的な需要者層は，対象不動産に沿道サービス型店舗を建築のうえ自ら営業する法人事業者が中心となるほか，周辺には賃貸に供されている店舗も見られることから，対象不動産に沿道サービス型店舗を建築のうえ賃貸に供する不動産業者も考えられる。

(2) 代替・競争関係にある不動産との比較における優劣及び競争力の程度

対象不動産は，幹線道路沿いに位置すること，背後には住宅が多いこと，形状・規模等の画地条件は類似不動産とほぼ同等であることなどから，同一需給圏の類似不動産と比較して相応の競争力を有している。

5．対象不動産の最有効使用の判定 問3

6．対象不動産上の予定建物

所　　　在　A県B市C町三丁目3番地15

構造・用途　鉄骨造平家建・店舗（小売店舗）

床　面　積　延床面積1,000.00㎡

なお，予定建物は，敷地と適応し，環境と適合している。

（資料１）対象不動産，地価公示法による標準地，取引事例等の位置図

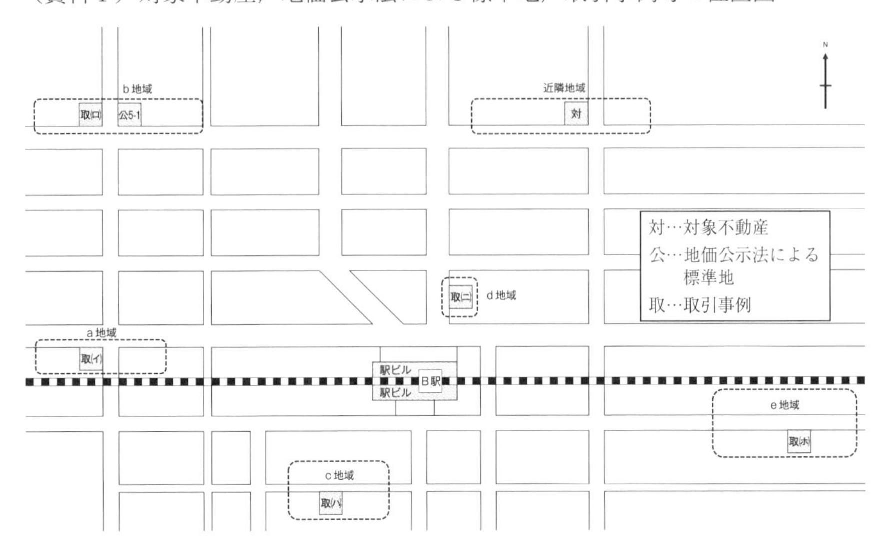

（注）この位置図は，対象不動産，地価公示法による標準地，取引事例等のおおむねの配置を示したもので，実際の距離，規模等を正確に示したものではない。

（資料２）近隣地域の状況

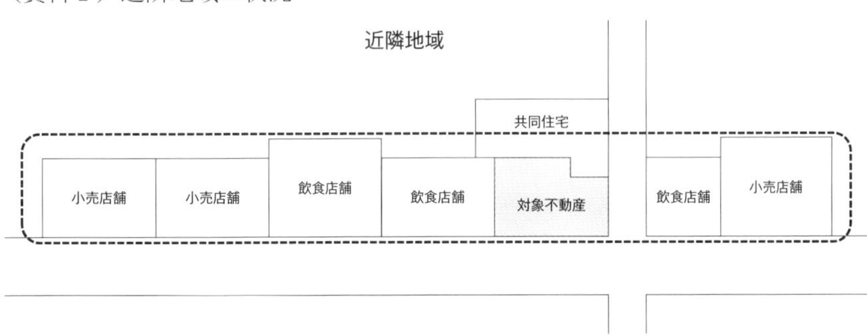

（注）この図は，対象不動産及び周辺の利用状況について，おおむねの配置を示したものである。

（資料３）対象不動産の確認資料

土地登記簿（全部事項証明書）

表　題　部（土地の表示）				調整	平成〇〇年〇月〇日	不動産番号	
地図番号	余白		筆界特定	余白			
所　　在	B市C町三丁目				余白		
① 地番	② 地目	③ 地積㎡			原因及びその日付〔登記の日付〕		
3番15	宅地	2300	00		余白		
余白	余白	余白			昭和63年法務省令第37号附則第2条第2項の規定により移記 平成〇〇年〇月〇日		

権　利　部　（甲　区）　（所　有　権　に　関　す　る　事　項）			
順位番号	登　記　の　目　的	受付年月日・受付番号	権　利　者　そ　の　他　の　事　項
1	所有権移転	昭和60 年６月７日 第〇〇〇号	原因　昭和60年５月28日売買 所有者　B市D町一丁目〇〇番〇号 甲　株　式　会　社
	余白	余白	昭和63年法務省令第37号附則第２条第２項の規定により移記 平成〇〇年〇月〇日

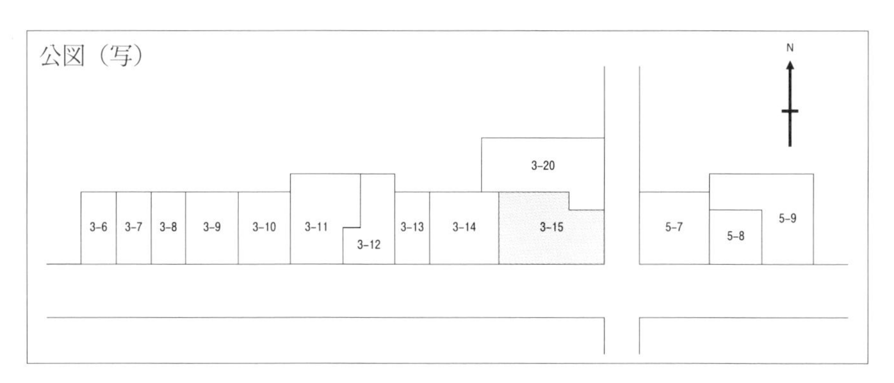

（注）これらの確認資料は，いずれも正式な資料とは異なり，記載内容及び表現を一部簡略化している。

〔予定賃貸借契約書〕

事業用定期借地権設定契約書（案）

賃貸人甲株式会社（以下「甲」という。）と賃借人乙株式会社（以下「乙」という。）は，甲が所有する【物件表示】記載の土地（以下「本件土地」という。）について，以下のとおり事業用定期借地権設定契約（以下「本契約」という。）を締結する。

第1条（契約の目的）

甲及び乙は，本件土地に，乙が建物を所有する目的で借地借家法（以下「法」という。）第23条第2項に定める事業用定期借地権（以下「本件借地権」という。）を設定するため，甲は，乙に対し，本件土地を賃貸し，乙はこれを賃借する。

第2条（建物の用途等）

1．乙は，本件土地を，専ら事業の用に供する建物で且つ居住の用に供しない建物を所有する目的で使用する。

2．本件土地上に乙が所有する建物の構造，用途及び規模は，末尾の【物件表示】記載の予定建物（以下「本件建物」という。）のとおりとする。

第3条（契約期間）

本件土地の契約期間は，平成28年8月1日から平成48年7月31日までの満20年間とする。

第4条（契約の更新等）

1．本件借地権については，契約の更新（更新の請求及び土地の使用の継続によるものを含む。）及び建物の築造による存続期間の延長がなく，また，乙は，建物の買取を請求することができない。

2．本件借地権については，法第23条第2項に基づき，法第3条から法第8条まで，法第13条及び法第18条並びに民法第619条第1項の適用はない。

第5条（賃料）

本件土地の賃料は，月額［　　　　］円とする。乙は，毎月末に当月分の賃料を甲に支払う。

第6条（賃料の増減の請求）

前条の賃料が，経済事情の変動，公租公課の増減，近隣の賃料との比較等により不相当となったときは，甲又は乙は，他方の当事者に対し，契約期間中であっても，賃料の増減を請求することができる。

第7条（一時金）

1．乙は，本契約に基づいて生ずる乙の債務を担保するため，本契約の成立後遅滞なく，甲に対し保証金として第5条に規定する賃料の6か月分に相当する金員を預託しなければならない。

2．本契約の終了に伴い乙が本件土地を原状に復して甲に返還した場合において，甲は，本契約に基づいて生じた乙の債務で未払いのものがあるときは保証金の額から未払債務額を差し引いた額を，また，未払いの債務がないときは保証金の額を，それぞれ遅滞なく乙に返還しなければならない。この場合において，返還すべき金員には利息を付さないものとする。

第8条（禁止事項）

乙は，甲の書面による事前の承諾を得ずに，以下の行為をしてはならない。

(1) 本件土地を転貸し，または，本件借地権を譲渡すること。

(2) 本件建物を譲渡し，または，担保に供すること。

(3) 本件建物を増改築すること。

第9条（公租公課）

甲は，本件土地に関する公租公課を負担し，乙は，本件建物に関する公租公課を負担する。

第10条（原状回復義務）

本契約が終了する場合には，乙は，自己の費用をもって本件土地に存する建物を収去し，本件土地を原状に復して甲に返還しなければならない。

第11条（公正証書の作成）

甲及び乙は，本契約締結後遅滞なく，本契約を内容とする公正証書の作成を公証人に委嘱する。

第12条（協議事項）

本契約に定めのない事項又は本契約の規定の解釈について疑義がある事項については，甲及び乙は，民法その他の法令及び慣行に従い，誠意を持って協議し，解決する。

【物件表示】

1　本件土地の表示
　所在　A県B市C町三丁目
　地番　3番15
　地目　宅地
　地積　2,300.00㎡

2　本件建物の表示
　構造　鉄骨造平家建
　用途　店舗（小売店舗）
　規模　建築面積1,000.00㎡
　　　　延床面積1,000.00㎡

（注）この予定賃貸借契約書は，記載内容及び表現を一部簡略化している。

（資料４）類似地域等の概要

地域	位置（距離は駅から中心までの道路距離）	標準的な道路の状況	土地の利用状況	都市計画法等の規制で主要なもの	供給処理施設	標準的な画地規模	標準的使用	地域要因に係る評点（近隣地域=100）
a地域	B駅の西方 約1.2km	幅員30m 舗装国道	沿道サービス型店舗を中心に，営業所等が建ち並ぶ路線商業地域	近隣商業地域 建ぺい率 80% 容積率 200% 準防火地域	上水道 下水道 都市ガス	3,000㎡	沿道サービス施設地	110
b地域	B駅の北西方 約1.7km	幅員25m 舗装県道	沿道サービス型店舗が建ち並ぶ路線商業地域	準住居地域 建ぺい率 60% 容積率 200% 準防火地域	上水道 下水道 都市ガス	2,400㎡	沿道サービス施設地	97
c地域	B駅の南西方 約700m	幅員10m 舗装市道	中層の共同住宅のほか，店舗兼共同住宅等が見られる住宅地域	第１種住居地域 建ぺい率 60% 容積率 200% 準防火地域	上水道 下水道 都市ガス	2,000㎡	中層共同住宅地	110
d地域	B駅の北方 約300m	幅員25m 舗装県道	中層の商業ビルが建ち並ぶ商業地域	商業地域 建ぺい率 80% 容積率 400% 防火地域	上水道 下水道 都市ガス	500㎡	中層店舗事務所地	170
e地域	B駅の東方 約1.5km	幅員15m 舗装市道	沿道サービス型店舗のほか，営業所，低層の店舗兼共同住宅等が見られる路線商業地域	第２種住居地域 建ぺい率 60% 容積率 200% 準防火地域	上水道 下水道 都市ガス	2,200㎡	沿道サービス施設地	90

（注）地域要因に係る評点については，近隣地域の評点を100とし，他の地域は近隣地域と比較してそれぞれの評点を付したものである。

（資料５）事例資料等の概要

事例区分	所在する地域	類型	価格時点 取引時点 （時点修正率）	公示価格 取引価格	数量等	価格時点及び取引時点における敷地の利用の状況	道路及び供給処理施設の状況	駅からの道路距離	個別的要因に係る評点	備　考
地価公示法による標準地5－1	b 地域	更地として	平成28.1.1 （100.4）	116,000円/㎡	土地　2,400㎡	鉄骨造 平家建 店舗	南側 幅員25m 舗装県道 西側 幅員15m 舗装市道 上水道 下水道 都市ガス	Ｂ駅 北西方 約1.7km	角地＋5%	地価公示法第３条の規定により選定された標準地であり，利用の現況は当該標準地の存する地域における標準的使用とおおむね一致する。 更地としての価格が公示されている。
取引事例 （イ）	a 地域	自用の建物及びその敷地	平成28.2.18 （100.3）	503,000,000円	土地　3,060㎡ 建物床面積 1,100㎡	鉄骨造 平家建 店舗	北側 幅員30m 舗装国道 東側 幅員15m 舗装市道 上水道 下水道 都市ガス	Ｂ駅 西方 約1.2km	角地＋５％	法人間で売買された事例であり，取引にあたり特別な事情はない。 取引価格とは別に建物価格に対する消費税・地方消費税（税率８％）が5,800,000円であることが判明している。 建物は敷地と適応し，環境と適合している。
取引事例 （ロ）	b 地域	更地	平成28.5.26 （100.2）	274,000,000円 （110,484円/㎡）	土地　2,480㎡	未利用地（更地）	南側 幅員25m 舗装県道 東側 幅員15m 舗装市道 上水道 下水道 都市ガス	Ｂ駅 北西方 約1.7km	角地＋５％ 不整形地 －10％	隣接地所有者が店舗を拡大するために購入した事例である。 取引価格は，不動産鑑定士による鑑定評価に基づいて決定されており，隣接地との併合を目的としているため，鑑定評価額（限定価格）は正常価格よりも８％高いことが判明している。
取引事例 （ハ）	c 地域	更地	平成28.4.15 （100.4）	312,000,000円 （155,224円/㎡）	土地　2,010㎡	売却にあたって更地化された。	北側 幅員10m 舗装市道 上水道 下水道 都市ガス	Ｂ駅 南西方 約700m	やや不整形地 －3%	不動産開発業者が分譲マンション建設目的で購入した事例であり，取引にあたり特別な事情はない。
取引事例 （ニ）	d 地域	貸家及びその敷地	平成27.12.7 （100.8）	410,000,000円	土地　490㎡ 建物延床面積 1,900㎡	鉄筋コンクリート造５階建 店舗事務所	西側 幅員25m 舗装県道 上水道 下水道 都市ガス	Ｂ駅 北方 約300m	標準的 ± 0%	不動産会社が投資目的で購入した事例であり，取引にあたり特別な事情はない。 建物は280,000,000円で取引されたことが判明している。 建物は敷地と適応し，環境と適合している。
取引事例 （ホ）	e 地域	自用の建物及びその敷地	平成28.3.18 （100.0）	222,000,000円	土地　2,180㎡ 建物延床面積 590㎡	鉄骨造 平家建 店舗	北側 幅員15m 舗装市道 上水道 下水道 都市ガス	Ｂ駅 東方 約1.5km	標準的 ± 0%	老朽化した建物が存する現況有姿で取引された事例である。 当該建物の取壊し費用（建物延床面積あたり18,000円/㎡）は買主負担であることが判明しており，当該取壊し費用は地域の標準的な水準と認められる。

（注）個別的要因に係る評点は，それぞれの地域において標準的と認められる画地の地積以外の評点を100とし，これと取引事例等に係る土地とを比較し，それぞれの評点を付したものである。

なお，適切に要因比較を行い得る宅地の賃貸事例及び宅地を含む複合不動産の賃貸事例を収集することは困難であった。

また，一般の企業経営に基づく総収益から対象不動産に帰属する純収益を適切に求めることは困難であった。

本試験解答用紙に予め印字されている部分は太字で表記しています。

問1　求めるべき賃料の種類

本件は，価格時点において，依頼者が所有する土地（対象不動産）を，予定賃貸借契約書の契約内容（事業用定期借地契約等）に基づき第三者に新規に賃貸借する場合の参考として月額支払賃料の鑑定評価を依頼されたものであり，求めるべき賃料は正常賃料（地代）である。

正常賃料とは，正常価格と同一の市場概念の下において新たな賃貸借等の契約において成立するであろう経済価値を表示する適正な賃料（新規賃料）をいう（「基準」総論第５章）。

問2　対象不動産の確認

① 契約の目的

専ら事業の用に供する建物で且つ居住の用に供しない建物を所有する目的で設定する，借地借家法第23条第２項に定める事業用定期借地契約。

② 契約当事者

賃貸人：甲株式会社

賃借人：乙株式会社

③ 契約期間

平成28年８月１日から平成48年７月31日までの満20年間。

④ 契約数量

2,300.00㎡（登記記録数量）

⑤ 一時金の有無とその内容

保証金（預り金的性格を有する一時金）として，月額支払賃料の６か月分。

問3　最有効使用の判定

① 地域分析

対象不動産が属する近隣地域は，ＪＲ○○線Ｂ駅から北東方約1.5㎞に位置する，幅員約25ｍの舗装県道（県道○○号○○線）を標準街路とし，沿道サービス型店舗が建ち並ぶ路線商業地域であり，都市計画法上，準住居地域，指定建ぺい率60％，指定容積率200％，準防火地域に指定されている。

標準的画地は，間口約60ｍ，奥行約40ｍ，規模2,400㎡程度の長方形の中間画地であり，標準的使用は沿道サービス施設地（店舗）と判定されている。

② 個別分析

対象不動産は，南側で幅員約25mの舗装県道（県道○○号○○線）に接するほか，側道として東側で幅員約15mの舗装市道（市道第○○号線）に接する角地であり，接面する道路はいずれも建築基準法第42条第1項第1号の規定に該当する。これにより基準建ぺい率は70%となる。

また，対象不動産は，間口約60m，奥行約40m，規模2,300.00㎡の北東端が欠けたやや不整形な形状である。

③ 最有効使用の判定

対象不動産は近隣地域の標準的画地と比較して，角地で接面道路条件は優るが，不整形で形状はやや劣り，総合して標準的画地よりもやや増価が認められる土地であるが，間口・奥行は標準的画地と同一であり，規模も概ね類似し，大きな状況の違いは認められないため，対象不動産の最有効使用を近隣地域の標準的使用と同じく，沿道サービス施設地（店舗）と判定した。

問4 鑑定評価の手法の適用

宅地の正常賃料の鑑定評価額は，積算賃料，比準賃料及び配分法に準ずる方法に基づく比準賃料を関連づけて決定するものとする。この場合において，純収益を適切に求めることができるときは収益賃料を比較考量して決定するものとする。また，建物及びその敷地に係る賃貸事業に基づく純収益を適切に求めることができるときには，賃貸事業分析法で得た宅地の試算賃料も比較考量して決定するものとする（「基準」各論第2章）。

本件では，適切に要因比較を行い得る宅地及び宅地を含む複合不動産の賃貸事例を収集することは困難であったため，賃貸事例比較法及び配分法に準ずる方法に基づく賃貸事例比較法は適用しない。また，一般の企業経営に基づく総収益から対象不動産に帰属する純収益を適切に求めることは困難であったため，収益分析法は適用しない。

したがって，本件で適用する手法は積算法及び賃貸事業分析法である。

問5 積算法

(1) 対象不動産の更地価格

(1)－1 取引事例比較法による比準価格

① 各取引事例から比準した価格

事例 (イ)

土地価格（単価）（円／㎡）		事		時		標		地		個		面（㎡）		取引事例から比準した価格（円）
140,686	×	100/100	×	100.3/100	×	100/105	×	100/110	×	103/100	×	2,300	≒	289,000,000

事例 (ロ)

土地価格（単価）（円／㎡）		事		時		標		地		個		面（㎡）		取引事例から比準した価格（円）
110,484	×	100/108	×	100.2/100	×	100/95	×	100/97	×	103/100	×	2,300	≒	264,000,000

事例 (ホ)

土地価格（単価）（円／㎡）		事		時		標		地		個		面（㎡）		取引事例から比準した価格（円）
106,706	×	100/100	×	100.0/100	×	100/100	×	100/90	×	103/100	×	2,300	≒	281,000,000

※ 取引事例の土地価格（更地としての価格）（単価）の査定根拠

a．事例（イ）

複合不動産の事例だが，敷地が最有効使用状態にあるため配分法を適用して建付地の事例資料を求める。

建物価格：5,800,000円（消費税額）÷0.08＝72,500,000円

土地価格：503,000,000円－72,500,000円＝430,500,000円（140,686円/㎡）

b．事例（ホ）

買主負担の建物取壊し費用を取引価格に加算する。

222,000,000円＋18,000円/㎡×590㎡＝232,620,000円（106,706円/㎡）

② 対象不動産の比準価格

以上3事例による価格を得た。

事例（イ）は配分法を適用しており，地域特性，画地規模がやや異なり，規範性はやや劣る。

事例（ロ）は更地事例で取引時点は新しく，地域特性，画地規模も類似し

ているが，事情補正を要し，規範性は劣る。

事例（ホ）は建物を買主負担で取壊した実質更地の事例で，画地規模も類似しており，規範性は高い。

よって，事例（ホ）を中心に事例（イ）を比較考量し，事例（ロ）は参考にとどめ，比準価格を282,000,000円（123,000円/㎡）と査定した。

(1)－2　公示価格を規準とした価格

地価公示による標準地5－1

公示価格（円／㎡）		時		標		地		個		面（㎡）		公示価格を規準とした価格（円）
116,000	×	100.4/100	×	100/105	×	100/97	×	103/100	×	2,300	≒	271,000,000

(1)－3　対象不動産の更地価格

比準価格は複数の取引事例から求めた実証的，客観的な価格であり，本件では公示価格を規準とした価格とも均衡しているので妥当と認め，更地価格を比準価格と同じく，282,000,000円（123,000円/㎡）と査定した。

(2)　基礎価格

①　留意事項

賃料はあくまで賃貸借契約により定められた使用方法を前提とするため，基礎価格を求める際には，必ずしも対象不動産の最有効使用を前提とはせず，契約減価が発生する場合があることに留意しなければならない。

宅地の賃料（地代）を求める場合には，最有効使用が可能であれば更地価格，契約により使用収益等を制約する条件がある場合には契約減価を反映した建付地価格が基礎価格となる。

②　基礎価格

本件における賃貸借契約において予定されている建物は鉄骨造平家建，延床面積1,000㎡の小売店舗であり，近隣地域の特性及び対象不動産の個別的要因等から，沿道サービス型店舗と判断される。当該用途は対象不動産の最有効使用と合致しており，本件では，契約により使用収益等を制約する条件はなく，契約減価は発生していないため，更地価格の282,000,000円（123,000円/㎡）をもって基礎価格と査定した。

(3) 積算賃料

基礎価格（円）	期待利回り（%）	純賃料（円）	必要諸経費等（円）	積算賃料（年額）（円）	積算賃料（月額）（円）
282,000,000	3.0	8,460,000	2,312,000	10,772,000	898,000

※ 必要諸経費の査定根拠

136,000,000円×（1.4%＋0.3%）＝2,312,000円

問6 賃貸事業分析法

(1) 留意点

① 予定建物

賃貸事業分析法の適用に当たっては，新たに締結される土地の賃貸借等の契約内容に基づく予定建物を前提として土地に帰属する純収益を求めるものとする（「留意事項」各論第2章）。

すなわち，賃貸事業分析法における予定建物はあくまで契約予定の建物を意味し，最有効使用の賃貸用建物ではない点に留意する必要がある。

② 未収入期間

事業用定期借地権においては，土地の賃貸借開始後，建物を建築し賃貸に供するとともに，借地契約満了時までに建物を取壊して更地として返却することが原則であることから，借地期間の前後に建物賃貸収益の未収入期間が発生するものであり，当該期間を考慮して土地帰属純収益について未収入期間修正を行うことが適切である。

(2) 賃貸事業分析法による賃料

A	28,800,000	B	28,944,000	C	1,530,000
D	3,890,000	E	25,054,000	F	13,530,000
G	11,524,000	H	900,000		

解　説

「事業用定期借地権の設定に係る正常賃料の評価」という類型であるが，よくよく問題を読んでみると，従来の演習問題に比べ非常に簡単な内容である。

問１は，依頼内容等を抜粋し，求めるべき賃料の種類が「正常賃料」であることを明確に示し，あとは正常賃料の定義を述べる程度で十分である。

問２は，平成26年の基準改正で追加された，「権利の態様の具体的確認事項(「留意事項」総論第８章)」に即して５つの事項を挙げ，それぞれの内容を資料から抜粋すればよい。当該事項が暗記できていなくても，慌てることなく，「賃貸借契約に当たって明確にすべき事項とは何か？」を考えれば，２～３の事項は挙げられたはずである。

問３は，地域分析と個別分析に該当する箇所を資料の中から抜粋し，コンパクトにまとめ，対象不動産の最有効使用が「標準的使用と同じく沿道サービス施設地」であるという結論を示すこと。解答用紙に目一杯記述すると，時間切れになるので，解答例の６割程度で十分であろう。

問４は，宅地の正常賃料の鑑定評価方法の基本形を「基準」各論第２章に即して述べてから，賃貸事例比較法と収益分析法が適用できない理由を，資料の中にある文章をそのまま引用して解答すればよい。問３同様，こちらも解答用紙に目一杯記述する必要はない。

問５は，積算法を適用する問題だが，主要な計算論点は更地価格（基礎価格）を求めるための取引事例比較法のみで，積算賃料の試算自体は，定義に即した単純計算で解答できる。

取引事例比較法については，従来の本試験と異なり，①単価を用いること，②時点修正率が直接指定されていること，といった点が目新しいが，比準計算自体は容易であったはずである。配分法において，建物の消費税から建物価格を逆算する論点も，冷静に考えればさほど難しいものではない。比準価格の試算においては，解答例は更地化を前提とした事例（ホ）を重視して282,000千円としているが，281,000千円から285,000千円の間であれば，特段問題ない。

小問⑵の基礎価格査定上の留意事項は，論文問題対策における典型論点である。「契約に基づく使用が前提であり，必ずしも最有効使用とは限らない」という点を明確に述べること。

問６は，平成26年の基準改正で追加された「賃貸事業分析法」を適用する問題であるが，小問(2)の試算自体は，穴埋め形式の非常に簡単な内容で，むしろ小問(1)の記述の方が難易度は高い。特に②の未収入期間については，解答に窮した受験生も多かったものと思われるが，小問(2)における試算表で未収入期間を考慮した修正を行っているので，更地の土地残余法と同様，土地取得から建物の建築・稼働までの未収入期間等を考慮すべきである点を簡潔に述べられれば十分であろう。

MEMO

◇ 平成29年度・演習

問題　別紙２〔資料等〕Ⅱ．に掲げる対象不動産について，別紙２〔資料等〕及び別紙１〔指示事項〕に基づき行う不動産の鑑定評価に関する次の問に答えなさい。

問１　地域分析及び個別分析を行い，対象不動産の更地としての最有効使用を判定しなさい。

問２　対象不動産の最有効使用を判定しなさい。

問３　別紙２〔資料等〕Ⅰ．に掲げる依頼内容及び問２により判定した対象不動産の最有効使用を踏まえ，本件で求める価格の種類について説明しなさい。

問４　本件鑑定評価についてどのような手法を適用すべきか説明しなさい。なお，対象不動産の更地価格の査定における手法については解答する必要はありません。

問５　原価法に関する次の問に答えなさい。なお，本問に関する指示事項が別紙１〔指示事項〕のⅡ．に記載してあります。

⑴　対象不動産の更地価格を求めなさい。

⑵　対象不動産の再調達原価を求めなさい。

⑶　対象不動産の減価額を求めなさい。

⑷　積算価格を求めなさい。

問６　収益還元法に関する次の問に答えなさい。なお，本問に関する指示事項が別紙１〔指示事項〕のⅢ．に記載してあります。

⑴　DCF法による収益価格を求めなさい。

⑵　直接還元法による収益価格を求めなさい。

⑶　⑴及び⑵において求めた収益価格を比較検討した上で，試算価格としての収益価格を求めなさい。比較検討に当たっては，両手法の特徴及び収益価格の決定理由について簡潔に説明しなさい。

別紙１〔指示事項〕

Ⅰ．共通事項

1．問５における原価法及び問６における収益還元法の適用の過程で求める数値は，別に指示がある場合を除き，小数点第１位以下を四捨五入し，整数で求めること。

ただし，取引事例から比準した価格，対象不動産の比準価格，公示価格を規準とした価格，対象不動産の更地価格，建物の再調達原価，積算価格，DCF法による収益価格，直接還元法による収益価格及び試算価格としての収益価格については，上位４桁目を四捨五入した上で上位３桁を有効数字として取り扱うこと。

（例）1,234,567 円 → 1,230,000 円

2．消費税及び地方消費税については，別に指示がある場合を除き，各手法の適用の過程においては考慮せず，各種計算に当たっては，各資料の数値を前提とすること。

3．対象不動産及び取引事例については，土壌汚染，埋蔵文化財及び地下埋設物に関して価格形成に影響を与えるものは何ら存しないことが判明していること。また，取引事例においては建物に関し，吹付けアスベスト，ポリ塩化ビフェニル（以下「PCB」という。）等の有害物質の使用又は保管がないことが確認されていること。

4．エンジニアリング・レポートは，信頼性の高い建物調査等の専門調査機関により作成されており，不動産鑑定評価基準各論第３章の規定に基づき不動産鑑定評価を行う際に必要となる調査項目に不足はなく，調査結果も妥当なものであること。

5．土地及び建物に関する数量は，土地登記簿〔全部事項証明書〕及び建物登記簿〔全部事項証明書〕に記載された数量によること。

Ⅱ．問５について

1．対象不動産の再調達原価は，更地価格に建物の再調達原価を加算して，通常の付帯費用を含まない土地建物一体の再調達原価を求め，この額に通常の付帯費用を加算して求めること。

⑴　更地価格の査定

①　更地価格は，取引事例比較法を適用して求めること。なお，適用しな

い手法について，不適用の理由を解答する必要はない。

② 別紙2〔資料等〕「(資料5）事例資料等の概要」に記載の各事例から，下記事例の選択要件に照らして選択した事例を用いて取引事例から比準した価格を求めること。なお，選択する事例は3事例とし，事例の選択要件については解答する必要はない。また，選択しない事例について，不選択の理由を解答する必要はない。

（事例の選択要件）

取引事例は，原則として近隣地域又は同一需給圏内の類似地域に存する不動産から選択するものとし，必要やむを得ない場合には近隣地域の周辺の地域に存する不動産から，対象不動産の最有効使用が標準的使用と異なる場合等には，同一需給圏内に存し対象不動産と代替，競争等の関係が成立していると認められる不動産から選択するものとするほか，次の要件の全部を備えなければならない。

i 取引事情が正常なものと認められるものであること又は正常なものに補正することができるものであること。

ii 時点修正をすることが可能なものであること。

iii 地域要因の比較及び個別的要因の比較が可能なものであること。

③ 事例の事情その他の内容は，別紙2〔資料等〕「(資料5）事例資料等の概要」の記載事項より判断すること。

④ 取引事例が建物及びその敷地の場合は，配分法等により，取引事例の土地価格（更地としての価格）（単価）を査定した上で比準すること。なお，取引事例の土地価格（更地としての価格）（単価）の査定根拠を記載する必要はない。

⑤ 解答用紙の書式に従い，選択した各取引事例から比準した価格を査定すること。

⑥ 取引事例から比準した価格を求める場合の計算式と略号は，次のとおりとすること。

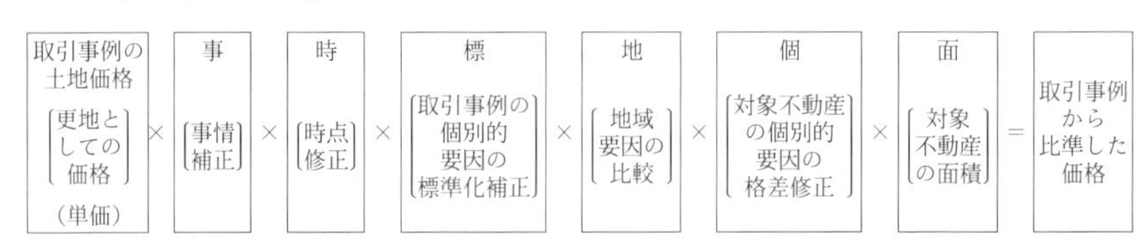

⑦　取引事例から比準する際に用いる数値は，別紙２〔資料等〕「（資料４）類似地域等の概要」及び別紙２〔資料等〕「（資料５）事例資料等の概要」の記載事項より判断すること。

⑧　対象不動産の個別的要因の格差修正率，及び取引事例の個別的要因の標準化補正率の査定は相乗積をもって査定すること。

例）取引事例地　二方路（＋２％），不整形地（－５％）

取引事例の個別的要因の標準化補正率

（100％＋２％）×（100％－５％）≒97％（小数点第１位以下四捨五入）

⑨　各取引事例から比準した価格をもとに対象不動産の比準価格を査定すること。

⑩　対象不動産の更地価格の査定に当たっては，公示価格を規準とした価格との均衡に留意すること。公示価格を規準とした価格を求める場合の計算式と略号は，次のとおりとすること。

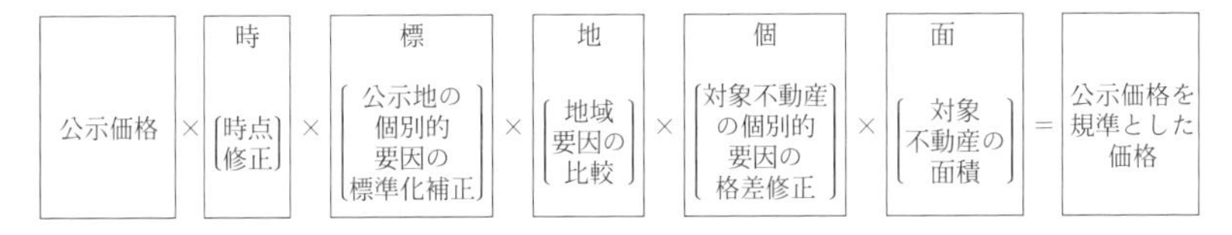

⑵　建物の再調達原価の査定

建物の再調達原価を求めるに当たっては，直接法を採用すること。この場合において，次に掲げる２つの方法により再調達原価をそれぞれ求め，両価格を比較検討した上で，建物の再調達原価を求めること。

①　対象不動産の建築に際し，実際に要した建築工事費を時点修正することにより求める方法

②　エンジニアリング・レポートを作成した専門家による再調達価格を時点修正することにより求める方法

⑶　通常の付帯費用の査定

建物に直接帰属する付帯費用（設計監理料等）及び土地との関係で発生し，一体として把握される付帯費用（資金調達費用や開発リスク相当額等）として，更地価格に建物の再調達原価を加算した額の15％を計上すること。なお，土地に直接帰属する付帯費用については，土地価格に比して些少で

あり，土地価格に含めても価格形成に大きな影響を与えないと判断できることから，本件では考慮しないものとする。

2．対象不動産の減価額の査定について

⑴　土地に係る減価はないものとすること。

⑵　建物の躯体（本体）部分の耐用年数は40年，仕上げ部分の耐用年数は25年，設備部分の耐用年数は15年とし，減価修正の耐用年数に基づく方法はいずれも定額法を採用し，残価率は0とすること。建物の減価の程度は，おおむね経年相応とすること。

⑶　建物の躯体部分と仕上げ部分，設備部分の構成割合は，別紙2〔資料等〕「（資料6）エンジニアリング・レポートの概要」に記載されている再調達価格に基づき，その他の工事費等を除く躯体工事費，仕上げ工事費及び設備工事費の割合を査定し，同等規模・品等の事務所における構成割合として妥当と判断し，採用すること。

（注）仕上げ部分とは，屋根，外壁，窓及び外部天井等の「外部仕上げ」と床，壁，天井及び内部建具等の「内部仕上げ」に係る部分をいう。

⑷　通常の付帯費用に係る減価額の査定に当たっては，当該費用は建物等の維持される期間において配分すべき費用として，建物と同様の方法で減価修正を行うものとし，耐用年数は40年，残価率は0として減価額を求めること。

3．対象不動産の積算価格は，再調達原価に減価修正を行って求めること。

Ⅲ．問6について

1．収益還元法の適用に際しては，DCF法及び直接還元法を併用すること。

2．DCF法の適用に当たっては，次のとおりとすること。

⑴　保有期間を5年として，対象不動産を現状のまま賃貸することを想定し，価格時点以降5年間の純収益の現在価値の総和に5年後の復帰価格の現在価値を加算することにより，DCF法による収益価格を求めること。

⑵　価格時点以降5年間の純収益の現在価値の総和は，不動産鑑定評価基準各論第3章別表2に基づき，次ページの様式で解答すること。なお，表中に記載されている数値は，いずれも妥当なものとして採用すること。

⑶　復帰価格の現在価値及びDCF法による収益価格の査定に当たっては，計算根拠を示して解答すること。

（純収益の現在価値の総和の査定表）（円）

	1	2	3	4	5	6
貸室賃料収入						
共益費収入						
水道光熱費収入						
駐車場収入						
その他収入						
総収益（満室想定）						
空室等損失						
事務所						
水道光熱費収入						
駐車場						
貸倒損失	0	0	0	0	0	0
運営収益						
維持管理費	27,000,000	27,000,000	27,000,000	27,000,000	27,000,000	27,000,000
水道光熱費						
修繕費	5,000,000	5,000,000	5,000,000	5,000,000	5,000,000	5,000,000
プロパティマネジメントフィー						
テナント募集費用等						
公租公課（土地）	33,000,000	33,000,000	33,000,000	33,000,000	33,000,000	33,000,000
公租公課（建物）	27,000,000	25,920,000	25,920,000	25,920,000	24,883,200	24,883,200
公租公課（償却資産）	2,000,000	2,000,000	2,000,000	2,000,000	2,000,000	2,000,000
損害保険料	1,600,000	1,600,000	1,600,000	1,600,000	1,600,000	1,600,000
その他費用	0	0	0	0	0	0
運営費用						
運営純収益						
一時金の運用益	2,736,300	2,736,300	2,964,000	2,964,000	2,964,000	2,964,000
資本的支出	3,000,000	3,000,000	3,000,000	3,000,000	3,000,000	3,000,000
純収益						
複利現価率	0.9569	0.9157	0.8763	0.8386	0.8025	－
現在価値						－
現在価値　合計						

3．対象不動産の純収益は，運営収益から運営費用を控除して運営純収益を求め，これに一時金の運用益，資本的支出を加減して求めること。

4．B市におけるオフィス市況を考慮し，価格時点における新規月額支払賃料（単価）を5,000円/㎡，敷金を月額支払賃料の10か月分とすること。

5．対象不動産の初年度運営収益を求めるに当たっては，次のとおりとすること。

⑴　運営収益は，貸室賃料収入，共益費収入，水道光熱費収入，駐車場収入及びその他収入を合計した総収益（満室想定）から，空室等損失及び貸倒損失を控除して求めること。

⑵　貸室賃料収入及び共益費収入は，現行の賃貸借契約内容に基づき計上すること。

⑶　事務所部分の水道光熱費収入は，賃貸面積当たり月額450円として求めること。

⑷　駐車場収入は，現行の１台当たりの月額使用料を妥当と認めて採用すること。

⑸　その他収入は，次の情報を基に計上すること。

看板使用料　250,000円（月額）

アンテナ設置料　80,000円（月額）

⑹　空室等損失を求めるに当たっては，次のとおりとすること。

①　事務所，水道光熱費収入，駐車場のそれぞれについて空室等損失を求め，それらを合算することにより求めること。

②　事務所部分の稼働率を95%，駐車場部分の稼働率を70%として求めること。

③　事務所部分については，現行の賃貸借契約内容に留意し，契約期間中の解約ができない部分について稼働率を100%として査定すること。

④　水道光熱費収入に対する空室等損失については，上記②及び③と同様の考え方に基づき査定すること。

6．対象不動産の初年度運営費用を求めるに当たっては，次のとおりとすること。

⑴　運営費用は，維持管理費，水道光熱費，修繕費，プロパティマネジメントフィー（以下「PMフィー」という。），テナント募集費用等，公租公課（土地，建物，償却資産），損害保険料及びその他費用を合計して求めること。

⑵　水道光熱費は，賃貸面積当たり月額510円とし，水道光熱費収入に係る空室等損失の査定と同様の考え方に基づき，稼働率を考慮して査定すること。

⑶　PMフィーは，現行のプロパティマネジメント契約に基づき，運営収益の2.0%相当額とすること。

⑷　テナント募集費用等を求めるに当たっては，次のとおりとすること。

①　テナント募集費用等は，事務所部分の平均回転期間において，新たな賃貸借契約の締結により発生すると見込まれる仲介手数料総額の年平均額を計上するものとし，次の算式により求めること。なお，事務所部分の平均回転期間は8年とすること。

事務所部分の新規月額支払賃料の1か月分 ÷ 平均回転期間

②　現行の賃貸借契約内容に留意し，契約期間中の解約ができない部分についてはテナント募集費用等を計上しないこと。

③　駐車場部分については，市場慣行等によりテナント募集費用等は発生しないものとすること。

7．2年目以降の純収益を求めるに当たっては，次のとおりとすること。

⑴　B市におけるオフィス市況の動向を考慮し，今後6年間における新規月額支払賃料（単価）の変動は横ばいとし，敷金についても同様とすること。

⑵　貸室賃料収入については，テナント入れ替えに伴う新規賃貸借契約の締結により，当該時点における新規支払賃料になるものとすること。

⑶　定期借家契約が締結されている部分については，契約期間満了により確定的に賃貸借契約が終了するものとし，当該空室部分の新テナントについては，B市のオフィス市場慣行から，普通借家契約により契約が締結されるものとして査定を行うこと。

⑷　その他の運営収益，運営費用については，初年度運営収益及び初年度運営費用の査定において指示された単価又は率を用いて査定すること。

8．割引率は，B市における投資適格性を有する賃貸事務所ビルに要求される一般的な投資収益率，還元利回りに反映されている流動性に関わるリスク及び将来の純収益の変動見通し等を勘案して4.5%を採用すること。

9．復帰価格を求めるに当たっては，次のとおりとすること。

⑴　復帰価格は，6年目の純収益を最終還元利回りで還元した価格から，売却費用を控除して求めること。

⑵　最終還元利回りは，建物の経過年数及び将来の収益獲得の不確実性等を考慮して，割引率に0.3%を加算して求めること。

⑶　売却費用は，売却費用控除前の復帰価格の3%相当額とすること。

10. 直接還元法の適用に当たっては，採用する運営収益，運営費用等は標準化されたものを採用するものとし，標準化された純収益を還元利回りで還元して直接還元法による収益価格を求めること。

11. 標準化された運営収益の査定に当たっては，DCF法５年目の運営収益を標準化された運営収益として採用すること。

12. 標準化された運営費用の査定に当たっては，次のとおりとすること。

(1) 修繕費の査定に当たっては，エンジニアリング・レポート記載の中長期修繕費用は，今後10年間の支出予測であり，当該分析期間以降の築年数の経過に伴い，修繕費が増大する可能性があることから，建物の再調達原価の0.2%相当額を標準化された修繕費として計上すること。

(2) 公租公課については，初年度の公租公課を採用すること。

(3) その他の運営費用項目については，DCF法５年目の各項目を標準化された運営費用として採用すること。

13. 標準化された純収益の査定に当たっては，次のとおりとすること。

(1) DCF法５年目の一時金の運用益を標準化された運用益として採用すること。

(2) 資本的支出の査定に当たっては，エンジニアリング・レポート記載の中長期更新費用は，今後10年間の支出予測であり，当該分析期間以降の築年数の経過に伴い，更新費が増大する可能性があることから，建物の再調達原価の0.3%相当額を標準化された資本的支出として計上すること。

14. 還元利回りは，類似不動産の取引利回りとの比較，将来の純収益の変動見通し等を勘案して4.7%を採用すること。

別紙２〔資料等〕

Ⅰ．依頼内容

1．依頼者　甲投資法人（投資信託及び投資法人に関する法律に規定する投資法人）

2．依頼対象不動産　ＪＲ○○線Ｘ駅の南東方約150ｍ（道路距離）に位置する事務所ビル（Ⅱ．に掲げる対象不動産）

3．依頼の目的　本件は，甲投資法人（依頼者）が，投資対象資産である対象不動産の価格に関する情報を開示するため，運用者が作成する資産運用報告書に，運用期間中における決算期ごとの対象不動産の評価額を記載する目的で鑑定評価の依頼をするものである。このため，依頼者は，投資対象資産である対象不動産について，投資家に示すための投資採算価値を表す価格を求めることを要請している。

Ⅱ．対象不動産

1．土地　所在及び地番　Ａ県Ｂ市Ｃ区Ｄ町四丁目９番12
　　　　地　　　　目　宅地
　　　　地　　　　積　1,320.00㎡（土地登記簿〔全部事項証明書〕記載数量）
　　　　所　有　者　甲投資法人

2．建物　所　　　　在　Ａ県Ｂ市Ｃ区Ｄ町四丁目９番地12
　　　　家 屋 番 号　３番１
　　　　構造・用途　鉄骨造陸屋根地下1階付地上10階建 事務所
　　　　建築年月日　平成26年８月１日
　　　　床　面　積　（建物登記簿〔全部事項証明書〕記載数量）

1	階	1,000.00㎡
2	階	950.00㎡
3	階	950.00㎡
4	階	950.00㎡
5	階	950.00㎡
6	階	950.00㎡
7	階	950.00㎡
8	階	950.00㎡

9　　階	950.00㎡
10　　階	950.00㎡
地下１階	1,000.00㎡
合　　計	10,550.00㎡

所　有　者　甲投資法人

Ⅲ．鑑定評価の基本的事項

１．類型　貸家及びその敷地

２．鑑定評価の条件

⑴　対象不動産の現実の利用状況を所与として鑑定評価の対象とする。

⑵　甲投資法人は，対象不動産を賃貸用の事務所ビルとして運用し，一定期間保有した後，売却する方針を示しており，当該運用方法を所与とした鑑定評価。

３．依頼目的　保有資産の投資採算価値の把握（Ｉ．３．に掲げる依頼の目的による。）

４．鑑定評価によって求める価格の種類　問３

５．価格時点　平成29年８月１日

Ⅳ．対象不動産が所在するＢ市の概況

１．位置等

⑴　位置及び面積　Ａ県の東部に位置し，面積は約220㎢である。

⑵　沿革等　Ｂ市は，Ａ県の東部に位置する県庁所在地である。北西部は丘陵が多いものの，中央部から南部及び東部にかけて平野が広がっており，古くから交通の要衝として栄えてきた。近年においても，行政・商業・業務などの都市機能の集積が進んでおり，Ａ県の中心都市として発展している。

２．人口等

⑴　人　口　現在約110万人で，近年は微増で推移している。

⑵　世帯数　約50万世帯

３．交通施設及び道路整備の状態

⑴　鉄　道　ＪＲ○○線がＢ市の中央部を南北に縦断している。

⑵　バ　ス　Ｘ駅を中心としてバス路線網が整備され，運行便数も多く，鉄

道を補完している。

⑶ 道　路　国県道を幹線道路とし，市道が縦横に敷設されている。市の西部には○○自動車道のインターチェンジが設けられ，首都圏をはじめとした周辺都市と連絡している。

4．供給処理施設の状態

⑴ 上 水 道　普及率はほぼ100%

⑵ 下 水 道　普及率は約95%

⑶ 都市ガス　普及率は約85%

5．土地利用の状況

⑴ 商業施設　X駅東口から延びる広幅員道路沿いに高層の事務所が建ち並び，その背後地に中層の事務所や飲食店舗，小売店舗が集積し，駅東口周辺の商業地域を形成している。X駅西口は，旧来からの低・中層店舗を中心に商業地域が形成されており，東口周辺エリアに比べ商業施設の集積の程度はやや劣るが，近年，西口駅前に大型商業施設やホテルが建設されたほか，複数の再開発計画が進捗中であり，今後の発展が見込まれている。

⑵ 住　　宅　全体的な傾向として，X駅徒歩圏においては，駅西口周辺を中心に高層の共同住宅，店舗付共同住宅が多く，バス圏においては，戸建住宅や低層の共同住宅が多い。

V．対象不動産に係る市場の特性

1．同一需給圏の判定

対象不動産と代替・競争関係が成立する類似不動産の存する圏域（同一需給圏）は，A県内のターミナル駅から徒歩圏に位置し，高層の事務所や店舗が集積する商業地域である。

2．同一需給圏における市場参加者の属性及び行動

⑴ 土地

同一需給圏内の売買市場における市場参加者の属性としては，土地を取得し，中高層の事務所を建築の上，賃貸に供する大手デベロッパーが中心となる。規模の小さい土地については，低層店舗を建築し，自ら営業を行う法人事業者も考えられる。主たる市場参加者は，不動産取引に際し，利便性（最寄駅への接近性）及び敷地の形状・規模・接面状況等の画地条件

を重視する傾向にある。

(2) 建物及びその敷地

同一需給圏内の売買市場における市場参加者の属性としては，投資用物件としての運用を目論む投資法人，ファンド及び不動産会社等が中心となる。主たる市場参加者は，不動産取引に際し，主に収益の安定性及び成長性を重視する傾向にある。

3．市場の需給動向

(1) 土地

ターミナル駅に近く，画地条件が優れた土地は希少性が高く，供給が限定的である。特に大型の賃貸用事務所の建設が可能な規模を有する土地については，入札等により複数の需要者が競合することが見込まれる。

(2) 建物及びその敷地

築年が経過した自社ビル等の建て替えによる事務所ビルの新規供給はあるものの，未利用地がほとんどないため，供給量に大きな変化はない。ターミナル駅に近く，賃借需要が旺盛な事務所ビルについては，収益の安定性が高く，将来的な成長性も見込めることから，投資法人，ファンド等を中心とした需要が認められる。

4．同一需給圏における地価の推移・動向

地価は上昇傾向で推移しているが，建築費の高騰等により，近年では上昇幅が縮小傾向にある。

Ⅵ. 近隣地域の状況

1．近隣地域の範囲

対象不動産が北東側で接面する幅員約20mの舗装市道（市道○号線）沿いで，対象不動産を起点に北西方約100mの地域と判定した。

2．地域の特性等

(1) 街路条件

接面道路は，幅員約20mの舗装市道（市道○号線）が標準である。系統・連続性はおおむね良好である。

(2) 交通・接近条件

ＪＲ○○線Ｘ駅から，近隣地域の中心まで南東方へ約100mに位置する。

(3) 環境条件

地勢は平坦であり，供給処理施設としては，上水道・下水道・都市ガスが整備されている。危険・嫌悪施設は特にない。

(4) 行政的条件

市街化区域，商業地域，指定建ぺい率80%，指定容積率800%，防火地域に指定されている。

3．土地利用の状況及び将来動向等

近隣地域は，広幅員の道路沿いに高層の事務所が建ち並ぶ商業地域であり，地域要因に格別の変化が認められないので，おおむね現状のまま推移していくものと予測する。

4．標準的使用及び標準的画地

(1) 標準的使用

高層事務所地

(2) 標準的画地

近隣地域のほぼ中央に位置する，幅員約20mの舗装市道沿いで，間口約40m・奥行約30m・規模1,200㎡程度の長方形の中間画地と判定した。

Ⅶ．対象不動産の状況

1．土地

(1) 近隣地域における位置

近隣地域の南東寄りに位置する。

(2) 土地の状況

① 街路条件

北東側：幅員約20mの舗装市道（市道○号線，建築基準法第42条第1項第1号道路）

南東側：幅員約8mの舗装市道（市道○号線，建築基準法第42条第1項第1号道路）

② 交通・接近条件

近隣地域の標準的画地とほぼ同じである。

③ 環境条件

近隣地域の標準的画地と同じである。

④ 行政的条件

近隣地域の標準的画地と同じである。

⑤　画地条件

間口約44m・奥行約30m・規模1,320.00㎡の長方形の角地である。

(3)　標準的画地と比較した増減価要因

増価要因：　角地（＋５％）

減価要因：　なし

２．建物

(1)　建物概要

①　建築年月日：平成26年８月１日

②　構造・用途：鉄骨造・事務所

(2)　設備概要

電気設備，給排水設備，衛生設備等

(3)　仕上げ概要

外壁：アルミカーテンウォール

内壁：塗装

床：タイルカーペット

天井：岩綿吸音板

(4)　使用資材の品等

中位

(5)　施工の質及び量

質及び量共に事務所として標準的である。なお，対象建物は，新耐震基準に適合している。

(6)　維持管理の状態

維持管理の状態はおおむね普通で，経年相応の減価が認められる。

(7)　経済的残存耐用年数

価格時点における経済的残存耐用年数は，躯体部分については37年，仕上げ部分については22年，設備部分については12年と判定した。

（注）仕上げ部分とは，屋根，外壁，窓及び外部天井等の「外部仕上げ」と床，壁，天井及び内部建具等の「内部仕上げ」に係る部分をいう。

(8)　建物とその環境との適合の状態

対象建物は，周辺環境と適合している。

３．建物及びその敷地

(1)　建物等とその敷地との適応の状態

対象建物は，敷地と適応している。

⑵　修繕計画及び管理計画の良否とその実施の状態

大規模修繕に係る修繕計画：あり

管理実施の状態：計画通りに実施されている。

⑶　賃貸経営管理の良否

賃借人の状況及び賃貸借契約の内容：一部に定期借家契約を含むものの，標準的な契約内容であり，賃借人も特段の問題はない。

貸室の稼働状況：直近の３年間の平均的な稼働状況は，貸室部分が95%，駐車場部分が70%で推移している。なお，価格時点現在は満室で，解約予告も発生していない。

４．対象不動産の市場分析

⑴　対象不動産に係る典型的な需要者層

①　土地

典型的な需要者は，中高層の事務所を建築の上，賃貸に供する大手デベロッパーが中心となる。当該需要者は，利便性（最寄駅への接近性）及び敷地の形状・規模・接面状況等の画地条件を重視する傾向にある。

②　建物及びその敷地

典型的な需要者は，投資用物件としての運用を目論む投資法人，ファンド，不動産会社等である。当該需要者は，収益の安定性・成長性，転売時の流動性等に着目し，取引の意思決定を行う。

⑵　代替・競争関係にある不動産との比較における優劣及び競争力の程度

①　土地

最寄駅に近いこと，広幅員道路の角地に立地し視認性に優れること，相応の規模を有することから投資採算性に優り，同一需給圏の類似不動産と比較して相応の競争力を有している。

②　建物及びその敷地

最寄駅に近いこと，広幅員道路の角地に立地し視認性に優れること，築浅物件であることから収益性・事業性に優り，同一需給圏の類似不動産と比較して相応の競争力を有している。

Ⅷ. 対象不動産の価格時点における賃貸借契約の概要

階層	用途	賃貸面積（㎡）	賃借人	現行契約期間	契約の種類	月額支払賃料（円）	月額共益費（円）	敷金（円）	備考
6階～10階	事務所	3,300.00	E株式会社	平成28年8月1日～平成31年7月31日	普通借家契約	16,500,000	3,630,000	165,000,000	（注6）
3階～5階	事務所	1,980.00	F株式会社	平成26年8月1日～平成31年7月31日	定期借家契約	8,910,000	2,178,000	71,280,000	（注7）
2階	事務所	660.00	G株式会社	平成27年8月1日～平成30年7月31日	普通借家契約	3,300,000	726,000	33,000,000	（注6）
1階	事務所	300.00	H株式会社	平成27年8月1日～平成30年7月31日	普通借家契約	1,500,000	330,000	15,000,000	（注6）
合計	－	6,240.00	－	－	－	30,210,000	6,864,000	284,280,000	－

（注1）契約の種類欄における「普通借家契約」とは，借地借家法第30条の規定の適用がある賃貸借契約をいい，「定期借家契約」とは，借地借家法第38条に規定する定期建物賃貸借契約をいう。

（注2）契約の月額共益費は，各テナントとも1,100円/㎡であり，周辺の同様の賃貸物件と比較しても，同等の水準にある。

（注3）月額支払賃料及び月額共益費は，毎月末に当月分を支払う。

（注4）敷金は預り金的性格の一時金であり，退去時に無利息で賃借人に返還される。

（注5）駐車場は，敷地内に立体駐車場が30台分あり，現在21台分が賃貸されている。1台当たりの月額使用料は30,000円で，敷金の授受はなく，周辺の同様の賃貸物件と比較しても，同等の水準にある。

（注6）書面による事前の通知により，契約期間内での中途解約ができる。また，当事者の協議により，契約期間内でも賃料の改定ができる旨の定めがある。

（注7）借地借家法第32条の適用はない旨の定めがあり，契約期間内における賃料の改定はできない。また，契約期間内における中途解約はできない旨の定めがある。

（資料１）対象不動産，地価公示法による標準地，取引事例等の位置図

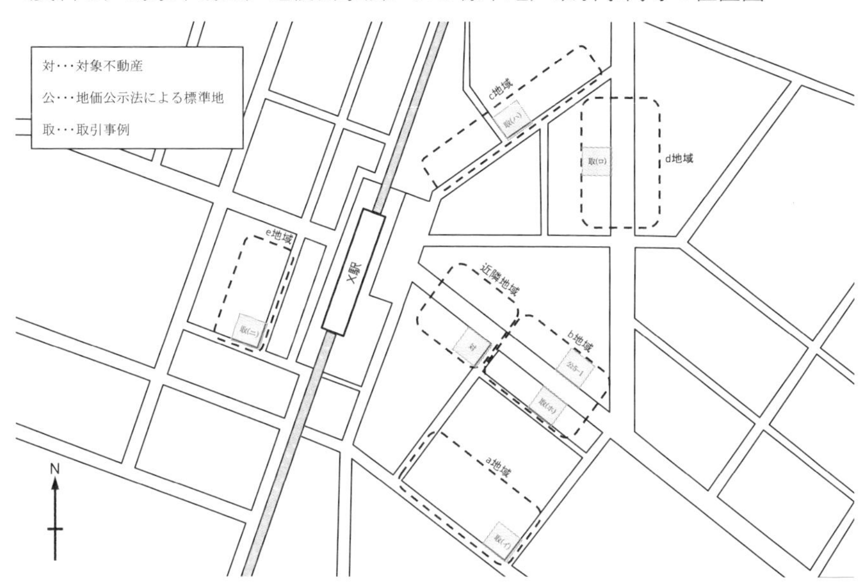

（注）この位置図は，対象不動産，地価公示法による標準地，取引事例等のおおむねの配置を示したもので，実際の距離，規模等を正確に示したものではない。

（資料２）近隣地域の状況

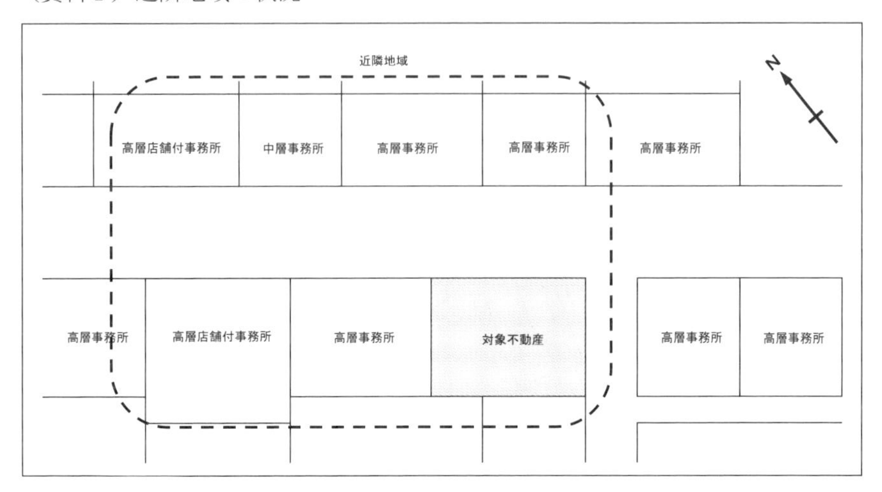

（注）この近隣地域は，対象不動産及び周辺の利用状況について，おおむねの配置を示したものである。

（資料３）対象不動産の確認資料

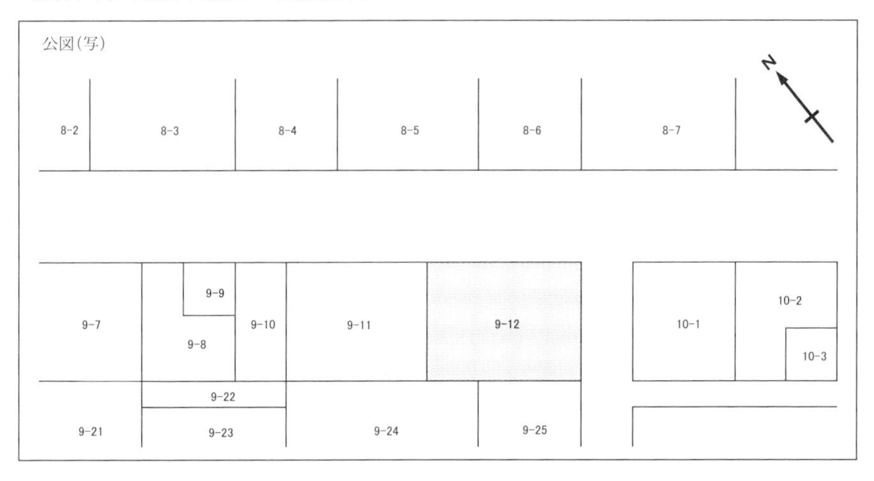

（注）この確認資料は，いずれも正式な資料とは異なり，記載内容及び表現を一部簡略化している。

（資料４）類似地域等の概要

地域	位置（距離は駅から中心までの道路距離）	標準的な道路の状況	土地の利用状況	都市計画法等の規制で主要なもの	供給処理施設	標準的な画地規模	標準的使用	地域要因に係る評点（近隣地域=100）
a地域	X駅の南東方 約400m	幅員10m 舗装市道	中高層の事務所が建ち並ぶ商業地域	商業地域 建ぺい率 80% 容積率 600% 防火地域	上水道 下水道 都市ガス	1,000㎡	高層事務所地	93
b地域	X駅の南東方 約250m	幅員20m 舗装市道	大通り沿いに事務所が建ち並ぶ商業地域	商業地域 建ぺい率 80% 容積率 800% 防火地域	上水道 下水道 都市ガス	1,500㎡	高層事務所地	99
c地域	X駅の北東方 約200m	幅員18m 舗装市道	大通り沿いに事務所が建ち並ぶ商業地域	商業地域 建ぺい率 80% 容積率 800% 防火地域	上水道 下水道 都市ガス	1,500㎡	高層事務所地	97
d地域	X駅の北東方 約350m	幅員25m 舗装市道	大通り沿いに事務所が建ち並ぶ商業地域	商業地域 建ぺい率 80% 容積率 800% 防火地域	上水道 下水道 都市ガス	1,200㎡	高層事務所地	95
e地域	X駅の南西方 約150m	幅員８m 舗装市道	低中層店舗を中心とした旧来からの商業地域	商業地域 建ぺい率 80% 容積率 400% 防火地域	上水道 下水道 都市ガス	500㎡	中層店舗地	83

（注）地域要因に係る評点については，近隣地域の評点を100とし，他の地域は近隣地域と比較してそれぞれの評点を付したものである。

（資料５）事例資料等の概要

事例区分	所在する地域	類型	価格時点 取引時点 （時点修正率）	公示価格 取引価格	数量等	価格時点及び取引時点における敷地の利用の状況	道路及び供給処理施設の状況	駅からの道路距離	個別的要因に係る評点	備考
地価公示法による標準地5-1	b 地域	更地として	平成29. 1. 1 （101. 8）	2, 180, 000円/㎡	土地　1, 500㎡	鉄骨造 地下１階付11階建 事務所	南西側 幅員20m 舗装市道 上水道 下水道 都市ガス	X駅 南東方 約250m	標準的 ±0%	地価公示法第３条の規定により選定された標準地であり，利用の現況は当該標準地の存する地域における標準的使用とおおむね一致する。 更地としての価格が公示されている。
取引事例（イ）	a 地域	自用の建物及びその敷地	平成29. 1. 18 （101. 8）	2, 860, 000, 000円	土地　850㎡ 建物延床面積 5, 100㎡	鉄骨鉄筋コンクリート造 ８階建 事務所	南西側 幅員10m 舗装市道 南東側 幅員8m 舗装市道 上水道 下水道 都市ガス	X駅 南東方 約450m	角地　+5%	法人間で売買された事例であり，取引に当たり特別な事情はない。 取引総額は判明しているが，建物価格は不明である。
取引事例（ロ）	d 地域	更地	平成29. 3. 20 （101. 3）	2, 270, 000, 000円 （2, 292, 929円/㎡）	土地　990㎡	未利用地	東側 幅員25m 舗装市道 上水道 下水道 都市ガス	X駅 北東方 約350m	標準的 ±0%	南側隣地の所有者が当該土地と併せて事務所ビルを建てるために購入したものである。取引に当たって，併合を前提としない単独での利用を前提とした不動産鑑定士による評価が行われている。左記取引価格は当該鑑定評価の価格（価格時点は左記取引時点と同じ）よりも７%高いことが判明している。
取引事例（ハ）	c 地域	更地	平成29. 6. 15 （100. 5）	2, 860, 000, 000円 （2, 234, 375円/㎡）	土地　1, 280㎡	未利用地	南東側 幅員18m 舗装市道 南西側 幅員5m 舗装市道 上水道 下水道 都市ガス	X駅 北東方 約200m	角地　+4% やや不整形地　−2%	不動産開発業者が購入した事例であり，取引に当たり特別な事情はない。
取引事例（ニ）	e 地域	更地	平成28. 8. 3 （103. 0）	580, 000, 000円 （1, 870, 968円/㎡）	土地　310㎡	時間貸し駐車場	南東側 幅員8m 舗装市道 南西側 幅員8m 舗装市道 上水道 下水道 都市ガス	X駅 南西方 約200m	角地　+5%	自社店舗跡地を時間貸し駐車場として暫定利用していたところ，現状有姿での売買となった。取引に当たり，特別な事情はない。
取引事例（ホ）	b 地域	貸家及びその敷地	平成29. 4. 10 （101. 0）	6, 500, 000, 000円	土地　1, 490㎡ 建物延床面積 11, 900㎡	鉄骨造 地下１階付10階建 事務所	北東側 幅員20m 舗装市道 南西側 幅員6m 舗装市道 上水道 下水道 都市ガス	X駅 南東方 約250m	二方路地 +4%	不動産会社が投資目的で購入した事例であり，テナントが100%入居している状態で取引された。取引に当たり特別な事情はない。借家人居付であることの増減価はなく，建物は3, 100, 000, 000円で取引されたことが判明している。

（注）個別的要因に係る評点は，それぞれの地域において標準的と認められる画地の地積以外の評点を100とし，これと取引事例に係る土地とを比較し，それぞれの評点を付したものである。

（資料6）エンジニアリング・レポートの概要

Ⅰ．調査時点	平成29年8月1日
Ⅱ．物件概要	
名称	Yビルディング
所在地	A県B市C区D町
用途地域等	商業地域，防火地域
敷地面積	1,320.00㎡
建築面積	1,000.00㎡
延べ床面積	10,550.00㎡
建物用途	事務所・駐車場
階数	地上10階・地下1階
構造	鉄骨造
竣工年月	平成26年8月
設計者	乙一級建築士事務所
施工者	丙建設会社
管理会社	丁マネジメント株式会社
Ⅲ．調査結果	
A．遵法性	特に問題となる点は認められない。
B．修繕更新費用	
緊急修繕更新費用	0円
短期修繕更新費用	0円
中長期修繕更新費用	80,000,000円（今後10年間に発生が予想される費用総額）
（内訳）　修繕費	50,000,000円
更新費	30,000,000円
C．再調達価格	3,210,000,000円
（内訳）躯体工事費	816,000,000円
仕上げ工事費	1,088,000,000円
設備工事費	816,000,000円
その他の工事費等	490,000,000円
D．環境リスク	アスベスト及びPCB等の有害物質の存在は確認されなかった。
E．土壌汚染調査	過去にフェーズⅡ調査（サンプリング調査を伴う土壌・地下水調査）を実施しており、当該調査結果から、土壌汚染はないものと判断する。
F．地震リスク	
PML値（再現期間475年）	3.2%

（注）再調達価格は，調査員が対象不動産の設計図書等の確認や現地調査を行い，対象不動産を再調達した場合に要する工事費等について積算をし，算定したものである。

（資料７）対象不動産の建築工事費について

対象不動産は，平成26年８月１日に竣工した。建築工事費は，全体で3,000,000,000円（当該建築工事費は，特別な事情が存在しない竣工時点における標準的な建築工事費である。）で，現在は建築当時と比較して建築工事費が５％上昇している。

以上

本試験解答用紙に予め印字されている部分は太字で，記述欄はないが内容理解に必要と判断した部分は斜体で表記しています。

問１　対象不動産の更地としての最有効使用の判定

⑴　地域分析

①　街路条件

接面道路は，幅員約20mの舗装市道が標準であり，系統・連続性はおおむね良好である。

②　交通・接近条件

ＪＲ○○線Ｘ駅から，近隣地域の中心まで南東方へ約100mに位置する。

③　環境条件

広幅員の道路沿いに高層の事務所が建ち並ぶ商業地域であり，地勢は平坦で，上下水道・都市ガスが整備されている。危険・嫌悪施設は特にない。

④　行政的条件

市街化区域，商業地域，指定建ぺい率80%，指定容積率800%，防火地域。

⑤　将来動向等

おおむね現状のまま推移していくものと予測する。

⑥　標準的使用及び標準的画地

ａ．標準的使用

高層事務所地

ｂ．標準的画地

間口約40m・奥行約30m・規模1,200㎡程度の長方形の中間画地。

⑵　個別分析

①　街路条件

北東側：幅員約20mの舗装市道（建築基準法42条１項１号道路）

南東側：幅員約８mの舗装市道（建築基準法42条１項１号道路）

系統・連続性は近隣地域の標準的画地とほぼ同じである。

②　交通・接近条件，環境条件，行政的条件

近隣地域の標準的画地とほぼ同じである。

③　画地条件

間口約44m・奥行約30m・規模1,320㎡の長方形の角地。

④　更地としての最有効使用の判定

対象土地は角地に立地し視認性に優れるが，近隣地域の標準的画地とおおむね同程度の規模であり，その他の条件もほぼ同じであることから，対象不動産の更地としての最有効使用を近隣地域の標準的使用と同様，高層事務所地と判定した。

問2　対象不動産の最有効使用の判定

(1)　土地の状況

上記**問1**のとおり，角地で画地条件に優る。

(2)　建物の状況

①　建物概要

平成26年8月1日に新築された鉄骨造事務所。

②　使用資材の品等並びに施工の質及び量

いずれも標準的であり，新耐震基準に適合している。

③　維持管理の状態

おおむね普通で経年相応の減価が認められる。

④　経済的残存耐用年数

価格時点における経済的残存耐用年数は，躯体部分で37年と，十分な年数を残している。

⑤　建物とその環境との適合の状態

適合している。

(3)　建物及びその敷地の状況

①　建物等とその敷地との適応の状態

適応している。

②　修繕計画及び管理計画の良否とその実施の状態

大規模修繕に係る修繕計画があり，計画通りに実施されている。

(4)　賃貸経営管理の良否

①　賃借人の状況及び賃貸借契約の内容

一部に定期借家契約を含むものの，標準的な契約内容であり，賃借人も特段の問題はない。

②　貸室の稼働状況

直近3年間の平均的な稼働状況は貸室部分が95%，駐車場部分が70%で推移しており，価格時点現在は満室で，解約予告も発生していない。稼働状況は良好である。

(5) 代替・競争関係にある不動産との比較における優劣及び競争力の程度

最寄駅に近いこと，広幅員道路の角地に立地し視認性に優れること，築浅物件であることから収益性・事業性に優り，同一需給圏の類似不動産と比較して相応の競争力を有している。

(6) 建物及びその敷地としての最有効使用の判定

以上により，対象不動産の建物及びその敷地としての最有効使用を現況の賃貸用事務所ビルとしての利用を継続することと判定した。

問3 求めるべき価格の種類

本件鑑定評価は，甲投資法人（依頼者）が，投資対象資産である対象不動産の価格に関する情報を開示するため，運用者が作成する資産運用報告書に，運用期間中における決算期ごとの対象不動産の評価額を記載する目的で鑑定評価の依頼をするものである。

このため，依頼者は，投資対象資産である対象不動産について，投資家に示すための投資採算価値を表す価格を求めることを要請しているが，甲投資法人は，対象不動産を現況の賃貸用事務所ビルのまま継続して運用する予定であり，対象不動産の運用方法が最有効使用と合致しているため，求めるべき価格の種類は特定価格ではなく正常価格である。

正常価格とは，市場性を有する不動産について，現実の社会経済情勢の下で合理的と考えられる条件を満たす市場で形成されるであろう市場価値を表示する適正な価格をいい，市場参加者が対象不動産の最有効使用を前提とした価値判断を行うことを前提とした価格である。

問4 鑑定評価の手法の適用

本件は，商業地に存する貸家及びその敷地の正常価格の鑑定評価であり，最有効使用は現況利用の継続と判定されている。

現況利用の継続が最有効使用と認められる場合における貸家及びその敷地の鑑定評価額は，①実際実質賃料に基づく純収益等の現在価値の総和を求めることにより得た収益価格を標準とし，②積算価格及び③比準価格を比較考量して決定するものとする。

本件では，土地建物一体としての合理的な要因比較が可能な取引事例が得られなかったため，上記のうち土地建物一体としての取引事例比較法は適用を断念し，原価法及び収益還元法を適用する。

なお，本件は証券化対象不動産の鑑定評価であることから，収益還元法としてはＤＣＦ法を適用するものとし，併せて直接還元法を適用することにより検証を行うものとする。

問５　原価法

(1)　対象不動産の更地価格

(1)－１　取引事例比較法による比準価格

①　各取引事例から比準した価格

事例適格４要件を具備する取引事例（ロ），（ハ）及び（ホ）を採用し，比準価格を査定する。

事例（ロ）

土地価格（単価）（円／㎡）		事		時		標		地		個		面（㎡）		取引事例から比準した価格（円）
2,292,929	×	100/107	×	101.3/100	×	100/100	×	100/95	×	105/100	×	1,320	≒	3,170,000,000

事例（ハ）

土地価格（単価）（円／㎡）		事		時		標		地		個		面（㎡）		取引事例から比準した価格（円）
2,234,375	×	100/100	×	100.5/100	×	100/102	×	100/97	×	105/100	×	1,320	≒	3,150,000,000

事例（ホ）

土地価格（単価）（円／㎡）		事		時		標		地		個		面（㎡）		取引事例から比準した価格（円）
2,281,879	×	100/100	×	101.0/100	×	100/104	×	100/99	×	105/100	×	1,320	≒	3,100,000,000

※　取引事例の土地価格（更地としての価格）（単価）の査定根拠

・事例（ホ）

複合不動産の事例だが，配分法を適用して建付地価格を求める。

6,500,000,000円－3,100,000,000円 ＝ 3,400,000,000円（2,281,879円／㎡）

② 対象不動産の比準価格

事例（ロ）は，隣地併合に係る限定価格水準での取引であり，規範性は低い。

事例（ハ）は，更地事例で，取引時点も新しく，規模も類似しており，規範性が高い。

事例（ホ）は，貸家及びその敷地の取引事例に配分法を施しており，規範性は低い。

よって本件では，事例（ハ）を標準とし，事例（ロ）及び（ホ）は比較考量にとどめ，比準価格を3,150,000,000円（2,390,000円／㎡）と査定した。

(1)－2　公示価格を規準とした価格

標準地５－１

公示価格（円／㎡）		時		標		地		個		面（㎡）		公示価格を規準とした価格（円）
2,180,000	×	101.8/100	×	100/100	×	100/99	×	105/100	×	1,320	≒	3,110,000,000

$$\boxed{2,180,000}\times\frac{\boxed{101.8}}{\boxed{100}}\times\frac{\boxed{100}}{\boxed{100}}\times\frac{\boxed{100}}{\boxed{99}}\times\frac{\boxed{105}}{\boxed{100}}\times\boxed{1,320}\fallingdotseq\boxed{3,110,000,000}$$

(1)－3　対象不動産の更地価格

比準価格は実際に市場において発生した取引事例を価格判定の基礎としており，客観的かつ実証的である。また，公示価格を規準とした価格との均衡も得ており妥当である。よって，本件では，比準価格3,150,000,000円（2,390,000円／㎡）をもって更地価格と査定した。

(2)　対象不動産の再調達原価

① 土地

a．更地価格

前記(1)より，3,150,000,000円

b．付帯費用

指示事項より，計上しない。

c．計

3,150,000,000円

② 建物

a．対象不動産の実際の建築工事費から求める方法

事　時

$$3,000,000,000円\times\frac{100}{100}\times\frac{105.0}{100}=3,150,000,000円$$

b．エンジニアリング・レポート記載の再調達価格から求める方法

$$3,210,000,000円\times\frac{100.0}{100}=3,210,000,000円$$

（分子上部に「時」）

c．再調達原価

a．の方法は，対象不動産について実際に要した建築工事費を用いており，実証的である。

b．の方法は，価格時点現在の建築費の水準等に基づき精密に査定しており，客観的である。

以上より，両者の規範性は概ね同等と判断し，両者を関連づけ，再調達原価を3,180,000,000円（301,000円／㎡）と査定した。

③ 付帯費用

（①＋②）×0.15＝949,500,000円

④ 対象不動産の再調達原価

①～③計　7,279,500,000円

(3) 対象不動産の減価額

① 土地

指示事項より，減価はない。

② 建物

a．耐用年数に基づく方法（定額法採用，残価率０）

※ 躯体，仕上げ及び設備の構成割合（エンジニアリング・レポートより）

躯体　：816,000,000円／2,720,000,000円＝0.30

仕上げ：1,088,000,000円／2,720,000,000円＝0.40

設備　：0.30

（躯体）　$3,180,000,000円\times0.30\times\frac{3}{3+37}=71,550,000円$

（仕上げ）$3,180,000,000円\times0.40\times\frac{3}{3+22}=152,640,000円$

（設備）　$3,180,000,000円\times0.30\times\frac{3}{3+12}=190,800,000円$

計414,990,000円

b．観察減価法

経年相応の減価と判断し，上記ａ．と同額と査定した。

c．減価額

両者を併用して，減価額を414,990,000円と査定した。

③　付帯費用

指示事項より，建物躯体部分と同様に査定した。

$$949,500,000円 \times \frac{3}{3+37} = 71,212,500円$$

④　建物及びその敷地

建物は敷地と適応し，環境とも適合しており，建物及びその敷地一体としての減価はないと判断した。

⑤　対象不動産の減価額

①～④計　486,202,500円

(4)　積算価格

再調達原価から減価額を控除して，積算価格を以下のとおり試算した。

7,279,500,000円－486,202,500円 ≒ 6,790,000,000円

問6　収益還元法

(1)　ＤＣＦ法による収益価格

(1)－1　純収益の現在価値の総和

①　初年度純収益

a．運営収益

（a）貸室賃料収入

30,210,000円×12ヶ月 ＝ 362,520,000円

（b）共益費収入

6,864,000円×12ヶ月＝ 82,368,000円

（c）水道光熱費収入

450円／㎡×6,240㎡×12ヶ月 ＝ 33,696,000円

（d）駐車場収入

30,000円／台×30台×12ヶ月 ＝ 10,800,000円

（e）その他収入（看板使用料・アンテナ設置料）

（250,000円＋80,000円）×12ヶ月＝ 3,960,000円

（f）総収益（満室想定）

（a）～（e）計　493,344,000円

（g）空室等損失

・事務所

年間貸室賃料収入及び共益費の合計：444,888,000円

定期借家部分の年間貸室賃料収入及び共益費：133,056,000円

空室等損失：(444,888,000円－133,056,000円) ×0.05
　　　　　＝15,591,600円

・水道光熱費

年間水道光熱費収入：33,696,000円

定期借家部分の年間水道光熱費収入：10,692,000円

空室等損失：(33,696,000円－10,692,000円) ×0.05
　　　　　＝1,150,200円

・駐車場

10,800,000円×0.30＝3,240,000円

・計

19,981,800円

（h）貸倒損失

なし。

（i）運営収益

（f）－（(g)＋（h））＝473,362,200円

b．運営費用

（a）維持管理費

27,000,000円

（b）水道光熱費

満室を想定した水道光熱費：510円／㎡×6,240㎡×12ヶ月
　　　　　＝38,188,800円

普通借家部分の空室に伴う控除額：510円／㎡×4,260㎡×12ヶ月
　　　　　×0.05＝1,303,560円

水道光熱費：38,188,800円－1,303,560円＝36,885,240円

（c）修繕費

5,000,000円

（d）PMフィー

473,362,200円×0.02＝9,467,244円

（ｅ）テナント募集費用等

・事務所（普通借家部分のみ）

5,000円／㎡×4,260㎡＝21,300,000円

21,300,000円÷８年＝2,662,500円

・駐車場部分

指示事項より，なし。

・計

2,662,500円

（ｆ）公租公課

・土地：33,000,000円

・建物：27,000,000円

・償却資産：2,000,000円

（ｇ）損害保険料

1,600,000円

（ｈ）その他費用

なし。

（ｉ）運営費用

（ａ）～（ｈ）計　144,614,984円

ｃ．運営純収益

ａ．－ ｂ．＝ 328,747,216円

ｄ．一時金の運用益

2,736,300円

ｅ．資本的支出

3,000,000円

ｆ．初年度純収益

ｃ．＋ ｄ．－ ｅ．＝ 328,483,516円

② 割引率，最終還元利回り

割引率：4.5％

最終還元利回り：4.5％＋0.3％ ＝ 4.8％

③　キャッシュフロー表　(円)

	1	2	3	4	5	6
貸室賃料収入	362,520,000	362,520,000	374,400,000	374,400,000	374,400,000	374,400,000
共益費収入	82,368,000	82,368,000	82,368,000	82,368,000	82,368,000	82,368,000
水道光熱費収入	33,696,000	33,696,000	33,696,000	33,696,000	33,696,000	33,696,000
駐車場収入	10,800,000	10,800,000	10,800,000	10,800,000	10,800,000	10,800,000
その他収入	3,960,000	3,960,000	3,960,000	3,960,000	3,960,000	3,960,000
総収益（満室想定）	493,344,000	493,344,000	505,224,000	505,224,000	505,224,000	505,224,000
空室等損失	19,981,800	19,981,800	27,763,200	27,763,200	27,763,200	27,763,200
事務所	15,591,600	15,591,600	22,838,400	22,838,400	22,838,400	22,838,400
水道光熱費収入	1,150,200	1,150,200	1,684,800	1,684,800	1,684,800	1,684,800
駐車場	3,240,000	3,240,000	3,240,000	3,240,000	3,240,000	3,240,000
貸倒損失	0	0	0	0	0	0
運営収益	473,362,200	473,362,200	477,460,800	477,460,800	477,460,800	477,460,800
維持管理費	**27,000,000**	**27,000,000**	**27,000,000**	**27,000,000**	**27,000,000**	**27,000,000**
水道光熱費	36,885,240	36,885,240	36,279,360	36,279,360	36,279,360	36,279,360
修繕費	**5,000,000**	**5,000,000**	**5,000,000**	**5,000,000**	**5,000,000**	**5,000,000**
プロパティマネジメントフィー	9,467,244	9,467,244	9,549,216	9,549,216	9,549,216	9,549,216
テナント募集費用等	2,662,500	2,662,500	3,900,000	3,900,000	3,900,000	3,900,000
公租公課（土地）	**33,000,000**	**33,000,000**	**33,000,000**	**33,000,000**	**33,000,000**	**33,000,000**
公租公課（建物）	**27,000,000**	**25,920,000**	**25,920,000**	**25,920,000**	**24,883,200**	**24,883,200**
公租公課（償却資産）	**2,000,000**	**2,000,000**	**2,000,000**	**2,000,000**	**2,000,000**	**2,000,000**
損害保険料	**1,600,000**	**1,600,000**	**1,600,000**	**1,600,000**	**1,600,000**	**1,600,000**
その他費用	**0**	**0**	**0**	**0**	**0**	**0**
運営費用	144,614,984	143,534,984	144,248,576	144,248,576	143,211,776	143,211,776
運営純収益	328,747,216	329,827,216	333,212,224	333,212,224	334,249,024	334,249,024
一時金の運用益	**2,736,300**	**2,736,300**	**2,964,000**	**2,964,000**	**2,964,000**	**2,964,000**
資本的支出	**3,000,000**	**3,000,000**	**3,000,000**	**3,000,000**	**3,000,000**	**3,000,000**
純収益	328,483,516	329,563,516	333,176,224	333,176,224	334,213,024	334,213,024
複利現価率	**0.9569**	**0.9157**	**0.8763**	**0.8386**	**0.8025**	−
現在価値	314,325,876	301,781,312	291,962,325	279,401,581	268,205,952	−
現在価値　合計	1,455,677,046					

※　2年目以降の収支項目の変動について

・貸室賃料収入（3年目）

5,000円／㎡×6,240㎡＝31,200,000円

31,200,000円×12ヶ月＝374,400,000円

・空室等損失（3年目）

（事務所）（374,400,000円＋82,368,000円）×0.05＝22,838,400円

（水道光熱費）33,696,000円×0.05＝1,684,800円

・水道光熱費（3年目）

38,188,800円×0.95＝36,279,360円

・ＰＭフィー（3年目）

477,460,800円×0.02＝9,549,216円

・テナント募集費用等（3年目）

31,200,000円÷8年＝3,900,000円

(1)－2　復帰価格の現在価値

①　復帰価格

334,213,024円÷0.048≒6,962,771,333円

②　売却費用

6,962,771,333円×0.03≒208,883,140円

③　復帰価格の現在価値

（(ａ）－（ｂ)）×0.8025 ≒ 5,419,995,275円

(1)－3　ＤＣＦ法による収益価格

5年目までの純収益の現在価値合計に，5年目期末の復帰価格の現在価値を加算してＤＣＦ法による収益価格を以下のとおり査定した。

ａ．＋ ｂ．≒ 6,880,000,000円

(2)　直接還元法による収益価格

①　標準化された純収益

ａ．運営収益（ＤＣＦ法5年目を採用）

477,460,800円

ｂ．運営費用

（ａ）維持管理費（ＤＣＦ法5年目を採用）

27,000,000円

（ｂ）水道光熱費（ＤＣＦ法5年目を採用）

36,279,360円

（ｃ）修繕費

3,180,000,000円×0.002 ＝ 6,360,000円

（ｄ）ＰＭフィー（ＤＣＦ法5年目を採用）

9,549,216円

（ｅ）テナント募集費用等（ＤＣＦ法５年目を採用）

3,900,000円

（ｆ）公租公課（ＤＣＦ法初年度を採用）

・土地：33,000,000円

・建物：27,000,000円

・償却資産：2,000,000円

（ｇ）損害保険料（ＤＣＦ法５年目を採用）

1,600,000円

（ｈ）その他費用（ＤＣＦ法５年目を採用）

なし。

（ｉ）運営費用

（ａ）～（ｈ）計　146,688,576円

ｃ．運営純収益

ａ．－ ｂ．＝330,772,224円

ｄ．一時金の運用益（ＤＣＦ法５年目を採用）

2,964,000円

ｅ．資本的支出

3,180,000,000円×0.003 ＝ 9,540,000円

ｆ．標準化された純収益

ｃ．＋ ｄ．－ ｅ．＝ 324,196,224円

② 還元利回り

4.7％

③ 直接還元法による収益価格

標準化された一期間の純収益を還元利回りで還元して，直接還元法による収益価格を以下のとおり査定した。

①÷② ≒ 6,900,000,000円

(3) 収益価格

直接還元法は，標準化された単年度純収益を還元利回りで還元して収益価格を求めており，収支の変動や将来の転売価格の予測等に関する説明性がやや劣る。ＤＣＦ法は，一定の分析期間を設定し，キャッシュフロー表によって分析期間内の各期の収支変動を詳細に明示するとともに，分析期間満了時

において想定される転売価格をも明示することから，収益価格が求められるまでの過程の説明性に優れている。

以上より本件では，ＤＣＦ法による収益価格を重視し，直接還元法による収益価格による検証を踏まえ，対象不動産の収益価格を6,880,000,000円と試算した。

以上

解　説

本問は，「貸家及びその敷地」に係る総合的な問題である。

問1については，地域分析については街路・交通接近・環境・行政的条件と標準的使用，個別分析については街路・画地条件に係る地域の標準との相違点について，資料の該当箇所を転記して説明し，更地としての最有効使用は標準的使用と同じく「高層事務所地」である点を述べてほしい。

問2については，土地・建物・建物及びその敷地の状況，賃貸経営管理の良否，市場分析の結果について，資料の該当箇所を転記して説明し，建物及びその敷地の最有効使用は「現況利用の継続」である点を明確にすること。

問3については，依頼内容から特定価格を求める可能性もあるが，対象不動産の運用方法が最有効使用と合致しているため，求める価格の種類が正常価格となる点を，資料を引用しつつ簡潔に述べればよい。

問4については，土地建物一体としての取引事例比較法は適用せず，原価法及び収益還元法を適用する点のほか，証券化評価のためＤＣＦ法が必須適用となる点を述べてほしい。

問5については，特段難しい箇所のない原価法の問題なのでミスのない解答が求められる。ただし，①建物再調達原価の査定でＥＲの再調達価格を時点修正する方法を用いる点，②付帯費用として土地建物の再調達原価の15%を計上し，減価修正も行う点，③ＥＲ記載数値をもとに躯体・仕上げ・設備割合を求める点は特殊論点なので，指示事項をよく読み，注意して計算すること。特に①については，論文の論点で「ＥＲの再調達価格には設計監理料が含まれないため，鑑定評価における再調達原価とは異なる」というものがあるため，実際の建築工事費を補修正する方法を重視して建物再調達原価を求めた受験生も多いと思われる。解答例は，設計監理料等に係る特段の指示事項がないため，２つの方法の中庸値を採用したが，きちんと説明していればどちらかの方法を重視していても問題ないだろう。

問6については，ＤＣＦ法のうち，主に①空室等損失の査定，②水道光熱費の査定，③テナント募集費用等の査定，④２年目以降の収支の変動予測の反映において，レントロール記載事項を自分で判断して反映する必要があり，かなり難易度が高い内容である。具体的には，３～５階のテナント契約が定期借家であることを考慮して初年度純収益を求め，当該テナントの契約期間が２年間なため，３

年目の純収益からは普通借家契約を前提に貸室賃料収入等を査定し直す必要がある。特に③については，本来「支払賃料１か月分×稼働率÷平均回転期間」の式で求めるが，指示事項に稼働率を省いた算式で求める旨の記述があり，査定方法にも疑義が残る。上記論点をクリアすれば残りは査定済みの項目も多いため，ノーミス解答も可能であるが，キャッシュフロー表記載の査定済み項目の一部は毎年同じ金額ではなく，徐々に減少していくため，見落とさないように注意してほしい。

◇ 平成30年度・演習

問題　別紙１〔指示事項〕及び別紙２〔資料等〕に基づいて行う不動産鑑定評価に関する次の設問に答えなさい。

問１　本件鑑定評価に関する次の小問に答えなさい。

(1)　本件鑑定評価で求めるべき賃料の種類とその理由を簡潔に述べなさい。

(2)　どのような鑑定評価手法を適用して鑑定評価額を決定すべきか簡潔に述べなさい。

問２　対象不動産の存する「一棟の建物及びその敷地」の価格を求めなさい。

問３　対象不動産の基礎価格を求めなさい。

問４　差額配分法による試算賃料を求めなさい。

問５　利回り法による試算賃料を求めなさい。

問６　スライド法による試算賃料を求めなさい。

問７　賃貸事例比較法による試算賃料を求めなさい。

問８　問４から問７までにおいて求めた試算賃料を調整し、対象不動産の鑑定評価額を決定しなさい。なお、鑑定評価額の決定に当たり重視した試算賃料とその理由を併せて述べなさい。

別紙1〔指示事項〕

Ⅰ．共通事項

1．問2から問8までにおける各手法の適用の過程において求める数値は，別に指示がある場合を除き，小数点第1位以下を四捨五入し，整数で求めること。ただし，取引事例から比準した価格，公示価格を規準とした価格，建物の再調達原価，土地建物に帰属する付帯費用，一棟の建物及びその敷地の価格，対象不動産の基礎価格，各試算賃料並びに鑑定評価額については，上位4桁目を四捨五入した上で上位3桁を有効数字として取り扱うこと。
（例） 1,234,567円 → 1,230,000円

2．消費税及び地方消費税については，各手法の適用の過程においては考慮せず，各種計算に当たっては，各資料の数値を前提とすること。

3．対象不動産及び取引事例，賃貸事例等とされている不動産については，土壌汚染，埋蔵文化財及び地下埋設物に関して価格形成に影響を与えるものは何ら存しないことが判明していること。また，いずれも，建物に関しては，吹付けアスベスト，ポリ塩化ビフェニル等の有害物質の使用又は保管がないことが確認されていること。

4．「一棟の建物及びその敷地」に係る土地及び建物の数量は，別紙2〔資料等〕「Ⅱ．対象不動産」に記載された「土地登記簿〔全部事項証明書〕記載数量」及び「建物登記簿〔全部事項証明書〕記載数量」によること。

5．対象不動産の数量は，別紙2〔資料等〕「Ⅱ．対象不動産」に記載された契約面積によること。

6．建物について，建築時点から価格時点までの経過期間の算定上，竣工後1年未満であっても，1箇月以上経過したものについては経過期間を1年として算定すること。

7．本件鑑定評価においては，土地建物一体としての取引事例比較法は適用しないこと。

8．本件鑑定評価においては，収益分析法は適用しないこと。

9．本件鑑定評価の直近合意時点は，平成26年8月1日とすること。

Ⅱ．問2「一棟の建物及びその敷地」の価格について

1．価格時点における「一棟の建物及びその敷地」の価格を求めること。

2．「一棟の建物及びその敷地」の価格は，原価法を適用して求めること。

3．再調達原価は，更地価格に建物の再調達原価を加算して，通常の付帯費用を含まない土地建物一体の再調達原価を求め，この額に通常の付帯費用を加算して求めること。

4．更地価格は，取引事例比較法を適用して求めること。

5．取引事例比較法の適用に当たっては，次に掲げる事項に留意すること。

⑴　別紙2〔資料等〕（資料3）標準地・取引事例等の概要」に記載の各取引事例の中から，最も適切な取引事例を一つ選択し，当該取引事例から比準した価格を求めること。

⑵　取引事例が建物及びその敷地の場合は，配分法等により，取引事例の土地価格（更地としての価格（単価））を査定した上で比準すること。その際，取引事例の土地価格（更地としての価格（単価））の査定根拠を併せて記載すること。

⑶　取引事例から比準した価格を求める場合の計算式及び略号は，次のとおりとすること。

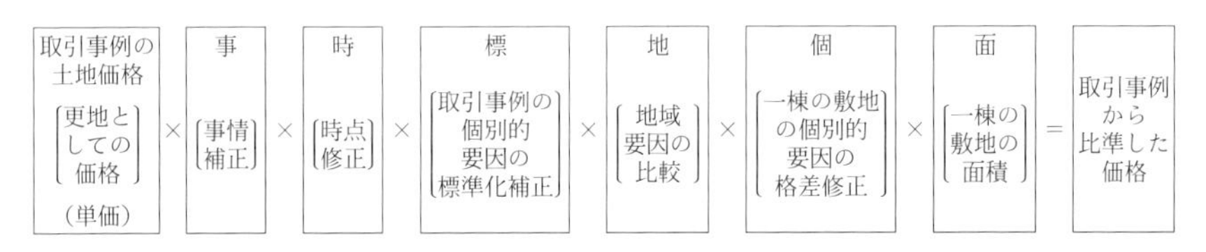

⑷　取引事例から比準する際に用いる数値は，別紙2〔資料等〕（資料2）近隣地域・類似地域等の「概要」及び「（資料3）標準地・取引事例等の概要」の記載事項から算出すること。

⑸　取引事例の個別的要因の標準化補正率の査定は，相乗積をもって査定すること。

例）取引事例地　二方路（＋2%），不整形地（－5%）

取引事例の個別的要因の標準化補正率

（100%＋2%）×（100%－5%）≒97%（小数点以下第1位四捨五入）

⑹　更地価格の査定に当たっては，公示価格を規準とした価格との均衡に留意すること。また，公示価格を規準とした価格を求める場合の計算式及び略号は，次のとおりとすること。

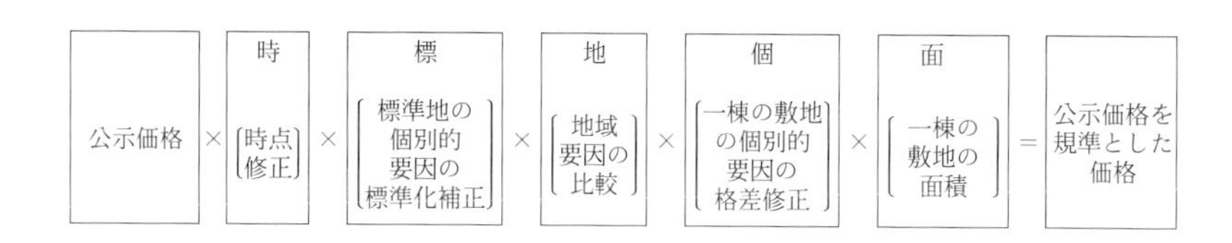

(7) 建物の再調達原価は，直接法を適用して求めること。

(8) 付帯費用（建物に直接帰属する付帯費用（設計・工事監理料等）及び土地との関係で発生し，一体として把握される付帯費用（資金調達費用，開発リスク相当額等））は，更地価格に建物の再調達原価を加算した額の10％に相当するものとして計上すること。なお，土地に直接帰属する付帯費用については，土地価格に比して些少であり，土地価格に含めても価格形成に大きな影響を与えないと判断することができることから，本件では考慮しないものとすること。

(9) 減価額の査定に当たっては，下記事項に留意すること。

① 土地に係る減価はないこと。

② 建物の躯体部分，仕上げ部分，設備部分の構成割合は，40：30：30とすること。

③ 建物の躯体部分の耐用年数は50年，仕上げ部分の耐用年数は30年，設備部分の耐用年数は15年とし，減価修正の耐用年数に基づく方法はいずれも定額法を採用し，残価率は0とすること。

④ 建物の減価の程度は，おおむね経年相応とすること。

⑤ 付帯費用に係る減価額の査定に当たっては，当該付帯費用が建物等の維持される期間において配分される費用であるものとして，建物と同様の方法で減価修正を行うものとし，耐用年数は50年，残価率は0として求めること。

Ⅲ．問3　対象不動産の基礎価格について

1．価格時点における対象不動産の基礎価格を求めること。

2．対象不動産の基礎価格は，問2で求めた「一棟の建物及びその敷地」の価格に，階層別・用途別効用比（以下「階層別効用比等」という。）に基づく配分率（対象不動産に帰属する効用積数（※）の一棟全体の効用積数に対する割合（％））を乗じて求めること。

（※）賃貸面積に階層別効用比等を乗じたものをいう。

3．階層別効用比等に基づく配分率は，別紙2〔資料等〕（資料6）対象不動産の存する一棟の建物の「階層別効用比等」に基づき求めること。その際小数点以下第4位を四捨五入すること。

Ⅳ．問4　差額配分法について

1．対象不動産の経済価値に即応した適正な月額実質賃料は，積算法及び賃貸事例比較法を適用して求めること。

2．積算法の適用に当たっては，次に掲げる事項に留意すること。

⑴　積算法による賃料は，問3で求めた対象不動産の基礎価格に期待利回りを乗じて得た額に必要諸経費等を加算して求めること。

⑵　期待利回りは，別紙2〔資料等〕（資料7）各種利回り」の中で最も適切なものを選択して採用すること。

⑶　必要諸経費等は，別紙2〔資料等〕「（資料8）価格時点における必要諸経費等（年額）（減価償却費を除く。）」によること。

3．賃貸事例比較法の適用に当たっては，次に掲げる事項に留意すること。

⑴　別紙2〔資料等〕（資料4）賃貸事例の概要等」における賃貸事例（あ）から賃貸事例（え）までのうち，最も適切な賃貸事例を一つ選択し，当該賃貸事例から比準して，賃貸事例比較法による賃料を求めること。その際，賃貸事例の月額実質賃料（単価）の査定根拠を併せて記載すること。

⑵　賃貸事例から比準する際に用いる数値は，別紙2〔資料等〕（資料4）賃貸事例の概要等」の記載事項から算出すること。

⑶　賃貸事例比較法を適用する際に用いる計算式及び略号は，次のとおりとすること。

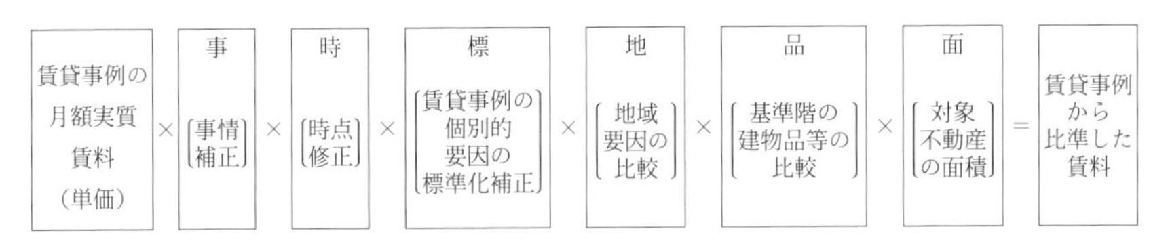

4．賃料差額のうち貸主に帰属する部分は，1/2とすること。

V．問５　利回り法について

1．利回り法は，問３で求めた対象不動産の基礎価格に継続賃料利回りを乗じて得た額に必要諸経費等を加算して求めること。

2．継続賃料利回りは，直近合意時点の実績純賃料利回りに対して10%増加したものとして求めること。なお，直近合意時点の実績純賃料利回り（%）及び継続賃料利回り（%）は，百分率表示で小数点以下第４位を四捨五入して求めること。

3．直近合意時点における「対象不動産の基礎価格」は，Ⅲに掲げる指示事項に準じて求めること。その際，次に掲げる事項に留意すること。

(1) 直近合意時点における「一棟の建物及びその敷地」の価格は，2,840,000,000円とすること。

(2) 階層別効用比等に基づく配分率は，問３で求めた配分率を採用すること。

4．直近合意時点における必要諸経費等は，別紙２〔資料等〕（資料９）直近合意時点における必要諸経費等（年額）（減価償却費を除く。）」によること。

Ⅵ．問６　スライド法について

1．スライド法は，直近合意時点における純賃料に変動率を乗じて得た額に，必要諸経費等を加算して求めること。

2．スライド法の変動率は，別紙２〔資料等〕（資料10）地価指数・新規実質賃料指数・消費者物価指数」の各指数に基づき求めた変動率の平均値を採用すること。その際，当該各指数に基づき求めた変動率及びスライド法で採用する変動率（%）は，小数点以下第３位を四捨五入して求めること。

Ⅶ．問７　賃貸事例比較法について

1．賃貸事例比較法による試算賃料は，Ⅳ．３に掲げる賃貸事例比較法の適用に当たっての留意事項に準じて求めること。

別紙２〔資料等〕

Ⅰ．依頼内容

本件は，ＪＲ○○線「Ｂ駅」の東方約400ｍ（道路距離）に存する高層事務所ビルの１室（対象不動産）について，所有者兼賃貸人である甲株式会社（依頼者）が，賃借人である乙株式会社との賃貸借契約を更新するに当たり，賃料改定の参考として，不動産鑑定士に鑑定評価を依頼したものである。

依頼内容は，継続中の建物賃貸借契約に基づき，同一の使用目的において月額支払賃料のみを改定する場合における賃料の鑑定評価である。

Ⅱ．対象不動産

【一棟の建物及びその敷地】

１．土地　所在及び地番　Ａ県Ｂ市Ｃ区Ｄ町一丁目５番１

地　　　目　宅地

地　　　積　760.00㎡（土地登記簿〔全部事項証明書〕記載数量）

所　有　者　甲株式会社

２．建物　所　　　在　Ａ県Ｂ市Ｃ区Ｄ町一丁目５番地１

家屋番号　５番１

構造・用途　鉄骨鉄筋コンクリート造陸屋根地下１階付地上９階建　事務所

建築年月日　平成25年６月１日

床　面　積　（建物登記簿〔全部事項証明書〕記載数量）

階	床面積
1　階	600.00㎡
2　階	600.00㎡
3　階	600.00㎡
4　階	600.00㎡
5　階	600.00㎡
6　階	600.00㎡
7　階	600.00㎡
8　階	600.00㎡
9　階	600.00㎡
地下１階	600.00㎡
合　計	6,000.00㎡

所　有　者　甲株式会社

【対象不動産】上記建物のうち7階部分の事務所　450㎡（契約面積）

Ⅲ．鑑定評価の基本的事項

1．対象不動産の種別及び類型

家賃

2．鑑定評価の条件

(1) 対象確定条件

① 継続中の建物賃貸借契約に基づき，同一使用目的において月額支払賃料のみを改定する場合における賃料の鑑定評価

② 一棟の建物及びその敷地の現況を所与とし，対象不動産のうち契約締結後に賃借人が施工した内装等は評価の対象外とした鑑定評価

(2) 地域要因又は個別的要因についての想定上の条件

特にない。

(3) 調査範囲等条件

特にない。

3．価格時点

平成 30年8月1日

4．依頼目的

賃料改定のための参考

5．鑑定評価によって求める賃料の種類

問1

Ⅳ．賃貸借契約内容の確認

別紙2〔資料等〕（資料11）対象不動産に係る賃貸借契約書及び賃料改定の経緯等」のとおりである。

Ⅴ．対象不動産が所在するB市の概況

1．位置等

(1) 位置及び面積　A県の東部に位置し，面積は約400㎢である。

(2) 沿革等　B市は，A県の東部に位置する県庁所在地で，古くから交通の

要衝として栄えてきた。近年においても，行政・商業・業務などの都市機能の集積が進んでおり，A県の中心的な都市として発展している。

2．人口等

⑴ 人　口　現在約200万人で，近年は微増で推移している。

⑵ 世帯数　約100万世帯

3．交通施設及び道路整備の状態

⑴ 鉄　道　ＪＲ○○線がＢ市の市街地の中央部を南北に縦断している。

⑵ バ　ス　Ｂ駅を中心としてバス路線網が整備され，運行便数も多く，鉄道を補完している。

⑶ 道　路　国道及び県道を幹線道路とし，市道が縦横に敷設されている。Ｂ市の中央部には○○自動車道のインターチェンジが設けられ，首都圏を始めとした周辺都市と連絡している。

4．供給処理施設の状態

⑴ 上 水 道　普及率はほぼ100%

⑵ 下 水 道　普及率は約95%

⑶ 都市ガス　普及率は約90%

5．土地利用の状況

⑴ 商業施設　ＪＲ○○線の「Ｂ駅」周辺には，著名な百貨店等の商業ビル，国際的なホテル，イベントホール，事務所ビルを中心とした商業施設の集積が見られる。

⑵ 住　　宅　ＪＲ○○線の各駅を中心とした商業ビルや事務所ビルの集積する地域の外延部に，広域的に住宅地域が形成されている。また，徒歩圏においては分譲マンションが多く建ち並んでおり，バス通勤圏においては戸建住宅が住宅の中心となっている。

Ⅵ．対象不動産に係る市場の特性

1．同一需給圏の判定

対象不動産と代替・競争関係が成立する類似不動産の存する同一需給圏を，対象不動産の最寄り駅であるＪＲ○○線「Ｂ駅」並びに隣接する「Ｅ駅」及び「Ｆ駅」から徒歩圏に位置する圏域と判定した。

2．同一需給圏内における市場参加者の属性及び行動同一需給圏において，賃貸事務所に対する需要者及び供給者は，いずれも企業が中心である。需要者・供給者のいずれも，地域の賃料水準の推移，動向等を比較考量して，賃貸借条件に関する意思決定を行う傾向にある。

3．市場の需給動向

同一需給圏は，古くから発展してきた既成の商業地域であり，賃貸事務所の供給は多く，企業による賃貸需要も十分に認められる。

4．同一需給圏における地価の推移・動向

昨今の経済回復の影響を受け，同一需給圏内の近隣地域内に存在する公示地・標準地５－１は，平成25年以降，強含みで推移している。また周辺の地価の推移についても概ね同じ傾向である。

5．一需給圏内における事務所賃料の推移と動向及び賃貸借の慣行等

近隣地域及びその周辺においては，「Ｂ駅」の駅前再整備など，地域要因の向上が認められ，賃貸事務所に対する需要も高まっている。このため，この数年間，新規賃料水準が上昇傾向で推移している。

継続賃料については，近年の地域要因の向上等で新規賃料の水準が上昇し，現行賃料と新規賃料に一定の乖離が生じている場合には，賃貸借契約更新時に賃貸人側から値上げの申出が行われることが多くみられる。この場合，継続賃料の決定に当たっては，賃貸市場における新規賃料水準を踏まえたうえで，現行賃料をどの程度改定していくかという点が重視されている。

Ⅶ．近隣地域の状況

別紙２〔資料等〕（資料２）近隣地域・類似地域等の概要」のとおりである。

Ⅷ．個別分析

1．一棟の敷地の状況一棟の敷地に係る個別的要因は，別紙２〔資料等〕（資料２）近隣地域・類似地域等の概要」における近隣地域の内容と概ね同じである。

なお，一棟の敷地については，近隣地域の標準的画地と比較した増減価要因は特にない。

2．一棟の建物の状況

⑴　建物概要

①　建築年月日：平成 25年６月１日

② 構造・用途：鉄骨鉄筋コンクリート造陸屋根地下1階付地上9階建事務所

③ 面積：延べ 6,000.00㎡

⑵ 設備概要

電気設備，給排水設備，衛生設備，ガス設備，空調設備，エレベーター2基等

⑶ 仕上げ概要

① 外壁：アルミカーテンウォール

② 内壁：塗装

③ 床　：タイルカーペット

④ 天井：岩綿吸音板

⑷ 使用資材の品等

中位

⑸ 施工の質及び量

質及び量ともに事務所として標準的である。なお，一棟の建物は新耐震基準に適合している。

⑹ 維持管理の質及び量

維持管理の状態は概ね普通で，経年相応の減価が認められる。

⑺ その他（特記すべき事項）

経年相応の劣化が認められるが，特に著しい物理的減価は認められず，機能的及び経済的減価も特に認められない。

3．専用部分の状況

⑴ 建物概要

① 階層・用途：7階部分・事務所

② 面積：450㎡（契約面積）

⑵ 設備概要

電気設備，空調設備等

⑶ 仕上げ概要

① 床　：カーペット等

② 壁　：ビニールクロス貼り等

③ 天井：岩綿吸音板等

⑷ 使用資材の品等

中位

⑸ 施工の質及び量

質及び量ともに事務所として標準的である。

⑹ 維持管理の質及び量

概ね良好である。

⑺ その他（特記すべき事項）

特にない。

4．対象不動産の市場分析

⑴ 対象不動産に係る典型的な需要者層

Ａ県内において事業を行う企業等である。

⑵ 代替競争関係にある不動産との比較における優劣及び競争力の程度

対象不動産は，最寄り駅に近く，高層事務所ビルが建ち並ぶ商業地域に存するため，同一需給圏内の代替・競争不動産と比較し，相応の競争力を有している。

5．最有効使用の判定

⑴ 一棟の敷地の最有効使用

近隣地域の標準的使用と同じ，高層事務所地と判定した。

⑵ 一棟の建物及びその敷地の最有効使用

一棟の建物は敷地と適応し，周辺環境とも概ね適合しているため，一棟の建物及びその敷地の最有効使用は，現行用途等の継続と判定した。

⑶ 対象不動産の最有効使用

対象不動産の最有効使用を.と同様に現行用途等の継続と判定した。

（資料1）対象不動産，地価公示法による標準地，取引事例，賃貸事例等の位置図

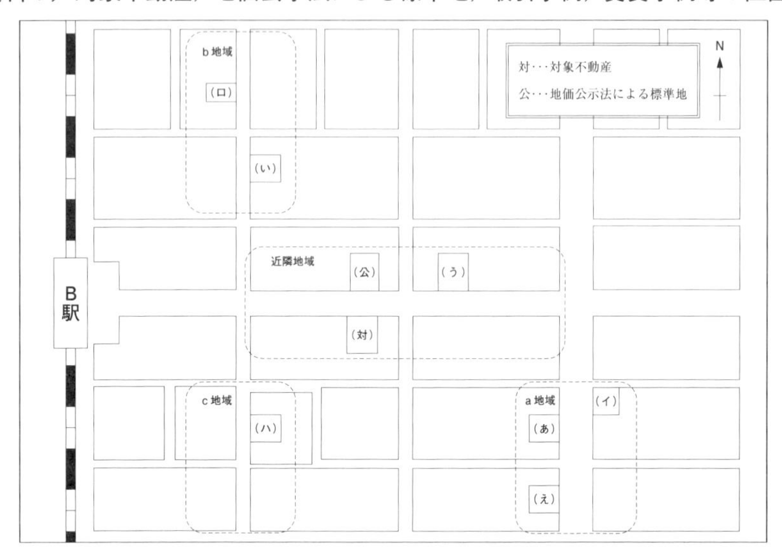

（注）この位置図は，対象不動産，地価公示法による標準地，取引事例，賃貸事例等のおおよその配置を示したものであり，実際の距離，規模等を正確に示したものではない。

（資料2）近隣地域・類似地域等の概要

地域	位置（距離は駅から中心までの道路距離）	道路の状況	周辺の土地の利用状況	都市計画法等の規制で主要なもの	供給処理施設	標準的画地の規模	標準的使用	地域要因に係る評点（近隣地域=100）
近隣地域	B駅の東方 約400m	幅員40m 舗装市道	大通り沿いに高層事務所等が建ち並ぶ商業地域	商業地域 建ぺい率 80% 容積率 800% 防火地域	上水道 下水道 都市ガス	700㎡	高層事務所地	
a地域	B駅の南東方 約600m	幅員40m 舗装市道	大通り沿いに中高層の事務所が建ち並ぶ商業地域	商業地域 建ぺい率 80% 容積率 800% 防火地域	上水道 下水道 都市ガス	700㎡	高層事務所地	95
b地域	B駅の北東方 約200m	幅員15m 舗装市道	中高層の物販・飲食店舗等が集積する繁華性の高い商業地域	商業地域 建ぺい率 80% 容積率 800% 防火地域	上水道 下水道 都市ガス	300㎡	高層事務所地	97
c地域	B駅の南東方 約200m	幅員15m 舗装市道	市道沿いに事務所・ホテル等が建ち並ぶ商業地域	商業地域 建ぺい率 80% 容積率 400% 防火地域	上水道 下水道 都市ガス	500㎡	高層店舗付事務所地	95

（注）地域要因に係る評点については，近隣地域の評点を100とし，他の地域は

近隣地域と比較してそれぞれの評点を付したものである。

（資料３）標準地・取引事例等の概要

事例区分	所在する地域	類型	価格時点取引時点(時点修正率)	公示価格取引価格	数量等	価格時点及び取引時点における敷地の利用状況	道路及び供給処理施設の状況	駅からの道路距離	個別的要因に係る評点	備　考
標準地5－1	近隣地域	更地として	平成30.1.1(102.1)	1,390,000円/㎡	640㎡	鉄骨鉄筋コンクリート造地下１階付地上10階建事務所	南側幅員40m舗装市道上水道下水道都市ガス	B駅東方約400m	標準的±0%	地価公示法第３条の規定により選定された標準地であり，利用の現況は当該標準地の存する地域における標準的使用とおおむね一致する。更地としての価格が公示されている。
取引事例（イ）	a地域	自用の建物及びその敷地	平成29.10.5(103.0)	1,108,000,000円	土地800㎡建物延床面積1,000㎡	鉄骨造２階建事務所	西側幅員40m舗装市道北側幅員８m舗装市道上水道下水道都市ガス	B駅南東方約600m	角地＋5%	老朽化建物が存する現況有姿の取引。買主が取壊費用を負担することで当事者合意しており，その額が取引価格に反映されている。その他取引に特別の事情はない。解体費用は建物延床面積当たり20,000円/㎡で地域の標準的な水準と認められる。残材に価値はない。
取引事例（ロ）	d地域	更地	平成30.3.10(101.5)	546,000,000円	土地420㎡	未利用地	東側幅員15m舗装市道上水道下水道都市ガス	B駅北東方約200m	標準的±0%	地元不動産会社が店舗ビルを建築する目的で取得したが資金繰りがつかず，県外企業に売却した事例。取引価格は市場価格よりも割安と判断されるが取引にあたっての詳細は不明である。
取引事例（ハ）	b地域	借地権付建物	平成30.6.1(100.6)	1,470,000,000円	土地600㎡建物延床面積4,500㎡	鉄骨鉄筋コンクリート造地下１階付地上９階建店舗・事務所	西側幅員15m舗装市道上水道下水道都市ガス	B駅南東方約200m	標準的±0%	法人間で売買された事例。ただし，借地権・建物の内訳価格及びその他の契約条件等の詳細は不明。

（注１）「個別的要因に係る評点」は，それぞれの地域において標準的と認められる画地の地積以外の評点を100とし，これと取引事例に係る土地とを比較した上で，それぞれの評点を付したものである。

（注２）一棟の敷地の個別的要因に係る評点は，「標準的±0%」である。

（資料４）賃貸事例の概要等

１．賃貸事例の概要

事例区分	所在する地域	種類	賃貸時点（時点修正率）	月額支払賃料一時金	事例の概要	個別的要因に係る評点	備　　考
賃貸事例（あ）	a地域	新規賃料	平成30.1.1（100.7）	1,430,000円 敷金10箇月分	・鉄骨鉄筋コンクリート造地下1階付地上9階建の5階部分 ・平成25年4月竣工 ・用途　事務所 ・契約面積　400㎡	標準的±0%	特段の事情はない。
賃貸事例（い）	b地域	新規賃料	平成30.4.1（100.4）	1,452,000円 敷金12箇月分	・鉄骨鉄筋コンクリート造地下1階付地上8階建の4階部分 ・平成25年8月竣工 ・用途　店舗（飲食店） ・契約面積　300㎡	標準的±0%	特段の事情はない。
賃貸事例（う）	近隣地域	継続賃料	平成30.6.1（100.2）	1,260,000円 敷金10箇月分	・鉄骨鉄筋コンクリート造地下1階付地上9階建の6階部分 ・平成26年5月竣工 ・用途　事務所 ・契約面積　350㎡	標準的±0%	賃料改定は不動産鑑定士の鑑定評価を参考に行われ，周辺の水準からみて妥当なものであり，特段の事情はない。
賃貸事例（え）	a地域	継続賃料	平成29.9.1（101.4）	1,517,000円 敷金10箇月分	・鉄骨鉄筋コンクリート造地下1階付地上8階建の4階部分 ・平成20年6月竣工 ・用途　事務所 ・契約面積　410㎡	標準的±0%	当事者合意により賃料改定がなされ，更に，1年後に賃料が自動的に増額されることが条件とされている。その他詳細は不明である。

２．同一需給圏内における標準的な賃貸借の条件

①　当月分の支払賃料は，毎月末に支払われる。

②　当初の賃貸借契約の締結時に授受される一時金は，預り金的性格を有する敷金のみである。なお，以後の契約の更新時においては，更新料等いかなる名目においても一時金の授受はない。

③　敷金は，賃貸借契約を解除したときは直ちに返還されるが，利息は付されない。

④　共益費については，別途実費相当額を支払う。

⑤　契約期間は２年，契約の形式は書面によるものが一般的である。

⑥　契約は，いわゆる普通借家契約である。

3．賃貸事例の価格形成要因の比較

	対象不動産	賃貸事例（あ）	賃貸事例（い）	賃貸事例（う）	賃貸事例（え）
地域要因に係る評点（地）	100	95	97	100	95
基準階の建物品等に係る評点（品）	100	97	102	97	103

（注１）上記賃貸事例の価格形成要因の比較については，対象不動産（基準階）の評点を100とし，賃貸事例（あ）から賃貸事例（え）までと比較してそれぞれの評点を付したものである。

（注２）「地域要因に係る評点（地）」は，賃貸事例の存する地域の地域要因に係る評点を示している（不動産取引における土地の地域要因に係る評点とは必ずしも一致しない）。

（注３）「基準階の建物品等に係る評点（品）」は，基準階賃料に影響を与える建物品等格差を示している。

（資料５）一棟の建物の建築工事費内訳

対象不動産の存する一棟の建物は，平成 25年６月１日に竣工した。

建築工事費は，全体で1,680,000,000円であった（同建築工事費は，竣工時点における標準的な建築工事費であり，その他特別な事情はない。）。

なお，建築工事費は，建築当時と比較して平成30年８月時点で６％上昇している。

（資料６）対象不動産の存する一棟の建物の階層別効用比等

階	床面積	用途	賃貸面積	階層別・用途別効用比	備考
9階	600.00㎡	事務所	450.00㎡	100	
8階	600.00㎡	事務所	450.00㎡	100	
7階	600.00㎡	事務所	450.00㎡	100	対象不動産
6階	600.00㎡	事務所	450.00㎡	100	
5階	600.00㎡	事務所	450.00㎡	100	
4階	600.00㎡	事務所	450.00㎡	100	
3階	600.00㎡	事務所	450.00㎡	100	
2階	600.00㎡	事務所	450.00㎡	100	
1階	600.00㎡	事務所	390.00㎡	120	
地下1階	600.00㎡	駐車場・倉庫	300.00㎡	30	
合計	6,000.00㎡				

（資料７）各種利回り

償却前の還元利回り　4.5％
償却前の期待利回り　5.0％
一時金の運用利回り　1.0％

（資料８）価格時点における必要諸経費等（年額）（減価償却費を除く。）

(1)　修繕費　1,900,000円
(2)　維持管理費　1,100,000円
(3)　公租公課（土地）　1,000,000円
　　　　　　（建物）　1,400,000円
(4)　損害保険料　190,000円
（(1)～(4)　計　5,590,000円）
(5)　貸倒れ準備費　敷金により担保されているので計上しない。
(6)　空室等損失相当額　年額実質賃料の４％

（資料９）直近合意時点における必要諸経費等（年額）（減価償却費を除く。）

(1)	修繕費	1,900,000円	計　6,262,000円
(2)	維持管理費	1,100,000円	
(3)	公租公課（土地）	920,000円	
	（建物）	1,400,000円	
(4)	損害保険料	180,000円	
(5)	貸倒れ準備費	敷金により担保されているので計上しない。	
(6)	空室等損失相当額	762,000円	

（資料10）地価指数・新規実質賃料指数・消費者物価指数

	地価指数 平成22年１月=100	新規実質賃料指数 平成22年１月=100	消費者物価指数 平成22年１月=100
平成25年８月	99	99	99
平成26年８月	101	100	100
平成27年８月	103	101	100
平成28年８月	105	103	101
平成29年８月	108	106	102
平成30年８月	112	108	103

（資料11）対象不動産に係る賃貸借契約書及び賃料改定の経緯等

1．賃貸借契約書

賃貸人甲株式会社（以下「甲」という。）と賃借人乙株式会社（以下「乙」という。）は，次の各条項に基づいて賃貸借契約を締結する。

第1条（目的物件）
甲は，その所有に係る下記表示の建物の貸室（以下「貸室」という。）を，事務所使用を目的として，乙に賃貸することを約し，乙は，本契約の規定に従いこれを賃借することを約束する。
⑴ 建物の表示
所在地：A県B市C区D町一丁目5番地1
家屋番号：5番1
建物の構造・用途，床面積：鉄骨鉄筋コンクリート造陸屋根地下1階付地上9階建・事務所，延べ 6,000.00㎡
⑵ 賃貸借の場所及び面積
7階（事務所）契約面積 450.00㎡

第2条（賃貸借期間）
⑴ 賃貸借期間は，平成 26年8月1日から満2年とする。
⑵ 甲又は乙が賃貸借期間満了の6箇月前までに各相手方に対し書面により更新しない旨の通知等別段の意思表示をしない限り，本契約は賃貸借期間満了の日の翌日から更に2箇年更新するものとし，その後も同様とする。

第3条（賃料その他諸費用）
⑴ 賃料は，次のとおりとし，乙は，当月分の賃料を毎月末日までに甲が指定する銀行口座に振り込むものとする。
月額賃料金 1,575,000円也
⑵ 賃料は，経済情勢，物価変動，土地建物の公租公課その他の負担の増減等により，近隣土地建物賃料等との比較上，不相当と認められるに至ったときは，甲乙協議の上改定することができる。
⑶ 乙は，貸室の使用に関連して生ずる電気料金，ガス料金，水道料金，冷暖房料金及び清掃衛生費の一切を負担し，甲が立て替えた費用は，甲の請求により，乙は，遅滞なく支払うものとする。

第4条（敷金）
⑴ 乙は，敷金として，賃料の 10箇月分に相当する額を貸室引き渡しと同時に，甲に預け入れるものとする。なお，敷金は，無利息とする。
⑵ 甲は，乙に賃料の延滞又は損害賠償その他本契約に基づく債務の支払の必要があるときは，何等の催告なしに敷金の全部又は一部をこれに充当することができるものとする。
⑶ 本契約が終了し，乙が貸室を明け渡し，かつ甲に対する一切の債務を履行したときには，甲は，乙に敷金（前項の規定による充当分を除く。）を返還するものとする。

第5条（その他）
本契約の条項解釈又はこれに定めのない事項について疑義が生じた場合は，甲乙協議の上，民法その他の法令及び一般の不動産の賃貸借の慣習に従い，誠意をもって解決し処理するものとする。

平成 26年8月1日
甲　甲株式会社（印）
乙　乙株式会社（印）

2．賃料改定の経緯等

⑴　本件賃貸借契約は，本契約書第2条第2項に基づき，自動的に更新され現在に至っている。

⑵　今回の賃料改定の経緯や現状認識について，本契約に係る賃貸人及び賃借人に確認を行ったところ，特段の異議，相異等はなかった。また，甲乙は，ともに，今回の賃料改定に当たっては，継続賃料に係る近隣地域及びその周辺の状況等に鑑み，現在の賃貸市場における対象不動産の新規賃料水準を踏まえた上で，現行賃料をどの程度改定するのかということを重視していることが確認された。

⑶　その他，賃貸借当事者間で事実の主張が異なる事項はない。

以　上

解答例

※太字表記は，本試験解答用紙に予め印字されていた箇所です。

問１−(1)　本件鑑定評価で求めるべき賃料の種類とその理由

本件は，対象不動産の所有者兼賃貸人である依頼者が，賃借人との賃貸借契約を更新するに当たり，賃料改定の参考として，不動産鑑定士に鑑定評価を依頼したものであり，継続中の建物賃貸借契約に基づき，同一の使用目的において月額支払賃料のみを改定する場合における賃料の鑑定評価を行うものである。よって，求めるべき賃料の種類は継続賃料である。

問１−(2)　本件鑑定評価で適用すべき鑑定評価手法

本件では，差額配分法，スライド法，利回り法及び賃貸事例比較法をそれぞれ適用し，鑑定評価額を決定する。なお，鑑定評価額の決定に際しては，まず各試算賃料を調整して継続実質賃料を求め，当該実質賃料から一時金の運用益を控除して継続支払賃料（鑑定評価額）を決定する。

問２「一棟の建物及びその敷地」の価格

Ⅰ．再調達原価

（Ⅰ）「一棟の建物及びその敷地」の更地価格

（Ⅰ）−１　取引事例比較法による価格

事例（イ）

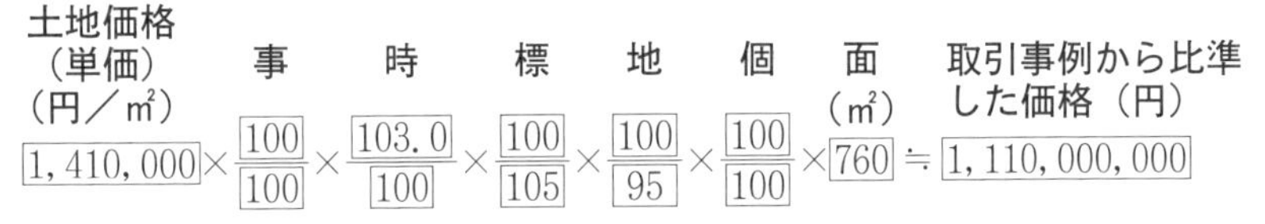

（※）取引事例に係る更地価格の査定根拠

1,108,000,000円＋（20,000円／㎡×1,000㎡）

＝ 1,128,000,000円（1,410,000円／㎡）

（Ⅰ）−２　公示価格を規準とした価格

標準地５−１

公示価格（円／㎡）		**時**		**標**		**地**		**個**		**面（㎡）**		**公示価格を規準とした価格（円）**
1,390,000	×	102.1/100	×	100/100	×	100/／	×	100/100	×	760	≒	1,080,000,000

（Ⅰ）－３　「一棟の建物及びその敷地」の更地価格

比準価格は，対象不動産と代替関係にある不動産に係る取引事例との比較によって求めた実証的かつ客観的な価格である。また，公示価格を規準とした価格とも均衡している。

よって，上記の比準価格をもって更地価格と査定した。

（Ⅱ）　一棟の建物の再調達原価

指示事項により，直接法によって査定する。

建築工事費（総額）（円）		事		時		再調達原価（円）
1,680,000,000	×	$\frac{100}{100}$	×	$\frac{106.0}{100}$	≒	1,780,000,000

（Ⅲ）　付帯費用

（1,110,000,000円＋1,780,000,000円）×0.10 ＝ 289,000,000円

（Ⅳ）　計

3,179,000,000円

Ⅱ．減価修正

（Ⅰ）　土地

減価はない。

（Ⅱ）　建物

（Ⅱ）－１　耐用年数に基づく方法（定額法採用，残価率０）

構成部分	再調達原価（円）		構成割合		経過年数／（経過年数＋経済的残存耐用年数）		耐用年数に基づく方法による減価額（円）
（躯体）	1,780,000,000	×	0.40	×	$\frac{6}{6+44}$	＝	85,440,000
（仕上）	1,780,000,000	×	0.30	×	$\frac{6}{6+24}$	＝	106,800,000
（設備）	1,780,000,000	×	0.30	×	$\frac{6}{6+9}$	＝	213,600,000
						計	405,840,000

（Ⅱ）－２　観察減価法

経年相応の減価と判断し，上記（Ⅱ）－１と同額と査定した。

（Ⅱ）－３　減価額

両方法を併用し，減価額を405,840,000円と査定した。

（Ⅲ） 付帯費用

$$289,000,000円 \times \frac{6}{6+44} = 34,680,000円$$

（Ⅳ） 一棟の建物及びその敷地

一棟の建物は敷地と適応し，環境と適合しており，土地建物一体としての減価はないと判断した。

（Ⅴ） 減価額合計

440,520,000円

Ⅲ．「一棟の建物及びその敷地」の価格（積算価格）

再調達原価から減価額を控除して，一棟の建物及びその敷地の価格（積算価格）を以下のとおり査定した。

Ⅰ．－ Ⅱ．≒ 2,740,000,000円

問3 対象不動産の基礎価格

Ⅰ．配分率

$$\frac{450.00㎡\times 100}{450.00㎡\times 100\times 8+390.00㎡\times 120+300.00㎡\times 30} \fallingdotseq 0.108$$

Ⅱ．対象不動産の基礎価格

前記問2で求めた一棟全体の建物及びその敷地の価格に上記配分率を乗じて，対象不動産の基礎価格を以下のとおり査定した。なお，対象不動産の使用収益を制約する契約上の減価はない。

2,740,000,000円×0.108 ≒ 296,000,000円

問4 差額配分法による試算賃料

Ⅰ．対象不動産の経済価値に即応した適正な実質賃料

（Ⅰ） 積算法

1．基礎価格

前記問3より，296,000,000円

2．期待利回り

資料より5.0%を採用する。

3．純賃料相当額

1．× 2．＝ 14,800,000円

4．必要諸経費等（月額実質賃料をａとおく）

資料より，5,590,000円＋0.48ａ

5．積算賃料

純賃料相当額に必要諸経費等を加算して積算賃料を以下のとおり1,770,000円と査定した。

14,800,000円＋5,590,000円＋0.48ａ＝ 12ａ

ａ ≒ 1,770,000円

（Ⅱ） 賃貸事例比較法

賃貸事例（あ）

月額実質賃料（単価）（円／㎡）		事		時		標		地		品		面（㎡）		賃貸事例から比準した賃料（円）
3,605	×	100/100	×	100.7/100	×	100/100	×	100/95	×	100/97	×	450	≒	1,770,000

（※）賃貸事例に係る月額実質賃料単価の査定根拠

1,430,000円＋（1,430,000円×10か月×0.01÷12か月）

≒ 1,441,917円（3,605円／㎡）

（Ⅲ） 対象不動産の経済価値に即応した適正な実質賃料

積算賃料は， 投下資本に対して期待される収益性の観点から求めた理論的な賃料であり，特に供給者側の意思が反映されている。

比準賃料は，代替関係にある不動産に係る賃貸事例との比較の観点から求めた実証的な賃料であり，市場の実態が十分反映されている。

対象不動産は商業地域に存する賃貸事務所ビルの一室であり，同一需給圏においては需要者・供給者のいずれも地域の賃料水準の推移，動向等を比較考量して，意思決定を行う傾向にあることから，現実の市場で成立した賃貸事例から求めた比準賃料を標準とし，積算賃料を比較考量して，対象不動産の経済価値に即応した適正な実質賃料を1,770,000円（3,930円／㎡）と査定した。

Ⅱ．実際実質賃料

1,575,000円＋1,575,000円×10か月×0.01÷12か月 ＝ 1,588,125円（3,530円／㎡）

Ⅲ．賃料差額

Ⅰ．－ Ⅱ．＝ 181,875円

Ⅳ．賃貸人帰属部分

指示事項により，賃料差額の２分の１を賃貸人帰属部分と査定した。

$$181,875円\times\frac{1}{2}\fallingdotseq 90,938円$$

Ⅴ．差額配分法による試算賃料

Ⅱ．＋ Ⅳ．≒ 1,680,000円（3,730円／㎡）

問５　利回り法による試算賃料

Ⅰ．価格時点における基礎価格

前記問３より，296,000,000円

Ⅱ．継続賃料利回り

１．直近合意時点（H26.8.1）の実績純賃料利回り

⑴　直近合意時点の基礎価格

2,840,000,000円×0.108 ≒ 307,000,000円

⑵　直近合意時点の純賃料

①　実際実質賃料（年額）

1,588,125円×12か月 ＝ 19,057,500円

②　必要諸経費等

資料より6,262,000円

③　純賃料

①－② ＝ 12,795,500円

⑶　直近合意時点の実績純賃料利回り

⑵ ÷ ⑴ ≒ 0.04168（4.168％）

２．継続賃料利回り

指示事項により，実績純賃料利回りを10％増加させ継続賃料利回りを以下のとおり査定した。

4.168％×1.10 ≒ 4.585％

Ⅲ．純賃料相当額

Ⅰ．× Ⅱ．＝ 13,571,600円

Ⅳ．必要諸経費等

前記問４より，5,590,000円＋0.48ａ

V．利回り法による試算賃料

13,571,600円＋5,590,000円＋0.48 a ＝ 12 a

a ≒ 1,660,000円（3,690円／㎡）

問6　スライド法による試算賃料

Ⅰ．直近合意時点における純賃料

前記問5より，12,795,500円

Ⅱ．変動率

1．各指数の変動率（価格時点：30.8.1／直近合意時点：26.8.1）

⑴　地価指数　　　　　：112／101 ≒ 1.1089（110.89%）

⑵　新規実質賃料指数　：108／100 ＝ 1.0800（108.00%）

⑶　消費者物価指数　　：103／100 ＝ 1.0300（103.00%）

2．変動率

指示事項により，各指数の平均値を採用し，変動率を1.0730（107.30%）と査定した。

Ⅲ．純賃料相当額

Ⅰ．× Ⅱ．≒ 13,729,572円

Ⅳ．必要諸経費等

前記問5より，5,590,000円＋0.48 a

V．スライド法による試算賃料

13,729,572円＋5,590,000円＋0.48 a ＝ 12 a

a ≒ 1,680,000円（3,730円／㎡）

問7　賃貸事例比較法による試算賃料

賃貸事例（う）

月額実質賃料（単価）（円／㎡）		事		時		標		地		品		面（㎡）		比準賃料（円）
3,630	×	100／100	×	100.2／100	×	100／100	×	100／／	×	100／97	×	450	≒	1,690,000

（※）賃貸事例に係る月額実質賃料単価の査定根拠

1,260,000円＋（1,260,000円×10か月×0.01÷12か月）

＝ 1,270,500円（3,630円／㎡）

問8　試算賃料の調整及び鑑定評価額の決定

以上により，差額配分法による試算賃料　1,680,000円（3,730円／㎡）
利回り法による試算賃料　1,660,000円（3,690円／㎡）
スライド法による試算賃料　1,680,000円（3,730円／㎡）
賃貸事例比較法による試算賃料　1,690,000円（3,760円／㎡）

の4試算賃料を得た。

Ⅰ．各試算賃料の再吟味

差額配分法は，対象不動産の経済価値に即応した適正な賃料（正常実質賃料）と実際実質賃料との差額部分の全部又は一部を適正に配分する手法であり，特に賃貸借に供されている不動産の用益の増減分が試算賃料に反映されている。

利回り法は，価格と賃料との間に認められる元本と果実の相関関係に着目した手法であり，直近合意時点の実績純賃料利回りを基に求めた継続賃料利回りを用いているため，特に契約当事者間の合意意思が試算賃料に反映されている。

スライド法は，直近合意時点の純賃料にマクロ的な景気動向の変化を示す各種指数に基づく変動率を乗じて試算賃料を求める手法であり，特に客観的な経済情勢の変化が試算賃料に反映されている。

賃貸事例比較法は，市場で実際に成立した対象不動産と代替関係の認められる賃貸事例との比較によって試算賃料を求める手法であり，特に代替不動産の賃料改定の実態が試算賃料に反映されている。

Ⅱ．各試算賃料が有する説得力に係る判断

前述のとおり，新規賃料に係る同一需給圏においては需要者・供給者のいずれも地域の賃料水準の推移，動向等を比較考量して，意思決定を行う傾向にあり，また，本件賃貸借当事者は，賃料改定に当たっては，継続賃料に係る近隣地域及びその周辺の状況等に鑑み，現在の賃貸市場における対象不動産の新規賃料水準を踏まえた上で，現行賃料の改定幅を決定する意向である。

以上を踏まえ，本件では，新規賃料水準の動向が特に反映されている差額配分法による試算賃料と，継続賃料の実勢水準が特に反映されている賃貸事例比較法による比準賃料を重視し，相互に関連づけ，利回り法による試算賃料とスライド法による試算賃料も十分比較考量し，継続実質賃料を1,680,000円（3,730円／㎡）と決定し，さらに当該実質賃料から預り一時金の運用益を控除し，継続支払賃料（鑑定評価額）を以下のとおり1,670,000円（3,710円／㎡）と算定した。

（継続支払賃料をＸとおく）

Ｘ＋Ｘ×10か月×0.01÷12か月 ＝ 1,680,000円

Ｘ ≒ 1,670,000円（3,710円／㎡）

以　上

解　説

本問は，「建物及びその敷地の一部の継続賃料（家賃）」に関する問題である。継続賃料は演習問題において最難度の類型であり，勉強量の少ない初年度受験生等にとってはハードルの高い内容であったものと思われる。

問１は，記述型の基本問題である。小問(1)は資料の中から必要な情報を転記し，「継続賃料」を求める点を明確にし，小問(2)は継続賃料を求める４手法を挙げればよい。問４から問７までの流れを見れば，容易に解答できる。解答例のような補足（実質賃料→支払賃料）は，さほど加点にならないので必須ではない。

問２は，原価法の基本問題である。取引事例比較法による更地価格の査定，直接法による建物再調達原価の査定，耐用年数に基づく方法による減価額の査定等，いずれも基本論点のみで構成されており，特に取引事例比較法については，演習問題初の「採用事例は１つ」という極めて簡単な内容である。「問３以降で勝負してください」という出題者の意向が明らかなので，ここは完璧な解答が求められる。

問３は，問２で求めた一棟の建物及びその敷地の価格に，階層別効用比に基づく配分率を乗じて，対象不動産（７階部分）の基礎価格を求める問題で，「区分所有建物及びその敷地」に適用する原価法を準用したものである。本問の対象不動産はフロア貸しのため，居住用マンションのような位置別効用比率を求める必要はなく，階層別効用比率がそのまま配分率となる。よって，演習テキストや答練で採用しているような表形式で解答してもよいが，解答例のように簡単な計算式を示して求めた方が効率的である。本問は家賃なので，地代ほど重要ではないが，契約減価の有無についても軽く触れておくとよい。

問４の差額配分法（実際実質賃料±賃料差額のうち賃貸人帰属分＝試算賃料）は，新規賃料と現行の賃料の差額を配分する手法なので，新規賃料の評価が必要となる。本問では，積算法と賃貸事例比較法の２手法を適用するが，目新しい論点は一切なく，積算法については方程式展開による試算賃料の導出，賃貸事例比較法については月額実際実質賃料の計算といった，各手法の基本論点を理解できていれば，容易に解答できる。

問５の利回り法（基礎価格×継続賃料利回り＋必要諸経費等＝試算賃料）は，継続賃料利回りの査定が主な計算論点である。直近合意時点の実績純賃料利回りは，「当該時点の純賃料÷当該時点の基礎価格」によって求めるが，当該時点の純賃料を「実際実質賃料－当該時点の必要諸経費等」によって求めるということを理解できているかがポイントとなる。なお，この実績純賃料利回りと継続賃料利回りについて，問題文が「百分率表示で小数点以下第４位を四捨五入して求めること。」と指示しており，数値の例示がないことから迷った受験生が多かったものと思われる。一般的には，「0.042（4.2%）」だが，文に厳密に従うと「0.04168（4.168%）」と解釈できる。解答例では後者を採用しているが，前者で解答したとしても特に問題ない（と信じたい）。四捨五入の扱いについては，過去の本試験問題でも曖昧なところが多く，ある程度は仕方のないことだが，せめて数値を例示する等，出題者側の配慮がほしかった。

問６のスライド法（現行賃料約定時点の純賃料×変動率＋必要諸経費等）は，変動率の査定が主な計算論点である。３つの指数の変動率（H26.8→H30.8）をそれぞれ求め，その平均値を採用すればよいだけだが，ここも問５の継続賃料利回りと同様，四捨五入の指示が分かりにくい。解答例では，問５と同じ解釈（百分率表示で小数点以下第３位を四捨五入）で，1.0730（107.30%）としたが，1.07（107%）というような判断でも特に問題ない（と信じたい）。

問７の賃貸事例比較法は，問４で適用した新規賃料を求める賃貸事例比較法と同じように試算すればよい。採用事例が１つだけなので，解答は容易である。

問８の試算賃料の調整及び鑑定評価額の決定については，各試算賃料の特徴を簡潔に述べ，重み付けの優劣を示して実質賃料を決定し，当該実質賃料から一時金の運用益を控除して支払賃料を鑑定評価額として算定する。試算賃料の重み付けについては，資料の中から解答例のような文言を引用し，差額配分法による賃料と比準賃料を重視した調整が無難であろう。

◇ 令和元年度・演習

問題　別紙１〔指示事項〕及び別紙２〔資料等〕に基づいて行う不動産鑑定評価に関する次の設問に答えなさい。

問１　本件鑑定評価に関する次の問に答えなさい。

(1)　対象不動産の建物及びその敷地としての最有効使用を判定し，簡潔に述べなさい。ただし，「環境と適合」，「貸室の稼働状況」，「同一需給圏内の代替・競争不動産」の語句を全て用いること。

(2)　どのような鑑定評価手法を適用して鑑定評価額を決定すべきか簡潔に述べなさい。なお，対象不動産の更地価格の査定における手法については解答する必要はありません。

問２　原価法に関する次の問に答えなさい。

(1)　対象不動産の更地価格に関する次の小問に答えなさい。

①　取引事例（イ），（ロ），（ハ）のうち最も適切な取引事例から比準した価格を求めなさい。

②　取引事例（ニ）から比準した価格を求めなさい。

③　①及び②で求めた２つの価格の規範性を検討し，比準価格を求めなさい。

④　公示価格を規準とした価格を求めなさい。

⑤　更地価格を求めなさい。

(2)　対象不動産の再調達原価を求めなさい。

(3)　対象不動産の減価額を求めなさい。

(4)　対象不動産の積算価格を求めなさい。

問３　収益還元法に関する次の問に答えなさい。

(1)　対象不動産の運営収益を求めなさい。

(2)　対象不動産の運営費用を求めなさい。

(3)　対象不動産の収益価格を求めなさい。

問４　問２及び問３において求めた試算価格を調整し，対象不動産の鑑定評価額を決定しなさい。

別紙1〔指示事項〕

Ⅰ．共通事項

1．問2から問4までにおける各手法の適用の過程において求める数値は，別に指示がある場合を除き，小数点第1位以下を四捨五入し，整数で求めること。ただし，取引事例から比準した価格，公示価格を規準とした価格，建物の再調達原価，土地建物に帰属する付帯費用，各試算価格並びに鑑定評価額については，上位4桁目を四捨五入した上で上位3桁を有効数字として取り扱うこと。

（例）1,234,567円 → 1,230,000円

2．消費税及び地方消費税については，各手法の適用の過程においては考慮せず，各種計算に当たっては，各資料の数値を前提とすること。

3．対象不動産及び取引事例等とされている不動産については，土壌汚染，埋蔵文化財及び地下埋設物に関して価格形成に影響を与えるものは何ら存しないことが判明していること。また，いずれも，建物に関しては，吹付けアスベスト，ポリ塩化ビフェニル等の有害物質の使用又は保管がないことが確認されていること。

4．対象不動産に係る土地及び建物の数量は，別紙2〔資料等〕「Ⅱ．対象不動産」に記載された「土地登記簿〔全部事項証明書〕記載数量」及び「建物登記簿〔全部事項証明書〕記載数量」によること。

5．建物について，建築時点から価格時点までの経過期間の算定上，竣工後1年未満であっても，1箇月以上経過したものについては経過期間を1年として算定すること。

6．本件鑑定評価においては，要因比較が可能な土地建物一体としての取引事例は収集できなかったため，土地建物一体としての取引事例比較法は適用しないこと。

Ⅱ．問2について

1．対象不動産の再調達原価は，更地価格に建物の再調達原価を加算して，通常の付帯費用を含まない土地建物一体の再調達原価を求め，この額に通常の付帯費用を加算して求めること。なお，通常の付帯費用とは，建物に直接帰属する付帯費用（設計・工事監理料等）及び土地との関係で発生し，一体として把握される付帯費用（資金調達費用，開発リスク相当額等）をいう。

2．更地価格は，取引事例比較法を適用して求めること。取引事例比較法の適用に当たっては，次に掲げる事項に留意すること。

⑴　別紙２〔資料等〕「(資料３）標準地・取引事例等の概要」に記載の各取引事例の中から，取引事例を選択し，比準価格を求めること（事例の選択要件を解答する必要はない。また，当該事例を選択した理由及び選択しない事例に係る不選択の理由も解答する必要はない。）。

⑵　小問⑴①において，更地の取引事例を選択する場合は，取引事例に係る土地価格の単価を求める計算根拠を記載すること。また，建物及びその敷地の取引事例を選択する場合は，配分法等により，取引事例に係る土地価格（更地としての価格（単価））を査定した上で比準すること。その際，取引事例に係る土地価格（更地としての価格（単価））の査定根拠を併せて記載すること。

⑶　取引事例から比準した価格を求める場合の計算式及び略号は，次のとおりとすること。

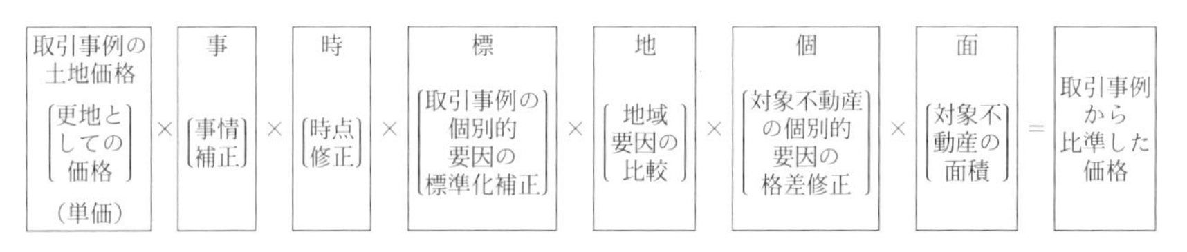

⑷　取引事例から比準する際に用いる数値は，別紙２〔資料等〕「(資料２）近隣地域・類似地域等の概要」及び「(資料３）標準地・取引事例等の概要」の記載事項から算出すること。

⑸　取引事例の個別的要因の標準化補正率の査定は，相乗積をもって査定すること。

（例）取引事例地 二方路（＋２％），不整形地（－５％）

取引事例の個別的要因の標準化補正率

(100％＋２％)×(100％－５％)≒ 97％(小数点以下第１位四捨五入)

⑹　時点修正に当たっては，次のとおりとすること。

①　取引事例から比準した価格を求める際は，別紙２〔資料等〕「(資料３）標準地・取引事例等の概要」に記載の価格時点の地価指数を用いること。

②　公示価格を規準とした価格を求める際は，下記⑻②に従い，地価指数を計算すること。

(7) 問(1)②において，取引事例（ニ）から比準する際は，事情補正率及び取引事例の個別的要因に係る標準化補正率をそれぞれ査定し，その計算過程を明らかにすること。

① 取引事例（ニ）に係る取引の事情及び個別的要因の内容は，別紙２〔資料等〕「（資料４）取引事例（ニ）の取引価格等に係る資料」の記載事項より判断すること。

② 取引事例の個別的要因に係る標準化補正率（％）は整数で求めること。
（例）0.987 → 99(％)

③ 併合（一体利用）による増分価値のうち取引事例（ニ）の土地への配分額は，併合により生じる増分価値に総額比により求めた配分率（注）を乗じて求めること。

（注）取引事例（ニ）の土地の単独利用を前提とした土地価格（総額）をｘ，隣接地の土地の単独利用を前提とした土地価格（総額）をｙとすると，配分率は下式で求められる。

取引事例（ニ）の土地への総額比による配分率 ＝ ｘ÷（ｘ＋ｙ）

なお，配分率は小数点以下第３位を四捨五入して求めること。
（例）0.789 → 0.79

(8) 更地価格の査定に当たっては，公示価格を規準とした価格との均衡に留意すること。

① 公示価格を規準とした価格を求める場合の計算式及び略号は，次のとおりとすること。

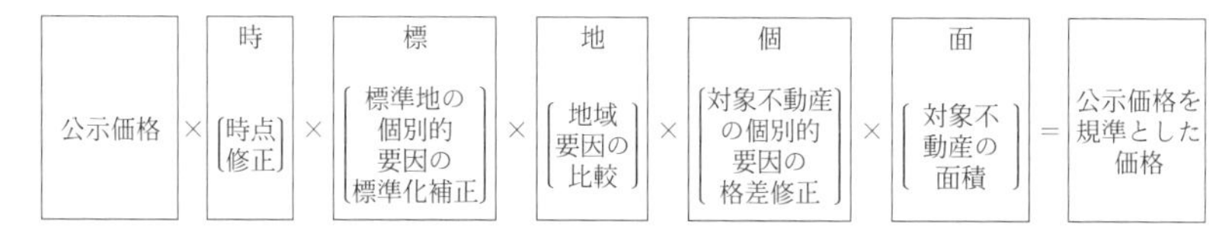

② 時点修正における地価指数の計算上の留意点は次のとおりである。

ｉ．地価指数の計算における経過期間（月数）の算定については，次の例のとおり，起算日（即日）の属する月を含めず，期間の末日（当日）の属する月を含めて計算すること。

（例）平成30年３月31日から平成30年８月１日までの期間の月数は，５箇月

平成30年４月１日から平成30年８月１日までの期間の月数は，

4箇月

ii．地価指数は，別紙2〔資料等〕「（資料5）地価指数の推移」の記載事項により求め，価格時点の地価指数の計算過程を明らかにすること。地価指数計算上の特定の時点の指数は，次の例のとおり算定することとし，小数点以下第2位を四捨五入し，小数点以下第1位まで求めること。

（例）平成30年1月1日の指数を100，平成30年7月1日の指数を102として，取引時点である平成30年5月31日の指数を求める場合。

$$\left\{\left[\frac{\text{平成30年7月1日の指数(102)}}{\text{平成30年1月1日の指数(100)}}-1\right]\times\frac{\text{平成30年1月1日～平成30年5月31日の月数(4)}}{\text{平成30年1月1日～平成30年7月1日の月数(6)}}+1\right\}\times\text{平成30年1月1日の指数(100)}$$

≒求める時点の指数(101.3)(小数点以下第2位を四捨五入)

3．建物の再調達原価を求めるに当たっては，直接法及び間接法を併用して求めること。

⑴　直接法については，別紙2〔資料等〕「（資料7）対象不動産の建築工事費」に記載の内容に基づき，建物の再調達原価を求めること。

⑵　間接法については，別紙2〔資料等〕「（資料8）建設事例の概要」の，建設事例Kから比準して求めること。建物の再調達原価を建設事例から比準して求める場合の計算式及び略号は，次のとおりとすること。

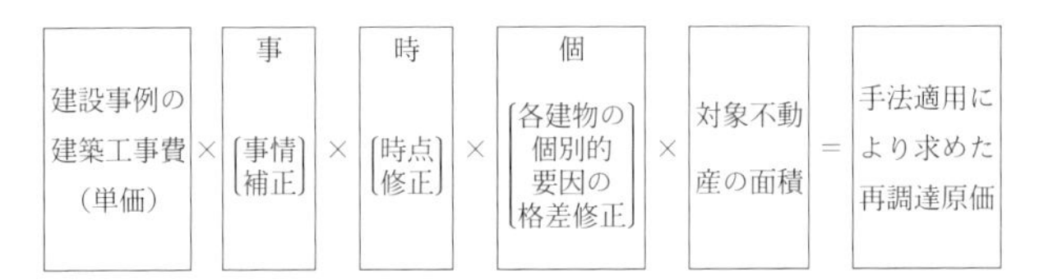

4．通常の付帯費用は，更地価格に建物の再調達原価を加算した額の10%に相当するものとして計上すること。なお，土地に直接帰属する付帯費用については，土地価格に比して些少であり，土地価格に含めても価格形成に大きな影響を与えないと判断することができることから，本件では考慮しないものとすること。

5．減価額の査定に当たっては，下記事項に留意すること。

⑴　土地に係る減価はないこと。

⑵　建物の躯体部分，仕上げ部分，設備部分の構成割合は，40：30：30とすること。

⑶　建物の躯体部分の耐用年数は50年，仕上げ部分の耐用年数は30年，設備部分の耐用年数は15年とし，減価修正の耐用年数に基づく方法はいずれも定額法を採用し，残価率は０とすること。

⑷　建物の減価の程度は，おおむね経年相応とすること。

⑸　付帯費用に係る減価額の査定に当たっては，当該付帯費用が建物等の維持される期間において配分される費用であるものとして，建物と同様の方法で減価修正を行うものとし，耐用年数は50年，残価率は０として求めること。

Ⅲ．問３について

１．収益還元法の適用に際しては，直接還元法を採用すること。

直接還元法の適用に当たっては，不動産鑑定評価基準各論第３章におけるＤＣＦ法の収益費用項目を採用し，運営収益から運営費用を控除した運営純収益に一時金の運用益及び資本的支出を加減して求めた純収益を還元利回りで還元することにより収益価格を求めること。

２．対象不動産の運営収益を求めるに当たっては，次のとおりとすること。

⑴　運営収益は，貸室賃料収入，共益費収入，水道光熱費収入，駐車場収入及びその他収入を合計した総収益（満室想定）から，空室等損失及び貸倒れ損失を控除して求めること。

⑵　貸室賃料収入は，現行の賃貸条件（別紙２〔資料等〕「Ⅷ．対象不動産の賃貸借契約の概要」を参照）をそのまま採用し，これに空室部分（503号室）につき下記のとおり査定して求めた額を加えることにより求めること。

空室部分は，賃貸事例比較法を適用して求めた月額実質賃料から，月額支払賃料の１箇月分の敷金（預り金的性格を有する一時金であり，賃貸借終了時に無利息で賃借人に返還される。）及び月額支払賃料の１箇月分の礼金（賃料の前払的性格を有する一時金）を徴収することを想定した一時金の運用益及び償却額を控除し，その上位３桁目を四捨五入して上位２桁を有効数字として月額支払賃料を求めること。

（例）12,345円 → 12,000円

⑶　賃貸事例比較法の適用に当たっては，別紙２〔資料等〕（資料６）賃貸事例の概要等「１．賃貸事例の概要」における賃貸事例（あ）から賃貸事

例（う）までのうち，最も適切な賃貸事例を一つ選択し，当該賃貸事例から比準して，賃貸事例比較法による賃料を求めること。その際，賃貸事例の月額実質賃料（単価）の査定根拠を併せて記載すること（事例の選択要件を解答する必要はない。また，当該事例を選択した理由及び選択しない事例に係る不選択の理由も解答する必要はない。）。

賃貸事例から比準する際に用いる数値は，別紙２〔資料等〕「（資料６）賃貸事例の概要等」の記載事項から算出すること。

対象不動産及び賃貸事例の平均賃貸借期間は，いずれも４年とすること。

敷金の運用益は運用利回りを年1.0％として求めること。礼金の運用益及び償却額は，償却期間を４年，運用利回りを年1.0％とし，年賦償還率（＝0.2563）により求めること。

⑷　賃貸事例比較法を適用する際に用いる計算式及び略号は，次のとおりとすること。

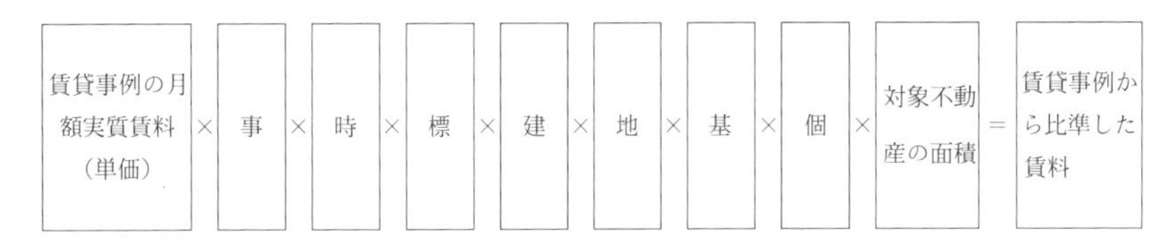

各項の意味と略号

事：事情補正
時：時点修正
標：賃貸事例の基準住戸への標準化補正
建：一棟全体の建物格差修正
地：地域要因の比較
基：基準住戸の個別的要因の比較
個：対象住戸の個別的要因の格差修正

⑸　共益費収入は，現行の賃貸条件（賃貸面積１㎡当たり250円（月額））を妥当と認めて計上すること。

⑹　貸室部分の水道光熱費は，賃借人が実額を負担するものとすること。

⑺　駐車場収入は，現行の１台当たりの使用料を妥当と認めて採用すること。

⑻　その他収入は，貸室部分の礼金収入のみで，価格時点以降締結する新規契約分より貸室支払賃料の１箇月分とし，平均賃貸借期間に基づき，次のように計算して平準化した金額を計上すること。

礼金収入　＝　礼金（全貸室合計）÷　平均賃貸借期間

⑼　空室等損失は，貸室賃料収入，共益費収入及び礼金収入について，貸室部分の稼働率を95％，駐車場部分の稼働率を80％として求めること。

⑽　貸倒れ損失は，賃借人の状況等を勘案した結果，計上しないものとする

こと。

3．対象不動産の運営費用を求めるに当たっては，次のとおりとすること。

⑴　運営費用は，維持管理費，水道光熱費，修繕費，プロパティマネジメントフィー（以下「ＰＭフィー」という。），テナント募集費用等，公租公課（土地及び建物），損害保険料及びその他費用を合計して求めること。

⑵　維持管理費は，賃貸面積１㎡当たり150円（月額）とすること。

⑶　共用部分の水道光熱費は，昨年度実績額を考慮して賃貸面積１㎡当たり50円（月額）とすること。

⑷　修繕費は，建物の通常の維持管理のための費用と貸室部分の賃貸人負担の原状回復費をそれぞれ次の計算式により求めて合算すること。

建物の通常の維持管理のための費用＝建物再調達原価×0.3％（年額）

原状回復費＝3,500円／㎡×賃貸面積×稼働率÷平均賃貸借期間

⑸　ＰＭフィーは，現行の管理運営委託契約に基づき，稼働率を考慮の上，貸室賃料収入，共益費収入及び駐車場収入の合計額の3.0％相当額とすること。

⑹　テナント募集費用等は，仲介手数料として，貸室支払賃料の１箇月分につき，稼働率を考慮の上，平均賃貸借期間で平均化した金額を計上のこと。

⑺　公租公課（土地及び建物）は，固定資産税及び都市計画税とし，実額に基づき土地190,000円（年額），建物3,400,000円（年額）とすること。

⑻　損害保険料は，現行の保険契約に基づき280,000円（年額）とすること。

⑼　その他費用は，ケーブルテレビ利用料として30,000円（月額）とすること。

4．対象不動産の純収益を求めるに当たっては，次のとおりとすること。

⑴　一時金の運用益は，貸室支払賃料の１箇月分の満室稼働を前提とした敷金に稼働率を考慮し，さらに，運用利回りの年1.0％を乗じて求めること。

⑵　資本的支出は，建物再調達原価の0.7％相当額（年額）とすること。

5．上記により求めた純収益に対応する還元利回りは，同一需給圏内における類似の不動産の取引事例から求められる利回りを採用するものとし，次のとおり求めること。

⑴　別紙２〔資料等〕「（資料９）貸家及びその敷地の取引事例の概要」における取引事例αから取引事例γまでのうち，最も適切な取引事例を一つ選択し，当該事例を選択した理由を記載すること（事例の選択要件及び選択

しない事例に係る不選択の理由を解答する必要はない。)。

⑵　取引事例に係る償却前純収益を取引価格で除して求めた利回りを還元利回りとして採用すること。

⑶　還元利回りは％で表示し，小数点以下第２位を四捨五入して，小数点以下第１位まで求めること。

（例）5.67％ → 5.7％

⑷　同一需給圏内においては，地域別の利回り格差はなく，平成31年１月以降は利回りの水準に変動はない。

別紙２〔資料等〕

Ⅰ．依頼内容

本件は，ＪＲ○○線「Ｍ駅」の北西方約200ｍ（道路距離）に存する高層共同住宅（対象不動産）について，対象不動産の所有者が売買の参考として，不動産鑑定士に鑑定評価を依頼したものである。

Ⅱ．対象不動産

１．土地　所在及び地番　Ａ県Ｂ市Ｃ区Ｄ町一丁目７番１
　　　　　地　　　目　宅地
　　　　　地　　　積　350.00㎡（土地登記簿〔全部事項証明書〕記載数量）
　　　　　所　有　者　甲株式会社

２．建物　所　　　在　Ａ県Ｂ市Ｃ区Ｄ町一丁目７番地１
　　　　　家屋番号　７番１
　　　　　構造・用途　鉄筋コンクリート造陸屋根地上11階建　共同住宅
　　　　　建築年月日　平成25年10月１日
　　　　　床　面　積　（建物登記簿〔全部事項証明書〕記載数量）

階	床面積
１　階	175.00㎡
２　階	175.00㎡
３　階	175.00㎡
４　階	175.00㎡
５　階	175.00㎡
６　階	175.00㎡
７　階	175.00㎡
８　階	175.00㎡
９　階	175.00㎡
10　階	175.00㎡
11　階	175.00㎡
合　計	1,925.00㎡

　　　　　所　有　者　甲株式会社

Ⅲ．鑑定評価の基本的事項

１．類型

貸家及びその敷地

２．鑑定評価の条件

⑴　対象確定条件

対象不動産の現実の利用状況を所与とする。

⑵　地域要因又は個別的要因についての想定上の条件

特にない。

⑶　調査範囲等条件

特にない。

３．価格時点

令和元年８月１日

４．依頼目的

売買の参考

５．鑑定評価によって求める価格の種類

正常価格

Ⅳ．対象不動産が所在するＢ市の概況

１．位置等

⑴　位置及び面積　Ａ県の中央部に位置し，面積は約 300㎢である。

⑵　沿革等　Ｂ市は，Ａ県の中央部に位置する県庁所在地で，古くから交通の要衝として栄えてきた。近年においても，行政・商業・業務などの都市機能の集積が進んでおり，Ａ県の中心的な都市として発展している。

２．人口等

⑴　人　口　現在約150万人で，近年は微増で推移している。

⑵　世帯数　約80万世帯

３．交通施設及び道路整備の状態

⑴　鉄　道　ＪＲ○○線がＢ市の市街地の中央部を南北に縦断し，私鉄○○線が市街地の中央部を東西に横断している。

⑵　バ　ス　ＪＲ○○線「Ｈ駅」を中心としてバス路線網が整備され，運行便数も多く，鉄道を補完している。

⑶　道　路　国道及び県道を幹線道路とし，市道が縦横に敷設されている。Ｂ市の北部には○○自動車道のインターチェンジが設けられ，周辺都市と連絡している。

４．供給処理施設の状態

⑴　上 水 道　普及率は，ほぼ100％

⑵　下 水 道　普及率は，約95％

⑶　都市ガス　普及率は，約90％

５．土地利用の状況

⑴　商業施設　「Ｈ駅」周辺はＢ市の中心市街地であり，百貨店等の商業ビル，大規模なホテル，イベントホール，高層事務所ビルを中心とした商業施設の集積が見られる。

⑵　住　　宅　「Ｈ駅」周辺の駅の徒歩圏においては，マンションが多く建ち並んでいる。また，郊外の駅周辺やバス通勤圏においては戸建住宅が多い。

Ⅴ．対象不動産に係る市場の特性

１．同一需給圏の判定

対象不動産と代替・競争関係が成立する類似不動産の存する同一需給圏を，対象不動産の最寄り駅である「Ｍ駅」並びに隣接する「Ｎ駅」及び「Ｏ駅」から徒歩圏に位置する圏域と判定した。「Ｍ駅」からＢ市の中心駅である「Ｈ駅」まではＪＲ○○線を利用し約10分で，Ｂ市中心部へのアクセスは容易である。

２．同一需給圏内における市場参加者の属性及び行動

同一需給圏内の売買市場における市場参加者の属性は，不動産会社，投資ファンド等が中心であり，不動産取引に際し，主に収益性を重視する傾向にある。

３．市場の需給動向

上記の通り，同一需給圏は，Ｂ市の中心部に近く，利便性は高い。従来から賃貸共同住宅の供給が多く，個人や企業による賃貸需要も堅調である。

さらに，昨今の経済回復の影響を受け，Ｂ市における不動産市況も回復していることから，同一需給圏内においても，ここ数年，不動産会社や投資ファンド等が賃貸共同住宅の開発や購入を積極的に行っており，賃貸共同住宅の

取引価格は上昇傾向にある。

4．同一需給圏における地価の推移・動向

昨今の経済回復の影響を受け，同一需給圏内の近隣地域内に存在する公示地・標準地5－1は，平成25年以降，強含みで推移している。また周辺の地価の推移についても概ね同じ傾向である。

5．同一需給圏内における賃貸住宅の賃料の推移と動向

近隣地域及びその周辺においては，企業の業績回復の影響により，転勤者向けの賃貸マンションの需要が高まっており，ここ数年間，新規賃料水準はやや上昇傾向で推移している。

Ⅵ．近隣地域の状況

別紙2〔資料等〕「(資料2）近隣地域・類似地域等の概要」のとおりである。

Ⅶ．個別分析

1．土地の状況 土地に係る個別的要因は，別紙2〔資料等〕「(資料2）近隣地域・類似地域等の概要」における近隣地域の内容と概ね同じである。

なお，対象不動産については，近隣地域の標準的画地と比較した増減価要因は特にない。

2．建物の状況

⑴ 建物概要

① 建築年月日：平成25年10月1日

② 構造・用途：鉄筋コンクリート造陸屋根地上11階建　共同住宅

③ 面積：延べ 1,925.00㎡

⑵ 設備概要

電気設備，給排水設備，衛生設備，ガス設備，空調設備，エレベーター1基等

⑶ 仕上げ概要

① 外壁：タイル貼り

② 内壁：クロス貼り

③ 床　：フローリング

④ 天井：クロス貼り

⑷ 使用資材の品等

標準的

⑸　施工の質及び量

質及び量ともに共同住宅として標準的である。なお，対象建物は新耐震基準に適合している。

⑹　維持管理の質及び量

維持管理の状態は概ね良好で，経年相応の減価が認められる。

⑺　建物とその環境との適合の状態

対象建物は，周辺環境と適合している。

⑻　その他（特記すべき事項）

経年相応の劣化が認められるが，特に著しい物理的減価は認められず，機能的及び経済的減価も特に認められない。

3．建物及びその敷地

⑴　建物等とその敷地との適応の状態

対象建物は，敷地と適応している。

⑵　修繕計画及び管理計画の良否とその実施の状態

①　大規模修繕に係る修繕計画

あり

②　管理実施の状態

計画通りに実施されている。

⑶　賃貸経営管理の良否

①　賃借人の状況及び賃貸借契約の内容

賃貸借契約は標準的で，一時金は敷金・礼金ともに月額支払賃料の1箇月分，また，更新料の授受はない。賃借人については，支払賃料の延滞等はなく，特段の問題はない。

②　賃借人の状況及び賃貸借契約の内容

直近の3年間の平均的な稼働状況は，貸室部分が95%，駐車場部分が80%で推移している。なお，価格時点現在の貸室部分の空室は1室で，解約予告は発生していない。

4．対象不動産の市場分析

⑴　対象不動産に係る典型的な需要者層

不動産会社，投資ファンド等が中心であり，不動産取引に際し，主に収益性を重視して取引の意思決定を行う傾向にある。

(2) 代替競争関係にある不動産との比較における優劣及び競争力の程度

対象不動産は，最寄り駅に近く，築浅物件であることから，収益性に優り，同一需給圏内の代替・競争不動産と比較し，相応の競争力を有している。

Ⅷ. 対象不動産の賃貸借契約の概要

階	部屋番号	賃借人	賃貸面積（㎡）	月額支払賃料（円）	月額共益費（円）	敷金（円）	礼金（円）
2	201	個人	28.00	57,000	7,000	57,000	57,000
	202	法人	28.00	56,000	7,000	56,000	56,000
	203	法人	28.00	56,000	7,000	56,000	56,000
	204	個人	28.00	56,000	7,000	56,000	56,000
	205	個人	28.00	56,000	7,000	56,000	56,000
	206	法人	28.00	58,000	7,000	58,000	58,000
3	301	個人	28.00	57,000	7,000	57,000	57,000
	302	個人	28.00	56,000	7,000	56,000	56,000
	303	法人	28.00	56,000	7,000	56,000	56,000
	304	個人	28.00	56,000	7,000	56,000	56,000
	305	個人	28.00	56,000	7,000	56,000	56,000
	306	法人	28.00	58,000	7,000	58,000	58,000
4	401	個人	28.00	58,000	7,000	58,000	58,000
	402	法人	28.00	58,000	7,000	58,000	58,000
	403	法人	28.00	56,000	7,000	56,000	56,000
	404	個人	28.00	57,000	7,000	57,000	57,000
	405	法人	28.00	57,000	7,000	57,000	57,000
	406	法人	28.00	59,000	7,000	59,000	59,000
5	501	法人	28.00	59,000	7,000	59,000	59,000
	502	法人	28.00	57,000	7,000	57,000	57,000
	503	空室	28.00	—	—	—	—
	504	個人	28.00	59,000	7,000	59,000	59,000
	505	個人	28.00	58,000	7,000	58,000	58,000
	506	個人	28.00	60,000	7,000	60,000	60,000
6	601	法人	28.00	61,000	7,000	61,000	61,000
	602	個人	28.00	58,000	7,000	58,000	58,000
	603	法人	28.00	59,000	7,000	59,000	59,000
	604	個人	28.00	58,000	7,000	58,000	58,000
	605	法人	28.00	59,000	7,000	59,000	59,000
	606	個人	28.00	62,000	7,000	62,000	62,000
7	701	法人	28.00	61,000	7,000	61,000	61,000
	702	個人	28.00	60,000	7,000	60,000	60,000
	703	法人	28.00	60,000	7,000	60,000	60,000
	704	個人	28.00	61,000	7,000	61,000	61,000
	705	法人	28.00	59,000	7,000	59,000	59,000
	706	個人	28.00	62,000	7,000	62,000	62,000

階	部屋番号	賃借人	賃貸面積（㎡）	月額支払賃料（円）	月額共益費（円）	敷金（円）	礼金（円）
8	801	法人	28.00	63,000	7,000	63,000	63,000
	802	法人	28.00	60,000	7,000	60,000	60,000
	803	法人	28.00	61,000	7,000	61,000	61,000
	804	個人	28.00	61,000	7,000	61,000	61,000
	805	個人	28.00	61,000	7,000	61,000	61,000
	806	個人	28.00	63,000	7,000	63,000	63,000
9	901	個人	28.00	65,000	7,000	65,000	65,000
	902	法人	28.00	61,000	7,000	61,000	61,000
	903	法人	28.00	62,000	7,000	62,000	62,000
	904	個人	28.00	62,000	7,000	62,000	62,000
	905	法人	28.00	61,000	7,000	61,000	61,000
	906	法人	28.00	65,000	7,000	65,000	65,000
10	1001	個人	28.00	64,000	7,000	64,000	64,000
	1002	個人	28.00	62,000	7,000	62,000	62,000
	1003	法人	28.00	62,000	7,000	62,000	62,000
	1004	個人	28.00	63,000	7,000	63,000	63,000
	1005	個人	28.00	64,000	7,000	64,000	64,000
	1006	法人	28.00	65,000	7,000	65,000	65,000
11	1101	個人	28.00	66,000	7,000	66,000	66,000
	1102	法人	28.00	64,000	7,000	64,000	64,000
	1103	法人	28.00	64,000	7,000	64,000	64,000
	1104	個人	28.00	63,000	7,000	63,000	63,000
	1105	個人	28.00	64,000	7,000	64,000	64,000
	1106	法人	28.00	66,000	7,000	66,000	66,000
合計			1,680.00	3,548,000	413,000	3,548,000	3,548,000

（注１）賃借人欄における「個人」とは個人名義での契約，「法人」とは法人名義での契約で，いずれも住宅としての使用を目的とする賃貸借契約である。

（注２）すべての貸室の賃貸借契約の種類は，通常の賃貸借契約（借地借家法第30条の規定の適用がある賃貸借契約）とし，契約期間は２年間とする。なお，当該契約には「貸主・借主の双方から特段の申出をしなければ，同条件で同期間自動更新する。」という条項が付されている。

（注３）月額共益費は，各室とも賃貸面積１㎡当たり250円であり，周辺の同様の賃貸物件と比較しても，同等の水準にある。

（注４）月額支払賃料及び月額共益費は，毎月末に当月分を支払う。

（注５）敷金は預り金的性格を有する一時金であり，賃貸借終了時に無利息で賃借人に返還される。礼金は賃料の前払的性格を有する一時金であり，賃借人には返還されない。

（注６）駐車場は対象不動産の入居者のみを対象として10台分のスペースがあり，

現在8台分が賃貸されている。1台当たりの月額使用料は11,000円で，敷金・礼金等の一時金の授受はなく，周辺の賃貸物件と比較しても，同等の水準である。

（資料1）対象不動産，地価公示法による標準地，取引事例，賃貸事例等の位置図

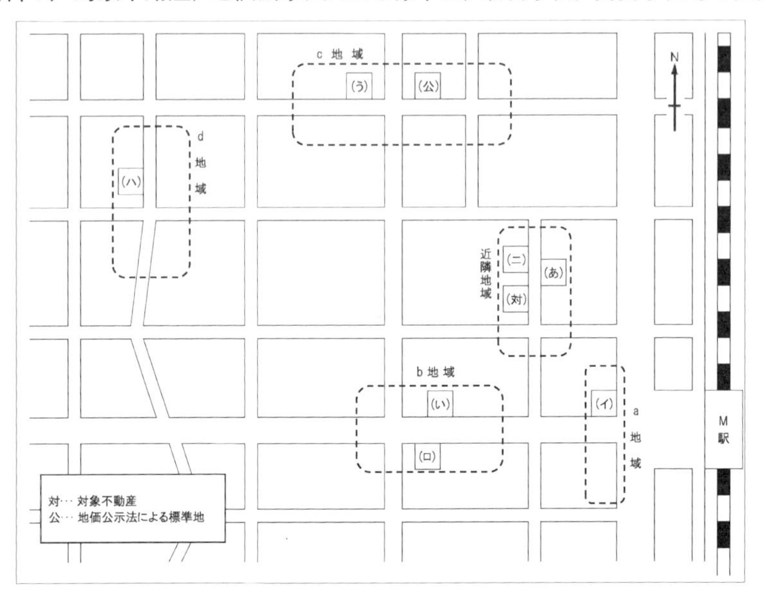

（注）この位置図は，対象不動産，地価公示法による標準地，取引事例，賃貸事例等のおおよその配置を示したものであり，実際の距離，規模等を正確に示したものではない。

（資料２）近隣地域・類似地域等の概要

地域	位置（距離は駅から中心までの道路距離）	道路の状況	周辺の土地の利用状況	都市計画法等の規制で主要なもの	供給処理施設	標準的画地の規模	標準的使用	地域要因に係る評点（近隣地域=100）
近隣地域	M駅の北西方 約200m	幅員９m 舗装市道	高層共同住宅等が建ち並ぶ地域	商業地域 建ぺい率 80% 容積率 500% 防火地域	上水道 下水道 都市ガス	300㎡	高層共同住宅地	
a地域	M駅の西方 約50m	幅員40m 舗装国道	高層店舗付事務所等が建ち並ぶ駅前の商業地域	商業地域 建ぺい率 80% 容積率 600% 防火地域	上水道 下水道 都市ガス	300㎡	高層店舗付事務所地	135
b地域	M駅の西方 約200m	幅員20m 舗装市道	高層店舗付共同住宅やロードサイド店舗等が混在する地域	商業地域 建ぺい率 80% 容積率 500% 防火地域	上水道 下水道 都市ガス	400㎡	高層店舗付共同住宅地	106
c地域	M駅の北西方 約400m	幅員10m 舗装市道	高層共同住宅のほか店舗併用住宅等が混在する地域	商業地域 建ぺい率 80% 容積率 500% 防火地域	上水道 下水道 都市ガス	250㎡	高層共同住宅地	98
d地域	M駅の北西方 約600m	幅員７m 舗装市道	中層共同住宅のほか事務所併用住宅等が混在する地域	商業地域 建ぺい率 80% 容積率 400% 防火地域	上水道 下水道 都市ガス	300㎡	中層共同住宅地	92

（注）地域要因に係る評点については，近隣地域の評点を100とし，他の地域は近隣地域と比較してそれぞれの評点を付したものである。

（資料３）標準地・取引事例等の概要

事例区分	所在する地域	類型	価格時点 取引時点 (価格時点の地価指数)	公示価格 取引価格	数量等	価格時点及び取引時点における敷地の利用状況	道路及び供給処理施設の状況	駅からの道路距離	個別的要因に係る評点	備　考
標準地5－1	c地域	更地として	平成31.1.1 ((資料５)参照)	384,000円/㎡	土地240㎡	鉄筋コンクリート造 地上９階建 共同住宅	南側 幅員10m 舗装市道 上水道 下水道 都市ガス	M駅 北西方 約400m	標準的 ±０％	地価公示法第３条の規定により選定された標準地であり，利用の現況は当該標準地の存する地域における標準的使用とおおむね一致する。更地としての価格が公示されている。
取引事例(イ)	a地域	自用の建物及びその敷地	平成30.7.10 (107.0)	179,800,000円	土地310㎡ 建物延床面積780㎡	鉄骨造 地上３階建 店舗	東側 幅員40m 舗装国道 南側 幅員20m 舗装市道 上水道 下水道 都市ガス	M駅 西方 約50m	角地 ＋５％	老朽化した店舗が存する建物及びその敷地の取引で，建物取壊費用は売主が負担した。そのほか，取引に当たり，特別な事情はない。
取引事例(ロ)	b地域	更地	平成31.4.18 (102.0)	167,700,000円	土地390㎡	未利用地	北側 幅員20m 舗装市道 上水道 下水道 都市ガス	M駅 西方 約200m	標準的 ±０％	取引に当たり，特別な事情はない。
取引事例(ハ)	d地域	自用の建物及びその敷地	平成31.3.3 (102.5)	149,600,000円	土地280㎡ 建物延床面積300㎡	鉄骨造 地上２階建 事務所	東側 幅員７m 舗装市道 上水道 下水道 都市ガス	M駅 北西方 約600m	標準的 ±０％	新築事務所が存する建物及びその敷地の取引で，環境とは適合しているが，敷地とは適応していない。建物は60,000,000円で取引されたことが判明している。そのほか，取引に当たり，特別な事情はない。
取引事例(ニ)	近隣地域	更地	平成30.11.5 (104.6)	70,400,000円 (352,000円/㎡)	土地200㎡	未利用地	東側 幅員９m 舗装市道 上水道 下水道 都市ガス	M駅 北西方 約200m	資料４参照	隣接地の所有者が事例地と一体で高層共同住宅を建設するため，周辺の地価水準を超える水準で取得した事例で，資料に基づき補正可能である（詳細は（資料４）参照)。

（注１）「価格時点の地価指数」は，各取引事例に係る取引時点の地価指数を100とし，価格時点の価格指数を示したものである。

（注２）「個別的要因に係る評点」は，それぞれの地域において標準的と認められる画地の地積以外の評点を100とし，これと取引事例に係る土地とを比較した上で，それぞれの評点を付したものである。

（注３）対象不動産の個別的要因に係る評点は，「標準的±０％」である。

（資料４）取引事例（ニ）の取引価格等に係る資料

1．取引事例（ニ）に係る取引の概要取引事例（ニ）（以下「事例（ニ）」という。）の土地は，下図のとおり隣接地所有者が併合を目的として取得した。

取引価格は，単独利用を前提とした取引価格に，併合（一体利用）により生じる増分価値を総額比で配分した額を加算した価格であった。それぞれの土地を単独利用する場合の個別的要因に係る評点は下記参照。

2．事例（ニ）概略図

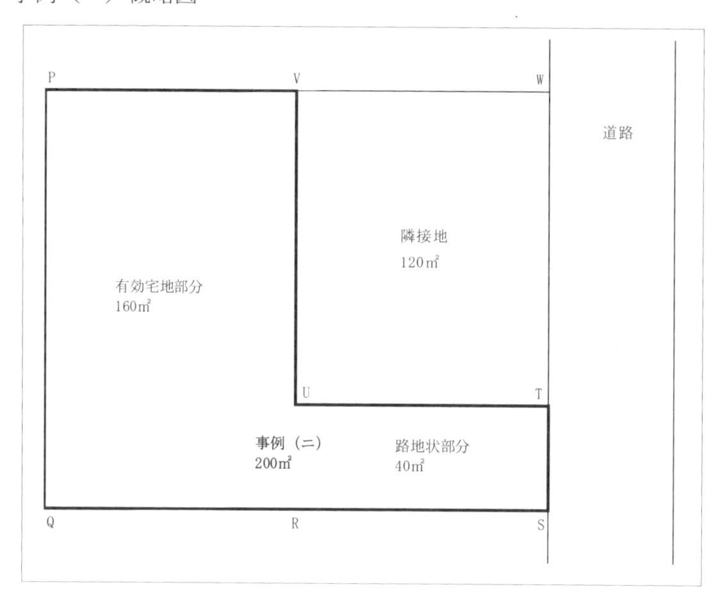

3．事例（ニ）の画地状況等

⑴　事例（ニ）は符号PQSTUVで囲まれた画地（200㎡）で，有効宅地部分（160㎡）と路地状部分（40㎡）で構成される。

⑵　有効宅地部分とは符号PQRVで囲まれた部分である。

⑶　路地状部分とは符号RSTUで囲まれた部分である。

⑷　事例（ニ）の個別的要因に係る評点は，有効宅地部分の評点と路地状部分の評点を面積割合で加重平均した値で，有効宅地部分の評点は80，路地状部分の評点は60である。

4．隣接地の画地状況等

⑴　隣接地は符号TUVWで囲まれた画地（120㎡）である。

⑵　隣接地の個別的要因に係る評点は100である。

5．併合後一体地の画地状況等

(1) 事例（ニ）と隣接地を併合した後の一体地は符号PQSWで囲まれた部分である。

(2) 一体地の個別的要因に係る評点は100である。

（資料5）地価指数の推移

c地域における地価指数の推移は次のとおりである。なお，平成31年1月1日以降の動向は，平成30年7月1日から平成31年1月1日の推移と同じ傾向を示している。

	平成30．1．1	平成30．7．1	平成31．1．1
地価指数	93	97	100

（資料6）賃貸事例の概要等

1．賃貸事例の概要

事例区分	所在する地域	種類	賃貸時点（価格時点の賃料指数）	月額支払賃料一時金	事例の概要	備考
賃貸事例（あ）	近隣地域	継続賃料	平成30.9.20（100.9）	・月額支払賃料：65,000円 ・月額共益費：　9,000円 ・敷金：1箇月分 ・更新料：なし	・鉄筋コンクリート造地上9階建の5階部分 ・平成8年8月竣工 ・用途　共同住宅 ・賃貸面積　36㎡	竣工当時から入居している居住者が，月額支払賃料を減額のうえ契約を更新した。
賃貸事例（い）	b地域	新規賃料	平成31.4.12（100.3）	・月額支払賃料：107,000円 ・月額共益費：　14,000円 ・敷金：1箇月分 ・礼金：1箇月分	・鉄筋コンクリート造地上12階建の5階部分 ・平成6年2月竣工 ・用途　共同住宅 ・賃貸面積　56㎡	賃貸借に当たり，特別な事情はない。
賃貸事例（う）	c地域	新規賃料	平成31.2.15（100.5）	・月額支払賃料：59,000円 ・月額共益費：　7,500円 ・敷金：2箇月分 ・礼金：1箇月分	・鉄筋コンクリート造地上8階建の5階部分 ・平成24年12月竣工 ・用途　共同住宅 ・賃貸面積　30㎡	賃貸借に当たり，特別な事情はない。

(注)「価格時点の賃料指数」は，各賃貸事例に係る賃貸時点の賃料指数を100とし，価格時点の賃料指数を示したものである。

2．賃貸事例の価格形成要因の比較

補正項目＼事例等	対象不動産（空室部分）	賃貸事例（あ）	賃貸事例（い）	賃貸事例（う）
一棟全体の建物に係る評点（建）	100	95	93	97
地域要因に係る評点（地）	100	100	103	98
基準住戸の格差に係る評点（基）	100	100	100	100
個別的要因に係る評点（個）及び（標）	100	100	100	100

（注1）「一棟全体の建物に係る評点（建）」は，対象不動産（一棟全体の建物）の評点を100とし，賃貸事例の存する一棟全体の建物と比較してそれぞれの評点を付したものである。

（注2）「地域要因に係る評点（地）」は，近隣地域の評点を100とし，賃貸事例の存する地域と比較してそれぞれの評点を付したものである（不動産取引における土地の地域要因に係る評点とは必ずしも一致しない）。

（注3）「基準住戸の格差に係る評点（基）」は，対象不動産の基準住戸の評点を100とし，賃貸事例の基準住戸と比較してそれぞれの評点を付したものである。なお，対象不動産及び賃貸事例とも基準階を5階としている。

（注4）「個別的要因に係る評点（個）及び（標）」は，対象不動産（空室部分）及び賃貸事例の各々の基準階における基準住戸との比較評点を示している。

3．同一需給圏における標準的な賃貸借の条件

⑴ 当月分の支払賃料は，毎月末に支払われる。

⑵ 当初の賃貸借契約の締結時に授受される一時金は，預り金的性格を有する敷金及び賃料の前払的性格を有する礼金の2種類である。標準的な一時金の額については，敷金は月額支払賃料の1～2箇月分，礼金は月額支払賃料の1箇月分である。なお，契約の更新時においては，更新料等いかなる名目においても一時金の授受はない。

⑶ 敷金は，賃貸借契約を解除したときは直ちに返還されるが，利息は付されない。

⑷ 共益費の水準は賃貸面積1㎡当たり月額250円が標準的で，各賃貸事例とも概ね標準的である。

⑸ 賃貸借契約期間は2年，契約の形式は書面によるものが一般的である。

(6) 各賃借人との契約は，いわゆる普通借家契約であり，契約更新時に支払賃料等の改定協議を行う。

(7) 駐車場の賃貸借契約において一時金の授受はない。

（資料７）対象不動産の建築工事費

対象不動産は，平成25年10月１日に竣工した。建築工事費は，全体で486,000,000円であった（同建築工事費は，竣工時点における標準的な建築工事費であり，その他特別な事情はない。）。

なお，建築工事費は，建築当時と比較し，価格時点において７％上昇している。

（資料８）建設事例の概要

事例区分	所在する地域	建築時点（価格時点の建築費指数）（注１）	建築工事費	数量等	建物構造及び用途	建物竣工時点での経済的残存耐用年数	施工の質・設備概要	評点（注２）
建設事例K	近隣地域	平成28.9.1 （103.0）	522,900,000円 （249,000円/㎡）	建築面積 190㎡ 延床面積 2,100㎡	鉄筋コンクリート造地上11階建共同住宅	躯体部分 50年 仕上げ部分 30年 設備部分 15年	施工の質：標準的 昇降機設備：有り 空調冷暖房設備：有り	95

（注１）「価格時点の建築費指数」は，建設事例に係る建設時点の建築費指数を100とし，価格時点の建築費指数を示したものである。

（注２）対象不動産に係る建物を100とした場合の比較評点（価格時点における建物の面積以外の個別的要因に係る評点）である。

（注３）建築工事費に占める躯体（本体）部分と仕上げ部分及び設備部分の構成割合は，40：30：30である。

（注４）特別な事情が存在しない標準的な建築工事費である。

（資料９）貸家及びその敷地の取引事例の概要

事例区分	取引時点	取引価格及び償却前純収益（注）	事例の概要	備考
取引事例（α）	平成31.4.20	・取引価格：250,000,000円 ・償却前純収益：13,720,000円	・鉄筋コンクリート造地上５階建 ・昭和60年５月竣工 ・用途　共同住宅 ・延床面積　750㎡	取引に当たり，特別な事情はない。
取引事例（β）	平成31.2.12	・取引価格：950,000,000円 ・償却前純収益：46,600,000円	・鉄筋コンクリート造地上12階建 ・平成26年２月竣工 ・用途　共同住宅 ・延床面積　2,500㎡	取引に当たり，特別な事情はない。
取引事例（γ）	平成31.3.15	・取引価格：1,050,000,000円 ・償却前純収益：48,500,000円	・鉄筋コンクリート造地上10階建 ・平成24年８月竣工 ・用途　店舗付事務所 ・延床面積　2,000㎡	取引に当たり，特別な事情はない。

（注）償却前純収益は，運営収益から運営費用を控除した運営純収益に一時金の運用益及び資本的支出を加減して求めたものである。

以　上

解答例

※太字（ゴシック体）表記は，本試験解答用紙に予め印字されていた箇所です。

問1

問1-(1)　対象不動産の建物及びその敷地としての最有効使用の判定

対象不動産の現況用途（高層共同住宅）は近隣地域の標準的使用と合致しており，建物と環境とが適合している。また，直近3年間の平均的な貸室の稼働状況は95%程度で，価格時点現在の空室は1室のみであり，概ね満室稼働の状況にある。さらに，対象不動産は最寄駅に近く，築浅物件であることから，収益性に優り，同一需給圏内の代替・競争不動産と比較し，相応の競争力を有している。これらを考慮し，建物及びその敷地としての最有効使用は「現況利用の継続」と判定した。

問1-(2)　どのような鑑定評価手法を適用して鑑定評価額を決定すべきか

対象不動産は上記のとおり「現況利用の継続」が最有効使用と判定された貸家及びその敷地であり，「基準」各論第1章によれば，その鑑定評価額は，「実際実質賃料に基づく純収益等の現在価値の総和を求めることにより得た収益還元法による収益価格を標準とし，原価法による積算価格及び取引事例比較法による比準価格を比較考量して決定する」とされているが，本件においては要因比較が可能な土地建物一体としての取引事例が収集できなかったため，土地建物一体としての取引事例比較法は適用せず，原価法及び収益還元法を適用して調整のうえ，鑑定評価額を決定する。

問2　原価法

問2-(1)-①　取引事例（ロ）から比準した価格

事例（ロ）

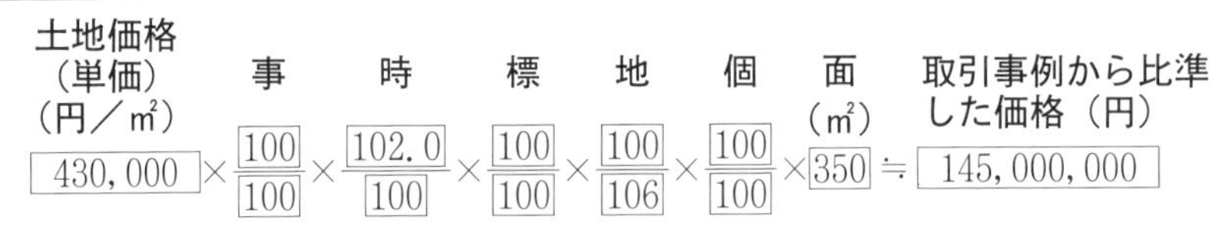

土地価格（単価）（円／㎡）		**事**		**時**		**標**		**地**		**個**		**面（㎡）**		**取引事例から比準した価格（円）**
430,000	×	100/100	×	102.0/100	×	100/100	×	100/106	×	100/100	×	350	≒	145,000,000

（※）取引事例に係る土地価格（単価）

167,700,000円÷390㎡　＝　430,000円／㎡

問２-⑴-② 取引事例（ニ）から比準した価格

事例（ニ）

土地価格（単価）（円／㎡）		事		時		標		地		個		面（㎡）		取引事例から比準した価格（円）
352,000	×	100/118	×	104.6/100	×	100/76	×	100/／	×	100/100	×	350	≒	144,000,000

（※１）取引事例（ニ）の個別的要因の標準化補正に係る評点の査定根拠

（80×160㎡＋60×40㎡）÷200㎡　＝　76

（※２）取引事例（ニ）の事情補正率の査定根拠

ａ．各画地の評点積数

・事例地　：80×160㎡＋60×40㎡　＝　15,200

・隣接地　：100×120㎡　＝　12,000

・一体地　：100×320㎡　＝　32,000

ｂ．併合による増分価値

32,000－（15,200＋12,000）＝　4,800

ｃ．増分価値のうち事例地への配分額（総額比）

・配分率

$$\frac{15{,}200}{15{,}200+12{,}000} \fallingdotseq 0.56$$

・配分額

4,800×0.56　＝　2,688

ｄ．事情補正率（評点）

$$\frac{15{,}200+2{,}688}{15{,}200}\times 100 \fallingdotseq 118$$

問２-⑴-③ 比準価格

事例（ロ）は更地事例であり，取引時点が新しく，要因格差も少なく，規範性が高い。

事例（ニ）は近隣地域に存する更地事例であるが，事情補正を要し，取引時点がやや古く，標準化補正率も大きく，規範性はやや劣る。

したがって，事例（ロ）を標準とし，事例（ニ）を比較考量して，比準価格を145,000,000円（414,000円／㎡）と査定した。

問２-(1)-④　公示価格を規準とした価格

標準地５－１

公示価格（円／㎡）		時		標		地		個		面（㎡）		取引事例から比準した価格（円）
384,000	×	$\frac{103.6}{100}$	×	$\frac{100}{100}$	×	$\frac{100}{98}$	×	$\frac{100}{100}$	×	350	≒	142,000,000

（※）価格時点の地価指数の査定根拠

価格時点（Ｒ１．８）$\{(\frac{100}{97}-1)\times\frac{7}{6}+1\}\times 100 \fallingdotseq 103.6$

問２-(1)-⑤　更地価格

比準価格は実際に市場で発生した複数の取引事例を価格判定の基礎としており，客観的，実証的な価格である。本件では，公示価格を規準とした価格とも均衡しているので妥当と認め，比準価格の145,000,000円（414,000円／㎡）をもって更地価格と査定した。

問２-(2)　対象不動産の再調達原価

①　通常の付帯費用を含まない土地建物一体の再調達原価

ａ．更地価格

上記のとおり，145,000,000円（414,000円／㎡）

ｂ．建物の再調達原価

（ａ）直接法

事　時

$486,000,000円\times\frac{100}{100}\times\frac{107.0}{100} \fallingdotseq 520,000,000円$

（ｂ）間接法（建設事例Ｋを採用）

事　時　個　面

$249,000円/㎡\times\frac{100}{100}\times\frac{103.0}{100}\times\frac{100}{95}\times 1,925㎡ \fallingdotseq 520,000,000円$

（ｃ）建物の再調達原価

直接法は，対象建物の個別性を反映している。

間接法は，建築時点が新しい建設事例を用い，直近の建設物価水準を反映している。

本件では，両者一致したので妥当と認め，建物の再調達原価を520,000,000円（270,000円／㎡）と査定した。

ｃ．通常の付帯費用を含まない土地建物一体の再調達原価

145,000,000円＋520,000,000円　＝　665,000,000円

② 通常の付帯費用

665,000,000円×10%　＝　66,500,000円

③ 対象不動産の再調達原価

665,000,000円＋66,500,000円　＝　731,500,000円

問２-(3)　対象不動産の減価額

ａ．土地

特になし。

ｂ．建物

（ａ）耐用年数に基づく方法（定額法採用，残価率０）

躯体　：520,000,000円×0.40× $\frac{6}{6+44}$ ＝　24,960,000円

仕上げ：520,000,000円×0.30× $\frac{6}{6+24}$ ＝　31,200,000円

設備　：520,000,000円×0.30× $\frac{6}{6+9}$ ＝　62,400,000円

計　118,560,000円

（ｂ）観察減価法

経年相応で，上記（ａ）と同額と査定した。

（ｃ）減価額

両方法を併用し，118,560,000円と査定した。

ｃ．建物及びその敷地

建物は敷地と適応し，環境とも適合しており，土地建物一体としての減価はない。

ｄ．通常の付帯費用

66,500,000円× $\frac{6}{6+44}$ ＝　7,980,000円

ｅ．減価額

上記計　126,540,000円

問２-(4)　対象不動産の積算価格

731,500,000円－126,540,000円　≒　605,000,000円

問３　収益還元法

問３－(1)　対象不動産の運営収益

①　貸室賃料収入

ａ．稼働部分

月額合計：　3,548,000円

ｂ．空室部分（503号室）

指示事項により，事例適格４要件を具備し，契約内容も類似する賃貸事例（う）の実際実質賃料に賃貸事例比較法を適用して求めた月額実質賃料から，一時金の運用益及び償却額を控除して月額支払賃料を査定する。

（ａ）賃貸事例（う）の月額実際実質賃料（単価）

59,000円＋（59,000円×２×0.01＋59,000円×１×0.2563）÷12ヶ月

≒　60,358円（2,012円／㎡）

（ｂ）賃貸事例（う）から比準した賃料

$$\text{2,012円／㎡} \times \underset{\text{事}}{\frac{100}{100}} \times \underset{\text{時}}{\frac{100.5}{100}} \times \underset{\text{標}}{\frac{100}{100}} \times \underset{\text{建}}{\frac{100}{97}} \times \underset{\text{地}}{\frac{100}{98}} \times \underset{\text{基}}{\frac{100}{100}} \times \underset{\text{個}}{\frac{100}{100}}$$

$$\underset{\text{面}}{\times 28\text{㎡}} \fallingdotseq \text{59,560円}$$

（ｃ）空室部分の月額実質賃料

事例（う）は対象不動産同様，ワンルームタイプの事例であり，賃貸時点が新しく，要因格差も少なく，規範性が高い。

よって，本件では事例（う）から比準した賃料を妥当と認めて採用し，空室部分の月額実質賃料を59,560円（2,127円／㎡）と査定した。

（ｄ）空室部分の月額支払賃料（月額支払賃料をａとおく）

59,560円　＝　ａ＋（ａ×１×0.01＋ａ×１×0.2563）÷12ヶ月

ａ　≒　58,000円

ｃ．合計

3,548,000円＋58,000円　＝　3,606,000円

3,606,000円×12ヶ月　＝　43,272,000円

②　共益費収入

250円／㎡×1,680㎡×12ヶ月　＝　5,040,000円

③　水道光熱費収入

賃借人が実額を負担するものとし，計上しない。

④　駐車場収入

11,000円×10台×12ヶ月　＝　1,320,000円

⑤　その他収入（礼金収入）

3,606,000円÷４年　＝　901,500円

⑥　総収益（満室想定）

上記計　50,533,500円

⑦　空室等損失

ａ．貸室部分

(43,272,000円＋5,040,000円＋901,500円）×（１－0.95)

≒　2,460,675円

ｂ．駐車場部分

1,320,000円×（１－0.80)　＝　264,000円

ｃ．計　2,724,675円

⑧　貸倒れ損失

賃借人の状況等を勘案し，計上しない。

⑨　運営収益

⑥－⑦－⑧　＝　47,808,825円

問３-(2)　対象不動産の運営費用

①　維持管理費

150円／㎡×1,680㎡×12ヶ月　＝　3,024,000円

②　水道光熱費

50円／㎡×1,680㎡×12ヶ月　＝　1,008,000円

③　修繕費

ａ．建物の通常の維持管理のための費用

520,000,000円×0.003　＝　1,560,000円

ｂ．原状回復費

3,500円／㎡×1,680㎡×0.95÷４年　≒　1,396,500円

ｃ．計　2,956,500円

④　ＰＭフィー

{(43,272,000円＋5,040,000円）×0.95＋1,320,000円×0.80}　×0.03

≒　1,408,572円

⑤　テナント募集費用等

3,606,000円×0.95÷4年　＝　856,425円

⑥　公租公課（土地及び建物）

190,000円＋3,400,000円　＝　3,590,000円

⑦　損害保険料

現行の保険契約に基づき280,000円

⑧　その他費用（ケーブルテレビ利用料）

30,000円×12ヶ月　＝　360,000円

⑨　運営費用

上記計　13,483,497円

問3-(3)　対象不動産の収益価格

①　純収益

a．運営純収益

47,808,825円－13,484,497円　＝　34,325,328円

b．一時金の運用益

3,606,000円×0.95×0.01　＝　34,257円

c．資本的支出

520,000,000円×0.007　＝　3,640,000円

d．純収益

①＋②－③　＝　30,719,585円

②　還元利回り

指示事項により，類似の不動産の取引事例との比較から求める方法を採用する。

a．採用事例

取引事例（β）を採用する。

当該事例は対象不動産と同様，鉄筋コンクリート造の高層共同住宅に係る事例であり，築年も新しく，用途，規模，品等等の面において最も対象不動産と類似性が高いため，採用することとした。

b．還元利回り

46,600,000円÷950,000,000円　≒　4.9%

③　収益価格

30,719,585円÷4.9%　≒　627,000,000円

問４　試算価格の調整及び鑑定評価額の決定

①　試算価格の調整

以上により　　　積算価格　　605,000,000円
　　　　　　　　収益価格　　627,000,000円

の２試算価格が得られた。

ａ．試算価格の再吟味

積算価格は，費用性の観点から対象不動産の市場価値を求めたものである。再調達原価の査定に当たり，土地については取引事例比較法により更地価格を適切に求め，建物については直接法及び間接法を併用して適切に求めた。減価修正に当たっても，対象不動産に係る各減価要因を耐用年数に基づく方法と観察減価法によって十分反映できた。

収益価格は，収益性の観点から対象不動産の市場価値を求めたものであり，本件では，直接還元法を適用し，現行の賃貸条件に基づく純収益を還元利回りで還元して収益価格を試算した。空室部分についても類似の賃貸事例から適正な賃料を求めており，豊富な資料に裏付けられた説得力ある価格が得られた。

ｂ．試算価格が有する説得力に係る判断

対象不動産は，高層共同住宅等が建ち並ぶ地域内に位置する稼働中の賃貸共同住宅である。同一需給圏は，Ｂ市の中心部に近く，利便性が高いため従来から賃貸共同住宅の供給が多く，賃貸需要も堅調で，昨今の経済回復の影響を受け，不動産市況も回復していることから，不動産会社や投資ファンド等が賃貸共同住宅の開発や購入を積極的に行っており，取引価格は上昇傾向，新規賃料水準もやや上昇傾向で推移している。

このような中，対象不動産はほぼ満室で稼働中の賃貸共同住宅であることから，典型的な需要者としては，収益物件の取得を企図する投資家層と考えられ，投資対象となる不動産の収益性を特に重視して取引意思を決定するものと判断される。

②　鑑定評価額の決定

以上により，本件では収益価格を標準とし，積算価格を比較考量して，鑑定評価額を620,000,000円と決定した。

本件鑑定評価額は，当該課税資産の譲渡につき通常課される消費税を含まないものである。

なお，敷金の返還債務を買主が引き継ぐ場合，取引に当たっての代金決済額は上記鑑定評価額から敷金等を控除した額とすることが妥当である。

以　上

解　説

本問は，「貸家及びその敷地（共同住宅）」に関する問題で，問１が記述問題，問２の原価法と問３の収益還元法（直接還元法）が計算問題，問４の試算価格の調整が記述問題となっている。

問１は，記述型の基本問題である。小問⑴は資料の中から必要な情報を転記した上で，「現況継続」が最有効使用である点を明確にし，小問⑵は原価法と収益還元法を挙げればよい。問２から問４までの流れを見れば，容易に解答できる。土地建物一体としての取引事例比較法を適用しない理由についても触れること。

問２の原価法は，取引事例比較法による更地価格の査定，直接法と間接法による建物再調達原価の査定，耐用年数に基づく方法による減価額の査定等，いずれも過去の本試験で既出の計算論点のみで構成されている。隣地併合に係る限定価格水準での取引事例に係る事情補正率の査定については，やや難易度が高いが，過去の本試験やＴＡＣ答練でも出題されている。また，公示価格を規準とした価格については，平成27年までの本試験で毎年出題されていた「地価指数」の計算が久しぶりに出題されたが，これもＴＡＣ答練で出題されている。目新しい計算論点等はなく，いかにミスの少ない解答ができるかが勝負となる。

問３の収益還元法は，ＤＣＦ法ではなく直接還元法が出題された。各論３章型の収益費用項目を採用している点は，近年の本試験と同様で，賃貸事例比較法による空室部分の賃料査定や，貸室部分と駐車場部分のそれぞれ異なる稼働率を考慮した空室等損失・ＰＭフィー・テナント募集費用等の査定等，いずれも過去の本試験やＴＡＣ答練で出題されている。項目が多く，計算は大変だが，ＤＣＦ法のようにキャッシュフロー表を作成しないで済む分，ここもミスの少ない解答が求められる。還元利回りについては，類似する取引事例の取引利回りを計算すればよく，手間はかからない。

問４の試算価格の調整については，時間が余った受験生へのいわばボーナスステージである。「再吟味」と「説得力に係る判断」について，資料の中から必要な情報を引用し，典型的な需要者である投資家の観点から，収益価格を重視した重み付けを行って鑑定評価額を決定すればよい。

◇ 令和２年度・演習

問題　別紙１〔指示事項〕及び別紙２〔資料等〕に基づき，不動産の鑑定評価に関する次の設問に答えなさい。

問１　本件鑑定評価に関する次の問に答えなさい。

⑴　鑑定評価で求めるべき価格の種類及びその定義について答えなさい。

⑵　取引事例比較法及び賃貸事例比較法の適用における事例の収集及び選択に当たり，投機的取引ではないと認められる事例のほか，事例の選択要件の５つを箇条書きで簡潔に答えなさい。

問２　対象不動産の正常価格を求めるに当たり，次の問に答えなさい。

⑴　取引事例比較法を適用して対象不動産の比準価格を求めなさい。

⑵　公示価格を規準とした価格を求めなさい。

⑶　対象不動産の正常価格を求めなさい。

問３　隣接不動産の正常価格を求めるに当たり，次の問に答えなさい。

⑴　取引事例比較法を適用して隣接不動産の比準価格を求めなさい。

⑵　収益還元法（土地残余法）を適用して隣接不動産の収益価格を求めなさい。

⑶　公示価格を規準とした価格を求めなさい。

⑷　隣接不動産の正常価格を求めなさい。

問４　一体不動産の正常価格を求めるに当たり，次の問に答えなさい。

⑴　一体不動産上の想定建物について，効用総積数を求めなさい。

⑵　開発法のみを適用して一体不動産の正常価格を求めなさい。

問５　対象不動産の鑑定評価額決定に関する次の問いに答えなさい。

⑴　併合（一体利用）による増分価値のうち，対象不動産に帰属する増分価値（対象不動産への配分額）を「総額比」により求めなさい。

⑵　対象不動産の鑑定評価額を決定し，鑑定評価報告書上，記載が必要な事項を含めて表記しなさい。

別紙１〔指示事項〕

Ⅰ．共通事項

１．問２から問５までにおける各手法の適用の過程において求める数値は，別に指示がある場合を除き，小数点第１位以下を四捨五入し，整数で求めること。ただし，取引事例及び建設事例並びに分譲事例等から比準した価格，公示価格等を規準とした価格，賃貸事例から比準した賃料，建物の再調達原価及び建築工事費，各手法を適用して査定した試算価格並びに鑑定評価額については，上位４桁目を四捨五入した上で上位３桁を有効数字として取り扱うこと。

（例）　1,234,567円　→　1,230,000円

２．消費税及び地方消費税については，各手法の適用の過程においては考慮せず，各種計算に当たっては，各資料の数値を前提とすること。

３．対象不動産及び取引事例・賃貸事例・分譲事例等とされている不動産については，土壌汚染，埋蔵文化財及び地下埋設物に関して価格形成に影響を与えるものは何ら存しないことが判明していること。また，いずれも，建物に関しては，アスベスト含有建材，ポリ塩化ビフェニル等の有害物質の使用又は保管がないことが確認されていること。

４．対象不動産等に係る土地の数量は，別紙２〔資料等〕「Ⅱ．対象不動産」に記載された「土地登記簿〔全部事項証明書〕記載数量」及び別紙２〔資料等〕（資料３）対象不動産及び隣接不動産並びに一体「不動産の概要」の「数量等」によること。

Ⅱ．問２について

対象不動産の正常価格は，取引事例比較法を適用して求めること。取引事例比較法の適用に当たっては，次に掲げる事項に留意すること。

１．別紙２〔資料等〕「（資料４）取引事例の概要」に記載の各取引事例の中から，取引事例を一つ選択し，比準価格を求めること（事例の選択要件を解答する必要はなく，当該事例を選択した理由及び選択しない事例に係る不選択の理由も解答する必要はない）。

２．小問(1)において，更地の取引事例を選択する場合は，取引事例に係る土地価格の単価を求める計算根拠を記載すること。また，建物及びその敷地の取引事例を選択する場合は，配分法等により，取引事例に係る土地価格の単価

（更地としての価格）を査定した上で比準すること。その際，取引事例に係る土地価格の単価（更地としての価格）の計算根拠を併せて記載すること。

なお，取引事例に係る土地価格の単価は，上位４桁目を四捨五入した上で上位３桁を有効数字として取り扱うこと。

3．取引事例から比準した価格を求める場合の計算式及び略号は，次のとおりとすること。

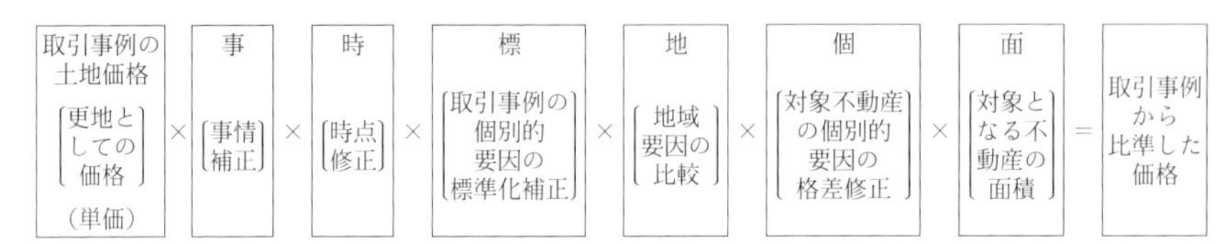

4．取引事例から比準及び公示価格を規準する際に用いる数値は，別紙２〔資料等〕（資料２）近隣地域・類似地域等の概要」及び「（資料３）対象不動産及び隣接不動産並びに一体不動産の概要」，「（資料４）取引事例の概要」，「（資料５）標準地の概要」の記載事項から算出すること。

5．時点修正に当たっては，次のとおりとすること。

⑴　取引事例から比準した価格を求める際は，別紙２〔資料等〕「（資料４）取引事例の概要」に記載の価格時点の地価指数を用いること。

⑵　公示価格を規準とした価格を求める際は，下記６⑵に従い，地価指数を計算すること。

6．正常価格の査定に当たっては，公示価格を規準とした価格との均衡に留意すること。

⑴　公示価格を規準とした価格を求める場合の計算式及び略号は，次のとおりとすること。

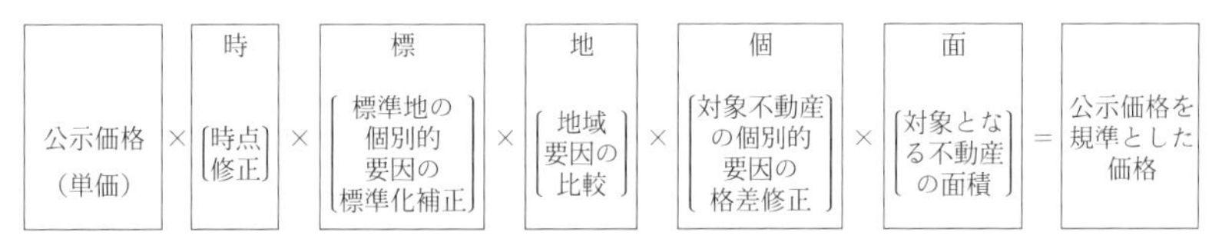

⑵　時点修正における地価指数の計算上の留意点は次のとおりである。

①　地価指数の計算における経過期間（月数）の算定については，次の例のとおり，起算日（即日）の属する月を含めず，期間の末日（当日）の属する月を含めて計算すること。

（例）令和２（2020）年３月31日から令和２（2020）年８月１日までの期間の月数は，５カ月

令和２（2020）年４月１日から令和２（2020）年８月１日までの期間の月数は，４カ月

② 地価指数は，別紙２〔資料等〕「（資料６）地価指数の推移」の記載事項により求め，価格時点の地価指数の計算過程を明らかにすること。地価指数計算上の特定の時点の指数は，次の例のとおり算定し，小数点以下第２位を四捨五入し，小数点以下第１位まで求めること。

（例）令和２（2020）年１月１日の指数を100，令和２（2020）年７月１日の指数を102と仮定した場合において，取引時点である令和２（2020）年５月31日の指数を求める算出例。

$$\left\{\left[\left(\frac{\text{令和2(2020)年7月1日の指数(102)}}{\text{令和2(2020)年1月1日の指数(100)}}\right)-1\right]\times\frac{\text{令和2(2020)年1月1日～令和2(2020)年5月31日の月数(4)}}{\text{令和2(2020)年1月1日～令和2(2020)年7月1日の月数(6)}}+1\right\}\times\text{令和2(2020)年1月1日の指数(100)}$$

$\fallingdotseq$ 求める時点の指数(101.3)(小数点以下第２位を四捨五入)

Ⅲ．問３について

１．隣接不動産の正常価格は，取引事例比較法及び収益還元法を適用して求めること。

２．取引事例比較法の適用に当たっては，前記Ⅱ．に掲げる事項に留意すること。

３．収益還元法の適用に当たっては，土地残余法を適用すること。

土地残余法の適用に当たっては，隣接不動産上に最有効使用の建物を建築して賃貸することを想定し，当該複合不動産から得られる純収益から建物に帰属する純収益を控除して土地に帰属する純収益を求め，この純収益に未収入期間を考慮のうえ土地に係る還元利回りで還元して土地の収益価格を求めること。

【フロー図】

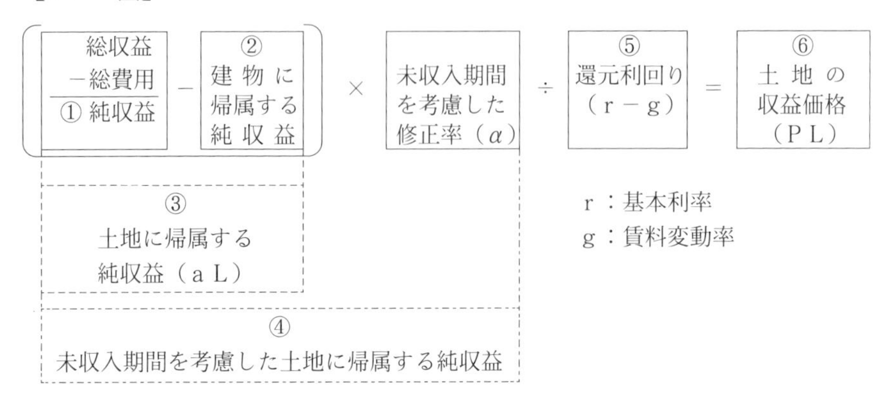

⑴　還元式は次の式を採用する。なお，利回り等は別紙２〔資料等〕「(資料10) 還元利回り等」の数値を採用すること。

ＰＬ＝（ａＬ×α）／（ｒ－ｇ）

ＰＬ：土地の収益価格

ａＬ：土地に帰属する純収益　α：未収入期間を考慮した修正率（注）

ｒ：基本利率　ｇ：賃料変動率

（注）未収入期間は類似建物の標準的な建築期間等を勘案して16カ月とし，土地純収益の継続期間は建物の経済的残存耐用年数を勘案して50年とする。

⑵　隣接不動産上の想定建物は次のとおりとすること。

①　鉄筋コンクリート造７階建の共同住宅で，１階に管理人室・エントランス等が設置されていることを除き，各階の設計は同一である。

②　各専有部分の間取りは東・南角部屋のＡタイプ，東向きの中間住戸のＢ・Ｃタイプ，東・北角部屋のＤタイプとし，各階の配置は別紙２〔資料等〕「(資料11) 隣接不動産上の想定建物」を参照のこと。

③　駐車場は屋外機械式３段駐車場とし，21台分を想定する。

④　躯体部分・仕上部分及び設備部分の経済的耐用年数，構成割合は次のとおりとする。

・躯体部分：経済的耐用年数 50年，構成割合 40％

・仕上部分：経済的耐用年数 30年，構成割合 40％

・設備部分：経済的耐用年数 15年，構成割合 20%

⑶ 総収益は次の手順で求めること。

総収益は，貸室支払賃料収入とその他の収入（駐車場収入）を合計した額から，貸倒れ損失及び空室等による損失相当額を控除して有効総収入を求め，当該有効総収入に空室等損失を考慮した一時金の運用益等を加算して査定すること。なお，共益費に係る収支は，実費相当額が収受されているため計上しないこととする。

① 貸室支払賃料収入については，まず，想定建物の３階Ｂタイプ（基準住戸302）に係る正常実質賃料を，別紙２〔資料等〕（資料７）賃貸事例の概要等」の賃貸事例（あ）～（え）のうち，最も適切な賃貸事例を一つ選択し，当該賃貸事例から比準して，賃貸事例比較法による賃料を求めること（注１）。次に，当該基準住戸の正常支払賃料（注２）を想定建物全体の平均支払賃料とみなし，賃貸総面積を乗じて建物全体の貸室支払賃料収入を査定すること。

（注１）賃貸事例比較法の適用に当たっては，賃貸事例の月額実質賃料（単価）の査定根拠を併せて記載すること（事例の選択要件を解答する必要はなく，当該事例を選択した理由及び選択しない事例に係る不選択の理由も解答する必要はない）。なお，賃貸事例に係る月額実際実質賃料（単価）は，上位４桁目を四捨五入した上で上位３桁を有効数字として取り扱うこと。

また，賃貸事例との要因比較は別紙２〔資料等〕「（資料７）賃貸事例の概要等」の「２．賃貸事例との要因比較は別紙２〔資料等〕「（資料７）賃貸事例の概要等」の「２．賃貸事例の賃料形成要因の比較」に記載の格差修正率を，時点修正率については同「１．賃貸事例の概要」に記載の賃料指数を，想定建物及び賃貸事例に係る一時金の運用利回り等は別紙２〔資料等〕「（資料10）還元利回り等」に記載の数値を用いること。

賃貸事例比較法を適用する際に用いる計算式及び略号は，次のとおりとすること。

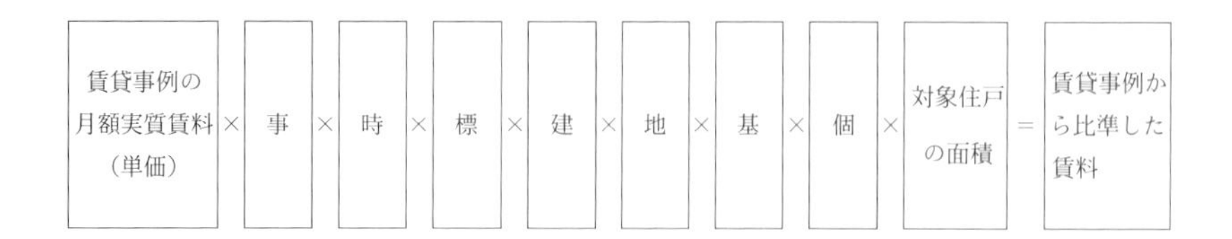

各項の意味と略号

事：事情補正
時：時点修正
標：賃貸事例の標準化補正
建：一棟全体の建物格差修正
地：地域要因の比較
基：基準住戸の個別的要因の比較
個：対象住戸の個別的要因の格差修正

（注２）正常支払賃料（月額賃料）は，正常実質賃料から敷金（預り金的性格を有する一時金で，賃貸借契約終了後に無利息で賃借人に返還される）を月額支払賃料の２カ月分，礼金（賃料の前払的性格を有する一時金）を同１カ月分を，それぞれ徴求することを想定した一時金の運用益及び償却額を控除し，その上位４桁目を四捨五入して上位３桁を有効数字として求めること。また，単価についても同様にその上位４桁目を四捨五入して上位３桁を有効数字として求めること。

② 駐車場使用料（その他の収入）については，１台あたり月額18,000円とし，敷金等の一時金の授受はない。

③ 貸倒れ損失は，類似不動産の賃借人の状況等を考慮し，計上しない。

④ 空室等による損失相当額は，稼働率が貸室部分95%，駐車場部分90%であることを前提に査定する。

(4) 総費用は次のとおりとする。

① 修繕費は建物再調達原価の0.5%とする。

建物再調達原価は，間接法を用いて類似性の高い別紙２〔資料等〕「（資料８）建設事例の概要」の建設事例（α）・（β）・（γ）のうち，最も適切な建設事例を一つ選択し，当該建設事例から比準して，想定建物の再調達原価を求めること（事例の選択要件を解答する必要はなく，当該事例を選択した理由及び選択しない事例に係る不選択の理由も解答する必要はない）。

間接法を適用する際に用いる計算式及び略号は，次のとおりとすること。

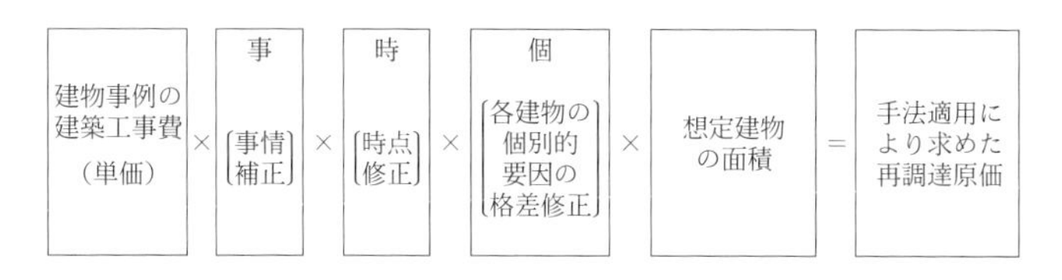

② 維持管理費は，総収益（上記(3)で査定した有効総収入に空室等損失を考慮した一時金の運用益等を加算した総収益）の３％とする。

③ 公租公課（固定資産税率1.4％及び都市計画税率0.3％）は，以下のとおり査定する。

ⅰ．土地：土地の課税価格（評価額）を90,000,000円とし，課税標準額（固定資産税は$\frac{1}{6}$，都市計画税は$\frac{1}{3}$）を算定して，税額を査定すること。

ⅱ．建物：建物再調達原価の50％相当額を建物の課税標準額として，税額を査定すること。

なお，新築住宅に対する税制上の軽減措置は考慮しないこと。

④ 損害保険料は，建物再調達原価の0.05％とする。

⑤ 建物等の取壊費用の積立金は，建物再調達原価の0.05％とする。

(5) 建物に帰属する純収益の査定に当たっては，別紙２〔資料等〕「(資料10) 還元利回り等」の数値を採用すること。

この場合，基本利率（割引率），賃料の変動率及び経済的耐用年数に基づき躯体部分，仕上部分，設備部分の元利逓増償還率を表より確定し，それぞれの構成割合により加重平均して建物全体の数値（元利逓増償還率）を求めること。なお，当該数値は小数点以下第５位（小数点以下第６位を四捨五入）まで求めること。

４．公示価格を規準とした価格を求めるに当たっては，前記Ⅱ．に掲げる事項に留意すること。

５．隣接不動産の正常価格の査定に当たっては，公示価格を規準とした価格との均衡に留意のうえ，比準価格と収益価格の中庸値を採用すること。

Ⅳ．問４について

１．一体不動産の正常価格は，開発法のみを適用して求めること。

２．開発法による価格は，下記事項に従って査定すること。

⑴　一体不動産上の想定建物は次のとおりとすること。

①　鉄筋コンクリート造7階建の共同住宅で，1階に管理人室・エントランス等が設置されていることを除き，各階の設計は同一である。

②　各専有部分の間取りは南・西角部屋のAタイプ，南・東角部屋のBタイプ，東向きの中間住戸のC・Dタイプ，東・北角部屋のEタイプとし，各階の配置は別紙2〔資料等〕「(資料12）一体不動産上の想定建物」を参照のこと。

③　駐車場は屋外機械式3段駐車場とし，27台分を想定する。

④　躯体部分・仕上部分及び設備部分の経済的耐用年数，構成割合は次のとおりとする。

・躯体部分：経済的耐用年数 50年，構成割合 40％

・仕上部分：経済的耐用年数 30年，構成割合 40％

・設備部分：経済的耐用年数 15年，構成割合 20％

⑵　開発スケジュールは次のとおりとすること。

①　建築着工までの準備期間は，価格時点から6カ月間とする。

②　建築工事は，価格時点から6カ月後に着工し，期間10カ月で竣工するものとする。

建築工事費は，着工時点に10％，工事中間時点に10％，竣工時点に80％計上する。

③　販売は着工から2カ月後に開始する。分譲販売収入は竣工時販売率90％とし，当該竣工前販売部分に係る手付金（10％（注1））は分譲期間から4カ月目（平均収入時点），残金（90％（注2））は建物引渡し後（竣工時）に計上する。また，竣工後の売れ残り住戸10％部分の分譲収入については，分譲開始から9カ月目（平均収入時点）に計上する。

（注1）分譲販売収入総額の9％（90％×10％）

（注2）分譲販売収入総額の81％（90％×90％）

④　販売費及び一般管理費は，価格時点から6カ月目，12カ月目にそれぞれ50％を計上する。

【開発スケジュール表】

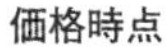
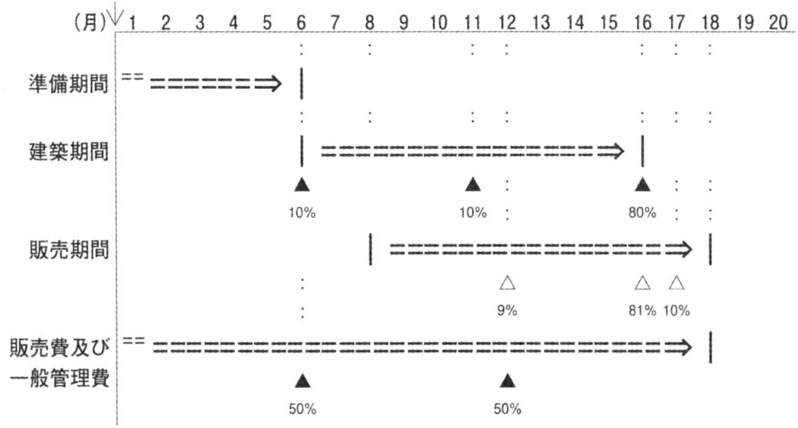

⑶　分譲販売収入及び分譲販売費用（建築工事費，開発負担金，販売費及び一般管理費等）は，次のとおりとすること。

①　想定建物の効用総積数は，階層別効用比及び位置別効用比について次のとおりとし，これに分譲面積を乗じて査定すること。なお，３階Ｃタイプの基準住戸を100とする。

ⅰ．階層別効用比（一体不動産上の想定建物の３階を標準）

７階：104，６階：102，５階：101，４階：100，３階：100，２階：99，１階：98

ⅱ．位置別効用比（一体不動産上の想定建物の３階Ｃタイプの基準住戸を標準）

別紙２〔資料等〕「（資料９）分譲事例の概要等」「１．分譲事例（Ｋマンション）の概要（一棟の建物に係る新築分譲価格）」の分譲単価比から求める。なお，位置別効用比の査定に当たっては小数点第１位以下を四捨五入し，整数で求めること。

②　分譲販売収入については，まず，取引事例比較法を適用して想定建物の３階Ｃタイプ（基準住戸）の販売価格を査定すること。取引事例比較法の適用に当たっては，別紙２〔資料等〕「（資料９）分譲事例の概要等」「２．分譲事例の概要」の分譲事例（甲）（乙）（丙）のうち，最も適切

な分譲事例を一つ選択し，当該分譲事例から比準すること（注１）。次に，当該基準住戸の販売価格（単価）と前記①で求めた想定建物の効用総積数を用いて，分譲販売収入を査定すること。なお，当該基準住戸の販売価格（単価）は，上位４桁目を四捨五入した上で上位３桁を有効数字として取り扱うこと。

（注１）分譲事例の取引事例比較法の適用に当たっては，分譲事例との要因比較は別紙２〔資料等〕「（資料９）分譲事例の概要等」の「３．分譲事例の価格形成要因の比較」に記載の格差修正率を，時点修正率については同「２．分譲事例の概要」に記載の価格指数を用いること（なお，事例の選択要件を解答する必要はなく，当該事例を選択した理由及び選択しない事例に係る不選択の理由も解答する必要はない)。

分譲事例の取引事例比較法を適用する際に用いる計算式及び略号は，次のとおりとすること。

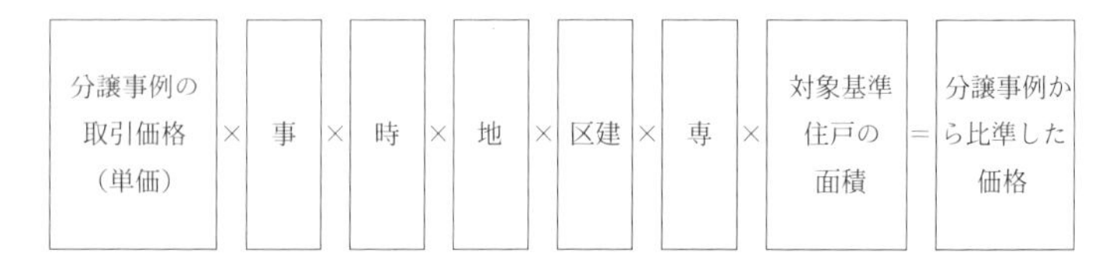

各項の意味と略号

事：事情補正
時：時点修正
地：地域要因の比較
区建：一棟の区分所有建物及びその敷地に係る個別的要因の比較
専：専有部分に係る個別的要因の比較

③　建築工事費は，間接法を用いて類似性の高い別紙２〔資料等〕「（資料８）建設事例の概要」の建設事例（α）・（β）・（γ）のうち，最も適切な建設事例を一つ選択し，当該建設事例から比準して，想定建物の建築工事費を求めること。なお，上位４桁目を四捨五入した上で上位３桁を有効数字として取り扱い，間接法を適用する際に用いる計算式及び略号は，前記Ⅲ．３．(4)①のとおりとすること。

④　開発負担金はない。

⑤　販売費及び一般管理費は，分譲販売収入総額の12%とする。

(4)　投下資本収益率は年13%とし，複利現価率は別紙２〔資料等〕「（資料10）還元利回り等」の数値を採用すること。

Ⅴ．問５について

併合（一体利用）による増分価値のうち対象不動産への配分額を以下のとおり求めなさい。

1．併合（一体利用）による増分価値を求めなさい。

2．当該増分価値のうち対象不動産への配分率を総額比による配分方法（注）で求めなさい。

なお，配分率は小数点以下第３位（小数点以下第４位を四捨五入）まで求めること。

（例）0.1237　→　0.124

（注）「総額比による配分率」の計算式は以下のとおりとする。

対象不動産への総額比による配分率＝ｘ÷（ｘ＋ｙ）

ｘ＝対象不動産の正常価格（総額）

ｙ＝隣接不動産の正常価格（総額）

3．併合（一体利用）による増分価値に，総額比による配分率を乗じて対象不動産に帰属する配分額を求めなさい。なお，配分額は円単位（円単位以下は四捨五入すること）で求めること。

（例）1,234,567円　→　1,234,567円

4．対象不動産の正常価格に対象不動産に帰属する増分価値の配分額を加算して，鑑定評価額を求めなさい。なお，鑑定評価額は上位４桁目を四捨五入した上で上位３桁を有効数字として取り扱うこと。

（例）1,234,567円　→　1,230,000円

別紙2〔資料等〕

Ⅰ．依頼内容

本件は，「N駅」から南西方約750m（道路距離）に位置する更地（対象不動産）について，売買の参考として，不動産鑑定士に鑑定評価を依頼したものである。

Ⅱ．対象不動産

所在及び地番　A県B市C区1条2丁目3番

地　　　　目　宅地

地　　　　積　180.00㎡（土地登記簿〔全部事項証明書〕記載数量）

所　有　者　個人

Ⅲ．鑑定評価の基本的事項

1．類型

更地

2．鑑定評価の条件

⑴　対象確定条件

現実の状態を所与とする鑑定評価

⑵　付加条件

隣接地（地番1番）の土地所有者が併合を目的として対象不動産を取得する場合の鑑定評価

⑶　調査範囲等条件

ない

3．価格時点

令和2（2020）年8月1日

4．依頼目的

売買の参考

5．鑑定評価によって求める価格の種類

設問1⑴

Ⅳ．対象不動産が所在するＢ市の概況

１．位置等

⑴　位置及び面積　Ａ県の中央部南西側に位置し，面積は約1,120㎢である。

⑵　沿　　革　　等　Ｂ市は，Ａ県の中央部南西側に位置する県庁所在地で，広大な平野に都市が形成され，古くからＡ県の中核的都市として行政・商業・業務などの都市機能の集積が進み，Ａ県の中心的な都市のみならず，全国的な大都市として発展している。

２．人口等

⑴　人　口　現在約190万人を超え，増加傾向で推移している。

⑵　世帯数　約96万世帯

３．交通施設及び道路整備の状態

⑴　鉄　道　ＪＲ線がＢ市の市街地の中央部を東西に横断し，地下鉄が市街地の中央部を東西及び南北に縦横に通っている。

⑵　バ　ス　市内にはバス路線網が整備され，運行便数も多く，鉄道を補完している。また，「Ｚ駅」を中心として県内の各都市への高速バスや空港への連絡バス，観光地へのシャトルバスが発着している。

⑶　道　路　国道及び県道を幹線道路とし，市道が縦横に敷設されている。Ｂ市の北部には高速道路自動車道のインターチェンジが数カ所設けられ，県内の周辺都市と連絡している。

４．供給処理施設の状態

⑴　上水道　普及率は，ほぼ 100%

⑵　下水道　普及率は，ほぼ 100%

⑶　都市ガス　普及率は，約 50%

５．土地利用の状況

⑴　業務施設　「Ｚ駅」から「M駅」周辺にかけてＢ市の中心市街地が形成され，百貨店や大手専門店等の商業施設，ホテル，高層事務所ビルを中心とした商業施設や行政施設の集積が見られる。

⑵　住　　宅　堅調な住宅需要を背景に，市内の地下鉄駅徒歩圏内においては中高層の共同住宅，郊外の駅周辺やバス通勤圏においては戸建住宅を中心とした住宅地が形成されている。特に，市内中心部に近い駅周辺では，分譲マンションのほか単身者向けの賃貸

マンションも多く供給されている。

Ⅴ．対象不動産に係る市場の特性

1．同一需給圏の判定

対象不動産と代替・競争等関係が成立する類似不動産の存する同一需給圏は，対象不動産の最寄り駅である「Ｎ駅」から徒歩圏に位置し，都心への交通接近性と住環境が良好な住宅地域一円である。

最寄り駅の「Ｎ駅」からＢ市の中心市街地である「Ｍ駅」までは２駅（乗車時間約３分）とアクセスが良好である。

2．同一需給圏内における市場参加者の属性及び行動

同一需給圏内の売買市場における市場参加者の属性は，給与所得者を中心とした一次取得者である個人のほか地域周辺の地縁者が中心で，自己の居住用不動産として取得する。また，規模が大きい画地の場合，良好な交通接近性と住環境からマンション素地として賃貸運営事業や分譲事業を行う不動産会社等が考えられる。

3．市場の需給動向

⑴　売買市場の現況と需給動向

地価は上昇傾向が継続している。こうした状況の中，上記のとおり同一需給圏は，Ｂ市の中心市街地に近く，良好な利便性と住環境から，従来から住宅地として人気が高く名声がある地域であり，戸建住宅地として潜在的な需要がある。また，規模が大きい画地については，その稀少性から不動産会社が競合して高値で取引されるケースも見られ需要は堅調である。

⑵　賃貸市場の現況と需給動向

賃貸住宅の需給動向は，新築ないし既存物件でも優良な物件とそれ以外の物件間で需要者の選別による二極化が著しい。新築物件については，供給数が少ないことから，依然として需要が供給を上回り，底堅く推移している。家賃水準についても，契約条件が改善される傾向にある。一方，築年が経過し設備が劣る物件については，需要は少なく，空室の増加が目立ってきている。

4．同一需給圏における地価の推移・動向

同一需給圏における地価は上昇傾向で推移しており，先行き不安要因はあるが地価は引き続き上昇傾向で推移していくと予測する。

Ⅵ．近隣地域の状況

別紙２〔資料等〕「（資料２）近隣地域・類似地域等の概要」のとおりである。

Ⅶ．個別分析

１．対象不動産

⑴　対象不動産の状況

対象不動産は「近隣地域１」に所在する。

近隣地域１の標準的画地と比較した対象不動産の増減価要因は，別紙２〔資料等〕「（資料３）対象不動産及び隣接不動産並びに一体不動産の概要」のとおりである。

⑵　市場参加者の属性と最有効使用の判定

①　対象不動産に係る典型的な需要者層

対象不動産は，都心に通勤可能な利便性と良好な住環境を有する住宅地域に所在する標準的な規模の住宅地であり，自己使用不動産に区分される。地域の品等及び現在の不動産市場から判断し，買手としての典型的な市場参加者は，給与所得者や地縁者を中心とした個人である。

②　最有効使用の判定

対象不動産の最有効使用は，立地条件及び形状・規模等の個別的要因から判断し，近隣地域の標準的使用と同じ戸建住宅地である。

⑶　代替競争等の関係にある不動産との市場競争力の比較

対象不動産は，交通利便性と良好な住環境を有する地域に所在し，接面方位が南と優位な特性を有しており，代替競争等の関係にある不動産と比較して市場競争力が優る。

２．隣接不動産及び一体不動産

⑴　隣接不動産及び一体不動産の状況

隣接不動産及び一体不動産は「近隣地域２」に所在する。

近隣地域２の標準的画地と比較した隣接不動産及び一体不動産の増減価要因は，別紙２〔資料等〕「（資料３）対象不動産及び隣接不動産並びに一体不動産の概要」のとおりである。

なお，対象不動産及び隣接不動産並びに一体不動産の所在・位置関係等の概略は，別紙２〔資料等〕「（資料３）対象不動産及び隣接不動産並びに一体不動産の概要」の【概略図】のとおりである。

⑵　市場参加者の属性と最有効使用の判定

①　隣接不動産及び一体不動産に係る典型的な需要者層

隣接不動産及び一体不動産は，都心に通勤可能な利便性と良好な住環境を有する住宅地域に所在する大規模な住宅地であり，投資用不動産又は販売用不動産に区分される。地域の品等及び現在の不動産市場から判断し，買手としての典型的な市場参加者は，隣接不動産及び一体不動産に共同住宅を建設して賃貸運用又は分譲販売を行う大手又は中堅の不動産会社等である。

②　最有効使用の判定

隣接不動産及び一体不動産の最有効使用は，立地条件及び形状・規模・各種建築形態規制等の個別的要因から判断し，近隣地域の標準的使用と同じ中層共同住宅地である。

⑶　代替競争等の関係にある不動産との市場競争力の比較

隣接不動産及び一体不動産は，交通利便性と良好な住環境を有する地域に所在し，また角地に接面し，土地の利用効率が優る等の特性を有しており，代替競争等の関係にある不動産と比較して市場競争力が優る。

（資料１）対象不動産・隣接不動産，地価公示法による標準地，取引事例，賃貸事例，分譲事例等の位置図

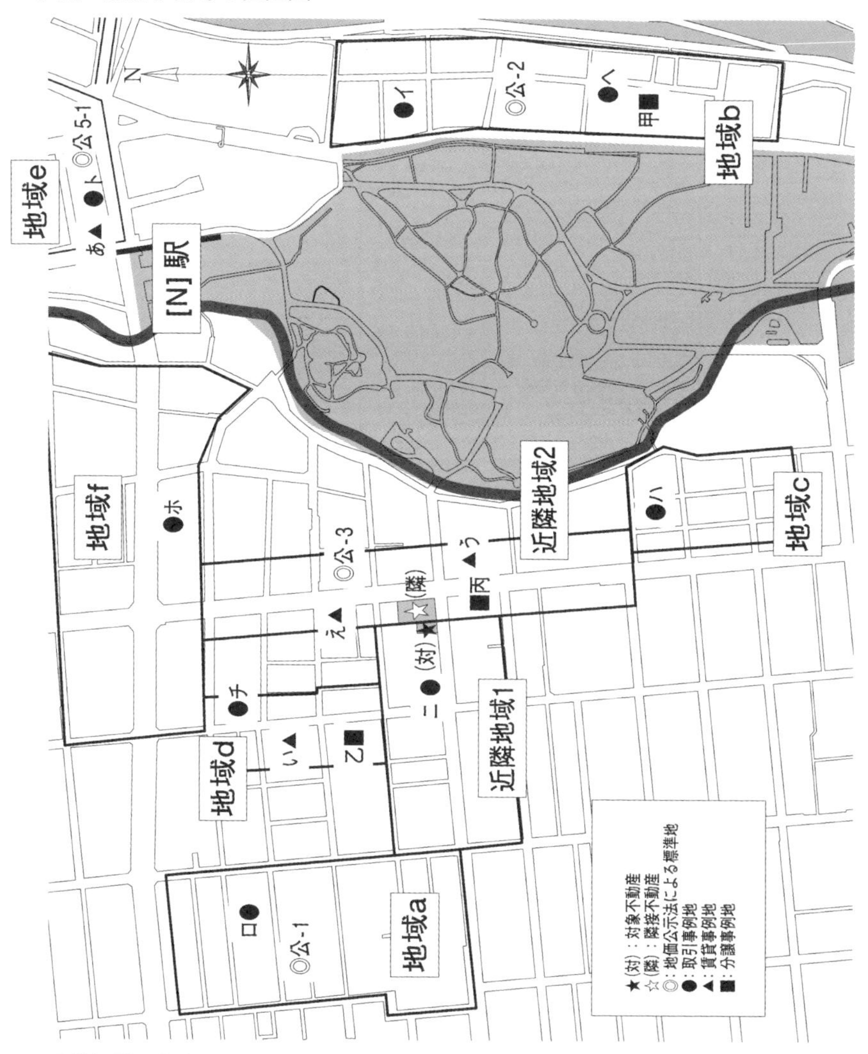

「基盤地図情報（国土地理院）を加工して作成」

（注）この位置図は，対象不動産・隣接不動産，地価公示法による標準地，取引事例，賃貸事例，分譲事例等のおおよその配置を示したものであり，実際の距離，規模等を正確に示したものではない。

（資料２）近隣地域・類似地域等の概要

地域	位置（距離は駅から中心までの道路距離）	道路の状況	周辺の土地の利用状況	都市計画法等の規制で主要なもの	供給処理施設	標準的画地の規模	標準的使用	地域要因 近隣地域１に係る評点（近隣地域１=100）	地域要因 近隣地域２に係る評点（近隣地域２=100）
近隣地域1	N駅の南西方 約750m	幅員８ｍ 舗装市道	戸建住宅等が建ち並ぶ住宅地域	第１種中高層住居専用地域 建ぺい率 60% 容積率 200%	上水道 下水道 都市ガス	180㎡	戸建住宅地		
近隣地域2	N駅の南西方 約700m	幅員20m 舗装市道	中高層共同住宅，一般住宅等が建ち並ぶ住宅地域	近隣商業地域 建ぺい率 80% 容積率 200%	上水道 下水道 都市ガス	800㎡	中層共同住宅地		
a地域	N駅の西方 約900m	幅員８ｍ 舗装市道	戸建住宅等が建ち並ぶ住宅地域	第１種中高層住居専用地域 建ぺい率 60% 容積率 200%	上水道 下水道 都市ガス	180㎡	戸建住宅地	（近隣１）98	（近隣２）79
b地域	N駅の南東方 約500m	幅員８ｍ 舗装市道	中規模の戸建住宅等が立ち並ぶ区画整然とした閑静な住宅地域	第１種低層住居専用地域 建ぺい率 40% 容積率 80%	上水道 下水道 都市ガス	300㎡	戸建住宅地	（近隣１）110	（近隣２）70
c地域	N駅の南西方 約900m	幅員８ｍ 舗装市道	戸建住宅等が建ち並ぶ住宅地域	第１種中高層住居専用地域 建ぺい率 60% 容積率 200%	上水道 下水道 都市ガス	200㎡	戸建住宅地	（近隣１）98	（近隣２）79
d地域	N駅の南西方 約750m	幅員15m 舗装市道	中高層共同住宅，一般住宅等が建ち並ぶ住宅地域	近隣商業地域 建ぺい率 80% 容積率 200%	上水道 下水道 都市ガス	700㎡	中層共同住宅地	（近隣１）118	（近隣２）97
e地域	N駅の北東方 至近	幅員25m 舗装県道	店舗事務所ビル，事務所ビル等が建ち並ぶ駅前商業地域	商業地域 建ぺい率 80% 容積率 600% 防火地域	上水道 下水道 都市ガス	800㎡	高層店舗付事務所地	（近隣１）200	（近隣２）180
f地域	N駅の西方 約450m	幅員25m 舗装県道	低層店舗，事業所等が建ち並ぶ路線商業地域	近隣商業地域 建ぺい率 80% 容積率 300% 準防火地域	上水道 下水道 都市ガス	700㎡	低層店舗地	（近隣１）170	（近隣２）140

（注１）近隣地域１：対象不動産が所在する。
　　　近隣地域２：隣接不動産及び一体不動産が所在する。

（注２）地域要因に係る評点については，近隣地域１及び近隣地域２の評点をそれぞれ100とし，ａ～ｆ地域は近隣地域１及び近隣地域２と比較してそれぞれ評点を付したものである。

（資料3）対象不動産及び隣接不動産並びに一体不動産の概要

事例区分	所在する地域	類型	数量等	価格時点における敷地の利用状況	都市計画法等の規制で主要なもの	道路及び供給処理施設の状況	駅からの道路距離	個別的要因に係る評点	備考
対象不動産	近隣地域1	更地	土地 180㎡	未利用地	第1種中高層住居専用地域 建ぺい率 60% 容積率 200%	南側 幅員8m 舗装市道 上水道 下水道 都市ガス	N駅 南西方 約750m	方位 ＋5%	「近隣地域1」の東端に位置する
隣接不動産	近隣地域2	更地	土地 1,000㎡	未利用地	近隣商業地域 建ぺい率 80% 容積率 200%	東側 幅員20m 舗装市道 南側 幅員8m 舗装市道 上水道 下水道 都市ガス	N駅 南西方 約700m	角地 ＋5%	「近隣地域2」の中央部に所在する
一体不動産	近隣地域2	更地	土地 1,180㎡	未利用地	近隣商業地域ほか 建ぺい率 77% 容積率 200%	東側 幅員20m 舗装市道 南側 幅員8m 舗装市道 上水道 下水道 都市ガス	N駅 南西方 約700m	角地 ＋5%	「近隣地域2」の中央部に位置する

（注1）「個別的要因に係る評点」は，各近隣地域において標準的と認められる画地の地積以外の評点を100とし，これと対象不動産及び隣接不動産並びに一体不動産をそれぞれ比較したうえで，各画地の評点を付したものである。

（注2）対象不動産及び隣接不動産並びに一体不動産に係る概略図は以下のとおりである。

【概略図】

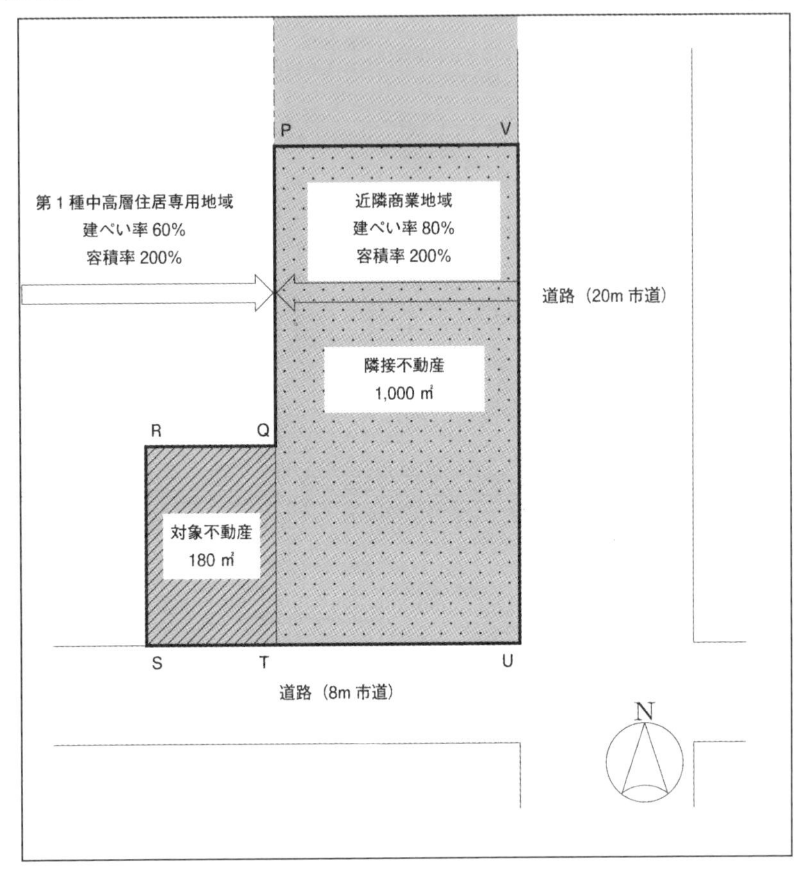

1．対象不動産の画地状況等

(1) 対象不動産は符号 QRST で囲まれた画地（180㎡）である。

(2) 対象不動産の個別的要因に係る評点は105（方位＋５％）である。

2．隣接不動産の画地状況等

(1) 隣接不動産は符号 PQTUV で囲まれた画地（1,000㎡）である。

(2) 隣接不動産の個別的要因に係る評点は105（角地＋５％）である。

3．一体不動産の画地状況等

(1) 一体不動産は符号 PQRSTUV で囲まれた画地（1,180㎡）である。

(2) 一体不動産の個別的要因に係る評点は105（角地＋５％，不整形による減価はない）である。

（資料4）取引事例の概要

事例区分	所在する地域	類型	取引時点（価格時点の地価指数）	取引価格	数量等	取引時点における敷地の利用状況	道路及び供給処理施設の状況	駅からの道路距離	個別的要因に係る評点	備　考
取引事例（イ）	b地域	更地	令和元(2019).7.10 (102.2)	57,000,000円	土地 380㎡	未利用地	北側 幅員8m 舗装市道 上水道 下水道 都市ガス	N駅 南東方 約500m	標準的 ±0%	取引に当たり、特別な事情はない。
取引事例（ロ）	a地域	自用の建物及びその敷地	令和元(2019).11.3 (103.1)	27,200,000円	土地 160㎡ 建物 延床面積 120㎡	木造 地上2階 戸建住宅の敷地	南側 幅員8m 舗装市道 上水道 下水道 都市ガス	N駅 西方 約900m	方位 ＋5%	建物及びその敷地の取引で，取引に当たり，特別な事情はない。
取引事例（ハ）	c地域	更地	令和2(2020).1.17 (102.4)	22,800,000円	土地 170㎡	未利用地	北側 幅員8m 舗装市道 上水道 下水道 都市ガス	N駅 南西方 約900m	標準的 ±0%	取引に当たり，特別な事情はない。
取引事例（ニ）	近隣地域1	底地	令和2(2020).2.14 (102.1)	14,200,000円	土地 200㎡	木造 地上2階 戸建住宅の敷地	南側 幅員8m 舗装市道 上水道 下水道 都市ガス	N駅 南西方 約800m	方位 ＋5%	借地権者が土地所有者から底地を買い受けた取引。取引に当たり，特別な事情はない。
取引事例（ホ）	f地域	更地	令和元(2019).5.5 (105.9)	213,000,000円	土地 950㎡	未利用地	北側 幅員25m 舗装県道 上水道 下水道 都市ガス	N駅 西方 約400m	標準的 ±0%	取引に当たり，特別な事情はない。
取引事例（ヘ）	b地域	更地	令和2(2020).4.8 (100.7)	123,000,000円	土地 1,000㎡	未利用地	北側 幅員8m 舗装市道ほか 上水道 下水道 都市ガス	N駅 南東方 約750m	角地 ±5%	取引に当たり，特別な事情はない。
取引事例（ト）	e地域	更地	令和元(2019).12.24 (104.1)	233,000,000円	土地 800㎡	未利用地	南側 幅員25m 舗装県道 上水道 下水道 都市ガス	N駅 北東方 至近	標準的 ±0%	取引に当たり，特別な事情はない。

事例区分	所在する地域	類型	取引時点（価格時点の地価指数）	取引価格	数量等	取引時点における敷地の利用状況	道路及び供給処理施設の状況	駅からの道路距離	個別的要因に係る評点	備　考
取引事例（チ）	d地域	自用の建物及びその敷地	令和2（2020）．4.22（102.6）	141,000,000円	土地 900㎡ 建物 延床面積 200㎡	木造地上2階戸建住宅の敷地	西側 幅員15m 舗装市道 上水道 下水道 都市ガス	N駅 南西方 約750m	標準的 ± 0%	老朽化住宅が存する建物及びその敷地の取引で当該建物の取壊し費用（建物延床面積あたり15,000円/㎡）は買主負担であることが判明しており、当該取壊し費用は地域の標準的な水準と認められる。そのほかは特別な事情はない。

（注1）「価格時点の地価指数」は各取引事例に係る取引時点の地価指数を100とし，価格時点の価格指数を示したものである。

（注2）「個別的要因に係る評点」は，各取引事例のそれぞれの地域において標準的と認められる画地の地積以外の評点を100とし，これと取引事例に係る土地とを比較したうえで，各画地の評点を付したものである。

（資料5）標準地の概要

事例区分	所在する地域	類型	価格時点（価格時点の地価指数）	公示価格	数量等	価格時点における敷地の利用状況	道路及び供給処理施設の状況	駅からの道路距離	個別的要因に係る評点	備考
標準地－1	a地域	更地として	令和2(2020).1.1 ((資料6)参照)	130,000円/㎡	土地176㎡	木造地上2階建戸建住宅	北側幅員8m舗装市道上水道下水道都市ガス	N駅西方約950m	標準的±0%	地価公示法第3条の規定により選定された標準地であり，利用の現況は当該標準地の存する地域における標準的使用とおおむね一致する。更地としての価格が公示されている。
標準地－2	b地域	更地として	令和2(2020).1.1 ((資料6)参照)	150,000円/㎡	土地350㎡	木造地上2階建戸建住宅	北側幅員8m舗装市道上水道下水道都市ガス	N駅南東方約600m	標準的±0%	同上
標準地－3	近隣地域2	更地として	令和2(2020).1.1 ((資料6)参照)	160,000円/㎡	土地830㎡	鉄筋コンクリート造地上7階建共同住宅	西側幅員20m舗装市道上水道下水道都市ガス	N駅南西方約600m	標準的±0%	同上
標準地5－1	e地域	更地として	令和2(2020).1.1 ((資料6)参照)	280,000円/㎡	土地780㎡	鉄筋コンクリート造地上9階建店舗・事務所	南側幅員25m舗装県道上水道下水道都市ガス	N駅北東方至近	標準的±0%	同上

（注）「個別的要因に係る評点」は，各標準地のそれぞれの地域において標準的と認められる画地の地積以外の評点を100としたものである。

（資料6）地価指数の推移

各地域における地価指数の推移は次のとおりである。なお，令和2（2020）年1月1日以降の動向は，令和元（2019）年7月1日から令和2（2020）年1月1日の推移と同じ傾向を示している。

年月日＼地域	近隣地域2（標準地－3）	a地域（標準地－1）	b地域（標準地－1）	e地域（標準地5－1）
平成31（2019）.1.1	94	95	97	92
令和1（2019）.7.1	97	98	99	97
令和2（2020）.1.1	100	100	100	100

（資料７）賃貸事例の概要等

１．賃貸事例の概要

事例区分	所在する地域	種類	賃貸時点（価格時点の賃料指数）	月額支払賃料一時金等	事例の概要	備　考
賃貸事例（あ）	e地域	新規賃料	令和元(2019).11.3(102.5)	・月額支払賃料：546,000円 ・月額共益費　：180,000円 ・敷金：10ヵ月分 ・礼金：なし	・鉄筋コンクリート造 地上９階建の３階部分 ・平成16（2004）年４月竣工 ・用途：事務所・賃貸面積200㎡	賃貸借に当たり，特別な事情はない。
賃貸事例（い）	d地域	新規賃料	平成31(2019).4.8(101.0)	・月額支払賃料：65,000円 ・月額共益費　：　3,000円 ・敷金：２ヵ月分 ・礼金：１ヵ月分	・鉄筋コンクリート造 地上11階建の３階部分 ・平成31（2019）年２月竣工 ・用途：共同住宅・賃貸面積30㎡	賃貸借に当たり，特別な事情はない。
賃貸事例（う）	近隣地域２	継続賃料	平成31(2019).3.31(101.0)	・月額支払賃料：143,000円 ・月額共益費　：　7,000円 ・敷金：２ヵ月分 ・更新料：なし	・鉄筋コンクリート造 地上８階建の３階部分 ・平成28（2016）年２月竣工 ・用途：共同住宅・賃貸面積70㎡	竣工当時から入居している居住者が，月額支払賃料を減額のうえ契約を更新した。
賃貸事例（え）	近隣地域２	新規賃料	平成31(2019).4.29(101.0)	・月額支払賃料：147,000円 ・月額共益費　：　7,000円 ・敷金：２ヵ月分 ・礼金：１ヵ月分	・鉄筋コンクリート造 地上７階建の３階部分 ・平成31（2019）年３月竣工 ・用途：共同住宅・賃貸面積70㎡	賃貸借に当たり，特別な事情はない。

(注)「価格時点の賃料指数」は各賃貸事例に係る賃貸時点の賃料指数を100とし，価格時点の賃料指数を示したものである。

２．賃貸事例の賃料形成要因の比較

補正項目＼事例等	隣接不動産上の想定建物	賃貸事例（あ）	賃貸事例（い）	賃貸事例（う）	賃貸事例（え）
一棟全体の建物に係る評点（建）	100	110	95	97	98
地域要因に係る評点（地）	100	130	97	100	100
基準住戸の格差に係る評点（基）	100	90	100	100	100
個別的要因に係る評点（個）又は（標）	100	110	107	97	101

（注１）「一棟全体の建物に係る評点（建）」は，隣接不動産上の想定建物（一棟全体の建物）の評点を100とし，賃貸事例の存する一棟全体の建物と比較してそれぞれの評点を付したものである。

（注２）「地域要因に係る評点（地）」は，近隣地域２の評点を100とし，賃貸事例の存する地域と比較してそれぞれの評点を付したものである（不動産取

引における土地の地域要因に係る評点とは必ずしも一致しない)。

(注３)「基準住戸の格差に係る評点（基)」は，隣接不動産上の想定建物の基準住戸の評点を100とし，賃貸事例の基準住戸と比較してそれぞれの評点を付したものである。なお，隣接不動産上の想定建物及び賃貸事例とも基準階を３階としている。

(注４)「個別的要因に係る評点（個）又は（標)」は，隣接不動産上の想定建物及び賃貸事例の各々の基準階における基準住戸の評点を100とし，賃貸事例と比較してそれぞれの評点を付したものである。

３．同一需給圏における標準的な賃貸借の条件

⑴　当月分の支払賃料は，毎月末に支払われる。

⑵　当初の賃貸借契約の締結時に授受される一時金は，預り金的性格を有する敷金及び賃料の前払的性格を有する礼金の２種類である。標準的な一時金の額については，敷金は月額支払賃料の２ヵ月分，礼金は月額支払賃料の１ヵ月分である。なお，契約の更新時においては，更新料等いかなる名目においても一時金の授受はない。

⑶　敷金は，賃貸借契約を解除したときは直ちに返還されるが，利息は付されない。

⑷　礼金は，賃貸借契約締結後は一切返却されない。

⑸　共益費の額については，いずれも標準的で実費相当額と認められる。

⑹　賃貸借契約期間は２年で，賃借人の平均回転期間は概ね５年である。契約の形式は書面によるものが一般的である。

⑺　各賃借人との契約はいわゆる普通借家契約であり，契約更新時に支払賃料等の改定協議を行う。

⑻　駐車場の賃貸借契約において，一時金の授受はない。

（資料８）建設事例の概要

事例区分	所在する地域	建築時点（価格時点の建築費指数）	建築工事費	数量等	構造及び用途	建物竣工時点での経済的残存耐用年数	施工の質・設備概要	評点	備　考
建設事例（α）	d地域	平成27(2015).5.1(104.0)	542,500,000円(217,000円/㎡)	建築面積 420㎡ 延床面積 2,500㎡	鉄筋コンクリート造 地上６階建 共同住宅	躯体部分 50年 仕上部分 30年 設備部分 15年	施工の質：標準的（賃貸用） 平均専有面積：65㎡ 昇降機設備：有り	98	特別な事情はない。
建設事例（β）	f地域	平成29(2017).9.1(102.0)	840,000,000円(240,000円/㎡)	建築面積 300㎡ 延床面積 3,500㎡	鉄筋コンクリート造 地上12階建 共同住宅	躯体部分 50年 仕上部分 30年 設備部分 15年	施工の質： 標準的（賃貸用） 平均専有面積：30㎡ 昇降機設備：有り	105	特別な事情はない。
建設事例（γ）	近隣地域２	平成28(2016).7.1(103.0)	861,000,000円(269,000円/㎡)	建築面積 470㎡ 延床面積 3,200㎡	鉄筋コンクリート造 地上７階建 共同住宅	躯体部分 50年 仕上部分 30年 設備部分 15年	施工の質： 標準的（分譲用） 平均専有面積：70㎡ 昇降機設備：有り	99	特別な事情はない。

（注１）「価格時点の建築費指数」は建設事例に係る建設時点の建築費指数を100とし，価格時点の建築費指数を示したものである。

（注２）「評点」は，想定建物を100とした場合の比較評点（価格時点における建物の面積以外の個別的要因に係る評点）である。

（注３）建築工事費に占める躯体（主体）部分と仕上部分及び設備部分の構成割合は，40：40：20 である。

（注４）特別な事情が存在しない標準的な建築工事費である。

（資料９）分譲事例の概要等

1．分譲事例（Kマンション）の概要（一棟の建物に係る新築分譲価格）

d地域内に所在する。鉄筋コンクリート造陸屋根７階建・共同住宅。

令和２（2020）年３月に竣工。竣工後間もなく完売している。

開口部（建物正面のバルコニー側）：東面　　（単位：円）

	Aタイプ 77㎡	Bタイプ 75㎡	Cタイプ 70㎡	Dタイプ 65㎡	Eタイプ 72㎡
7階	43,700,000	41,800,000	37,900,000	35,200,000	40,100,000
6階	42,900,000	41,000,000	37,100,000	34,500,000	39,300,000
5階	42,500,000	40,600,000	36,800,000	34,100,000	38,900,000
4階	42,000,000	40,200,000	36,400,000	33,800,000	38,600,000
3階	42,000,000	40,200,000	36,400,000（基準住戸）	33,800,000	38,600,000
2階	41,600,000	39,800,000	36,000,000	33,500,000	38,200,000
1階	41,200,000	39,400,000	35,700,000	33,100,000	エントランス他

（注）各タイプの開口部方位は一体不動産の想定建物と同じ開口方位である。また，住戸の規模による市場性の格差は特段認められない。

2．分譲事例の概要

事例区分	所在する地域	新築・中古の別	取引時点（価格時点のマンション価格指数）	取引価格	事例の概要	備　考
分譲事例（甲）	b地域	新築住戸	令和2(2020).4.22(100.0)	71,400,000円	・鉄筋コンクリート造 地上3階建の3階部分 ・令和2（2020）年3月竣工 ・用途　共同住宅　・分譲面積　130㎡	売買に当たり，特別な事情はない。
分譲事例（乙）	d地域	新築住戸	令和2(2020).4.8(100.0)	33,600,000円	・鉄筋コンクリート造 地上11階建の3階部分 ・令和2（2020）年3月竣工 ・用途　共同住宅　・分譲面積　70 ㎡	売買に当たり，特別な事情はない。
分譲事例（丙）	近隣地域2	中古住戸	令和2(2020).3.21(100.0)	29,400,000円	・鉄筋コンクリート造 地上8階建の3階部分 ・平成24（2012）年2月竣工 ・用途　共同住宅　・分譲面積　70㎡	売買に当たり，特別な事情はない。

（注）「価格時点のマンション価格指数」は各事例に係る取引時点のマンション価格指数を100とし，価格時点のマンション価格指数を示したものである。

3．分譲事例の価格形成要因の比較

補正項目＼事例等	一体不動産上の想定建物	分譲事例（甲）	分譲事例（乙）	分譲事例（丙）
地域要因に係る評点（地）	100	98	97	100
一棟の区分所有建物及びその敷地に係る評点（区建）	100	125	99	85
専有部分に係る評点（専）	100	90	100	100

（注1）「地域要因に係る評点（地）」は，近隣地域2の評点を100とし，分譲事例の存する地域と比較してそれぞれの評点を付したものである（不動産取引における土地の地域要因に係る評点とは必ずしも一致しない）。

（注2）「一棟の区分所有建物及びその敷地に係る評点（区建）」は，建物に係る要因及び敷地に係る要因並びに建物及びその敷地に係る要因に着目し，一体不動産上に想定した一棟の建物及びその敷地の評点を100とし，区分所有建物及びその敷地の分譲事例と比較してそれぞれの評点を付したものである。

（注3）「専有部分に係る評点（専）」は，階層及び位置，専有面積，開口方位，間取り，室内の仕上げ等の要因に着目し，一体不動産上の想定建物の基準住戸の評点を100とし，分譲事例と比較してそれぞれの評点を付したもの

である。なお，一体不動産上の想定建物及び分譲事例とも基準階を３階としている。

（資料10）還元利回り等

土地残余法及び開発法の適用に当たっては，次の数値を用いること。

・一時金の運用利回り：年1.0％
・年賦償還率：0.2060（運用利回り年1.0％，平均回転期間５年）
・基本利率（割引率ｒ）：4.8％
・賃料変動率（ｇ）：0.2％
・未収入期間修正率（α）：0.9355（未収入期間16カ月，土地純収益の継続期間50年）
・ 元利逓増償還率：

（ｒ：4.8％）

年数 n	g =0.1%	g =0.2%	g =0.3%
5 年	0.2293	0.2288	0.2284
10年	0.1277	0.1272	0.1267
15年	0.0945	0.0939	0.0933
20年	0.0783	0.0776	0.0770
25年	0.0689	0.0682	0.0675
30年	0.0629	0.0622	0.0615
35年	0.0588	0.0581	0.0573
40年	0.0559	0.0552	0.0544
45年	0.0538	0.0530	0.0523
50年	0.0523	0.0515	0.0506

- 複利現価率：
  （投下資本収益率：年13％）

月数	複利現価率	月数	複利現価率
1	0.9899	11	0.8940
2	0.9798	12	0.8850
3	0.9699	13	0.8760
4	0.9601	14	0.8671
5	0.9504	15	0.8583
6	0.9407	16	0.8496
7	0.9312	17	0.8410
8	0.9218	18	0.8325
9	0.9124	19	0.8241
10	0.9032	20	0.8157

（資料11）隣接不動産上の想定建物

隣接不動産上に想定される最有効使用の建物（賃貸用）は以下のとおりである。

階				
7階	701 Aタイプ 75㎡	702 Bタイプ 70㎡	703 Cタイプ 65㎡	704 Dタイプ 70㎡
6階	601 Aタイプ 75㎡	602 Bタイプ 70㎡	603 Cタイプ 65㎡	604 Dタイプ 70㎡
5階	501 Aタイプ 75㎡	502 Bタイプ 70㎡	503 Cタイプ 65㎡	504 Dタイプ 70㎡
4階	401 Aタイプ 75㎡	402 Bタイプ 70㎡	403 Cタイプ 65㎡	404 Dタイプ 70㎡
3階	301 Aタイプ 75㎡	302（基準住戸） Bタイプ 70㎡	303 Cタイプ 65㎡	304 Dタイプ 70㎡
2階	201 Aタイプ 75㎡	202 Bタイプ 70㎡	203 Cタイプ 65㎡	204 Dタイプ 70㎡
1階	101 Aタイプ 75㎡	102 Bタイプ 70㎡	103 Cタイプ 65㎡	— 管理人室 エントランス他

- 敷地面積：1,000㎡
- 構造・用途：鉄筋コンクリート造陸屋根７階建・共同住宅
- 戸数：27戸
- 建築面積：320㎡
- 延床面積：2,250㎡
- 専有面積：1,890㎡
- 賃貸総面積：1,890㎡
- 駐車場台数：21台

（資料12）一体不動産上の想定建物

一体不動産上に想定される最有効使用の建物（分譲用）は以下のとおりである。

7階	701 Aタイプ 70㎡	702 Bタイプ 75㎡	703 Cタイプ 70㎡	704 Dタイプ 55㎡	705 Eタイプ 65㎡
6階	601 Aタイプ 70㎡	602 Bタイプ 75㎡	603 Cタイプ 70㎡	604 Dタイプ 55㎡	605 Eタイプ 65㎡
5階	501 Aタイプ 70㎡	502 Bタイプ 75㎡	503 Cタイプ 70㎡	504 Dタイプ 55㎡	505 Eタイプ 65㎡
4階	401 Aタイプ 70㎡	402 Bタイプ 75㎡	403 Cタイプ 70㎡	404 Dタイプ 55㎡	405 Eタイプ 65㎡
3階	301 Aタイプ 70㎡	302 Bタイプ 75㎡	303（基準住戸） Cタイプ 70㎡	304 Dタイプ 55㎡	305 Eタイプ 65㎡
2階	201 Aタイプ 70㎡	202 Bタイプ 75㎡	203 Cタイプ 70㎡	204 Dタイプ 55㎡	205 Eタイプ 65㎡
1階	101 Aタイプ 70㎡	102 Bタイプ 75㎡	103 Cタイプ 70㎡	104 Dタイプ 55㎡	— 管理人室 エントランス他

- 敷地面積：1,180㎡
- 構造・用途：鉄筋コンクリート造陸屋根7階建・共同住宅
- 戸数：34戸
- 建築面積：390㎡
- 延床面積：2,700㎡
- 専有面積：2,280㎡
- 分譲総面積：2,280㎡
- 駐車場台数：27台

以　上

※太字（ゴシック体）表記は，本試験解答用紙に予め印字されていた箇所です。

問１

問１－(1)　鑑定評価で求めるべき価格の種類及びその定義

（価格の種類）：限定価格

（定義）：限定価格とは，市場性を有する不動産について，不動産と取得する他の不動産との併合又は不動産の一部を取得する際の分割等に基づき正常価格と同一の市場概念の下において形成されるであろう市場価値と乖離することにより，市場が相対的に限定される場合における取得部分の当該市場限定に基づく市場価値を適正に表示する価格をいう。

問１－(2)　事例の選択要件（箇条書き）

・同一需給圏内の類似地域等に存する不動産又は同一需給圏内の代替競争不動産に係るもの

・取引等の事情が正常なもの又は正常なものに補正することができるもの

・時点修正をすることが可能なもの

・地域要因の比較及び個別的要因の比較が可能なもの

・賃貸借等の契約の内容について類似性を有するもの

問２　対象不動産について

問２－(1)－①　取引事例から比準した価格

事例（　ハ　）を採用

土地価格（単価）（円／㎡）		事		時		標		地		個		面（㎡）		取引事例から比準した価格（円）
134,000	×	100／100	×	102.4／100	×	100／100	×	100／98	×	105／100	×	180	≒	26,500,000

（※）取引事例に係る土地価格（単価）の査定根拠（建物及びその敷地の取引事例を選択する場合も記載すること）

22,800,000円÷170㎡≒134,000円／㎡

問２－⑴－②　比準価格の査定

事例（ハ）は更地事例で地域特性，画地規模が対象不動産と類似しており，規範性が高い。

よって，事例（ハ）から求めた26,500,000円（147,000円／㎡）をもって比準価格と査定した。

問２－⑵　公示価格を規準とした価格

標準地（　－１　）を採用

公示価格（円／㎡）		時		標		地		個		面（㎡）		公示価格を基準とした価格（円）
130,000	×	$\frac{102.4}{100}$	×	$\frac{100}{100}$	×	$\frac{100}{98}$	×	$\frac{105}{100}$	×	180	≒	25,700,000

（※）価格時点の地価指数の査定根拠

価格時点（Ｒ２．８）$\{(\frac{100}{98}-1)\times\frac{7}{6}+1\}\times100≒102.4$

問２－⑶　対象不動産の正常価格の査定

比準価格は実際に市場で発生した取引事例を価格判定の基礎としており，客観的，実証的な価格である。本件では，公示価格を規準とした価格とも均衡しているので妥当と認め，比準価格の26,500,000円（147,000円／㎡）をもって対象不動産の正常価格と査定した。

問３　隣接不動産について

問３－⑴－①　取引事例から比準した価格

事例（　チ　）を採用

土地価格（単価）（円／㎡）		事		時		標		地		個		面（㎡）		取引事例から比準した価格（円）
160,000	×	$\frac{100}{100}$	×	$\frac{102.6}{100}$	×	$\frac{100}{100}$	×	$\frac{100}{97}$	×	$\frac{105}{100}$	×	1,000	≒	178,000,000

（※）取引事例に係る土地価格（単価）の査定根拠（建物及びその敷地の取引事例を選択する場合も記載すること）

買主負担の建物取壊し費用を取引価格に加算する。

141,000,000円＋(15,000円／㎡×200㎡)＝144,000,000円(160,000円／㎡)

問3-(1)-② 比準価格の査定

事例（チ）は建物を買主負担で取り壊した実質更地の事例で取引時点も新しく，地域特性，画地規模が隣接不動産と類似しており，規範性が高い。

よって，事例（チ）から求めた178,000,000円(178,000円／㎡)をもって比準価格と査定した。

問3-(2) 収益還元法

問3-(2)-① 賃貸事例から比準した賃料（想定建物の基準住戸（3階Bタイプ302号室））

賃貸事例（ え ）を採用

月額実質賃料（単価）（円／㎡）		事		時		標		建		地		基		個		面（㎡）		賃貸事例から比準した資料（円）
2,140	×	100/100	×	101.0/100	×	100/101	×	100/98	×	100/／	×	100/100	×	100/100	×	70	≒	153,000

（※）賃貸事例に係る月額実際実質賃料（単価）の査定根拠

147,000円＋（147,000円×2ヶ月×0.01＋147,000円×0.2060）÷12ヶ月≒150,000円（2,140円／㎡）

問3-(2)-② 基準住戸（3階Bタイプ302号室）の月額支払賃料の査定（単価）

（※）月額正常支払賃料をaとおく

a＋（a×2ヶ月×0.01＋a×0.2060）÷12ヶ月＝153,000円

a≒150,000円（2,140円／㎡）

問3-(2)-③ 建物全体の貸室賃料収入（月額）

2,140円／㎡×1,890㎡＝4,044,600円（月額）

問3-(2)-④ 総収益の査定

1．貸室支払賃料収入

4,044,600円×12ヶ月＝48,535,200円（年額）

2．その他収入（駐車場収入）

18,000円×21台×12ヶ月＝4,536,000円

3．小計

(1)＋(2)＝53,071,200円

4．貸倒れ損失

指示事項により計上しない。

5．空室等による損失相当額

貸室部分：48,535,200円×（1－95％）＝2,426,760円

駐車場部分：4,536,000円×（1－90％）＝453,600円

合計：2,880,360円

6．有効総収入

3．－4．－5．＝50,190,840円

7．一時金の運用益等

敷金の運用益：4,044,600円×2ヶ月×0.01×95％≒76,847円

礼金の運用益及び償却額：4,044,600円×0.2060×95％≒791,528円

合計：868,375円

8．総収入

6．＋7．＝51,059,215円

問3－(2)－⑤　総費用の査定

a．建物再調達原価の査定

建設事例（　α　）から査定した建物再調達原価

建築工事費（単価）（円／㎡）		事		時		個		面（㎡）		建物再調達原価（円）
217,000	×	100/100	×	104.0/100	×	100/98	×	2,250	≒	518,000,000

b．総費用の査定

1．修繕費

518,000,000円×0.005＝2,590,000円

2．維持管理費

51,059,215円×0.03≒1,531,776円

3．公租公課

土地：90,000,000円×$\frac{1}{6}$×0.014＋90,000,000円×$\frac{1}{3}$×0.003＝300,000円

建物：518,000,000円×0.50×0.017＝4,403,000円

合計：4,703,000円

4．損害保険料

518,000,000円×0.0005＝259,000円

5．建物等の取壊費用の積立金

518,000,000円×0.0005＝259,000円

６．総費用

上記計：9,342,776円（経費率約18%）

問３-(2)-⑥　未収入期間を考慮した土地に帰属する純収益の査定

１．建物及びその敷地の償却前純収益

51,059,215円－9,342,776円＝41,716,439円

２．建物に帰属する純収益

518,000,000円×0.06426＝33,286,680円

（※）建物の還元利回り

0.0515×0.40＋0.0622×0.40＋0.0939×0.20＝0.06426

３．土地に帰属する純収益

１．－２．＝8,429,759円

４．未収入期間を考慮した土地に帰属する純収益

３．×0.9355≒7,886,040円

問３-(2)-⑦　還元利回りの査定

0.048－0.002＝0.046（4.6%）

問３-(2)-⑧　土地残余法による収益価格

7,886,040円÷0.046≒171,000,000円（171,000円／㎡）

問３-(3)　公示価格を規準とした価格

標準地（　－３　）を採用

公示価格（円／㎡）		時		標		地		個		面（㎡）		公示価格を基準とした価格（円）
160,000	×	103.6/100	×	100/100	×	100/／	×	105/100	×	1,000	≒	174,000,000

（※）価格時点の地価指数の査定根拠

価格時点（R２．８）$\{(\frac{100}{97}-1)\times\frac{7}{6}+1\}\times 100 \fallingdotseq 103.6$

問３-(4)　隣接不動産の正常価格の査定

指示事項により，比準価格：178,000,000円と収益価格：171,000,000円の中庸値を採用し，隣接不動産の正常価格を175,000,000円（175,000円／㎡）と査定した。当該価格は公示価格を規準とした価格とも均衡しており，妥当である。

4　一体不動産について

問4-(1)-①　位置別効用比の査定（3階Cタイプの基準住戸を標準100とする）

分譲事例（Kマンション）の分譲単価比から求める。

タイプ	分譲単価（円/m²）	効用比
Aタイプ	545,455	105
Bタイプ	536,000	103
Cタイプ	520,000	100
Dタイプ	520,000	100
Eタイプ	536,111	103

問4-(1)-②　効用総積数の査定（3階Cタイプの基準住戸を標準100とする）

階	階層別効用比	位置別効用比，面積，戸数（Aタイプ　Bタイプ　Cタイプ　Dタイプ　Eタイプ）	
7	104	×(105×70m²＋103×75m²＋100×70m²＋100×55m²＋103×65m²)＝	3,564,080
6	102	×(105×70m²＋103×75m²＋100×70m²＋100×55m²＋103×65m²)＝	3,495,540
5	101	×(105×70m²＋103×75m²＋100×70m²＋100×55m²＋103×65m²)＝	3,461,270
4	100	×(105×70m²＋103×75m²＋100×70m²＋100×55m²＋103×65m²)＝	3,427,000
3	100	×(105×70m²＋103×75m²＋100×70m²＋100×55m²＋103×65m²)＝	3,427,000
2	99	×(105×70m²＋103×75m²＋100×70m²＋100×55m²＋103×65m²)＝	3,392,730
1	98	×(105×70m²＋103×75m²＋100×70m²＋100×55m²)＝	2,702,350
		効用総積数	23,469,970

問4-(2)-①　分譲事例から比準した価格（想定建物の基準住戸（3階Cタイプ303号室））

分譲事例（　乙　）を採用

取引価格（単価）（円／m²）		事		時		地		区建		専		面（m²）		分譲事例から比準した価格（円）
480,000	×	100/100	×	100.0/100	×	100/97	×	100/99	×	100/100	×	70	≒	35,000,000

（※）分譲事例に係る取引価格（単価）の査定根拠

33,600,000円÷70㎡＝480,000円／㎡

問4-(2)-② 分譲販売総収入の査定

$$500,000円/㎡ \times \frac{23,469,970}{100 \times 100} = 1,173,498,500円$$

問4-(2)-③ 分譲販売総費用の査定

a．建築工事費の査定

建設事例（ γ ）から査定した建築工事費

建築工事費（単価）（円／㎡）		事		標		個		面（㎡）		建築工事費（円）
269,000	×	100/100	×	103.0/100	×	100/99	×	2,700	≒	756,000,000

b．その他の費用の査定

1．開発負担金

指示事項により，計上しない。

2．販売費及び一般管理費

1,173,498,500円×0.12＝140,819,820円

問4-(2)-④ 開発法による価格

項目	割合（%）	金額（円）	割引期間（月）	複利現価率（投下資本収益率13%）	複利現価（円）
分譲販売収入（1,173,498,500）円	9%	105,614,865	12	0.8850	93,469,156
	81%	950,533,785	16	0.8496	807,573,504
	10%	117,349,850	17	0.8410	98,691,224
					収入計（999,733,884）円
建築工事費（756,000,000）円	10%	75,600,000	6	0.9407	71,116,920
	10%	75,600,000	11	0.8940	67,586,400
	80%	604,800,000	16	0.8496	513,838,080
開発負担金（0）円					
販売費及び一般管理費（140,819,820）円	50%	70,409,910	6	0.9407	66,234,602
	50%	70,409,910	12	0.8850	62,312,770
					費用計（781,088,772）円

収支合計（ 218,645,112 ）円

開発法による価格≒（ 219,000,000 ）円

問5　鑑定評価額の決定

問5-(1)-①　増分価値の査定

219,000,000円－（26,500,000円＋175,000,000円）＝17,500,000円

問5-(1)-②　対象不動産に帰属する配分率の査定（総額比による方法）

$$\frac{26,500,000円}{26,500,000円+175,000,000円} \fallingdotseq 0.132$$

問5-(1)-③　対象不動産に帰属する配分額の査定

17,500,000円×0.132＝2,310,000円

問5-(2)　対象不動産の鑑定評価額の決定

鑑定評価額：26,500,000円＋2,310,000円≒28,800,000円（160,000円／㎡）

〔正常価格：26,500,000円（147,000円／㎡）〕

以　上

解　説

本問は，「更地（限定価格）」に関する問題で，問1が記述問題，問2から問5が計算問題となっている。

問1は，記述型の基本問題である。小問(1)は題意から求めるべき価格の種類が「限定価格」であることは容易に判断できるので，「基準」総論第5章から限定価格の定義を正確に引用すること。小問(2)の事例選択要件は4要件に加えて契約内容の類似性を述べればよいが，「基準」総論第7章をそのまま引用すると分量が嵩むことから，解答例のように適宜省略するとよい。

問2は取引事例比較法及び公示価格との規準の基本論点のみの出題であるが，取引事例の選択につき，事例（イ）は不適格とまではいえないものの事例（ハ）との比較において規範性が相対的に劣るため不採用となる点，公示価格との規準においては地価指数の計算を要する点に注意してほしい。

問3は取引事例比較法と土地残余法を併用したうえで公示価格との規準を行い，正常価格を求めるが，取引事例比較法及び公示価格との規準は問2同様，基本論点のみの出題なので取りこぼさないようにしてほしい。なお，取引事例の選択については，事例（へ）は大規模地の事例ではあるものの，第1種低層住居専用地

域に存し，近隣商業地域に存する隣接不動産とは地域特性が異なるため不採用となる。土地残余法についてはＴＡＣの答練でも毎回出題しているような基本論点のみなので，ケアレスミスがなければほぼ満点が取れる内容である。

問４は効用総積数を査定したうえで開発法による価格を求めるが，効用総積数の査定に当たって位置別効用比を分譲事例から計算する必要があるので，計算ミス等に注意してほしい。開発法については，問３の土地残余法同様，ＴＡＣの答練と概ね同様の内容であるが，本問のボリュームを考えると開発法の途中で時間切れとなった受験生が多いものと思われる。

問５は総額比法で配分率を求めたうえで，対象不動産に帰属する増分価値を求め，これを問２で求めた正常価格に加算すればよい。「基準」総論第９章の規定に基づき，「かっこ書きで正常価格を併記」する点を忘れないでほしい。なお，本問のボリュームを考えると「基準」の引用はせず，時間が余った場合には検算等に回すのが賢明であろう。

◇令和3年度・演習

問題　別紙1〔指示事項〕及び別紙2〔資料等〕に基づき，不動産の鑑定評価に関する次の設問に答えなさい。

問1　本件鑑定評価に関する次の問に答えなさい。

(1)　対象不動産の最有効使用を判定し，簡潔に述べなさい。

(2)　本件で求める価格の種類を答えなさい。

(3)　別紙2〔資料等〕「Ⅶ．個別分析　1．土地 (5)借地契約内容の概要」から把握される，対象地（定期借地権）に係る契約内容のうち，価格形成に影響を与えるものを2つ挙げなさい。

問2　原価法に関する次の問に答えなさい。

(1)　対象地の更地価格を求めなさい。

(2)　対象不動産の再調達原価を求めなさい。

(3)　対象不動産の減価額を求めなさい。

(4)　再調達原価に減価修正を行い，対象不動産の積算価格を求めなさい。

問3　収益還元法に関する次の問に答えなさい。

(1)　対象不動産は食品スーパーマーケットであることから事業用不動産に該当し，収益還元法では現行契約賃料に基づく貸室賃料収入を計上するが，現行契約賃料が，相当の期間，安定的に収受可能な水準にあると判断できる理由について，別紙2〔資料等〕「Ⅴ．対象不動産に係る市場の特性」，「Ⅶ．個別分析 3．建物及びその敷地」，「Ⅷ.対象不動産の価格時点における建物賃貸借契約の概要」を踏まえて，簡潔に説明しなさい。解答に当たっては，「賃料の改定」，「賃料負担の料率」，「周辺における競合環境」の3つの語句を全て用いること。

(2)　直接還元法（有期還元法インウッド式）による収益価格を求めなさい。

(3)　ＤＣＦ法による収益価格を求めなさい。

(4)　(2)及び(3)において求めた収益価格を比較検討した上で，試算価格としての収益価格を求めなさい。比較検討に当たっては，両手法の特徴及び試算価格としての収益価格の査定理由について簡潔に説明しなさい。

問4　問2及び問3で求めた試算価格を調整して決定した対象不動産の鑑定評価額を答えなさい。併せて，対象不動産に係る市場特性を踏まえた鑑定評価額の決定理由を簡潔に説明しなさい。

別紙１〔指示事項〕

Ⅰ．共通事項

1．問２・問３における各手法の適用の過程において求める数値は，別に指示がある場合を除き，小数点第１位以下を四捨五入し，整数で求めること。ただし，取引事例から比準した価格，公示価格を規準とした価格，対象地の更地価格，直接還元法（有期還元法インウッド式）及びＤＣＦ法による収益価格，各手法を適用して試算した試算価格並びに鑑定評価額については，上位４桁目を四捨五入した上で上位３桁を有効数字として取り扱うこと。

（例）　1,234,567円　→　1,230,000円

2．消費税及び地方消費税については，各手法の適用の過程においては考慮せず，各種計算に当たっては，各資料の数値を前提とすること。

3．対象不動産及び取引事例等とされている不動産については，土壌汚染，埋蔵文化財及び地下埋設物に関して価格形成に影響を与えるものは何ら存しないことが判明していること。また，事例に係る建物に関しては，アスベスト含有建材，ポリ塩化ビフェニル等の有害物質の使用又は保管がないことが確認されていること。

4．エンジニアリング・レポートは，信頼性の高い建物調査等の専門調査機関により作成されており，不動産鑑定評価基準各論第３章の規定に基づき不動産の鑑定評価を行う際に必要となる調査項目に不足はなく，調査結果も妥当なものであること。

5．土地に関する数量は確定実測図に記載された数量，建物に関する数量は検査済証に記載された数量によること。

6．問２・問３における各手法の適用の過程において求める数値について，解答に計算を要する場合は，別に指示がある場合を除き，計算式等の計算根拠を示して解答すること。

7．本件鑑定評価においては，土地建物一体としての取引事例比較法は適用しないこと。

Ⅱ．問１－⑶について

本問については，価格形成に影響を与えるものは２つ以上あるが，そのうち２つを答えれば良い。例を示せば，「中途解約はできない。」がある。なお，左記の例示は解答不可とする。

Ⅲ．問２－⑴について

対象地の更地価格は，取引事例比較法を適用して求めること。取引事例比較法の適用に当たっては，次に掲げる事項に留意すること。

1．別紙２〔資料等〕「(資料３）取引事例の概要」に記載の各取引事例の中から，取引事例を２つ選択し，比準価格を求めること（事例の選択要件を解答する必要はなく，当該事例を選択した理由及び選択しない事例に係る不選択の理由も解答する必要はない)。

2．更地の取引事例を選択する場合は，取引事例に係る土地価格の単価を求める計算根拠を記載すること。また，建物及びその敷地の取引事例を選択する場合は，配分法等により，取引事例に係る土地価格の単価（更地としての価格）を査定した上で比準すること。その際，取引事例に係る土地価格の単価（更地としての価格）の計算根拠を併せて記載すること。

　なお，取引事例に係る土地価格の単価は，上位４桁目を四捨五入した上で上位３桁を有効数字として取り扱うこと。

3．取引事例から比準した価格を求める場合の計算式及び略号は，次の通りとすること。

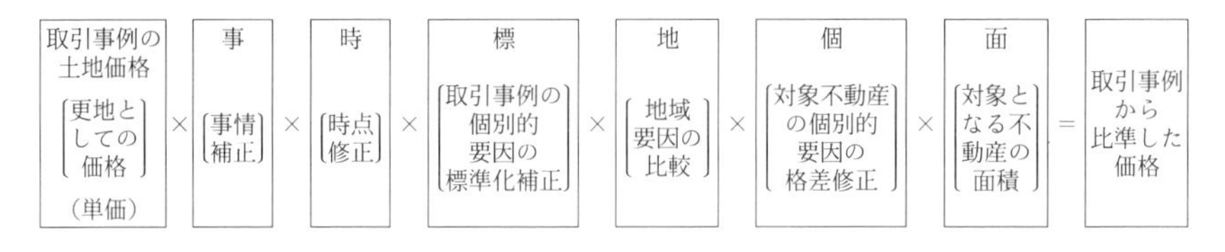

4．取引事例から比準した価格及び公示価格を規準とした価格を求める際に用いる数値は，別紙２〔資料等〕「(資料２）近隣地域・類似地域等の概要」及び「(資料３）取引事例の概要」，「(資料４）標準地の概要」の記載事項から算出すること。

5．時点修正に当たって，取引事例から比準した価格及び公示価格を規準とした価格を求める際は，別紙２〔資料等〕「(資料３）取引事例の概要」，「(資料４）標準地の概要」に記載の価格時点の地価指数を用いること。

6．取引事例の個別的要因の標準化補正率，対象不動産の個別的要因の格差修正率の査定は，相乗積をもって査定すること。

（例）取引事例地　二方路（＋２％)・不整形地（－５％)

　　　取引事例の個別的要因の標準化補正率

（100%＋2%）×（100%－5%）≒ 97%（小数点以下第１位四捨五入）

7．更地価格の査定に当たっては，公示価格を規準とした価格との均衡に留意すること。公示価格を規準とした価格を求める場合の計算式及び略号は，次の通りとすること。

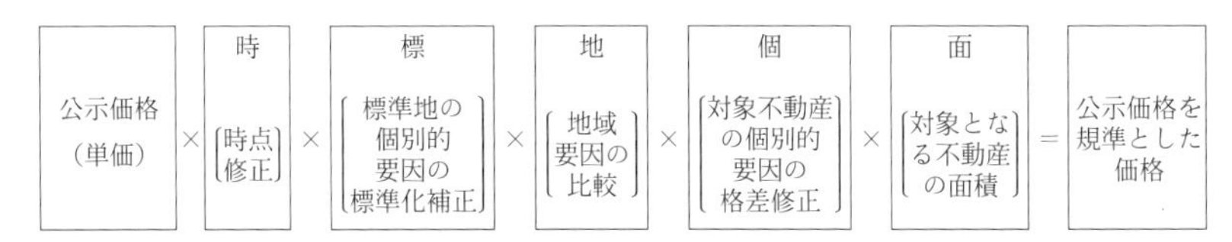

Ⅳ．問２－(2)について

1．土地（定期借地権）の再調達原価は，割合法を適用して求めること。地代水準，借地権の目的である建物の許容容積率に対する容積消化の程度，残存契約期間等の契約内容を踏まえ，借地権割合５％を用いて査定すること。

2．建物の再調達原価は，別紙２〔資料等〕「（資料５）エンジニアリング・レポートの概要」に記載されている再調達価格を同等規模・品等の店舗における再調達原価として妥当と判断し，採用すること。エンジニアリング・レポートの調査時点は価格時点と大きな差異がないことから時点修正は不要とする。

3．付帯費用の査定に当たっては，土地に直接帰属する付帯費用（開発期間中の地代負担等），建物に直接帰属する付帯費用（設計監理料等）及び土地との関係で発生し，一体として把握される付帯費用（資金調達費用や開発リスク相当額等）として，土地と建物の再調達原価の合計額の20%を計上すること。

Ⅴ．問２－(3)について

1．土地に係る減価はないものとすること。

2．建物の減価額は，耐用年数に基づく方法と観察減価法を併用して求めること。

① 減価修正の耐用年数に基づく方法は，躯体（本体）部分・仕上げ部分・設備部分のいずれも定額法を採用し，残価率は０とすること。建物の減価の程度は，おおむね経年相応とすること。なお，経過年数，耐用年数は小数点以下第１位（小数点以下第２位を四捨五入）を有効数字として取扱うこと。また，次問 問３における収益期間等の年数においても同様の取扱

いをすること。

（例）1.234年　→　1.2年　，　1年6か月　→　1.5年

② 建物の躯体部分・仕上げ部分・設備部分の構成割合は，別紙2〔資料等〕「（資料5）エンジニアリング・レポートの概要」に記載されている再調達価格における，その他諸経費等を除く躯体工事費・仕上工事費・設備工事費の割合である，躯体部分：0.42，仕上げ部分：0.28，設備部分0.30を用いること。

3．付帯費用については，建物と同程度の減価があるものと判断し，建物の再調達原価に対する建物の減価額の割合を用い，減価額を求めること。減価額の割合は小数点以下第2位（小数点以下第3位を四捨五入）を有効数字として取扱うこと。

（例）0.12345　→　0.12

4．土地建物一体としての減価（一体減価）として，定期借地権の契約満了時に発生する建物取壊し費及びその発生までの期間を勘案し，対象不動産の再調達原価から，査定した土地（定期借地権）・建物・付帯費用の減価額合計を控除した額に対して10％の一体減価額を計上すること。

Ⅵ．問3－(2)－①について

運営収益は，貸室賃料収入，共益費収入，水道光熱費収入，駐車場収入及びその他収入を合計した総収益（満室想定）から，空室等損失及び貸倒れ損失を控除して査定すること。査定に当たっては，次に掲げる事項に留意すること。

1．貸室賃料収入，共益費収入，水道光熱費収入は，現行の賃貸借契約内容に基づき計上すること（賃貸借契約における費用負担に留意すること。）。

2．駐車場の使用料は貸室賃料に含まれている。その他収入は特にない。

3．空室等損失，貸倒れ損失は，賃貸借契約の内容や賃借人の事業に係る市況を勘案し，計上不要と判断すること。

Ⅶ．問3－(2)－②について

運営費用は，維持管理費，水道光熱費，修繕費，プロパティマネジメントフィー（以下「PMフィー」という。），テナント募集費用等，公租公課（土地，建物，償却資産），損害保険料及びその他費用を合計して査定すること。査定に当たっては，次に掲げる事項に留意すること。

1．維持管理費，水道光熱費は，現行の賃貸借契約内容に基づき計上すること（賃貸借契約における費用負担に留意すること。）。
2．修繕費は，「（資料５）エンジニアリング・レポートの概要」に記載されている中長期修繕更新費用を同等規模・品等の店舗における修繕費と資本的支出の合計額として妥当と判断し，中長期修繕更新費用１年間平均値について，その30％相当額を計上すること。
3．PM フィーは，現行のプロパティマネジメント契約に基づき，貸室賃料収入の2.0％相当額を計上すること。
4．賃貸借契約の内容や賃借人の事業に係る市況を勘案し，収益期間中のテナント入替えの可能性は低いことから，テナント募集費用等の計上は不要と判断すること。
5．公租公課は，建物は固定資産税・都市計画税，償却資産は固定資産税について，令和３（2021）年度の課税の実額を計上すること。税率は固定資産税1.4％，都市計画税0.3％であり，令和３（2021）年度の課税標準額は，建物199,411,790円，償却資産7,064,250円である。
6．損害保険料は，建物再調達原価に対する火災保険，賠償責任保険の標準的な料率と判断される0.05％を用いて求めること。
7．その他費用として，現行借地契約に基づく支払地代を計上すること。支払地代以外の費用発生は特にない。

Ⅷ．問３－⑵－③について

純収益は，運営収益から運営費用を控除して運営純収益を求め，これに一時金の運用益を加算，資本的支出を控除して査定すること。査定に当たっては，次に掲げる事項に留意すること。

1．一時金の運用益は，対象不動産の所有者が受託している預り金的性格を有する一時金の運用益を計上するほか，対象不動産の所有者が預託している預り金的性格を有する一時金についての運用益機会損失分を運用損失として控除して査定すること。
2．資本的支出は，「（資料５）エンジニアリング・レポートの概要」に記載されている中長期修繕更新費用を同等規模・品等の店舗における修繕費と資本的支出の合計額として妥当と判断し，中長期修繕更新費用１年間平均値について，その70％相当額を計上すること。

Ⅸ．問３－(2)－④について

直接還元法（有期還元法インウッド式）による収益価格を求めること。有期還元法インウッド式の査定式は以下の通りである。建物取壊し費は同等規模・品等の店舗において地域における標準的な水準である建物延床面積当たり21,200円/㎡を用いて査定すること。建物取壊しに要する期間は６か月とし，定期建物賃貸借契約満了後に即時取壊しを開始するものとし，建物取壊し費の支払いは取壊し工事終了時に一括して行うものとする。なお，借地契約満了時に賃貸人に土地を返還することから，借地契約満了時期の土地（定期借地権）価格は０円である。

$$P = a \times \frac{(1+Y)^{N1} - 1}{Y(1+Y)^{N1}} + \frac{P_{LN2} - E}{(1+Y)^{N2}}$$

P　：有期還元法インウッド式による収益価格

a　：償却前の純収益

Y　：割引率

$N1$　：収益期間（収益が得られると予測する期間）

$N2$　：借地契約満了時期

P_{LN2}　：Ｎ２年後の土地（定期借地権）価格

E　：建物取壊し費

$(1+Y)^n$　：複利終価率

$\frac{1}{(1+Y)^n}$　：複利現価率

Ⅹ．問３－(3)について

ＤＣＦ法は，定期借地権の契約残存期間を踏まえ，保有期間を10年として，保有期間終了時に建物を収去した土地を返還することを想定し，収益価格を査定すること。下記に指示事項がない収支項目については，問３－(2)直接還元法（有期還元法インウッド式）による収益価格の査定における指示事項である前記Ⅵ～Ⅸに従うこと。また，保有期間中に物価変動はないものとして査定すること。

Ⅺ．問３－(3)－①について

純収益の現在価値の総和は，不動産鑑定評価基準各論第３章別表２に基づき，解答用紙６頁・７頁の査定表（査定表は６頁に１～５年度分・７頁に6～10年度分がある。）に各収支項目の査定値を記入し解答すること。純収益の現在価値の総和の査定に当たっては，次に掲げる事項に留意すること。なお，査定表内に記号「〃」が記入してある項目は前年と同値となる項目であり，査定値の記入をする必要はない。

１．運営収益の査定に当たっては，定期建物賃貸借契約が保有期間の途中で終了することに留意すること。また，保有期間中に建物の取壊しを行い，保有期間終了時には更地の状態に復帰する必要があることに併せて留意すること。

２．公租公課は，１年度に令和３（2021）年度の固定資産税・都市計画税の課税の実額を計上すること。建物の公租公課は，２年度以降について，固定資産税・都市計画税の評価替えに当たる４年度・７年度・10年度において，前年度の査定額から７％減額した査定額を計上し，これ以外の年度は前年度と同額を計上すること。償却資産の公租公課は，２年度以降に変動はないものとして査定すること。

３．修繕費・資本的支出は，「（資料５）エンジニアリング・レポートの概要」に記載されている中長期修繕更新費用を同等規模・品等の店舗における修繕費と資本的支出の合計額として妥当と判断し，各年度の中長期修繕更新費用の30％相当額を修繕費に，70％相当額を資本的支出に計上すること。

Ⅻ．問４について

決定した鑑定評価額と，重視した試算価格とその理由を簡潔に解答すれば良い。試算価格の調整（各試算価格の再吟味及び各試算価格が有する説得力に係る判断）の過程についての説明を解答する必要はない。

別紙２〔資料等〕

Ⅰ．依頼内容

１．依頼者　甲合同会社

２．依頼対象不動産　ＪＲ○○線Ｘ駅の南方約 150m（道路距離）に位置する商業施設（食品スーパーマーケット）（Ⅱ．に掲げる対象不動産）

３．依頼の目的　証券化対象不動産の適正な価格の把握の参考として

Ⅱ．対象不動産

１．土地

所在・地番　Ａ県Ｂ市Ｃ町１丁目２番３

地　　　目　宅地

地　　　積　1,500.00㎡（確定実測図 記載数量）

所　有　者　（借地権設定者）乙不動産株式会社

借 地 権 者　（受託者）丙信託銀行株式会社・（受益者）甲合同会社（※）

２．建物

所　　　在　Ａ県Ｂ市Ｃ町１丁目２番地３

家 屋 番 号　２番３

構造・用途　鉄骨造陸屋根３階建　店舗

建築年月日　平成24（2012）年２月１日

床　面　積　１階　1,000.00㎡

２階　　800.00㎡

３階　　450.00㎡

合計　2,250.00㎡（検査済証 記載数量）

所　有　者　（受託者）丙信託銀行株式会社・（受益者）甲合同会社（※）

※不動産信託契約により，対象不動産は信託財産として甲合同会社から丙信託銀行に信託されており，信託財産から得られる収益は，受託者（丙信託銀行）から受益者（甲合同会社）に支払われる。

Ⅲ．鑑定評価の基本的事項

１．類型

定期借地権付建物（貸家）

2．不動産鑑定評価基準各論第3章適用の有無

対象不動産は，金融商品取引法により有価証券とみなされる権利の債務の履行等を主たる目的として収益又は利益を生ずる不動産取引の目的である不動産（信託受益権に係るものを含む）である。従って，この不動産鑑定評価書は，「不動産鑑定評価基準各論第3章証券化対象不動産の価格に関する鑑定評価」を適用して鑑定評価を行う。

3．鑑定評価の条件

(1) 対象確定条件

現実の状態を所与とする鑑定評価

(2) 想定上の条件

ない

(3) 調査範囲等条件

ない

4．価格時点

令和 3（2021）年 8月 1日

5．依頼の目的

前記Ⅰ．3．の通り

6．鑑定評価の依頼が必要となった背景

商法の定めによる匿名組合契約における匿名組合営業者に当たる合同会社である依頼者は，投信法及び資産流動化法以外のスキームに基づいて運用することを目的とし，対象不動産（信託受益権）を保有しており，当該不動産の投資採算価値に基づく適正な価格を把握し，投資家に開示するために本件鑑定評価が必要となった。

7．鑑定評価によって求める価格の種類

問1－(2)

8．依頼目的に対応した条件と価格の種類との関連

本件鑑定評価は，証券化スキームにおける運用方法を所与として投資採算価値を表す価格を求めるものである。当該運用方法は対象不動産の最有効使用と同様であるほか，対象不動産に係る典型的な市場参加者は投資家であり，収益力を適切に反映する収益価格に基づいた投資採算価値を標準として価格形成がなされると判断される。以上より，本件鑑定評価は，投資採算価値を表す価格が問1－(2)と一致するため，求める価格の種類は問1－(2)となる。

9．証券化スキーム図

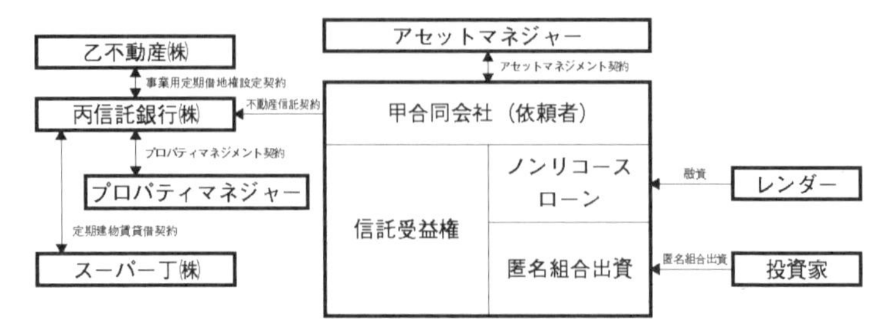

Ⅳ．対象不動産が所在するＢ市の概況

1．位置等

⑴　位置及び面積　Ａ県のほぼ中央部，面積は約 12㎢である。

⑵　沿　　革　　等　Ｂ市は，都心西方約25kmに位置し，大正末期から昭和初期にかけて近郊住宅都市を目指した開発が進められ，都心通勤者のベッドタウンとして現在に至っており，Ｘ駅を核としたＢ市中心部は環境の良い住宅都市が形成されている。

2．人口等

⑴　人　口　現在約10万人であり，微増傾向が続いている。

⑵　世帯数　約５万世帯

3．交通施設及び道路整備の状態

⑴　鉄　道　Ｂ市の北部をＪＲ○○線が，Ｂ市の南部をＪＲ△△線が横断している。

⑵　バ　ス　ＪＲ○○線Ｘ駅を中心としてバス路線網が整備され，運行便数も多く，鉄道を補完している。

⑶　道　路　南北を貫通する幹線道路を中心に，市内には市道が縦横に敷設されている。

4．供給処理施設の状態

⑴　上水道　普及率　ほぼ 100％

⑵　下水道　普及率　ほぼ 100％

⑶　都市ガス　普及率　約 95％

5．土地利用の状況

⑴　商業施設　ＪＲ○○線Ｘ駅南口駅前を中心に商店街が形成されており，

商業施設や小売店，飲食店が集積している。ＪＲ△△線Ｙ駅北口・Ｚ駅北口にも商店街が存する。また，市内の生活幹線道路沿いには食品スーパーやファミリーレストラン，ドラッグストア等が点在している。

⑵ 住　　宅　全体的な傾向として，駅周辺や生活幹線道路沿いを中心に中高層の共同住宅，店舗付共同住宅が多く，その背後地には戸建住宅や低層の共同住宅が多い。

Ⅴ．対象不動産に係る市場の特性

１．同一需給圏の判定

対象不動産と代替・競争関係が成立する類似不動産の存する圏域（同一需給圏）は，都心部への通勤圏内に存するベッドタウンにおいて，近隣居住者向けの商業施設が存する地域であり，広域的な形成がなされているものと判定される。

２．同一需給圏内における市場参加者の属性及び行動

同一需給圏内の売買市場における市場参加者の属性としては，投資用物件としての運用を目論む投資ファンド及び不動産会社，個人投資家等を中心とした投資家であり，不動産取引に際し，主に収益の安定性や投資採算性，転売時の流動性等を重視する傾向にある。

３．市場動向

⑴ 土地の取引市場

駅接近性，画地条件が優れた土地は希少性が高く，供給が限定的である。特に中高層の賃貸用共同住宅，店舗付共同住宅の建設が可能な規模を有する土地については，入札等により複数の需要者が競合することが見込まれる。

⑵ 建物及びその敷地の取引市場

安定的な背後人口を有する立地環境に存する最寄品を取扱う近隣居住者向けの商業施設については，競合環境が良好であれば，安定的な収益が見込めることから，良好な資金調達環境等を背景に，投資ファンド等からの需要が認められる。投資市場への供給については，ファンド保有物件の出口としての供給の他，新規開発物件や法人事業者によるセール&リースバックに係る供給も認められる。また，事業用定期借地権を活用して開発され

た物件や事業用定期借地権が付着した底地の供給も近年増えてきている。

(3) 食品スーパーマーケットに係る小売市場等

小売業が全般的に苦しい状況にあるなか，食料品・日用品等を取扱うスーパーマーケットは，巣ごもり需要や内食需要等をうけ，比較的堅調な業績を示している。業界精通者によると，同一需給圏における食品スーパーマーケットの売上高に対する適正な賃料負担の料率（年額賃料÷年間の売上高）は，概ね4～5％である。

なお，対象不動産の商圏人口・世帯数をみると，500m商圏（対象不動産を中心に直線距離で半径500mの範囲。以下同様。）は人口約14,000人・世帯数約7,200世帯で，1km商圏は人口約37,000人，世帯数約17,900世帯で，食品スーパーマーケットの事業成立に十分な商圏人口を有している。

また，近隣地域周辺においては，規模の大きな画地は限定的であり，新規競合店舗の出店可能性は低いことから，食品スーパーマーケットに係る周辺における競合環境は安定的な状態にあるものと判断される。

(4) 事業定期借地権に係る市場等

事業用定期借地権は，小売店舗，飲食店舗等の沿道サービス型店舗での活用が中心で，建築コストを抑えた建物により比較的短期間で投下資本を回収する法人事業者の店舗展開に活用されている。契約期間については，20年間が多く，一時金については，預り金的性格を有する一時金として，敷金・保証金を授受することが多い。

4．同一需給圏における地価の推移・動向

同一需給圏における地価について，近年は，概ね上昇傾向で推移してきたが，令和2（2020）年春以降は，横這いないしは下落に転じている。今後についても，当面は同様の推移が見込まれる。

Ⅵ．近隣地域の状況

別紙2〔資料等〕「（資料2）近隣地域・類似地域等の概要」の通りである。

Ⅶ．個別分析

1．土地

(1) 近隣地域における位置

近隣地域の南寄りに位置する。

⑵　土地の状況

①　街路条件

西側：幅員約30ｍの舗装市道（市道○号線，建築基準法第42条第１項第１号道路）

南側：幅員約５ｍの舗装市道（市道△号線，建築基準法第42条第１項第１号道路）

②　交通・接近条件

近隣地域の標準的画地とほぼ同じである。

③　環境条件

近隣地域の標準的画地と同じである。

④　行政的条件

近隣地域の標準的画地と同じである。

⑤　画地条件

間口約50ｍ・奥行約30ｍ・規模1,500.00㎡の長方形の角地である。

⑶　標準的画地と比較した増減価要因

増価要因：角地（＋５％）・規模大（＋10％）

減価要因：なし

⑷　最有効使用

低層階に店舗が存する高層の共同住宅の敷地利用と判定

⑸　借地契約内容の概要

事業用定期借地権設定公正証書に基づく借地契約内容の概要は以下の通り。

①　賃貸人　　乙不動産株式会社

②　賃借人　　丙信託銀行株式会社

③　契約の種類　　借地借家法第23条第２項に規定する事業用定期借地権

④　使用目的　　食品スーパーマーケットの事業の用に供するための建物を所有すること。

賃借人が所有する建物の構造・用途・規模は以下の通りとする。

構　　造：鉄骨造陸屋根３階建

用　　途：店舗

延床面積：2,250.00㎡

⑤　賃貸借期間　平成23（2011）年８月１日から令和13（2031）年７月31日まで（満20年間）

⑥　契約の更新等　契約の更新，建物の築造による存続期間の延長はなく，賃借人は建物の買取を請求することができない。

⑦　地代　月額 金1,510,000円

⑧　地代の改定　契約開始日から10年間は地代の改定を行わない。当該期間の経過後において，経済事情の著しい変動等により，賃料が合理的な範囲を著しく逸脱している場合には，双方協議の上，地代を改定することができる。

⑨　一時金　敷金 金15,100,000円。敷金は無利息とし，契約終了後，速やかに賃借人に返還する。その他の権利金，前払地代等の一時金はない。

⑩　中途解約　中途解約はできない。

⑪　費用負担　賃貸人は，土地に係る固定資産税・都市計画税を負担する。これ以外の土地の使用，維持，管理，修繕に係る費用は全て賃借人が負担する。

⑫　原状回復義務　賃借人は，契約終了日までに建物を収去し，更地にて土地を賃貸人に返還する。

2．建物

(1)　建物概要

①　建築年月日：平成24（2012）年２月１日（築後9.5年経過）

②　構造・用途：鉄骨造陸屋根３階建・店舗

(2)　設備概要

電気設備，空調設備，給排水設備，衛生設備，防災設備，昇降機設備３基 等

(3)　仕上げ概要

外壁：ＡＬＣパネルの上 吹付塗装

内壁：不燃石膏ボードの上 ビニールクロス貼

床　：セラミックタイル貼

天井：不燃化粧石膏ボード貼

(4)　使用資材の品等

中位

⑸　施工の質及び量

質及び量共に食品スーパーマーケットとして標準的である。なお，対象建物は，新耐震基準に適合している。

⑹　維持管理の状態

維持管理の状態は概ね普通で，経年相応の減価が認められる。

⑺　経済的残存耐用年数

価格時点における経済的残存耐用年数は，躯体部分・仕上げ部分については，事業用定期借地権の契約残存期間等を踏まえ9.5年，設備部分については維持管理状況等より5.5年と判定した。

（注）仕上げ部分とは，屋根，外壁，窓及び外部天井等の「外部仕上げ」と，床，壁，天井及び内部建具等の「内部仕上げ」に係る部分をいう。

⑻　建物とその環境との適合の状態

対象建物は，周辺環境と適合している。

３．建物及びその敷地

⑴　建物等とその敷地との適応の状態

対象建物は，許容容積率に対し30%程度の容積消化となっており，敷地との適応に欠く。

⑵　修繕計画及び管理計画の良否とその実施の状態

大規模修繕に係る修繕計画：定期借地権の契約期間より，大規模修繕の計画はない。

管理実施の状態：計画通りに実施されている。

⑶　賃貸経営管理の良否

対象不動産は食品スーパーを運営する事業会社に一括賃貸されている。当該賃貸借契約の内容については，後記「Ⅷ．対象不動産の価格時点における建物賃貸借契約の概要」を参照。支払賃料の滞納は無く，その他契約内容の履行状況や賃借人の属性に特段問題はない。なお，賃借人より開示された対象不動産における小売事業の近時の年間の売上高の実績は，「2018年度：1,467百万円，2019年度：1,438百万円，2020年度：1,535百万円」である。

４．対象不動産の市場分析

⑴．対象不動産に係る典型的な需要者層

典型的な需要者は，投資用物件としての運用を目論む投資ファンド，不動産会社，個人投資家等である。当該需要者は，収益の安定性や投資採算性，転売時の流動性等に着目し，取引の意思決定を行う。

(2) 代替・競争関係にある不動産との比較における優劣及び競争力の程度

最寄駅接近性や商圏人口，周辺競合環境及び賃貸借契約内容を踏まえれば収益の安定性に優れた物件と判断されるが，土地の権原が定期借地権であり，収益期間が限定的である面は，同一需給圏の類似不動産と比較において相対的に劣後する。

Ⅷ. 対象不動産の価格時点における建物賃貸借契約の概要

定期建物賃貸借契約書に基づく賃貸借契約の概要は以下の通り。

1.	賃貸人	丙信託銀行株式会社
2.	賃借人	スーパー丁株式会社
3.	契約の種類	借地借家法第38条に規定する定期建物賃貸借
4.	使用目的	店舗（食品スーパーマーケット）・付帯する事務所，倉庫
5.	賃貸借期間	平成24（2012）年2月1日から令和13（2031）年1月31日まで（満19年間） 本契約は，賃貸借期間の満了により終了し，更新はしない。
6.	賃　　料	月額 金5,582,250円（消費税別途）
7.	賃料の改定	契約期間中，賃料の改定は行わない。
8.	敷　　金	敷金 金44,658,000円を賃貸人に預託する。敷金は無利息とし，契約終了後，6か月以内に賃借人に返還する。
9.	中途解約	中途解約はできない。
10.	費用負担	賃貸人は，本建物に係る公租公課，損害保険料を負担する。 賃借人は，水道光熱費，清掃費，警備費，法定点検・保守費用，その他本建物の使用に際して通常発生する費用を全て負担する。
11.	修繕費用負担	本建物の修繕更新費用は賃貸人が負担する。

（資料１）対象不動産，地価公示法による標準地，取引事例等の位置図

（注）この位置図は，対象不動産，地価公示法による標準地，取引事例等のおおよその配置を示したものであり，実際の距離，規模等を正確に示したものではない。

（資料２）近隣地域・類似地域等の概要

地域	位置（距離は駅から中心までの道路距離）	道路の状況	周辺の土地の利用状況	都市計画法等の規制で主要なもの	供給処理施設	標準的画地の規模	標準的使用	地域要因に係る評点（近隣地域＝100）
近隣地域	X駅の南方 約300m	幅員30m 舗装市道	高層店舗付共同住宅が建ち並ぶなか低層商業施設も存する商業地域	商業地域 建ぺい率 80% 容積率 500% 防火地域	上水道 下水道 都市ガス	500㎡	高層店舗付共同住宅の敷地	
a地域	X駅の南方 至近	幅員70m（駅前広場）舗装市道	高層店舗ビル、高層店舗付事務所ビルが建ち並ぶ商業地域	商業地域 建ぺい率 80% 容積率 600% 防火地域	上水道 下水道 都市ガス	300㎡	高層店舗ビルの敷地	183
b地域	Y駅の北西方 約600m	幅員20m 舗装市道	低層商業施設、事業所等が建ち並ぶ路線商業地域	第１種住居地域 建ぺい率 60% 容積率 300% 準防火地域	上水道 下水道 都市ガス	500㎡	低層商業施設の敷地	42
c地域	X駅の南方 約500m	幅員30m 舗装市道	店舗付共同住宅、共同住宅が建ち並ぶなか戸建住宅も混在する地域	第１種住居地域 建ぺい率 60% 容積率 300% 準防火地域	上水道 下水道 都市ガス	500㎡	店舗付共同住宅の敷地	78
d地域	X駅の南東方 約900m	幅員５m 舗装市道	戸建住宅を中心に共同住宅も存する住宅地域	第１種低層住居専用地域 建ぺい率 50% 容積率 100%	上水道 下水道 都市ガス	180㎡	戸建住宅の敷地	51
e地域	Y駅の北方 約150m	幅員12m 舗装市道	高層店舗付共同住宅が建ち並ぶなか低層商業施設も存する商業地域	近隣商業地域 建ぺい率 80% 容積率 400% 防火地域	上水道 下水道 都市ガス	300㎡	高層店舗付共同住宅の敷地	53
f地域	X駅の北方 約80m	幅員７m 舗装県道	高層店舗付共同住宅が建ち並ぶ商業地域	近隣商業地域 建ぺい率80% 容積率400% 防火地域	上水道 下水道 都市ガス	300㎡	高層店舗付共同住宅の敷地	86
g地域	X駅の南西方 約380m	幅員８m 舗装県道	高層の店舗ビル、高層店舗付共同住宅が建ち並ぶ商業地域	近隣商業地域 建ぺい率 80% 容積率 400% 防火地域	上水道 下水道 都市ガス	250㎡	高層店舗付共同住宅の敷地	88
h地域	X駅の南東方 約430m	幅員５m 舗装県道	共同住宅、戸建住宅、店舗が混在する地域	第２種中高層住居専用地域 建ぺい率 60% 容積率 200% 準防火地域	上水道 下水道 都市ガス	250㎡	共同住宅の敷地	57

（注）地域要因に係る評点については，近隣地域の評点を 100とし，他の地域は近隣地域と比較してそれぞれ評点を付したものである。

（資料3）取引事例の概要

事例区分	所在する地域	類型	取引時点（価格時点の地価指数）	取引価格	数量等	取引時点における敷地の利用状況	道路及び供給処理施設の状況	駅からの道路距離	個別的要因	備考
取引事例（イ）	f地域	貸家及びその敷地	令和2（2020）.10.5（98.6）	624,000,000円	土地412㎡ 建物延床面積1,812㎡	鉄筋コンクリート造地上8階建店舗・共同住宅	西側幅員7m 北側幅員5m 舗装市道 上水道 下水道 都市ガス	X駅北方約90m	角地+5%	投資法人が取得。取得時の鑑定評価の概要が公表されており、積算価格の内訳は土地57%・建物33%・付帯費用10%。敷地は最有効使用。
取引事例（ロ）	c地域	自用の建物及びその敷地	令和3（2021）.2.22（99.4）	222,000,000円	土地312㎡ 建物延床面積181㎡	木造地上2階建戸建住宅	西側幅員30m 舗装市道 上水道 下水道 都市ガス	X駅南方約550m	標準的±0%	老朽化住宅が存する。取壊し費用（建物延床面積当たり18,500円/㎡・地域の標準的水準）は買主負担であることが判明。その他、特別な事情はない。
取引事例（ハ）	a地域	貸家及びその敷地	令和3（2021）.3.20（99.5）	1,227,000,000円	土地323㎡ 建物延床面積2,321㎡	鉄筋コンクリート造地上8階建店舗ビル	東側幅員70m（駅前広場） 北側幅員6m 舗装市道 上水道 下水道 都市ガス	X駅南方至近	角地+5% 形状±0%	投資法人が取得。取得時の鑑定評価の概要が公表されており、積算価格の内訳は土地53%・建物34%・付帯費用13%。敷地は最有効使用。
取引事例（ニ）	e地域	更地	令和2（2020）.10.2（98.7）	110,000,000円	土地349㎡	未利用地	西側幅員12m 北側幅員4m 舗装市道 上水道 下水道 都市ガス	Y駅北方約130m	角地+5%	関連会社間において取引された事例である。
取引事例（ホ）	b地域	定期借地権付建物（貸家）	令和元（2019）.12.7（98.3）	48,000,000円	土地1,412㎡ 建物延床面積1,820㎡	鉄骨造2階建低層商業施設（食品スーパー）	南側幅員20m 舗装市道 上水道 下水道 都市ガス	Y駅北西方約630m	規模−10%	20年の事業用定期借地権設定契約で取引時点における契約残存期間は5年。その他、特別な事情はない。
取引事例（ヘ）	g地域	自用の建物及びその敷地	令和3（2021）.6.4（100.0）	325,500,000円	土地408㎡ 建物延床面積645㎡	木造地上2階建店舗	南東側幅員8m 舗装市道 上水道 下水道 都市ガス	X駅南西方約410m	標準的±0%	老朽化店舗が存する。取壊し費用（建物延床面積当たり18,100円/㎡・地域の標準的水準）は売主負担であることが判明。その他、特別な事情はない。

事例区分	所在する地域	類型	取引時点（価格時点の地価指数）	取引価格	数量等	取引時点における敷地の利用状況	道路及び供給処理施設の状況	駅からの道路距離	個別的要因	備　考
取引事例（ト）	d地域	更地	令和2（2020）.6.22（98.8）	1,100,000,000円	土地2,223㎡	未利用地	東側幅員5m 北側幅員5m 南側幅員5m 舗装市道 上水道 下水道 都市ガス	X駅南東方約880m	三方路＋7% 形状－3%	取引に当たり、特別な事情はない。価格時点においてはマンションが建築中。

（注1）「価格時点の地価指数」は各取引事例に係る取引時点の地価指数を100とし，価格時点の価格指数を示したものである。

（注2）「個別的要因」は，各取引事例のそれぞれの地域において標準的と認められる画地と取引事例に係る土地とを比較した，取引事例に係る土地の増減価要因である。

（資料４）標準地の概要

標準地区分	所在する地域	類型	価格時点（価格時点の地価指数）	公示価格	数量等	価格時点における敷地の利用状況	道路及び供給処理施設の状況	駅からの道路距離	個別的要因	備考
標準地－１	h地域	更地として	令和３(2021).1.1 (99.4)	555,000円/㎡	土地253㎡	鉄骨造 地上２階建 共同住宅	南側幅員5m 舗装市道 上水道 下水道 都市ガス	X駅 南東方 約420m	標準的 ± 0%	地価公示法第３条の規定により選定された標準地であり、利用の現況は当該標準地の存する地域における標準的使用とおおむね一致する。更地としての価格が公示されている。
標準地－２	d地域	更地として	令和３(2021).1.1 (99.5)	431,000円/㎡	土地182㎡	木造 地上２階建 戸建住宅	北側幅員5m 舗装市道 上水道 下水道 都市ガス	X駅 南東方 約880m	標準的 ± 0%	同上
標準地５－１	g地域	更地として	令和３(2021).1.1 (99.2)	775,000円/㎡	土地345㎡	鉄筋コンクリート造 地上７階建 店舗・共同住宅	北西側幅員8m 舗装市道 上水道 下水道 都市ガス	X駅 南西方 約380m	標準的 ± 0%	同上

（注１）「価格時点の地価指数」は各標準地の価格時点の地価指数を100とし，本鑑定評価における価格時点の価格指数を示したものである。

（注２）「個別的要因」は，各標準地のそれぞれの地域において標準的と認められる画地と標準地を比較した，各標準地の増減価要因である。

（資料５）エンジニアリング・レポートの概要

１．調査時点　令和３（2021）年６月１日

２．物件概要

名称：スーパー丁　X店

所在：A県B市C町　1-2-3

用途地域等：商業地域，防火地域

敷地面積：1,500.00㎡

建築面積：1,050.00㎡

延床面積：2,250.00㎡（容積対象面積 2,150.00㎡）

建物用途：店舗

階数：地上３階

構造：鉄骨造

竣工年月：平成24（2012）年２月

設計者：戊一級建築士事務所

施工者：己建設株式会社

管理：スーパー丁株式会社

３．調査結果の概要

遵法性等：調査対象建物は，竣工後，建築確認を伴う増改築や大規模修繕は実施されていない。建築基準法等の遵法性に関しては，特に問題となる点は認められない。

緊急修繕：緊急を要する修繕事項・更新事項は特にない。

短期修繕：１年以内に行なうべき修繕事項・更新事項は特にない。

中長期修繕更新費用：13,600千円（10年間合計）

（千円）

年数	1	2	3	4	5	6	7	8	9	10	合計
暦年	2021年	2022年	2023年	2024年	2025年	2026年	2027年	2028年	2029年	2030年	
修繕更新費	0	8,200	500	1,280	0	3,000	120	500	0	0	13,600

再調達価格：272,000,000円

（内訳）躯体工事費　100,300,000円（躯体部分割合　：0.42）

仕上工事費　67,300,000円（仕上げ部分割合：0.28）

設備工事費　71,700,000円（設備部分割合　：0.30）

その他諸経費等　32,700,000円

環境リスク：竣工年より，アスベスト・ＰＣＢの含有可能性は低いと評価する。

土壌リスク：地歴等のフェーズ１調査を行った結果，調査対象地に土壌汚染が存在する可能性は低いと評価する。

ＰＭＬ値：（再現期間475年）4.9％

（注１）再調達価格は，専門家である調査員が対象建物の設計図書等の確認や現地調査を行い，対象建物を再調達した場合に要する工事費等について積算し，算定したものである。

（注２）中長期修繕費用は，専門家である調査員が対象建物の現地調査を行

い，対象建物において今後10年間必要と推定される修繕費・更新費について積算し，算定したものである。定期建物賃貸借契約書における費用負担区分を踏まえて算出されており，契約において賃借人負担と規定される費用は含まれていない。

（資料６）割引率等

収益還元法の適用に当たっては，次の数値を用いること。

・ 一時金の運用利回り：年 1.0%
・ 割引率（Y）：5.5%
・ 複利終価率：

（Y：5.5%）

年数	複利終価率	年数	複利終価率	年数	複利終価率
0.5	1.027	5.5	1.342	10.5	1.754
1.0	1.055	6.0	1.379	11.0	1.802
1.5	1.084	6.5	1.416	11.5	1.851
2.0	1.113	7.0	1.455	12.0	1.901
2.5	1.143	7.5	1.494	12.5	1.953
3.0	1.174	8.0	1.535	13.0	2.006
3.5	1.206	8.5	1.576	13.5	2.060
4.0	1.239	9.0	1.619	14.0	2.116
4.5	1.272	9.5	1.663	14.5	2.174
5.0	1.307	10.0	1.708	15.0	2.232

・ 複利現価率：

（Y：5.5%）

年数	複利現価率	年数	複利現価率	年数	複利現価率
0.5	0.974	5.5	0.745	10.5	0.570
1.0	0.948	6.0	0.725	11.0	0.555
1.5	0.923	6.5	0.706	11.5	0.540
2.0	0.898	7.0	0.687	12.0	0.526
2.5	0.875	7.5	0.669	12.5	0.512
3.0	0.852	8.0	0.652	13.0	0.499
3.5	0.829	8.5	0.634	13.5	0.485
4.0	0.807	9.0	0.618	14.0	0.473
4.5	0.786	9.5	0.601	14.5	0.460
5.0	0.765	10.0	0.585	15.0	0.448

以　上

解答例

> ※**太字**（ゴシック体）表記は，本試験解答用紙に予め印字されていた箇所です。

問１－(1)　対象不動産の最有効使用

定期借家契約，定期借地契約の残存期間，建物の残存耐用年数等を考慮し，対象不動産の最有効使用は，価格時点から9.5年間現況利用を継続した後，建物を取り壊し，10年経過時点で土地を借地権設定者に返還することと判定した。

問１－(2)　求める価格の種類

予定されている運用方法は最有効使用と同様であるため，求める価格の種類は正常価格である。

問１－(3)　価格形成に影響を与える対象地（定期借地権）に係る契約内容（２つ）

・支払地代は月額1,510,000円で，契約開始10年後（価格時点）以降は改定可能である。

・定期借地契約であり，契約更新等による存続期間の延長はなく，契約期間満了に伴い確定的に契約が終了する。また，賃借人は建物の買取を請求することができない。

問２－(1)　対象地の更地価格について

問２－(1)－①　取引事例から比準した価格

事例（　ロ　）を採用

土地価格（単価）（円／㎡）		**事**		**時**		**標**		**地**		**個**		**面（㎡）**		**取引事例から比準した価格（円）**
722,000	×	100/100	×	99.4/100	×	100/100	×	100/78	×	116/100	×	1,500	≒	1,600,000,000

$$722{,}000 \times \frac{100}{100} \times \frac{99.4}{100} \times \frac{100}{100} \times \frac{100}{78} \times \frac{116}{100} \times 1{,}500 \fallingdotseq 1{,}600{,}000{,}000$$

（※）取引事例に係る土地価格（単価）の査定根拠（建物及びその敷地の取引事例を選択する場合も記載すること）

買主負担の建物取壊し費用を取引価格に加算する。

222,000,000円＋18,500円／㎡×181㎡＝225,348,500円(722,000円／㎡)

事例（　へ　）を採用

土地価格（単価）（円／㎡）		事		時		標		地		個		面（㎡）		取引事例から比準した価格（円）
798,000	×	100/100	×	100.0/100	×	100/100	×	100/88	×	116/100	×	1,500	≒	1,580,000,000

（※）取引事例に係る土地価格（単価）の査定根拠（建物及びその敷地の取引事例を選択する場合も記載すること）

建物取壊し費用は売主負担であるため加算等は行わない。

325,500,000円÷408㎡≒798,000円／㎡

問2-(1)-②　対象地の更地の比準価格の査定

事例（ロ）は建物を買主負担で取り壊した実質更地の事例であるが，地域格差がやや大きい。

事例（へ）は建物を売主負担で取り壊した実質更地の事例であり，取引時点が新しく，地域格差も相対的に小さく，規範性が高い。

よって，事例（へ）を中心に，事例（ロ）を比較考量して，比準価格を1,580,000,000円（1,050,000円／㎡）と査定した。

問2-(1)-③　公示価格を規準とした価格

標準地（　5－1　）を採用

公示価格（円／㎡）		時		標		地		個		面（㎡）		公示価格を基準とした価格（円）
775,000	×	99.2/100	×	100/100	×	100/88	×	116/100	×	1,500	≒	1,520,000,000

問2-(1)-④　対象地の更地価格の査定

比準価格は実際に市場で発生した複数の取引事例を価格判定の基礎としており，客観的，実証的な価格である。本件では，公示価格を規準とした価格とも均衡しているので妥当と認め，比準価格の1,580,000,000円（1,050,000円／㎡）をもって更地価格と査定した。

問2-(2)　再調達原価の査定

①　土地（定期借地権）の再調達原価

1,580,000,000円×5%＝79,000,000円（52,700円／㎡）

②　建物の再調達原価

エンジニアリング・レポート記載の再調達価格を採用し，272,000,000円

（121,000円／㎡）

③　**付帯費用の再調達原価**

（79,000,000円＋272,000,000円）×20％＝70,200,000円

④　**対象不動産の再調達原価**

①＋②＋③＝421,200,000円

問２-(3)　減価額の査定

①　**土地（定期借地権）の減価額**

指示事項より，減価なし。

②　**建物の減価額**

（耐用年数に基づく方法，定額法採用・残価率０）

（躯体）　$272,000千円 \times 0.42 \times \dfrac{9.5}{9.5+9.5} = 57,120,000円$

（仕上げ）$272,000千円 \times 0.28 \times \dfrac{9.5}{9.5+9.5} = 38,080,000円$

（設備）　$272,000千円 \times 0.30 \times \dfrac{9.5}{9.5+5.5} = 51,680,000円$

合計 146,880,000円

（観察減価法）

経年相応の減価であり，耐用年数に基づく方法と同額と査定。

（建物の減価額）

上記２方法を併用し，146,880,000円と査定。

③　**付帯費用の減価額**

70,200,000円×0.54＝37,908,000円

（※）建物の減価率：146,880,000円÷272,000,000円＝0.54

④　**一体としての減価額**

（421,200,000円－146,880,000円－37,908,000円）×10％＝23,641,200円

⑤　**対象不動産の減価額**

②＋③＋④＝208,429,200円

問２-(4)　積算価格の試算

421,200,000円－208,429,200円≒213,000,000円

問３-⑴　現行契約賃料が，安定的に収受可能な水準にあると判断できる理由について

①　賃料の改定について

契約期間中，賃料の改定は不可である。

②　賃料負担の料率について

対象不動産に係る売上高に対する賃料負担の料率は以下のとおりである。

賃料：5,582,250円（月額）×12ヶ月＝66,987,000円（年額）

2018年：66,987,000円÷1,467,000,000円≒4.6％

2019年：66,987,000円÷1,438,000,000円≒4.7％

2020年：66,987,000円÷1,535,000,000円≒4.4％

平均：（4.6％＋4.7％＋4.4％）÷３≒4.6％

業界精通者によれば，同一需給圏における食品スーパーマーケットの売上高に対する適正な賃料負担の料率は4～5％であり，対象不動産の料率はこれに合致している。

③　周辺における競合環境について

近隣地域周辺では規模の大きな画地は限定的で，新規競合店舗の出店可能性は低いことから，食品スーパーマーケットに係る周辺における競合環境は安定的である。

以上により，現行契約賃料は安定的に収受可能な水準にあると判断した。

問３-⑵　直接還元法（有期還元法インウッド式）による収益価格

問３-⑵-①　運営収益の査定

①　貸室賃料収入

上記より，66,987,000円（年額）

②　共益費収入

賃借人負担につき非計上。

③　水道光熱費収入

賃借人負担につき非計上。

④　駐車場収入

貸室賃料に含まれていることから非計上。

⑤　その他収入

特になし。

⑥　空室等損失

指示事項により，非計上。

⑦　貸倒れ損失

指示事項により，非計上。

⑧　運営収益

上記計，66,987,000円

問３-⑵-②　運営費用の査定

①　維持管理費

賃借人負担につき非計上。

②　水道光熱費

賃借人負担につき非計上。

③　修繕費

13,600,000円÷10年×0.3＝408,000円

④　ＰＭフィー

66,987,000円×2.0％＝1,339,740円

⑤　テナント募集費用等

指示事項により，非計上。

⑥　公租公課（土地）

借地権付建物につき，非計上。

⑦　　〃　　（建物）

199,411,790円×（1.4％＋0.3％）≒3,390,000円

⑧　　〃　　（償却資産）

7,064,250円×1.4％≒98,900円

⑨　損害保険料

272,000,000円×0.05％＝136,000円

⑩　その他費用

1,510,000円×12ヶ月＝18,120,000円

⑪　運営費用

上記計，23,492,640円

問３-⑵-③　純収益の査定

①　運営純収益

66,987,000円－23,492,640円＝43,494,360円

② 一時金運用益

44,658,000円×1.0％－15,100,000円×1.0％＝295,580円

③ 資本的支出

13,600,000円÷10年×0.7＝952,000円

④ 純収益

①＋②－③＝42,837,940円

問３-⑵-④ 直接還元法（有期還元法インウッド式）による収益価格の査定

$$42,837,940円\times\frac{1.663-1}{0.055\times1.663}-21,200円/㎡\times2,250㎡\times0.585\fallingdotseq283,000,000円$$

（※１）複利終価率は，残存借家期間及び建物の残存耐用年数に合わせて1.663（年数9.5年）を採用した。

（※２）複利現価率は，建物取壊し費の支払い時点が借家契約の期間満了後６ヶ月後であるため，0.585（年数10.0年）を採用した。

問３－⑶　ＤＣＦ法による収益価格

問３－⑶－①　純収益の現在価値の総和の査定

（純収益の現在価値の総和の査定表①（１～５年度））　（円）

		1	2	3	4	5
貸室賃料収入		66,987,000	〃	〃	〃	〃
共益費収入		0	〃	〃	〃	〃
水道光熱費収入		0	〃	〃	〃	〃
駐車場収入		0	〃	〃	〃	〃
その他収入		0	〃	〃	〃	〃
空室等損失		0	〃	〃	〃	〃
貸倒れ損失		0	〃	〃	〃	〃
運営収益		66,987,000	〃	〃	〃	〃
維持管理費		0	〃	〃	〃	〃
水道光熱費		0	〃	〃	〃	〃
修繕費		0	2,460,000	150,000	384,000	0
ＰＭフィー		1,339,740	〃	〃	〃	〃
テナント募集費用等		0	〃	〃	〃	〃
公租公課	（土地）	0	〃	〃	〃	〃
	（建物）	3,390,000	〃	〃	3,152,700	〃
	（償却資産）	98,900	〃	〃	〃	〃
損害保険料		136,000	〃	〃	〃	〃
その他費用		18,120,000	〃	〃	〃	〃
運営費用		23,084,640	25,544,640	23,234,640	23,231,340	22,847,340
運営純収益		43,902,360	41,442,360	43,752,360	43,755,660	44,139,660
一時金の運用益		295,580	〃	〃	〃	〃
資本的支出		0	5,740,000	350,000	896,000	0
純収益		44,197,940	35,997,940	43,697,940	43,155,240	44,435,240
複利現価率		0.948	0.898	0.852	0.807	0.765
純収益の現在価値		41,899,647	32,326,150	37,230,645	34,826,279	33,992,959
純収益の現在価値の総和		304,341,403				

※６年度以降は次頁査定表に続く

（純収益の現在価値の総和の査定表②（6～10年度））　（円）

		6	7	8	9	10
貸室賃料収入		〃	〃	〃	〃	33,493,500
共益費収入		〃	〃	〃	〃	〃
水道光熱費収入		〃	〃	〃	〃	〃
駐車場収入		〃	〃	〃	〃	〃
その他収入		〃	〃	〃	〃	〃
空室等損失		〃	〃	〃	〃	〃
貸倒れ損失		〃	〃	〃	〃	〃
運営収益		〃	〃	〃	〃	33,493,500
維持管理費		〃	〃	〃	〃	〃
水道光熱費		〃	〃	〃	〃	〃
修繕費		900,000	36,000	150,000	0	0
ＰＭフィー		〃	〃	〃	〃	669,870
テナント募集費用等		〃	〃	〃	〃	〃
公租公課	（土地）	〃	〃	〃	〃	〃
	（建物）	〃	2,932,011	〃	〃	2,726,770
	（償却資産）	〃	〃	〃	〃	〃
損害保険料		〃	〃	〃	〃	〃
その他費用		〃	〃	〃	〃	〃
運営費用		23,747,340	22,662,651	22,776,651	22,626,651	21,751,540
運営純収益		43,239,660	44,324,349	44,210,349	44,360,349	11,741,960
一時金の運用益		〃	〃	〃	〃	〃
資本的支出		2,100,000	84,000	350,000	0	0
純収益		41,435,240	44,535,929	44,155,929	44,655,929	12,037,540
複利現価率		0.725	0.687	0.652	0.618	0.585
純収益の現在価値		30,040,549	30,596,183	28,789,666	27,597,364	7,041,961

問3−(3)−②　復帰価格の現在価値及びＤＣＦ法による収益価格の査定

①　純収益の現在価値の合計

304,341,403円

②　復帰価格の現在価値

21,200円／㎡×2,250㎡×0.585＝27,904,500円

③　ＤＣＦ法による収益価格

304,341,403円－27,904,500円≒276,000,000円

問３－(4)　試算価格としての収益価格

①　両手法の特徴

インウッド式による収益価格は，対象不動産の純収益に割引率と収益期間に基づく複利年金現価率を乗じて求めた当該期間における純収益の現在価値の合計から，建物取壊し費用の現在価値を控除して求めたものである。直接還元法に分類され，純収益としては単一のものを採用する必要があり，各収益費用項目について平準化した額を計上した。

ＤＣＦ法による収益価格は，キャッシュフロー表を用い，保有期間各期の収益費用項目をすべて明示したうえで当該期間における純収益の現在価値の合計を求め，復帰価格（建物取壊し費用）の現在価値を控除して求めたものである。一定期間の純収益の合計＋復帰価格の現在価値，という構成要素はインウッド式と同様だが，各年の収益費用項目についてすべて変動予測を行って反映しており，本件では特に修繕費，資本的支出の変動についてエンジニアリング・レポートの査定結果を適切に反映しており，10年目の収支についても実態に即応している。

②　試算価格としての収益価格の査定理由

ＤＣＦ法は，連続する複数の期間に発生する純収益及び復帰価格を予測しそれらを明示することから，収益価格を求める過程について説明性に優れたものである（「留意事項」総論第７章）。

本件においては，上記のように一部収益費用項目について，期間全体で平準化を行ったインウッド式と比較して具体的な金額に基づき収入支出時点等を適切に反映しており，ＤＣＦ法の説得力が相対的に優ると判断した。

よって，ＤＣＦ法による収益価格を中心にインウッド式による収益価格を比較考量し，試算価格としての収益価格を278,000,000円と査定した。

問４　鑑定評価額の決定

対象不動産は借地権付建物（建物は賃貸）であり，典型的な需要者は，投資用物件としての運用を目論む投資ファンド，不動産会社，個人投資家等であり，収益の安定性や投資採算性，転売時の流動性等に着目し，取引の意思決定を行うことから，収益性，投資採算性を反映する収益価格の説得力が優ると判断した。

よって，収益価格を中心に積算価格は参考にとどめ，鑑定評価額を278,000,000円と決定した。

以　上

本問は，「借地権付建物」に関する問題で，問１，問３小問(1)及び問４が記述問題，問２及び問３が計算問題となっている。

問１は，記述型の基本問題である。最有効使用は一定期間現況継続後取壊し（もしくは単に現況継続，でも及第点であろう），価格の種類が正常価格であることは明らかなので，適宜資料等を引用しつつ簡潔に述べればよい。小問(3)は，契約内容に沿って賃料，期間，一時金等，価格に影響があるものであればどれを挙げてもよいが，「定期借地契約であること」と「地代（改定の可否含む）」を挙げるのが無難であろう。

問２の原価法は計算分量は少ないが，「取引事例の選択」と「減価修正」の難易度がやや高い。取引事例については，解答例は事例（ロ）と（へ）を採用しているが，（イ）を採用した受験生も多いものと思われる。（イ）は貸家及びその敷地の事例で，鑑定評価額の内訳は判明しているものの借家人居付による増減価の有無，程度の記載がなく，土地価格は求められるがあくまで「貸家建付地」としての価格であり，更地価格を同水準としてよいか判断不能なため不採用とするのが無難である。仮に，試験委員が「敷地は最有効使用」という言葉に「更地としての最有効使用が実現しており，借家人居付による増減価も生じていない」という意味も含めているのであれば，むしろ（イ）を採用すべきだが，過去の本試験においてこのような解釈はされていないので，やはり（ロ）を採用するのが得策であろう。なお，（ロ）も地域の標準的使用が近隣地域とやや異なり，微妙な判断となるため，時間に余裕があればとりあえず３事例計算してみて，（イ）のみが乖離するので不採用，とする判断も考えられる。減価修正は，建物の耐用年数に基づく方法の年数が0.5刻みで資料の見落としやケアレスミスが起こりやすいので注意してほしい。付帯費用の減価は，建物全体の減価率に基づいて計算する必要があり，ＴＡＣの答練とは方法が異なるため，こちらも慎重に対処してほしい。一体減価の計上も忘れないようにすること。

問３の記述問題は売上高に対する賃料の割合の計算は必要だが，資料をよく読めば３つの事項すべてについてヒントがあるため時間をかければ解答例のような記述にたどり着けたはずである。インウッド式は収益費用項目ごとに指示事項に沿って単純計算をしていけばよく，原価法同様，計算分量は少ないが，①一時金の運用益について，建物の賃貸に係る敷金は運用益，土地の賃貸に係る敷金は運用損を計上する点，②複利終価率は借家契約の残存期間及び建物の経済的残存耐用年数に合わせて9.5年の率を採用し，複利現価率は取壊し費用の支払い時点に合わせて10年の率を採用する点は難易度が高い。また，ＤＣＦ法は保有期間が10年と長く，③修繕費，資本的支出はＥＲに準拠し，各年度の額を３：７に区分して計上する点，④10年目の貸室賃料収入，ＰＭフィーは借家契約の残存期間に合わせて1/2（６ヶ月分）を計上する点，⑤10年目の建物公租公課は，１月１日現在の所有者が１年分を負担し，年途中に建物を取り壊しても減免等が行われないこと，償却資産の公租公課や損害保険料が前年までと同額となっていること等から，１年分を計上する点，⑥復帰価格は建物取壊し費用のマイナスのみとなる点の難易度が高い。超上位レベルの受験生であってもノーミスで対処することは難しく，何箇所かミスをした受験生が大半と思われる。ここは，本試験当日の限られた時間内で精度を確保することは困難であり，「多少ミスをしながらでも完走する」ことが重要であろう。初見の問題への対応力と精神力が問われる内容である。収益価格の決定については論文の定番論点である直接還元法とＤＣＦ法の特性の違いを踏まえて簡潔に説明してほしい。なお，解答例ではインウッド式による収益価格にも一定の比重を置いたが，特定価格ではないものの，各論３章の規定を準用して「直接還元法による収益価格は検証にとどめ，ＤＣＦ法による収益価格を採用する」という判断も問題はない。

問４については，上記の収益価格の査定とは逆に解答例は収益価格自体を採用しているが，積算価格に一定の比重を置く判断をしてもよい。

MEMO

◇ 令和４年度・演習

問題　別紙１〔指示事項〕及び別紙２〔資料等〕に基づき，不動産の鑑定評価に関する次の設問に答えなさい。

問１　本件鑑定評価に関する次の問に答えなさい。

⑴　本件対象不動産の確認に当たって，種別・類型に即して特に重要となる確認資料を３つ挙げなさい。

⑵　本件鑑定評価に当たって確認すべき主な事項に「修繕積立金の額」があるが，どのような性格のもので，なぜ確認が必要なのかを述べなさい。

⑶　共同住宅の場合，一般的には階層が上に行くほど効用は高くなるが，これと関連の深い本件類型固有の個別的要因を２つ挙げなさい。また，高層階の効用が高くなる理由を簡潔に説明しなさい。

⑷　配分率を乗ずることにより積算価格を求める２つの方法のうち，本件鑑定評価において用いる下記問２の方法の考え方についてと，その方法が一般的にどのような場合に採用されるかを述べなさい。

問２　原価法に関する次の問に答えなさい。

⑴　対象不動産の存する「一棟の建物及びその敷地」に係る更地価格を求めなさい。

⑵　対象不動産の存する「一棟の建物及びその敷地」に係る再調達原価を求めなさい。

⑶　再調達原価に減価修正を行い，「一棟の建物及びその敷地」の積算価格を求めなさい。

⑷　対象不動産の配分率を求めなさい。

⑸　原価法による試算価格を求めなさい。

問３　取引事例比較法による試算価格を求めなさい。

問４　収益還元法に関する次の問に答えなさい。

⑴　対象不動産の総収益を求めなさい。

⑵　対象不動産の総費用を求めなさい。

⑶　収益還元法による試算価格を求めなさい。

問５　問２，問３及び問４で求めた試算価格をもとに，対象不動産の鑑定評価額を決定しなさい。鑑定評価額の決定に当たっては，各試算価格が有する説得力に係る判断の過程について，簡潔に説明しなさい。

別紙１〔指示事項〕

Ⅰ．共通事項

1．問２，問３及び問４における各手法の適用の過程において求める数値は，別に指示がある場合を除き，小数点第１位以下を四捨五入し，整数で求めること。ただし，取引事例及び建設事例等から比準した価格，賃貸事例から比準した賃料，公示価格を規準とした価格，「一棟の建物及びその敷地」に係る更地価格，実際の建築工事費より求めた価格，建物再調達原価，「一棟の建物及びその敷地」の積算価格，各手法を適用して試算した試算価格並びに鑑定評価額については，上位４桁目を四捨五入した上で上位３桁を有効数字として取り扱うこと。

（例）1,234,567円　→　1,230,000円

2．消費税及び地方消費税については，各手法の適用の過程においては考慮せず，各種計算に当たっては，各資料の数値を前提とすること。

3．対象不動産及び取引事例，賃貸事例等とされている不動産については，土壌汚染，埋蔵文化財及び地下埋設物に関して価格形成に影響を与えるものは何ら存しないことが判明していることを前提とし，また，いずれも建物に関しては，アスベスト含有建材，ポリ塩化ビフェニル等の有害物質の使用又は保管がないことが確認されていることを前提として鑑定評価を行うこと。

4．「一棟の建物及びその敷地」に係る土地及び建物の数量については別紙２〔資料等〕「Ⅱ．対象不動産の存する「一棟の建物及びその敷地」」に記載された「建物登記簿〔全部事項証明書〕記載数量」，対象不動産については別紙２〔資料等〕「Ⅲ．対象不動産」に記載された壁芯数量によること。

5．対象不動産は，不動産鑑定評価基準各論第３章の証券化対象不動産ではない。よって，同章の規定は適用せずに鑑定評価を行うこと。

6．本件鑑定評価においては，土地建物一体としての取引事例比較法は適用しないこと。

7．取引事例，建設事例，分譲事例，賃貸事例のうち取壊しを前提としない複合不動産の事例は，最有効使用の状態にあることを前提として鑑定評価を行うこと。

8．建物の経過年数を算定する場合における端数（１年未満）のうち，１カ月以上経過したものについては，経過期間を１年に切り上げること。

9．問２，問３及び問４における各手法の適用の過程において求める数値につ

いて，解答に計算を要する場合は，別に指示がある場合を除き，計算式等の計算根拠を示して解答すること。

Ⅱ．問２－⑴について

「一棟の建物及びその敷地」に係る土地（以下「一棟の敷地」という。）の更地価格は，取引事例比較法を適用して求めること。取引事例比較法の適用に当たっては，次に掲げる事項に留意すること。

1．別紙２〔資料等〕「（資料３）標準地・取引事例の概要」に記載の各取引事例の中から，取引事例を２つ選択し，比準価格を求めること（事例の選択要件を解答する必要はなく，当該事例を選択した理由及び選択しない事例に係る不選択の理由も解答する必要はない）。

2．更地の取引事例を選択する場合は，取引事例に係る土地価格の単価を求める計算根拠を記載すること。また，建物及びその敷地の取引事例を選択する場合は，取引事例に係る土地価格の単価（更地としての価格）を査定した上で比準すること。その際，取引事例に係る土地価格（更地としての価格）の単価の計算根拠を併せて記載すること。

3．取引事例から比準した価格を求める場合の計算式及び略号は，次のとおりとすること。

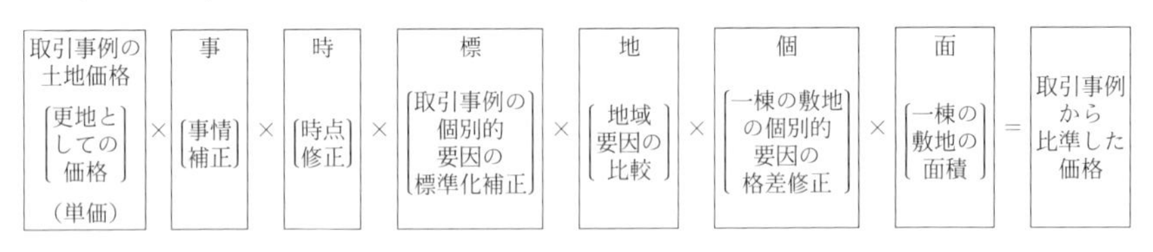

4．取引事例から比準した価格及び公示価格を規準とした価格を求める際に用いる数値は，別紙２〔資料等〕「（資料２）近隣地域・類似地域等の概要」及び「（資料３）標準地・取引事例の概要」の記載事 項から算出すること。

5．時点修正に当たって，取引事例から比準した価格及び公示価格を規準とした価格を求める際は，別紙２〔資料等〕「（資料３）標準地・取引事例の概要」に記載の価格時点の地価指数を用いること。

6．取引事例の個別的要因の標準化補正率の査定は，相乗積をもって査定すること。

（例）取引事例 二方路地（＋２％）・不整形地（－５％）

取引事例の個別的要因の標準化補正率

(100%＋２％)×(100%－５％)≒97%(小数点以下第１位四捨五入)

7．一棟の敷地の更地価格の査定に当たっては，公示価格を規準とした価格との均衡に留意すること。公示価格を規準とした価格を求める場合の計算式及び略号は，次のとおりとすること。

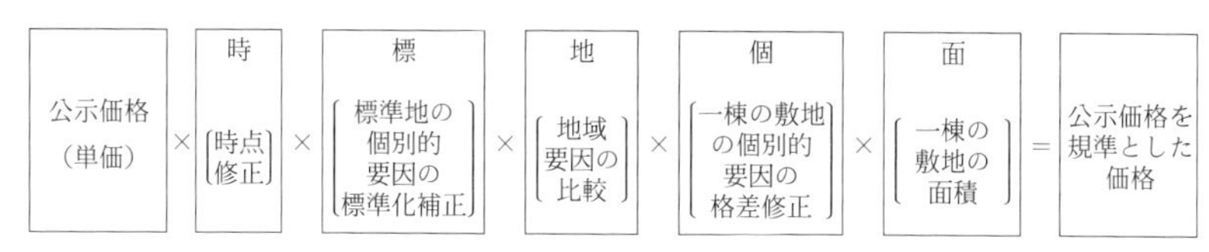

Ⅲ．問２－(2)について

1．「一棟の建物及びその敷地」に係る再調達原価は，一棟の敷地の更地価格に「一棟の建物及びその敷地」に係る建物（以下「一棟の建物」という。）の再調達原価を加算して，通常の付帯費用を含まない土地建物一体の再調達原価を求め，この額に通常の付帯費用を加算して求めること。

2．一棟の建物の再調達原価は，直接法及び間接法を併用して求めること。

① 直接法については，別紙２〔資料等〕「(資料４) 一棟の建物の建築工事費」に記載の内容に基づき，一棟の建物の再調達原価を求めること。査定に用いる事情補正及び時点修正の略号は，間接法と同じとすること。

② 間接法については，別紙２〔資料等〕「(資料５) 建設事例の概要」の建設事例（α）から比準して求めること。一棟の建物の再調達原価を間接法により求める場合の略号は，次のとおりとすること。また，時点修正に当たっては，別紙２〔資料等〕「(資料５) 建設事例の概要」に記載の価格時点の建築費指数を用いること。

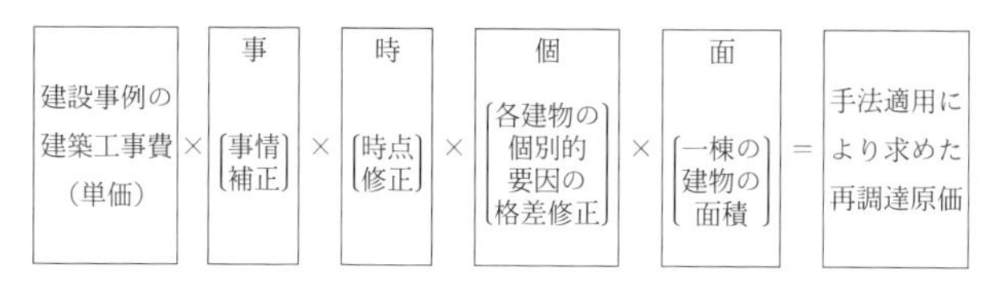

3．付帯費用については，建物に直接帰属する付帯費用（設計監理料等）及び土地との関係で発生し，一体として把握される付帯費用（資金調達費用や開発リスク相当額等）として，一棟の敷地と一棟の建物の再調達原価の合計額

の15%を計上すること。なお，土地に直接帰属する付帯費用については，土地価格に比して些少であり，土地価格に含めても価格形成に大きな影響を与えないと判断できることから，本件では考慮しないものとする。

Ⅳ．問２－(3)について

１．土地に係る減価はないものとすること。

２．建物の減価額は，耐用年数に基づく方法と観察減価法を併用して求めること。

３．建物の躯体部分，仕上げ部分，設備部分の構成割合は，40%：40%：20%とすること。

４．建物の躯体部分の耐用年数は50年，仕上げ部分の耐用年数は30年，設備部分の耐用年数は15年とし，減価修正の耐用年数に基づく方法はいずれも定額法を採用し，残価率は０とすること。

５．建物の減価の程度は，経年相応と判断すること。

６．付帯費用に係る減価額の査定に当たっては，当該付帯費用が建物等の維持される期間において配分される費用であるものとして，建物と同様の方法で減価修正を行うものとし，耐用年数は50年，残価率は０として求めること。

Ⅴ．問２－(4)について

１．対象不動産の配分率は，階層別効用比により求められた配分率（以下「階層別効用比率」という。）と位置別効用比により求められた配分率（以下「位置別効用比率」という。）を掛け合わせて求めること。その際，別紙２〔資料等〕「（資料６）一棟の建物に存する各専有部分の専有面積等」に記載の壁芯数量を用いること。

２．階層別効用比及び位置別効用比については，別紙２〔資料等〕「（資料７）分譲事例の概要」に記載の一棟の建物と類似している周辺のマンション分譲事例（β）・（γ）のうち，最も適切な分譲事例を１つ選択し，各効用比の査定には同一の分譲事例を用いること。

３．階層別効用比については，まず，対象不動産と開口部方位が同じタイプの住戸の分譲単価比から５階を基準階として査定し，次に，１階の階層別効用比については，一棟の建物１階のＡ１タイプ・Ｆタイプの住戸には専用庭があることによる効用増，店舗は用途による効用差があることを考慮して，分譲事例の分譲単価比から求めた１階の効用比と113％の相乗積により求めること。

4．位置別効用比については，選択した分譲事例の分譲単価比から査定し，対象不動産と同じ５階の開口部方位が同じタイプの住戸を基準として求めること。

5．階層別効用比及び位置別効用比については，基準を100として，小数点以下第１位を四捨五入して整数で求め，階層別効用比率及び位置別効用比率並びに配分率については，小数点以下第５位を四捨五入して求めること。

（例）0.12347　→　0.1235

Ⅵ．問３について

1．別紙２〔資料等〕「（資料８）区分所有建物の取引事例の概要等」に記載の区分所有建物の各取引事例の中から，取引事例を２つ選択し，比準価格を求めること（事例の選択要件を解答する必要はないが，選択しない事例に係る不選択の理由を記載すること）。

2．取引事例比較法の適用に当たっては，取引事例に係る取引価格（単価）を査定した上で比準し，その際，取引事例に係る取引価格（単価）を求める計算根拠を記載すること。

3．取引事例比較法の適用における要因格差修正は別紙２〔資料等〕「（資料８）区分所有建物の取引事例の概要等」に基づいて行うこと。

4．時点修正に当たって，取引事例から比準した価格を求める際は，別紙２〔資料等〕「（資料８）区分所有建物の取引事例の概要等」に記載の価格時点のマンション価格指数を用いること。

5．区分所有建物の比準価格を求める場合の計算式及び略号は，次のとおりとすること。

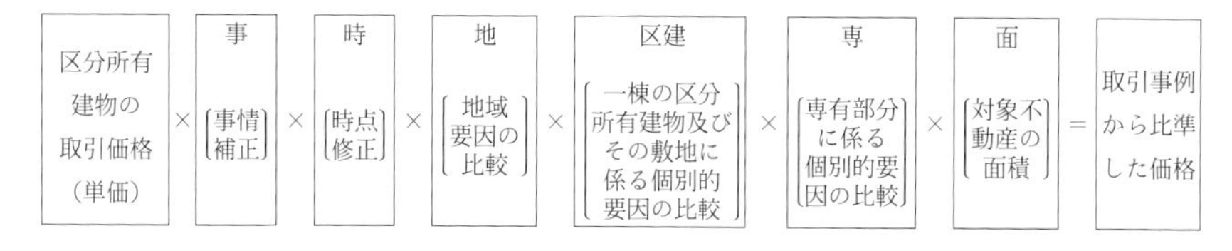

Ⅶ．問４について

収益還元法の適用に当たっては，直接還元法を適用し，対象不動産は自用であるので，価格時点において新規に賃貸することを想定し，総収益から総費用を控除して求めた純収益を還元利回りで還元して対象不動産の収益価格を求めること。

Ⅷ．問４－⑴について

総収益は，賃料等収入（一時金の運用益及び償却額を含む）と共益費収入を合計して査定すること。査定に当たっては，次に掲げる事項に留意すること。

１．対象不動産の賃料は，賃貸事例比較法により求めること。

① 別紙２〔資料等〕「（資料９）賃貸事例の概要等」の賃貸事例のうち，最も適切な賃貸事例を１つ選択し，当該賃貸事例から比準して対象不動産の月額実質賃料を求めること。

② 賃貸事例の月額実質賃料（単価）の査定根拠を併せて記載すること（事例の選択要件を解答する必要はない。また，当該事例を選択した理由及び選択しない事例に係る不選択の理由も解答する必要はない）。

③ 賃貸事例から比準する際に用いる数値は，別紙２〔資料等〕「（資料９）賃貸事例の概要等」の記載事項から算出すること。また，対象不動産及び賃貸事例の平均賃貸借期間はいずれも４年とし，敷金の運用益は運用利回りを年1.0％として求めること。礼金の運用益及び償却額は，償却期間を４年，運用利回りを年1.0％とし，年賦償還率（＝0.2563）により求めること。

④ 時点修正に当たって，賃貸事例から比準した賃料を求める際は，別紙２〔資料等〕「（資料９）賃貸事例の概要等」に記載の価格時点の賃料指数を用いること。

⑤ 賃貸事例比較法を適用する際に用いる計算式及び略号は，次のとおりとすること。

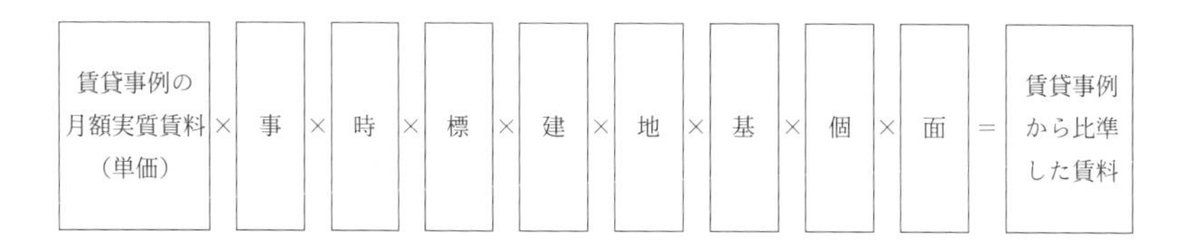

各項の意味と略号

事：事情補正	**地**：地域要因の比較
時：時点修正	**基**：基準住戸の個別的要因の比較
標：賃貸事例の標準化補正	**個**：対象住戸の個別的要因の格差修正
建：一棟全体の建物格差修正	**面**：対象不動産の面積

２．対象不動産の一時金に関する賃貸条件（敷金及び礼金の月数）は，選択した賃貸事例と同一とすること。

３．共益費には実質的に賃料に相当する部分は含まず，共益費の水準は，選択した賃貸事例と同水準と判断し，当該賃貸事例の１㎡当たりの単価をもとに共益費収入を査定すること。その際，月額共益費は，その上位３桁目を四捨五入して上位２桁を有効数字として一旦求めること。

（例）12,345円　→　12,000円

Ⅸ．問４－(2)について

総費用は，維持管理費，修繕費，公租公課（土地，建物），損害保険料，貸倒れ準備費，空室等による損失相当額を合計して査定すること。査定に当たっては，次に掲げる事項に留意すること

１．維持管理費は，管理組合へ支払う管理費に加えて，総収益の３％を計上すること。

２．修繕費は，修繕積立金の額に加えて，総収益の1.5％を計上すること。

３．公租公課は，固定資産税及び都市計画税とし，令和４（2022）年度の実額に基づき土地87,000円，建物181,000円を計上すること。

４．損害保険料は，建物再調達原価に対する火災保険，賠償責任保険の標準的な料率と判断される0.1％を用いて求めること。対象不動産の建物再調達原価は，一棟の建物の再調達原価に配分率を乗じて求めること。

５．貸倒れ準備費は，類似不動産の賃借人の状況等を勘案し，計上しない。

６．空室等による損失相当額は，稼働率95％として査定すること。

X．問４－(3)について

還元利回りは，類似不動産の取引利回りとの比較，対象不動産の個別性，将来の純収益の変動見通し等を勘案して4.7%を採用すること。

XI．問５について

鑑定評価額の決定に当たっては，各試算価格が有する説得力に係る判断の過程についての説明を簡潔に行い，重視した試算価格とその理由を明確にすること。各試算価格の再吟味についての説明を解答する必要はなく，各試算価格が有する説得力に係る判断のうち，各手法の適用において採用した資料の特性及び限界からくる相対的信頼性についての説明も解答する必要はない。

別紙2〔資料等〕

Ⅰ．依頼内容

本件は,「Z駅」から南東方約350m（道路距離）に位置する高層店舗付共同住宅の一室である対象不動産について，売買の参考として，不動産鑑定士に鑑定評価を依頼したものである。

Ⅱ．対象不動産の存する「一棟の建物及びその敷地」

1．一棟の建物

所　　　在　A県B市C町1丁目2番地1

建物の名称　XYレジデンス

構　　　造　鉄筋コンクリート造陸屋根8階建

建築年月日　平成29（2017）年6月1日

床　面　積　（建物登記簿〔全部事項証明書〕記載数量）

1階	260.00㎡
2階	295.00㎡
3階	295.00㎡
4階	295.00㎡
5階	295.00㎡
6階	240.00㎡
7階	165.00㎡
8階	165.00㎡
合計	2,010.00㎡

2．敷地権の目的である土地

所在及び地番　A県B市C町1丁目2番1

地　　　　目　宅地

地　　　　積　495.00㎡（建物登記簿〔全部事項証明書〕記載数量）

Ⅲ．対象不動産

【専有部分の表示】

家屋番号　C町1丁目2番1の502

建物の名称　502号

種　　　類　居宅

構　　　造　鉄筋コンクリート造1階建

床　面　積　5階部分 69.22㎡（建物登記簿〔全部事項証明書〕記載数量）
壁芯数量 73.00㎡
敷地権の種類　所有権
敷地権の割合　登記簿　175,900分の7,300
所　有　者　甲（個人）

Ⅳ．鑑定評価の基本的事項

1．類型
区分所有建物及びその敷地（建物は自用，敷地は共有）

2．鑑定評価の条件
(1) 対象確定条件
現実の状態を所与とする鑑定評価
(2) 地域要因又は個別的要因についての想定上の条件
な　い
(3) 調査範囲等条件
な　い

3．価格時点
令和4（2022）年8月1日

4．依頼の目的
売買の参考

5．鑑定評価によって求める価格の種類
正常価格

Ⅴ．対象不動産が所在するＢ市の概況

1．位置等
(1) 位置及び面積　Ａ県の西部に位置し，面積は約300㎢である。
(2) 沿　革　等　Ｂ市は，Ａ県の西部に位置する県庁所在地で，古くから交通の要衝として栄えてきた。近年においても，行政・商業・業務などの都市機能の集積が進んでおり，Ａ県の中心的な都市として発展している。

2．人口等
(1) 人　口　現在約120万人であり，近年は微増傾向が続いている。

⑵　世帯数　約60万世帯

３．交通施設及び道路整備の状態

⑴　鉄　道　私鉄○○線がＢ市の中央部を南北に縦断し，ＪＲ○○線がＢ市の中央部を東西に横断している。

⑵　バ　ス　「W駅」を中心としてバス路線網が整備され，運行便数も多く，鉄道を補完している。

⑶　道　路　国道及び県道を幹線道路とし，市道が縦横に敷設されている。Ｂ市の南部には○○自動車道のインターチェンジが設けられ，周辺都市と連絡している。

４．供給処理施設の状態

⑴　上 水 道　普及率ほぼ100％

⑵　下 水 道　普及率ほぼ100％

⑶　都市ガス　普及率約95％

５．土地利用の状況

⑴　商業施設　Ｂ市の繁華街○○エリアはＪＲ○○線「W駅」南側に所在し，百貨店を中心に専門店，商店街が集積するＡ県随一の商業地域である。また，「W駅」の隣駅である「Ｚ駅」南口から伸びる広幅員道路沿いに高層の店舗・事務所が建ち並び，その背後地には小売店舗や飲食店舗が集積している。

⑵　住　　宅　全体的な傾向として，駅周辺や住商混在のエリアでは中高層の共同住宅，店舗付共同住宅が多く建ち並び，郊外部では戸建住宅や低層の共同住宅が多く建ち並んでいる。

Ⅵ．対象不動産に係る市場の特性

１．同一需給圏の判定

対象不動産と代替・競争関係が成立する類似不動産の存する圏域（同一需給圏）は，Ｂ市内のうちＪＲ○○線沿線の最寄り駅から徒歩圏に所在する生活利便性の良好な住宅地域及び住商混在地域である。

２．同一需給圏内における市場参加者の属性及び行動

同一需給圏内の売買市場における市場参加者の属性は，個人のファミリー層が中心であり，不動産取引に際し，主に市場における取引価格等を重視する傾向にある。

3．市場動向

⑴　不動産の取引市場動向

駅徒歩圏内で，中高層の共同住宅，店舗付共同住宅の建設が可能な規模を有する土地については希少性が高く，入札等により複数の需要者が競合する場合が多い。

中古マンション市場においては，成約件数は増加傾向にあり，逆に在庫物件は減少傾向にあるが，しばらくの間上昇傾向で推移してきた1戸当たりの平均分譲価格は，令和3（2021）年春以降は概ね横ばいで推移していた。しかし，令和4（2022）年に入ると平均分譲価格は再び上昇に転じている。

⑵　不動産の賃貸市場動向

賃貸住宅の需給動向は，新築・既存物件ともに優良な物件とそれ以外の物件間で需要者の選別による二極化が進んでいる。家賃水準については，全体的には契約条件が改善される傾向にあるが，築年が経過し，設備の劣る物件については，需要は少なく，空室の増加が目立っている。

4．同一需給圏における地価の推移・動向

同一需給圏における地価について，近年は概ね上昇傾向で推移してきたが，令和3（2021）年春以降は横ばいで推移し，令和4（2022）年に入ると再び上昇傾向を示している。今後しばらくは同様の推移が見込まれる。

Ⅶ．近隣地域の状況

別紙2〔資料等〕「（資料2）近隣地域・類似地域等の概要」のとおりである。

Ⅷ．個別分析

1．一棟の敷地の状況

⑴　近隣地域における位置

近隣地域のほぼ中央部に位置する。

⑵　土地の状況

①　街路条件

西側：幅員約8ｍの舗装市道（市道○号線，建築基準法第42条第1項第1号道路）

②　交通・接近条件

近隣地域の標準的画地とほぼ同じである。

③　環境条件

近隣地域の標準的画地と同じである。

④　行政的条件

近隣地域の標準的画地と同じである。

⑤　画地条件

間口約25m・奥行約26m・規模495.00㎡の不整形な中間画地である。

(3)　標準的画地と比較した増減価要因

増価要因：なし

減価要因：不整形地（－５％）

2．一棟の建物の状況

(1)　建物概要

①　建築年月日：平成29（2017）年６月１日

②　構造・用途：鉄筋コンクリート造陸屋根８階建　店舗・共同住宅

③　面　　　積：延べ2,010.00㎡

④　設計・各階用途：住戸25戸，店舗１戸，総戸数26戸のファミリー向けの高層店舗付共同住宅である。１階はエントランス・駐車場・店舗・住戸，２階以上は住戸が配置されている。住戸部分の主な間取りは２LDK～３LDK，専有面積（壁芯面積）は55～80㎡程度が中心であり，同種の建物としては標準的な設計である。

(2)　設備概要

電気設備，給排水設備，衛生設備，空調設備，オートロック，エレベーター１基等

(3)　仕上げ概要

躯　体：鉄筋コンクリート

外　壁：タイル貼

屋　上：アスファルト防水コンクリート押さえ

(4)　使用資材の品等

中位

(5)　施工の質及び量

質及び量ともに店舗付共同住宅として標準的である。なお，一棟の建物

は新耐震基準に適合している。

(6) 維持管理の状態

維持管理の状態は概ね普通で，経年相応の減価が認められる。

(7) 建物とその環境との適合の状態

一棟の建物は，周辺環境と適合している。

(8) その他（特記すべき事項）

経年相応の劣化が認められるが，特に著しい物理的減価は認められず，機能的及び経済的減価も特に認められない。

3．一棟の建物及びその敷地の状況

(1) 建物等とその敷地との適応の状態

一棟の建物は，敷地と適応している。

(2) 修繕計画及び管理計画の良否とその実施の状態

大規模修繕に係る修繕計画：あり

管理規約：あり

管理委託先：○○建物管理株式会社

管理実施の状態：管理委託先により計画どおりに実施されている。

4．対象不動産の状況

(1) 建物概要

① 面　　　積：73.00㎡（壁芯面積）

② 位置・間取り：5階部分　3LDK（洋室3，LDK等）

③ 方 位・開 口：南・東・北（三方）

④ 構 造・用 途：鉄筋コンクリート造1階建　居宅

(2) 設備概要

電気設備，換気設備，衛生設備，防災設備，インターホン等

(3) 仕上げ概要

内壁：ビニールクロス貼

床　：フローリング

天井：ビニールクロス貼

(4) 使用資材の品等

中位

(5) 施工の質及び量

質及び量ともに居宅として標準的である。

⑹　維持管理の状態

居宅として標準的な使用がなされており，維持管理の状態は概ね良好である。

⑺　管理費等の状態

管理組合へ支払う管理費は16,000円（月額），修繕積立金は11,000円（月額）である。

⑻　その他（特記すべき事項）

経年相応の劣化が認められるが，特に著しい物理的減価は認められず，機能的及び経済的減価も特に認められない。

５．対象不動産の市場分析

⑴　対象不動産に係る典型的な需要者層

典型的な需要者は，自らの居住を目的に購入する個人のファミリー層であり，主に市場における取引価格等に着目し，取引の意思決定を行う。

⑵　代替・競争関係にある不動産との比較における優劣及び競争力の程度

対象不動産の存する一棟の建物は適切に管理が行われており，築年が同程度のマンションと比較し，概ね標準的な仕様である。中古マンション市場においては，一般的に築年の新しい物件が好まれるが，建物の維持管理の良否等の個別的な要因も大きく影響する。対象不動産は，最寄り駅及びＢ市中心部への接近性に優れ，生活利便性が高いことから，比較的高い競争力を有する。

６．最有効使用の判定

⑴　一棟の敷地の最有効使用

近隣地域の標準的使用と同じ，高層店舗付共同住宅地と判定した。

⑵　一棟の建物及びその敷地の最有効使用

一棟の建物は敷地と適応し，周辺環境とも適合しているため，現況の一棟の建物及びその敷地の利用は，ほぼ最有効使用の状態と認められる。

⑶　対象不動産の最有効使用

上記⑵と同様に，対象不動産の最有効使用を現況利用の継続と判定した。

（資料１）対象不動産，地価公示法による標準地，取引事例，賃貸事例等の位置図

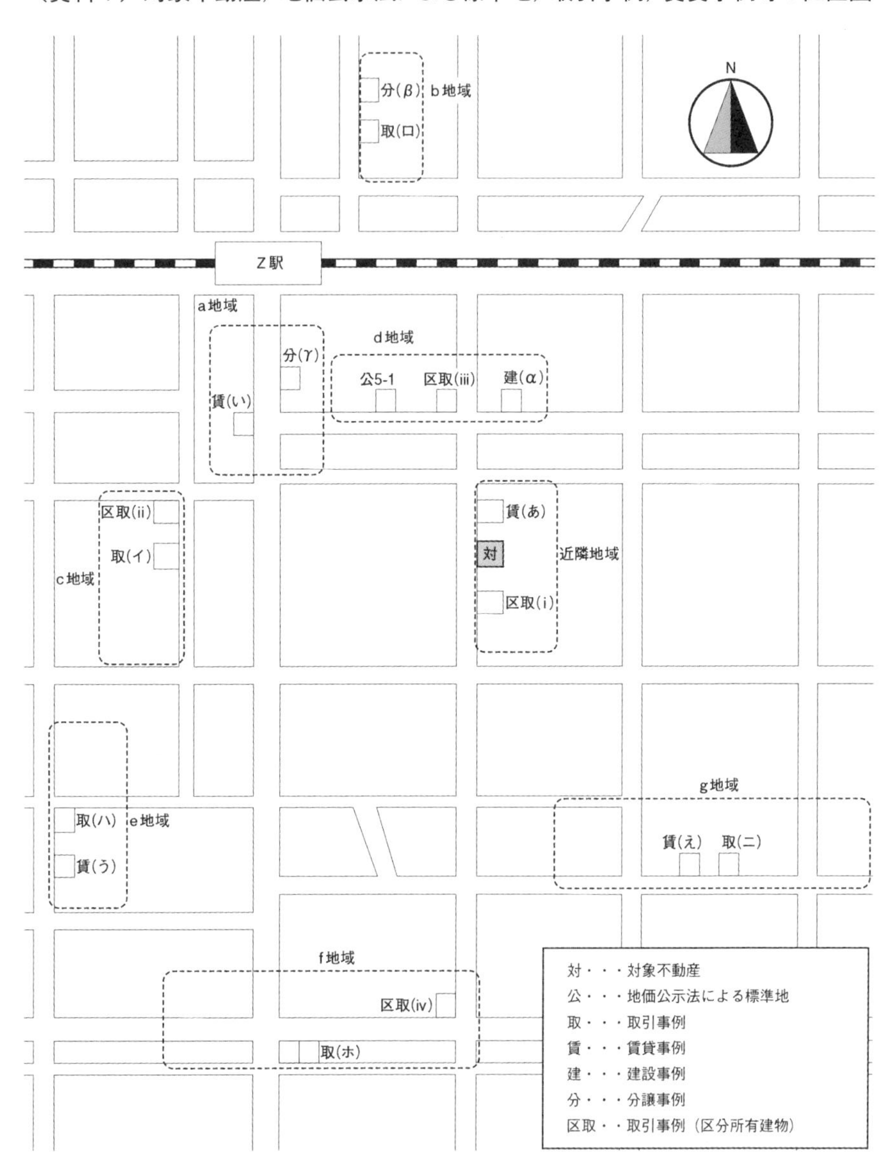

（注）この位置図は，対象不動産，地価公示法による標準地，取引事例等のおおよその配置を示したものであり，実際の距離，規模等を正確に示したものではない。

（資料2）近隣地域・類似地域等の概要

地域	位置（距離は駅から中心までの道路距離）	道路の状況	周辺の土地の利用状況	都市計画法等の規制で主要なもの	供給処理施設	標準的画地の規模	標準的使用	地域要因に係る評点（近隣地域＝100）
近隣地域	Z駅の南東方 約350m	幅員8m 舗装市道	高層店舗付共同住宅，高層共同住宅が建ち並ぶ地域	商業地域 建ぺい率 80% 容積率 400% 防火地域	上水道 下水道 都市ガス	500㎡	高層店舗付共同住宅地	
a地域	Z駅の南方 約50m	幅員30m 舗装県道	高層店舗，高層店舗付事務所が建ち並ぶなかに，高層共同住宅もみられる地域	商業地域 建ぺい率 80% 容積率 600% 防火地域	上水道 下水道 都市ガス	300㎡	高層店舗付事務所地	138
b地域	Z駅の北東方 約150m	幅員9m 舗装市道	高層店舗付共同住宅，中高層の店舗付事務所が混在する地域	商業地域 建ぺい率 80% 容積率 500% 防火地域	上水道 下水道 都市ガス	450㎡	高層店舗付共同住宅地	111
c地域	Z駅の南西方 約300m	幅員6m 舗装市道	中層の店舗付共同住宅，店舗付事務所が建ち並ぶ地域	商業地域 建ぺい率 80% 容積率 500% 防火地域	上水道 下水道 都市ガス	250㎡	中層店舗付共同住宅地	86
d地域	Z駅の南東方 約200m	幅員8m 舗装市道	中高層の店舗付共同住宅，店舗付事務所が建ち並ぶ地域	商業地域 建ぺい率 80% 容積率 400% 防火地域	上水道 下水道 都市ガス	500㎡	高層店舗付共同住宅地	103
e地域	Z駅の南西方 約800m	幅員10m 舗装市道	高層店舗付共同住宅，中層店舗や事業所が混在する地域	近隣商業地域 建ぺい率 80% 容積率 400% 防火地域	上水道 下水道 都市ガス	600㎡	高層店舗付共同住宅地	90
f地域	Z駅の南方 約900m	幅員12m 舗装市道	高層共同住宅を中心に店舗もみられる地域	近隣商業地域 建ぺい率 80% 容積率 400% 防火地域	上水道 下水道 都市ガス	950㎡	高層共同住宅地	77
g地域	Z駅の南東方 約1,100m	幅員7m 舗装市道	中高層の共同住宅，店舗付共同住宅が建ち並ぶ地域	近隣商業地域 建ぺい率 80% 容積率 300% 防火地域	上水道 下水道 都市ガス	800㎡	中層共同住宅地	56

（注）地域要因に係る評点については，近隣地域の評点を100とし，他の地域は近隣地域と比較してそれぞれ評点を付したものである。

（資料３）標準地・取引事例の概要

事例区分	所在する地域	類型	価格時点取引時点（価格時点の地価指数）	公示価格取引価格	数量等	価格時点及び取引時点における敷地の利用状況	道路及び供給処理施設の状況	駅からの道路距離	個別的要因	備　考
標準地5－1	d地域	更地として	令和４(2022).1.1(100.7)	731,000円/m²	土地530m²	鉄筋コンクリート造地上９階建店舗・共同住宅	南側幅員8m舗装市道上水道下水道都市ガス	Z駅南東方約200m	標準的±０％	地価公示法第３条の規定により選定された標準地であり，利用の現況は当該標準地の存する地域における標準的使用とおおむね一致する。更地としての価格が公示されている。
取引事例（イ）	c地域	更地	令和４(2022).3.22(100.5)	193,000,000円	土地270m²	未利用地	東側幅員6m舗装市道上水道下水道都市ガス	Z駅南西方約300m	標準的±０％	隣接地の所有者が取得。取引価格は市場価格よりも割高と判断される。
取引事例（ロ）	b地域	自用の建物及びその敷地	令和4(2022).5.7(100.3)	355,100,000円	土地420m²建物延床面積590m²	鉄骨造地上２階建事務所・倉庫	西側幅員9m舗装市道上水道下水道都市ガス	Z駅北東方約150m	標準的±０％	老朽化建物が存する。取壊し費用は地域の標準的水準である建物延床面積当たり20,000円/m²で，売主負担が判明している。その他，特別な事情はない。
取引事例（ハ）	e地域	更地	令和４(2022).2.18(100.6)	390,200,000円	土地580m²	未利用地	西側幅員10m北側幅員6m舗装市道上水道下水道都市ガス	Z駅南西方約800m	角地＋５％不整形地－３％	取引に当たり，特別な事情はない。
取引事例（ニ）	g地域	更地	令和４(2022).5.16(100.3)	284,900,000円	土地790m²	未利用地	南側幅員7m舗装市道上水道下水道都市ガス	Z駅南東方約1,100m	標準的±０％	取引に当たり，特別な事情はない。
取引事例（ホ）	f地域	自用の建物及びその敷地	令和３(2021).4.19(100.7)	520,000,000円	土地940m²建物延床面積650m²	鉄骨造地上２階建店舗	北側幅員12m南側幅員6m舗装市道上水道下水道都市ガス	Z駅南方約900m	二方路地＋２％不整形地－５％	老朽化建物が存する。取壊し費用は地域の標準的水準である建物延床面積当たり20,000円/m²で，買主負担が判明している。その他，特別な事情はない。

（注１）「価格時点の地価指数」は，標準地に係る価格時点及び各取引事例に係る取引時点の地価指数を100とし，本件価格時点の価格指数を示したものである。

（注２）「個別的要因」は，標準地及び各取引事例の存するそれぞれの地域において標準的と認められる画地と標準地及び取引事例に係る土地とを比較した，各画地の増減価要因及び格差率である。

（資料４）一棟の建物の建築工事費

対象不動産の存する一棟の建物は，平成29（2017）年６月１日に竣工した。

建築工事費は，全体で543,000,000円であった（同建築工事費は，竣工時点における標準的な建築工事費であり，その他特別な事情はない。）。

なお，建築工事費は，建築当時と比較し，令和４年８月時点で９％上昇している。

（資料５）建設事例の概要

事例区分	所在する地域	建築時点（価格時点の建築費指数）（注１）	建築工事費（注４）	数量等	建物構造及び用途	建物竣工時点での経済的残存耐用年数	施工の質・設備概要等	評点（注２）
建設事例（α）	d地域	令和２（2020）.10.1（103.9）	722,500,000円（289,000円/㎡）	建築面積 310㎡ 延床面積 2,500㎡	鉄筋コンクリート造 地上８階建 共同住宅	躯体部分 50年 仕上げ部分 30年 設備部分 15年	施工の質：標準的 設備：昇降機設備有り 平均専有面積：70㎡（壁芯）	102

（注１）「価格時点の建築費指数」は，建設事例に係る建設時点の建築費指数を100とし，価格時点の建築費指数を示したものである。

（注２）対象不動産の存する一棟の建物を100とした場合の比較評点（価格時点における建物の面積以外の個別的要因に係る評点）である。

（注３）建築工事費に占める躯体（本体）部分と仕上げ部分及び設備部分の構成割合は，40％：40％：20％である。

（注４）特別な事情が存在しない標準的な建築工事費である。

（資料6）一棟の建物に存する各専有部分の専有面積等

タイプ 専有面積 その他	A 76㎡	A 1 76㎡ 専用庭	B 73㎡	C 67㎡	D 56㎡	E 90㎡	F 43㎡ 専用庭	店舗 35㎡
開口部	南・東・西	南・東・西	南・東・北	南・西	北・西	南・東・西	南・西	西
8階	801	／	802	／	／	／	／	／
7階	701	／	702	／	／	／	／	／
6階	／	／	602	／	604	601	／	／
5階	501	／	**502**	503	504	／	／	／
4階	401	／	402	403	404	／	／	／
3階	301	／	302	303	304	／	／	／
2階	201	／	202	203	204	／	／	／
1階	／	101	／	／	／	／	103	102

（注1）101〜802 は部屋番号で，対象不動産は502である。

（注2）A・A 1・B・C・D・E・Fタイプはすべて住戸である。

（注3）各住戸の専有面積・タイプ・開口部方位・立体的位置を表示したものであり，一方向から見た住戸配置を表すものではない。

（注4）各タイプの専有面積は壁芯数量である。

（資料7）分譲事例の概要

1．分譲事例（β）の概要

分譲事例（β）は，b地域内に所在する鉄筋コンクリート造8階建の高層共同住宅で，令和4年6月に竣工しており，即日完売した物件である。

事例（β）の分譲価格表　（単位：万円）

タイプ 専有面積	A 78㎡	B 74㎡	C 68㎡	D 55㎡	G 63㎡
開口部	南・東・西	南・東・北	南・西	北・西	西
8階	5,950	5,650	5,140	3,950	4,380
7階	5,840	5,540	5,040	3,870	4,290
6階	5,730	5,430	4,940	3,800	4,210
5階	5,620	5,330	4,850	3,720	4,130
4階	5,500	5,220	4,750	3,650	4,050
3階	5,390	5,110	4,650	3,570	3,960
2階	5,280	5,010	4,560	3,500	3,880
1階	5,170	4,900	4,460	3,420	／

2．分譲事例（γ）の概要

分譲事例（γ）は，a地域内に所在する鉄筋コンクリート造8階建の高層共同住宅で，令和4年1月に竣工しており，即日完売した物件である。

事例（β）の分譲価格表　（単位：万円）

タイプ 専有面積	A 77㎡	B 75㎡	D 58㎡	G 65㎡	G1 66㎡	H 60㎡
開口部	南・東・西	南・東・北	北・西	西	西	南・東
8階	5,650	5,500	4,000	4,340	4,400	4,360
7階	5,540	5,390	3,920	4,250	4,320	4,270
6階	5,480	5,340	3,880	4,210	4,280	4,230
5階	5,430	5,290	3,840	4,170	4,230	4,190
4階	5,370	5,230	3,810	4,130	4,190	4,150
3階	5,320	5,180	3,770	4,090	4,150	4,100
2階	5,270	5,130	3,730	4,040	4,110	4,060
1階	5,160	5,020	3,650	／	4,020	3,980

（注1）事例（β）・（γ）の分譲価格に建物消費税額は含まない。

（注2）事例（β）・（γ）とも，住戸の規模による市場性の格差は特段認められない。

（注3）上記表は，各住戸の専有面積・タイプ・分譲価格・開口部方位・立体的

位置を表示したものであり，一方向から見た住戸配置を表すものではない。
（注４）各タイプの専有面積は壁芯数量である。

（資料８）区分所有建物の取引事例の概要等

１．区分所有建物の取引事例の概要

事例区分	所在する地域	種類等	取引時点（価格時点のマンション価格指数）	取引価格	事例の概要	備　考
区分取引事例（ｉ）	近隣地域	中古／自用	令和３（2021）．5.10（100.7）	30,400,000円	・鉄筋コンクリート造８階建 店舗付共同住宅の５階部分 ・平成18（2006）年３月竣工 ・用途/専有面積：居宅/76㎡（内法） ・開口部/間取り：南・西/３LDK	売買に当たり，特別な事情はない。
区分取引事例（ii）	c地域	中古／貸家	令和４（2022）．4.14（100.4）	42,200,000円	・鉄筋コンクリート造５階建 店舗付共同住宅の５階部分 ・平成30（2018）年９月竣工 ・用途/専有面積：居宅/77㎡（壁芯） ・開口部/間取り：南・東・北/３LDK	売買に当たり，特別な事情はない。
区分取引事例（iii）	d地域	中古／自用	令和４（2022）．5.23（100.3）	40,300,000円	・鉄筋コンクリート造９階建 店舗付共同住宅の４階部分 ・平成27（2015）年10月竣工 ・用途/専有面積：居宅/75㎡（壁芯） ・開口部/間取り：南・東/３LDK	売買に当たり，特別な事情はない。
区分取引事例（iv）	f地域	中古／自用	令和４（2022）．2.5（100.6）	37,200,000円	・鉄筋コンクリート造10階建 共同住宅の５階部分 ・令和１（2019）年12月竣工 ・用途/専有面積：居宅/70㎡（壁芯） ・開口部/間取り：南・東・北/３LDK	売買に当たり，特別な事情はない。

（注）「価格時点のマンション価格指数」は，各事例に係る取引時点のマンション価格指数を100とし，価格時点のマンション価格指数を示したものである。

２．区分所有建物の取引事例の価格形成要因の比較

補正項目＼事例等	対象不動産	区分取引事例（ｉ）	区分取引事例（ⅱ）	区分取引事例（ⅲ）	区分取引事例（ⅳ）
地域要因に係る評点（地）	100	100	93	102	88
一棟の区分所有建物及びその敷地に係る評点（区建）	100	70	105	97	103
専有部分に係る評点（専）	100	99	100	97	100

（注１）「地域要因に係る評点（地）」は，近隣地域の評点を100とし，区分所有建物の取引事例の存する地域と比較してそれぞれの評点を付したものである（不動産取引における土地の地域要因に係る評点とは必ずしも一致しない）。

（注２）「一棟の区分所有建物及びその敷地に係る評点（区建）」は，建物に係る要因及び敷地に係る要因並びに建物及びその敷地に係る要因に着目し，対象不動産の存する一棟の建物及びその敷地の評点を100とし，区分所有建物の取引事例の存する一棟の建物及びその敷地と比較してそれぞれの評点を付したものである。

（注３）「専有部分に係る評点（専）」は，階層及び位置，専有面積，開口方位，間取り，室内の仕上げ等の要因に着目し，対象不動産の評点を100とし，区分所有建物の取引事例と比較してそれぞれの評点を付したものである。

（資料９）賃貸事例の概要等

１．賃貸事例の概要

事例区分	所在する地域	種類	賃貸時点（価格時点の賃料指数）	月額支払賃料一時金等	事例の概要	備　考
賃貸事例（あ）	近隣地域	新規賃料	令和４（2022）．1．9（100．3）	・月額支払賃料：188，000円 ・月額共益費：17，000円 ・敷金：２カ月分 ・礼金：１カ月分	・鉄筋コンクリート造８階建の５階部分 ・平成29（2017）年９月竣工 ・用途：共同住宅 ・賃貸面積：77㎡（壁芯）	賃貸借に当たり，特別な事情はない。
賃貸事例（い）	a地域	新規賃料	令和３（2021）．11．2（100．5）	・月額支払賃料：171，000円 ・月額共益費：15，000円 ・敷金：２カ月分 ・礼金：なし	・鉄筋コンクリート造11階建の５階部分 ・平成19（2007）年２月竣工 ・用途：共同住宅 ・賃貸面積：71㎡（壁芯）	賃貸借に当たり，特別な事情はない。
賃貸事例（う）	e地域	継続賃料	令和３（2021）．10．8（100．6）	・月額支払賃料：168,000円 ・月額共益費：15,000円 ・敷金：１カ月分 ・更新料：なし	・鉄筋コンクリート造10階建の５階部分 ・平成28（2016）年４月竣工 ・用途：共同住宅 ・賃貸面積：67㎡（壁芯）	竣工当時から入居している居住者が，月額支払賃料を減額のうえ契約を更新した。
賃貸事例（え）	g地域	新規賃料	令和４（2022）．3．28（100．1）	・月額支払賃料：205，000円 ・月額共益費：16，000円 ・敷金：１カ月分 ・礼金：１カ月分	・鉄筋コンクリート造５階建の５階部分 ・平成30（2018）年12月竣工 ・用途：共同住宅 ・賃貸面積：75㎡（壁芯）	賃料に駐車場使用料が含まれている。その他，特別な事情はない。

（注）「価格時点の賃料指数」は，各賃貸事例に係る賃貸時点の賃料指数を100とし，価格時点の賃料指数を示したものである。

２．同一需給圏における標準的な賃貸借の条件

⑴　当月分の支払賃料は，毎月末に支払われる。

⑵　当初の賃貸借契約の締結時に授受される一時金は，預り金的性格を有する敷金及び賃料の前払的性格を有する礼金の２種類である。標準的な一時

金の額については，敷金は月額支払賃料の1～2カ月分，礼金は月額支払賃料の0～1カ月分である。なお，契約の更新時においては，更新料等いかなる名目においても一時金の授受はない。

(3) 敷金は，賃貸借契約を解除したときは直ちに返還されるが，利息は付されない。

(4) 共益費の水準は，賃貸面積1㎡当たり210～230円程度が標準的で，各賃貸事例は概ね標準的であり，いずれも実費相当額と認められる。

(5) 賃貸借契約期間は2年，契約の形式は書面によるものが一般的である。

(6) 各賃借人との契約はいわゆる普通借家契約であり，契約更新時に支払賃料等の改定協議を行う。

3．賃貸事例の賃料形成要因の比較

補正項目＼事例等	対象不動産	賃貸事例（あ）	賃貸事例（い）	賃貸事例（う）	賃貸事例（え）
一棟全体の建物に係る評点（建）	100	97	85	99	105
地域要因に係る評点（地）	100	100	113	97	85
基準住戸の格差に係る評点（基）	100	100	100	100	100
個別的要因に係る評点（個）又は（標）	100	98	100	102	100

（注1）「一棟全体の建物に係る評点（建）」は，対象不動産（一棟全体の建物）の評点を100とし，賃貸事例の存する一棟全体の建物と比較してそれぞれの評点を付したものである。

（注2）「地域要因に係る評点（地）」は，近隣地域の評点を100とし，賃貸事例の存する地域と比較してそれぞれの評点を付したものである（不動産取引における土地の地域要因に係る評点とは必ずしも一致しない）。

（注3）「基準住戸の格差に係る評点（基）」は，対象不動産の基準住戸の評点を100とし，賃貸事例の基準住戸と比較してそれぞれの評点を付したものである。なお，対象不動産及び賃貸事例とも基準階を5階としている。

（注4）「個別的要因に係る評点（個）又は（標）」は，対象不動産及び賃貸事例の各々の基準階における基準住戸との比較評点を示している。

以　上

※太字（ゴシック体）表記は，本試験解答用紙に予め印字されていた箇所です。

問1-(1)　重要となる確認資料（3つ）

登記事項証明書，管理規約，分譲時販売図面（間取り図等）

問1-(2)「修繕積立金の額」の性格，確認が必要な理由

修繕積立金とは，通常，共用部分に係る計画的な大規模修繕又は臨時的な修繕に備え，「管理費」と併せて管理組合によって定期的に徴収されている費用をいう。これは区分所有者が経常的に負担する費用であることから，区分所有建物及びその敷地の評価に当たって確認が必要である。

問1-(3)　本件類型固有の個別的要因（2つ），高層階の効用が高くなる理由

共同住宅（区分所有建物及びその敷地）に係る典型的な需要者は居住目的の個人ファミリー層であり，取引に当たっては居住の快適性が重視されるため，区分所有建物及びその敷地の専有部分に係る固有の個別的要因のうち「階層及び位置」「日照，眺望及び景観の良否」に特に留意する必要がある。基本的に「階層」が高くなればなるほど「日照，眺望及び景観」が優り効用（居住の快適性）が高くなる傾向があるが，隣接不動産が高層建物の場合等には特定の開口部方位の住戸に関して階層が高くても日照等が阻害され，効用高とならない場合もあるため注意が必要である。

問1-(4)　下記問2の配分率を乗ずる方法の考え方，一般的にどのような場合に採用されるか

配分率を乗ずる方法には，①一棟の建物及びその敷地の積算価格に配分率を乗ずる方法と，②一棟の建物の価格と敷地の価格とにそれぞれ異なる配分率を乗ずる方法とがある。

上記①の方法は，専有部分，共用部分，敷地利用権が一体的な性格を有することから，各専有部分の効用差を建物価格・敷地価格の双方に反映させるものである。この方法は，本件のように建物全体が概ね単一用途に供される共同住宅等の評価に適用されることが多い。

問2　A．原価法

問2-(1)　対象不動産の存する「一棟の建物及びその敷地」に係る更地価格の査定

問2-(1)-①　取引事例から比準した価格

事例（　ロ　）を採用

土地価格（単価）（円／㎡）		事		時		標		地		個		面（㎡）		取引事例から比準した価格（円）
845,476	×	100/100	×	100.3/100	×	100/100	×	100/111	×	95/100	×	495	≒	359,000,000

（※）取引事例に係る土地価格（単価）の査定根拠（建物及びその敷地の取引事例を選択する場合も記載すること）

売主負担の建物取壊し費用が生じているが，取引価格とは別個の経費であるため取引価格の補正は行わない。

355,100,000円÷420㎡≒845,476円／㎡

事例（　ハ　）を採用

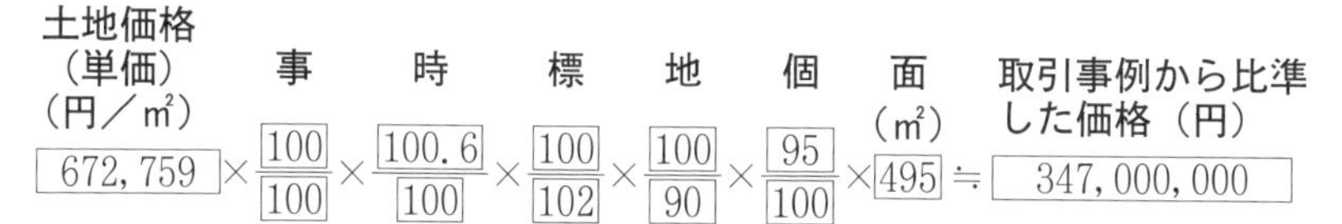

（※）取引事例に係る土地価格（単価）の査定根拠（建物及びその敷地の取引事例を選択する場合も記載すること）

390,200,000円÷580㎡≒672,759円／㎡

問２-⑴-②　一棟の敷地の更地の比準価格

事例（ロ）は建物を売主負担で取り壊した実質更地の事例であり，取引時点も新しく規範性が高い。

事例（ハ）は更地事例であり，取引時点も比較的新しく規範性が高い。

よって，事例（ロ）と（ハ）を関連づけ，比準価格を353,000,000円（713,000円／㎡）と査定した。

問２-⑴-③　公示価格を規準とした価格

標準地　５－１

公示価格（円／㎡）		時		標		地		個		面（㎡）		公示価格を規準とした価格（円）
731,000	×	100.7/100	×	100/100	×	100/103	×	95/100	×	495	≒	336,000,000

問２-⑴-④　一棟の敷地の更地価格

比準価格は実際に市場で発生した複数の取引事例を価格判定の基礎としており，客観的，実証的な価格である。本件では，公示価格を規準とした価格とも均衡しているので妥当と認め，比準価格の353,000,000円（713,000円／㎡）をもって一棟の敷地の更地価格と査定した。

問２−(2)　対象不動産の存する「一棟の建物及びその敷地」に係る再調達原価の査定

①　一棟の敷地の再調達原価

353,000,000円（713,000円／㎡）

②　一棟の建物の再調達原価

（直接法）

建築工事費（総額）（円）		事		時		建物再調達原価（円）
543,000,000	×	100/100	×	109/100	≒	592,000,000

（間接法）

建設事例（α）から査定した建物再調達原価

事例建築費（単価）（円／㎡）		事		時		個		面（㎡）		建物再調達原価（円）
289,000	×	100/100	×	103.9/100	×	100/102	×	2,010	≒	592,000,000

（一棟の建物の再調達原価）

直接法は対象建物の個別性を反映している。

間接法は建築時点の新しい建設事例から求め，直近の建設物価を反映している。

本件では両者一致したので妥当と認め，592,000,000円（295,000円／㎡）をもって一棟の建物の再調達原価と査定した。

③　付帯費用の再調達原価

（353,000,000円＋592,000,000円）×15％＝141,750,000円

④　一棟の建物及びその敷地の再調達原価

①＋②＋③＝1,086,750,000円

問２−(3)「一棟の建物及びその敷地」の積算価格の査定

①　土地

指示事項より，減価なし。

②　建物

（耐用年数に基づく方法）

（躯体）　$592,000,000円 \times 0.40 \times \frac{6}{6+44} = 28,416,000円$

（仕上げ）$592,000,000円 \times 0.40 \times \frac{6}{6+24} = 47,360,000円$

（設備）　$592,000,000円 \times 0.20 \times \frac{6}{6+9} = 47,360,000円$

合計 123,136,000円

（観察減価法）

経年相応の減価であり，耐用年数に基づく方法と同額と査定。

（減価額）

上記２方法を併用し，123,136,000円と査定。

③　付帯費用

$141,750,000円 \times \frac{6}{6+44} = 17,010,000円$

④　建物及びその敷地

一棟の建物は敷地と適応，環境と適合しており，建物及びその敷地一体としての減価はなし。

⑤　一棟の建物及びその敷地の減価額

②＋③＝140,146,000円

⑥　一棟の建物及びその敷地の積算価格

1,086,750,000円－140,146,000円≒947,000,000円

問２-(4)　対象不動産の配分率の査定

事例（　β　）を採用

①　階層別効用比

階層	分譲価格（円）	専有面積（㎡）	分譲単価（円/㎡）	分譲単価比	階層別効用比
8階	56,500,000	74	763,514	106	106
7階	55,400,000	74	748,649	104	104
6階	54,300,000	74	733,784	102	102
5階	53,300,000	74	720,270	100	100
4階	52,200,000	74	705,405	98	98
3階	51,100,000	74	690,541	96	96
2階	50,100,000	74	677,027	94	94
1階	49,000,000	74	662,162	92	104（※）

（※）92×113÷100≒104

②　階層別効用比率

階層	① 専有面積（㎡）	② 階層別効用比	③ 階層別効用積数 ①×②	④ 階層別効用比率 ③÷Σ③
8階	149	106	15,794	
7階	149	104	15,496	
6階	219	102	22,338	
5階	272	100	27,200	0.1553
4階	272	98	26,656	
3階	272	96	26,112	
2階	272	94	25,568	
1階	154	104	16,016	
計	1,759		175,180	

③　位置別効用比

タイプ	分譲価格（円）	専有面積（㎡）	分譲単価（円/㎡）	分譲単価比	位置別効用比
A	56,200,000	78	720,513	100	100
B	53,300,000	74	720,270	100	100
C	48,500,000	68	713,235	99	99
D	37,200,000	55	676,364	94	94

④　位置別効用比率

部屋	① 専有面積（㎡）	② 位置別効用比	③ 位置別効用積数 ①×②	④ 位置別効用比率 ③÷Σ③
501	76	100	7,600	
502	73	100	7,300	0.2724
503	67	99	6,633	
504	56	94	5,264	
計	272		26,797	

⑤　配分率

0.1553×0.2724≒0.0423

問２-⑸　対象不動産の積算価格

947,000,000円×0.0423≒40,100,000円（549,000円／㎡）

問３　Ｂ．取引事例比較法

①　区分所有建物の取引事例から比準した価格

（不採用事例とその理由）

事例（ｉ）は専有面積が内法面積であり，対象不動産（壁芯面積）とは算定基準が異なる。

事例（ii）は専有部分が賃貸されており，対象不動産（自用）とは需要者の属性が異なる。

事例（ iii ）を採用

取引価格（単価）（円／㎡）	事	時	地	区建	専	面（㎡）	取引事例から比準した価格（円）
537,333	× $\frac{100}{100}$	× $\frac{100.3}{100}$	× $\frac{100}{102}$	× $\frac{100}{97}$	× $\frac{100}{97}$	× 73	≒ 41,000,000

（※）取引事例に係る取引価格（単価）の査定根拠

40,300,000円÷75㎡≒537,333円／㎡

事例（ iv ）を採用

取引価格（単価）（円／㎡）	事	時	地	区建	専	面（㎡）	取引事例から比準した価格（円）
531,429	× $\frac{100}{100}$	× $\frac{100.6}{100}$	× $\frac{100}{88}$	× $\frac{100}{103}$	× $\frac{100}{100}$	× 73	≒ 43,100,000

（※）取引事例に係る取引価格（単価）の査定根拠

37,200,000円÷70㎡≒531,429円／㎡

② 対象不動産の比準価格

事例（iii）は取引時点が新しく，地域格差も少なく，規範性が高い。

事例（iv）は事例（iii）と比較して相対的に取引時点がやや古く，地域格差も大きく，規範性はやや劣る。

よって，事例（iii）を重視し，対象不動産の比準価格を41,500,000円（568,000円／㎡）と試算した。

問4　C．収益還元法

問4－(1)　総収益の査定

① 賃料等収入

賃貸事例（ あ ）を採用

月額実質賃料（単価）（円／㎡）	事	時	標	建	地	基	個	面（㎡）	賃貸事例から比準した資料（円）
2,498	× $\frac{100}{100}$	× $\frac{100.3}{100}$	× $\frac{100}{98}$	× $\frac{100}{97}$	× $\frac{100}{／}$	× $\frac{100}{100}$	× $\frac{100}{100}$	× 73	≒ 192,000

（※）賃貸事例に係る月額実際実質賃料（単価）の査定根拠

188,000円＋188,000円×２×0.01÷12＋188,000円×0.2563÷12≒192,329円（2,498円／㎡）

② **共益費収入**

17,000円÷77㎡≒221円／㎡

221円／㎡×73㎡≒16,000円

③ **総収益**

（192,000円＋16,000円）×12＝2,496,000円

問4-(2) 総費用の査定

① 維持管理費

16,000円×12＋2,496,000円×0.03＝266,880円

② 修繕費

11,000円×12＋2,496,000円×0.015＝169,440円

③ 公租公課

87,000円＋181,000円＝268,000円

④ 損害保険料

592,000,000円×0.0423×0.001≒25,042円

⑤ 貸倒れ準備費

指示事項により非計上。

⑥ 空室等による損失相当額

2,496,000円×（1－0.95）＝124,800円

⑦ 総費用

上記計，854,162円（経費率は約34%）

問4-(3) 対象不動産の収益価格

① 純収益

2,496,000円－854,162円＝1,641,838円

② 還元利回り

指示事項により，4.7%

③ 対象不動産の収益価格

①÷②≒34,900,000円（478,000円／㎡）

問5 試算価格が有する説得力に係る判断及び鑑定評価額の決定

以上により，A．積算価格　40,100,000円（549,000円／㎡）

B．比準価格　41,500,000円（568,000円／㎡）

C．収益価格　34,900,000円（478,000円／㎡）

の３試算価格を得た。

①　試算価格が有する説得力に係る判断

対象不動産は，高層店舗付共同住宅地に存する自用のファミリータイプマンションであり，典型的な需要者は自己居住を目的とする個人ファミリー世帯であり，主に市場における取引価格等に着目し，取引の意思決定が行われることから，取引事例比較法が市場の特性に最も適合した手法であり，説得力が高いものと判断した。

②　鑑定評価額の決定

以上の検討の結果，本件では比準価格を重視し，積算価格及び収益価格を比較考量して，鑑定評価額を41,000,000円（562,000円／㎡）と決定した。

以　上

解　説

本問は，「区分所有建物及びその敷地（専有部分は自用）」に関する問題で，問1及び問5が記述問題，問2，問3及び問4が計算問題となっている。

問1は，いずれも区分所有建物及びその敷地に係る基本論点であるので，論文対策で区分所有建物及びその敷地の学習を十分にしている受験生ならば解答例程度の内容は書けたはずである。確認資料については当然解答例記載以外の資料を挙げてもよく，例えば課税明細や登記所備付けの建物図面等が考えられる。問2以降の計算問題への配点が多い可能性が高いことから，計算スピードに自信のない受験生は最低限の記述にとどめる等の判断が必要となるだろう。

問2は，総じて区分所有建物及びその敷地に係る原価法のオーソドックスな問題であるが，土地の取引事例につき，比準結果が比較的大きく乖離するため戸惑った受験生が多いのではないだろうか。事例（ロ）につき，売主負担の建物取壊し費用を「控除」すると2事例の比準結果が一致するため，試験委員がそのような意図で作問している可能性はあるが，これは明確に間違いで，「売主負担の建物取壊し費用の加算，控除等は不要」という判断が正しいため，そのように処理してほしい。また，階層別効用比の査定において，1階部分につき特殊な計算指示があるが，これは事例から求めた分譲単価比と指示事項にある113の単純な相乗計算を行えばよいだけなので落ち着いて処理してほしい。

問3，問4の取引事例比較法，収益還元法は特殊な計算等がなく，指示事項も明確なのでケアレスミスなしの完答が望ましい。

問5の試算価格の調整は説得力に係る判断のみなので再吟味は行わず，資料の内容を適切に抜粋して比準価格重視の調整をしてほしい。

事例選択につき，明確に×というよりも「相対的に規範性が高い」という理由で採用するものが多いが，昨年の本試験と異なりグレーな事例というものはなく，解答例記載の事例の規範性が高いため，解答例記載の事例と異なる事例を採用した場合，減点対象となると考えてほしい。

◇令和５年度・演習

問題　別紙1〔指示事項〕及び別紙２〔資料等〕に基づき，不動産の鑑定評価に関する次の設問に答えなさい。

問１　本件鑑定評価に関する次の問に答えなさい。

(1)　本件対象不動産の評価に当たって，対象不動産の類型に鑑みてどのような鑑定評価手法を適用すべきか，また，どのように鑑定評価額を決定すべきか簡潔に述べなさい。なお，対象不動産に係る土地（以下「対象地」という。）の更地価格の査定における手法については解答する必要はありません。

(2)　本件鑑定評価における対象不動産の個別的要因である「修繕計画及び管理計画の良否並びにその実施の状態」の把握，分析に当たって，特に留意すべき内容を２つ挙げなさい。また，当該要因について，本件鑑定評価で用いる鑑定評価手法の適用に当たって，どのように考慮すべきか簡潔に説明しなさい。

(3)　賃貸に供されている不動産の価格が，賃貸借契約の内容や賃貸運営の内容により，仮に同じ不動産がすべて自用で利用されていることを想定した場合の価格を上回ることがある。それは，具体的にはどのような要因が作用して当該不動産に影響を与えている状態であるかを簡潔に述べなさい。

問２　原価法に関する次の問に答えなさい。

(1)　対象地の更地価格に関する次の小問に答えなさい。

①　取引事例比較法を適用して，取引事例から比準した価格を求めなさい。

②　開発法を適用した価格を求めなさい。

③　公示価格を規準とした価格を求めなさい。

④　更地価格を求めなさい。

(2)　対象不動産の再調達原価を求めなさい。

(3)　再調達原価に減価修正を行い，対象不動産の積算価格を求めなさい。

問３　収益還元法に関する次の問に答えなさい。

(1)　対象不動産の運営収益を求めなさい。

(2)　対象不動産の運営費用を求めなさい。

(3)　収益還元法による収益価格を求めなさい。

問４　問２，問３で求めた試算価格をもとに，対象不動産の鑑定評価額を決定しなさい。鑑定評価額の決定に当たっては，各試算価格が有する説得力に係る判断の過程について，簡潔に説明しなさい。

別紙１〔指示事項〕

Ⅰ．共通事項

1．問２，問３における各手法の適用の過程において求める数値は，別に指示がある場合を除き，小数点以下第１位を四捨五入し，整数で求めること。ただし，取引事例及び建設事例から比準した価格，賃貸事例から比準した賃料，公示価格を規準とした価格，開発法を適用した価格，対象地の更地価格，実際の建築工事費より求めた価格，建物再調達原価，分譲事例から求めた平均分譲単価，各手法を適用して試算した試算価格並びに問４における鑑定評価額については，上位４桁目を四捨五入した上で上位３桁を有効数字として取り扱うこと。

（例）1,234,567円　→　1,230,000円

2．消費税及び地方消費税については，各手法の適用の過程においては考慮せず，各種計算に当たっては，各資料の数値を前提とすること。

3．対象不動産及び取引事例，賃貸事例等とされている不動産については，土壌汚染，埋蔵文化財及び地下埋設物に関して価格形成に影響を与えるものは何ら存しないことが判明していることを前提とし，また，いずれも建物に関して，有害物質の使用又は保管がないことが確認されていることを前提として鑑定評価を行うこと。

4．対象不動産に係る土地及び建物の数量は，別紙２〔資料等〕「Ⅱ．対象不動産」に記載された「土地登記簿〔全部事項証明書〕記載数量」及び「建物登記簿〔全部事項証明書〕記載数量」によること。

5．本件鑑定評価においては，要因比較が可能な取引事例が収集できなかったため，土地建物一体としての取引事例比較法は適用しないこと。

6．取引事例，建設事例，分譲事例，賃貸事例のうち取壊しを前提としない複合不動産の事例は，最有効使用の状態にあることを前提として鑑定評価を行うこと。

7．建物の経過年数を算定する場合における端数（１年未満）のうち，１カ月以上経過したものについては，経過期間を１年に切り上げること。

8．問２，問３における各手法の適用の過程において求める数値について，解答に計算を要する場合は，別に指示がある場合を除き，計算式等の計算根拠を示して解答すること。

Ⅱ．問２－⑴について

対象地の更地価格は，取引事例比較法及び開発法を適用して求めること。

Ⅲ．問２－⑴－①について

取引事例比較法の適用に当たっては，次に掲げる事項に留意すること。

1．別紙２〔資料等〕「（資料３）標準地・取引事例の概要」に記載の各取引事例の中から，対象地と類似性を有し，より適切な取引事例を２つ選択し，比準価格を求めること（事例の選択要件を解答する必要はなく，当該事例を選択した理由及び選択しない事例に係る不選択の理由も解答する必要はない）。

2．更地の取引事例を選択する場合は，取引事例に係る土地価格の単価を求める計算根拠を記載すること。また，建物及びその敷地の取引事例を選択する場合は，取引事例に係る土地価格の単価（更地としての価格）を査定した上で比準すること。その際，取引事例に係る土地価格（更地としての価格）の単価の計算根拠を併せて記載すること。

3．取引事例から比準した価格を求める場合の計算式及び略号は，次のとおりとすること。

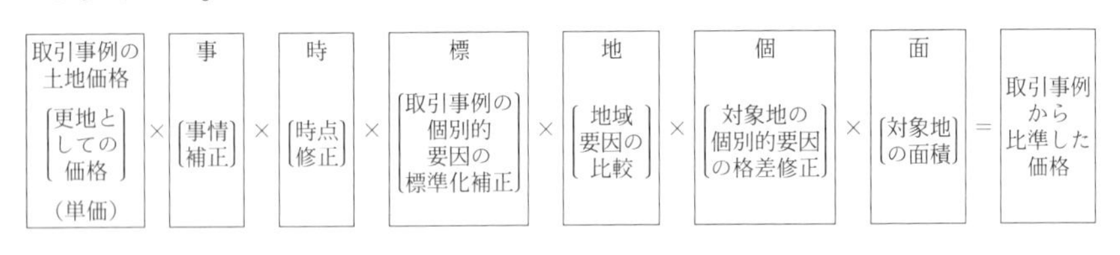

4．取引事例から比準した価格及び公示価格を規準とした価格を求める際に用いる数値は，別紙２〔資料等〕「（資料２）近隣地域・類似地域の概要」及び「（資料３）標準地・取引事例の概要」の記載事項から算出すること。

5．対象地の個別的要因のうち，形状（不整形）に係る補正率については，別紙２〔資料等〕「（資料４）対象地の個別的要因に係る資料」の記載事項から算出すること。

6．時点修正に当たって，取引事例から比準した価格及び公示価格を規準とした価格を求める際は，別紙２〔資料等〕「（資料３）標準地・取引事例の概要」に記載の価格時点の地価指数を用いること。

7．対象地の個別的要因による格差修正率及び取引事例の個別的要因の標準化補正率の査定は，相乗積をもって査定すること。

（例）取引事例 二方路地（＋ 2 ％）・不整形地（－ 5 ％）

取引事例の個別的要因の標準化補正率

（100％＋ 2 ％）×（100％－ 5 ％）≒97％（小数点以下第1位を四捨五入）

Ⅳ．問2－⑴－②について

開発法の適用に当たっては，次に掲げる事項に留意すること。

1．対象地上に想定する建物（以下「想定建物」という。）は次のとおりとすること。

・構造・用途：鉄筋コンクリート造地上8階建・共同住宅（分譲戸数38戸）

・建築面積：370㎡，延床面積：2,720㎡，販売可能専有面積合計：2,288㎡

・想定建物の間取り別の販売価格帯，面積等

2LDK（専有面積 48～60㎡，販売価格帯（下記2．⑷参照），戸数22戸）

3LDK（専有面積 68～72㎡，販売価格帯（　同　上　），戸数16戸）

なお，当該想定建物は，都市計画，建築関係法規等の規制内容を充足し合法的に建築可能であることを前提とする。

2．収入及び費用については，次のとおりとすること。

⑴ 分譲販売収入の査定に当たっては，下記⑵の通り求めた想定建物の平均分譲単価に販売可能専有面積合計を乗じて査定すること。

⑵ 想定建物の平均分譲単価は，別紙2〔資料等〕「（資料7）分譲事例の概要」の分譲事例α，β，γの中から最も適切な分譲事例を選択し，当該事例の平均分譲単価より5％低いものとして査定すること。

⑶ 最も適切な分譲事例の選択に当たっては，想定建物の間取り別の販売価格帯，面積帯をもとに，各分譲事例の住戸の面積構成，価格帯，概要並びに住戸価格散布図等を分析の上，最も類似性の高い事例を選択すること。

⑷ 想定建物の間取別の販売価格帯は，別紙2〔資料等〕「Ⅴ．対象不動産に係る市場の特性，3．市場の需給動向」による分譲販売実績データをもとにしたマーケットにおいて最も売行き好調な間取別の販売価格帯から把握すること。

⑸ 建築工事費は分譲マンションとしての仕様や内装等に鑑み，787,000,000円とすること。なお，土地の造成費等は要しないものとすること。

⑹ 開発申請等に関する協議，近隣対策等に要する費用は，総額20,000,000円とすること。

(7)　開発負担金としての水道設備負担金は，１戸当たり200,000円とすること。

(8)　販売費及び一般管理費は，分譲販売収入総額の10%とすること。

(9)　投下資本収益率は年10%とし，対応する複利現価率は，別紙２〔資料等〕「(資料10) 複利現価率表」記載の数値を採用すること。

3．開発スケジュール（事業計画）は下記のとおりとすること。

(1)　建築着工までの準備期間は，価格時点から８カ月間とすること。

(2)　建築工事は，価格時点から８カ月後に着工し，期間12カ月で竣工するものとすること。

建築工事費は，着工時点に10%，工事中間時点に10%，竣工時点に80%計上すること。

(3)　着工前及び工事期間における開発申請等に関する協議，近隣対策等に要する費用を価格時点から６カ月目に30%，建物竣工時点から１カ月後に70%支払うものとすること。

(4)　開発負担金として，水道設備負担金を，竣工時点に100%を支払うものとすること。

(5)　建築着工の１カ月後に販売を開始するものとすること。

販売収入は，販売開始の２カ月後を平均的契約時期として，そのタイミングで収入の10%を計上し，残りは，建物竣工時点から１カ月後に計上するものとすること。

(6)　販売費及び一般管理費は，販売開始時点と建物竣工時点にそれぞれ50%ずつ支払うものとすること。

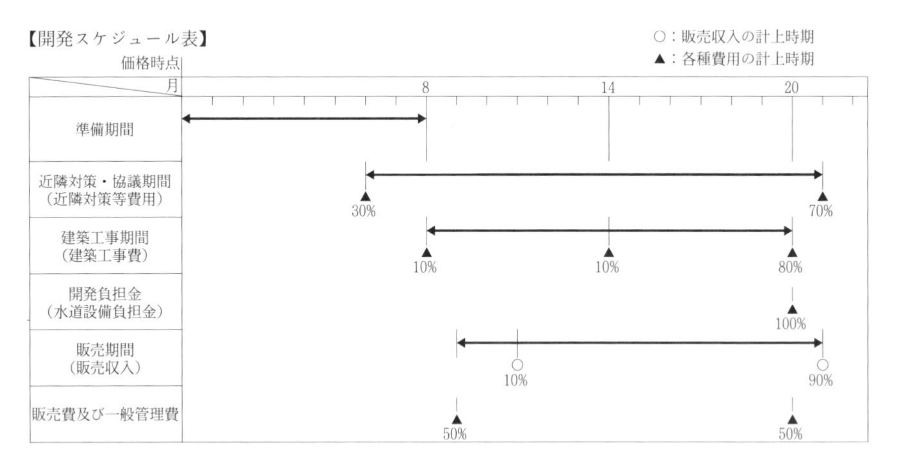

Ⅴ．問２－(1)－③，－④について

更地価格の査定に当たっては，公示価格を規準とした価格との均衡に留意すること。公示価格を規準とした価格を求める場合の計算式及び略号は，次のとおりとすること。

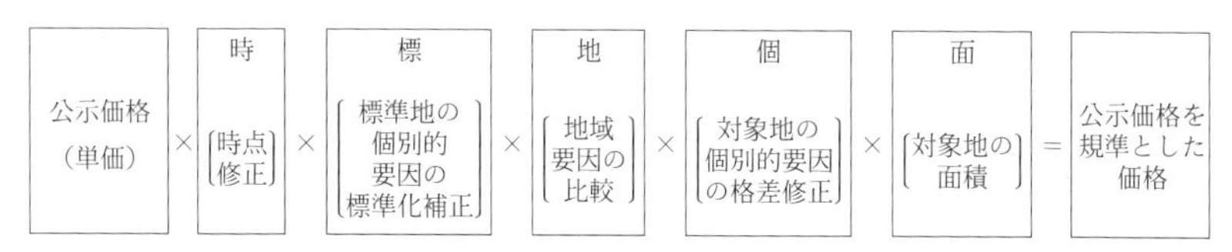

Ⅵ．問２－(2)について

1．対象不動産の再調達原価は，対象地の更地価格に対象不動産に係る建物（以下「対象建物」という。）の再調達原価を加算して，通常の付帯費用を含まない土地建物一体の再調達原価を求め，この額に通常の付帯費用を加算して求めること。

2．対象建物の再調達原価は，直接法及び間接法を併用して求めること。

(1) 直接法については，別紙２〔資料等〕「（資料５）対象建物の建築工事費」に記載の内容に基づき，対象建物の再調達原価を求めること。査定に用いる事情補正及び時点修正の略号は，間接法と同じとすること。

(2) 間接法については，別紙２〔資料等〕「（資料６）建設事例の概要」の建設事例（ｉ）から比準して求めること。対象建物の再調達原価を間接法により求める場合の略号は，次のとおりとすること。また，時点修正に当たっては，別紙２〔資料等〕「（資料６）建設事例の概要」に記載の価格時点の建築費指数を用いること。

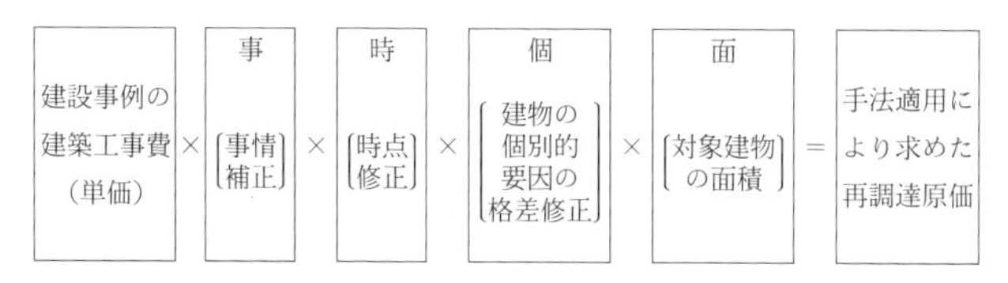

3．付帯費用については，建物に直接帰属する付帯費用（設計監理料等）及び土地との関係で発生し，土地建物一体として把握される付帯費用（資金調達費用や開発リスク相当額等）として，土地と建物の再調達原価の合計額の20％を計上すること。なお，土地に直接帰属する付帯費用については，土地価

格に比して些少であり，土地価格に含めても価格形成に大きな影響を与えないと判断できることから，本件では考慮しないものとする。

Ⅶ．問２－(3)について

1．土地に係る減価はないものとすること。
2．対象建物の減価額は，耐用年数に基づく方法と観察減価法を併用して求めること。
3．対象建物の躯体部分，仕上げ部分，設備部分の構成割合は，40％：30％：30％とすること。
4．経過年数及び経済的残存耐用年数の和として把握される耐用年数は，対象建物の用途，利用状況等，修繕工事，設備更新工事等の実績を踏まえ，躯体部分50年，仕上げ部分30年，設備部分15年とし，減価修正の耐用年数に基づく方法はいずれも定額法を採用し，残価率は０とすること。
5．対象建物の減価の程度は，経年相応と判断すること。
6．付帯費用に係る減価額の査定に当たっては，当該付帯費用が建物等の維持される期間において配分される費用であるものとして，建物と同様の方法で減価修正を行うものとし，耐用年数は50年，残価率は０として求めること。
7．本件では，自用部分（１階店舗）が存することによる影響を土地建物一体とした減価として反映するものとし，対象不動産の再調達原価から，土地及び建物，付帯費用の減価額の合計を控除した額の２％相当額を，当該減価額とすること。

Ⅷ．問３について

収益還元法の適用に際しては，直接還元法を採用すること。

直接還元法の適用に当たっては，不動産鑑定評価基準各論第３章におけるＤＣＦ法の収益費用項目を採用し，運営収益から運営費用を控除した運営純収益に一時金の運用益及び資本的支出を加減して求めた純収益を還元利回りで還元することにより収益価格を求めること。

Ⅸ．問３－(1)について

運営収益は，貸室賃料収入，共益費収入，水道光熱費収入，駐車場収入及びその他収入を合計した総収益（満室想定）から，空室等損失及び貸倒れ損失を控除して求めること。

1．対象不動産の貸室賃料収入を求めるに当たっては，次のとおりとすること。

(1) 貸室賃料収入は，現行の賃貸条件（別紙2〔資料等〕「Ⅷ．対象不動産の賃貸借契約等の概要」を参照）を稼働部分としてそのまま採用し，これに自用部分（1階店舗）につき下記のとおり査定して求めた額を加えることにより求めること。自用部分（1階店舗）は，賃貸事例比較法を適用して求めた月額実質賃料から，月額支払賃料の12カ月分の敷金（預り金的性格を有する一時金であり，賃貸借終了時に無利息で賃借人に返還される。）の運用益を控除し，その上位4桁目を四捨五入して上位3桁を有効数字として月額支払賃料を求めること。

（例）123,456円　→　123,000円

(2) 賃貸事例比較法の適用に当たっては，別紙2〔資料等〕「（資料8）賃貸事例の概要等」の賃貸事例（あ）から（う）のうち，最も適切な賃貸事例を1つ選択し，当該賃貸事例から比準して，賃貸事例比較法による賃料を求めること。

(3) 賃貸事例の月額実質賃料（単価）の査定根拠を併せて記載すること。

(4) 賃貸事例から比準する際に用いる数値は，別紙2〔資料等〕「（資料8）賃貸事例の概要等」の記載事項から算出すること。

対象不動産及び賃貸事例の平均賃貸借期間は，住宅部分は4年，店舗部分は8年とすること。

また，敷金の運用益は運用利回りを年1.0%として求めること。

(5) 時点修正に当たって，賃貸事例から比準した賃料を求める際は，別紙2〔資料等〕「（資料8）賃貸事例の概要等」に記載の価格時点の賃料指数を用いること。

(6) 賃貸事例比較法を適用する際に用いる計算式及び略号は，次のとおりとすること。

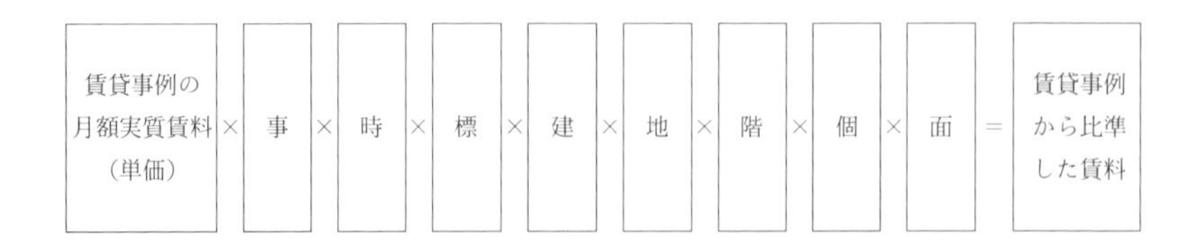

各項の意味と略号

事：事情補正	**地**：地域要因の比較
時：時点修正	**階**：階層及び位置による格差修正
標：賃貸事例の標準化補正	**個**：対象貸室の個別的要因の格差修正
建：建物品等格差修正	**面**：対象貸室の面積

2．共益費収入は，現行の賃貸条件（住宅部分は賃貸面積１㎡当たり120円（月額），店舗部分は賃貸面積１㎡当たり750円（月額））を妥当と認めて計上すること。

3．貸室部分の水道光熱費は，賃借人が実額を負担するものとすること。

4．駐車場収入は，現行の１台当たりの使用料を妥当と認めて採用すること。

5．その他収入は，携帯アンテナ設置料25,000円（月額）及び住宅部分の礼金収入を計上すること。

礼金収入は，価格時点以降締結する新規契約分より住宅部分の貸室支払賃料の１カ月分とし，平均賃貸借期間に基づき，次のように計算して平準化した金額を計上すること。

礼金収入＝礼金（住宅部分全貸室合計）÷平均賃貸借期間

6．空室等損失は，貸室賃料収入，共益費収入及び駐車場収入について，貸室部分（稼働部分及び自用部分）の稼働率を94%，駐車場部分の稼働率を80%として求めること。

7．貸倒れ損失は，賃借人の状況等を勘案した結果，計上しないものとすること。

X．問３－(2)について

運営費用は，維持管理費，水道光熱費，修繕費，プロパティマネジメントフィー（以下「ＰＭフィー」という。），テナント募集費用等，公租公課（土地及び建物），損害保険料及びその他費用を合計して求めること。査定に当たっては，次に掲げる事項に留意すること。

1．維持管理費は，別紙２〔資料等〕「（資料９）対象不動産の費用実績推移表」の費用実績を用いて査定すること。査定に当たっては，次のとおりとすること。

維持管理費に該当する費用項目の直近7カ月間合計の月額平均値を採用して賃貸面積1㎡当たりの単価（月額）を求め，これに対象不動産の賃貸面積を乗じて，年額の維持管理費を査定すること。

2．共用部分の水道光熱費についても，上記1．と同様に，水道光熱費に該当する費用項目の直近7カ月間合計の月額平均値を採用して賃貸面積1㎡当たりの単価（月額）を求め，これに対象不動産の賃貸面積を乗じて，年額の共用部分の水道光熱費を査定すること。

3．修繕費は，建物の通常の維持管理のための費用と住宅部分の賃貸人負担の原状回復費をそれぞれ次の計算式により求めて合算すること。

建物の通常の維持管理のための費用＝建物再調達原価×0.4%（年額）

原状回復費＝6,000円/㎡×賃貸人負担率60%×賃貸面積×稼働率÷平均賃貸借期間

4．ＰＭフィーは，現行の管理運営委託契約に基づき，稼働率を考慮の上，貸室賃料収入，共益費収入及び駐車場収入の合計額の2.5%相当額とすること。

5．テナント募集費用等は，仲介手数料相当額とし，新規に入居を想定した自用部分（1階店舗）の査定月額支払賃料の1カ月分とすること。

6．公租公課（固定資産税率1.4%及び都市計画税率0.3%）は，以下のとおり査定すること。また，査定に当たっては，千円未満四捨五入とすること。

(1) 土地：土地の課税価格（評価額）を160,000,000円とし，固定資産税の課税標準額は課税価格（評価額）の1/6，都市計画税の課税標準額は課税価格（評価額）の1/3として，税額を査定すること。

なお，本件では，対象不動産の全体敷地について，小規模住宅用地の税制上の軽減が適用可能であることを前提としている。

(2) 建物：建物再調達原価の40%相当額を建物の課税標準額として，税額を査定すること。

7．損害保険料は，現行の保険契約に基づき395,000円（年額）とすること。

8．その他費用は，自用部分（1階店舗）の貸室化対策費用等相当額として，950,000円を計上すること。

XI．問3－(3)について

1．対象不動産の純収益を求めるに当たっては，次のとおりとすること。

⑴　一時金の運用益は，住宅は貸室支払賃料の１カ月分，店舗（稼働部分及び自用部分）は貸室支払賃料12カ月分の満室稼働を前提とした敷金に稼働率を考慮し，さらに，運用利回りの年1.0%を乗じて求めること。

⑵　資本的支出は，建物再調達原価の0.8%相当額（年額）とすること。

２．還元利回りは，類似不動産の取引利回りとの比較，対象不動産の個別性，将来の純収益の変動見通し等を勘案して5.6%を採用すること。

Ⅻ．問４について

鑑定評価額の決定に当たっては，各試算価格が有する説得力に係る判断の過程についての説明を簡潔に行い，重視した試算価格とその理由を明確にすること。また，その過程において，対象不動産の市場競争力との関連についても簡潔に説明すること。

各試算価格の再吟味についての説明は不要であり，各試算価格が有する説得力に係る判断のうち，各手法の適用において採用した資料の特性及び限界に起因する相対的信頼性についての説明も不要である。

別紙２〔資料等〕

Ⅰ．依頼内容

本件は，「Ｘ駅」から北東方約450ｍ（道路距離）に位置する店舗付共同住宅（対象不動産）について，売買の参考として，不動産鑑定士に鑑定評価を依頼したものである。

Ⅱ．対象不動産

１．土地　所在及び地番　Ａ県Ｂ市Ｃ区Ｄ町一丁目６番８
地　　　目　宅地
地　　　積　820.00㎡（土地登記簿〔全部事項証明書〕記載数量）
所　有　者　甲貿易株式会社

２．建物　所　　　在　Ａ県Ｂ市Ｃ区Ｄ町一丁目６番地８
家屋番号　６番８
構造・用途　鉄筋コンクリート造陸屋根８階建 店舗付共同住宅
建築年月日　平成27（2015）年３月１日
床　面　積　（建物登記簿〔全部事項証明書〕記載数量）

階	床面積
１階	340.00㎡
２階	310.00㎡
３階	310.00㎡
４階	310.00㎡
５階	310.00㎡
６階	310.00㎡
７階	310.00㎡
８階	250.00㎡
合計	2,450.00㎡

所　有　者　甲貿易株式会社

Ⅲ．鑑定評価の基本的事項

１．類型

貸家（一部自用）及びその敷地

２．鑑定評価の条件

⑴　対象確定条件

対象不動産の現実の利用状況を所与とする。

⑵　地域要因又は個別的要因についての想定上の条件

特にない。

⑶　調査範囲等条件

特にない。

3．価格時点

令和5（2023）年8月1日

4．依頼目的

売買の参考

5．鑑定評価によって求める価格の種類

正常価格

Ⅳ．対象不動産が所在するＢ市の概況

1．位置等

⑴　位置及び面積　Ａ県の東部に位置し，面積は約280㎢である。

⑵　沿　　革　　等　Ｂ市は，Ａ県の東部に位置する県庁所在地で，古くから交通の要衝として栄えてきた。近年においても，行政・商業・業務などの都市機能の集積が進んでおり，Ａ県の中心的な都市として発展している。

2．人口等

⑴　人　口　現在約60万人であり，近年は微増傾向が続いている。

⑵　世帯数　約30万世帯

3．交通施設及び道路整備の状態

⑴　鉄　道　ＪＲ○○線がＢ市の中央部を東西に横断し，私鉄○○線が市街地の中央部を南北に縦断している。

⑵　バ　ス　「Ｘ駅」を中心としてバス路線網が整備され，運行便数も多く鉄道を補完している。

⑶　道　路　国道及び県道を幹線道路とし，市道が縦横に敷設されている。Ｂ市の西部には○○自動車道のインターチェンジが設けられ，周辺都市と連絡している。

4．供給処理施設の状態

⑴　上 水 道　普及率ほぼ100％

⑵　下 水 道　普及率約95％

⑶　都市ガス　普及率約90%

5．土地利用の状況

⑴　商業施設　ＪＲ○○線の「Ｈ駅」周辺はＢ市の中心市街地であり，百貨店等の商業ビル，大規模なホテル，高層事務所ビルを中心とした商業施設の集積が見られる。

⑵　住　　宅　安定的な住宅需要を背景に，市内の駅徒歩圏内においては中高層の共同住宅，郊外の駅周辺やバス通勤圏においては戸建住宅を中心とした住宅地が形成されている。特に，市内中心部に近い駅周辺では，分譲マンションのほか単身者向けの賃貸マンションも多く供給されている。

Ⅴ．対象不動産に係る市場の特性

1．同一需給圏の判定

対象不動産と代替・競争関係が成立する類似不動産の存する同一需給圏を，対象不動産の最寄り駅であるＪＲ○○線「Ｘ駅」並びに隣接する「Ｙ駅」及び「Ｚ駅」から徒歩圏に位置する圏域と判定した。「Ｘ駅」からＢ市の中心駅である「Ｈ駅」まではＪＲ○○線を利用し約７分で，Ｂ市中心部へのアクセスは容易である。

2．同一需給圏内における市場参加者の属性及び行動

同一需給圏内の売買市場における市場参加者の属性は，収益用不動産については，不動産会社，投資ファンド等が中心であり，不動産取引に際し，主に収益性を重視する傾向にある。また，敷地の規模の大きな画地の場合，良好な交通接近性から，共同住宅用地として賃貸運営事業や分譲事業を行う不動産会社等が考えられる。

3．市場の需給動向

上記の通り，同一需給圏は，Ｂ市の中心部に近く，利便性は高い。近年は，企業の拠点集約等による事業所，事務所ビル跡地に賃貸マンション，分譲マンション等が多く建設されている。

個人や企業による賃貸需要も比較的堅調である。さらに，経済回復の影響を受け，Ｂ市における不動産市況も回復していることから，同一需給圏内においても，ここ数年，不動産会社や投資ファンド等が賃貸マンション等の開発や購入を積極的に行っており，賃貸マンション等の取引価格は引き続き上

昇傾向にある。また，同一需給圏内の新築分譲マンション市場においても，市況は堅調で，需要の高まりから供給不足感が強く，販売開始後，短期間で完売する物件が多くみられる。

近隣地域及び類似地域における新築分譲マンション販売物件のターゲット層は，シングル，ディンクス，ファミリー層と多様である。近時の分譲マンション市況は，立地条件，地域特性に適合した商品企画等を行うことで，既述のターゲット層の需要を十分に取り込み可能な状態にある。

また，当該地域及び周辺地域における分譲販売実績データによれば，マーケットにおいて最も売行き好調な間取別の販売価格帯は，１LDKで2,000〜2,900万円台，２LDKで2,300〜3,400万円台，３LDKで3,400〜4,300万円台の水準である。

4．同一需給圏における地価の推移・動向

同一需給圏における地価について，近年は概ね上昇傾向で推移してきたが，令和３（2021）年後半までは横ばいで推移し，令和４（2022）年に入ると再び上昇傾向を示している。令和５（2023）年においても上昇傾向は継続しており，今後しばらくは同様の推移が見込まれる。

Ⅵ．近隣地域の状況

別紙２〔資料等〕「（資料２）近隣地域・類似地域の概要」のとおりである。

Ⅶ．個別分析

1．土地の状況

⑴　近隣地域における位置

近隣地域のほぼ中央部に位置する。

⑵　土地の状況

①　街路条件

西側：幅員約12mの舗装市道（市道○号線，建築基準法第42条第１項第１号道路）

南側：幅員約８mの舗装市道（市道○号線，建築基準法第42条第１項第１号道路）

②　交通・接近条件

近隣地域の標準的画地とほぼ同じである。

③ 環境条件

近隣地域の標準的画地と同じである。

④ 行政的条件

近隣地域の標準的画地と同じである。

⑤ 画地条件

間口約24m・奥行約32.5m・規模820.00㎡のやや不整形な角地である。

⑶ 標準的画地と比較した増減価要因

増価要因：角地（＋３％）

減価要因：不整形地（注）

（注）対象地の形状に係る個別的要因・不整形（形状）に係る補正率は，後述の別紙２〔資料等〕「（資料４）対象地の個別的要因に係る資料」の記載事項に基づいて算定すること。

２．建物の状況

⑴ 建物概要

① 建築年月日：平成27（2015）年３月１日

② 構造・用途：鉄筋コンクリート造陸屋根８階建　店舗付共同住宅

③ 床面積合計：2,450.00㎡

④ 各階の配置等：１階（エントランス・店舗１区画）２階（店舗２区画）
３～８階（居室各階６戸，各戸45㎡，総戸数36戸）

⑵ 設備概要

電気設備，給排水設備，衛生設備，ガス設備，空調設備，エレベーター１基等

⑶ 仕上げ概要

① 外壁：タイル貼り，一部吹付塗装等

② 内壁：クロス貼り，石貼り等

③ 床　：タイルカーペット，フローリング，石貼り等

④ 天井：ボード，クロス貼り等

⑷ 使用資材の品等

標準的

⑸ 施工の質と量

質及び量ともに店舗付共同住宅として標準的である。

⑹　耐震性，耐火性能等建物の性能

対象建物は新耐震基準に適合している。耐火性能については，現行法令に準拠し標準的な性能を有している。

⑺　維持管理の状態

維持管理の状態は概ね良好で，経年相応の減価が認められる。

⑻　建物とその環境との適合の状態

対象建物は，周辺環境と概ね適合している。

⑼　公法上及び私法上の規制，制約等

遵法性について，新築時の建築確認済書及び検査済書を確認し，その後，増改築，用途変更等がなされていないことから，特段の違法性はない。

⑽　その他（特記すべき事項）

経年相応の劣化が認められるが，特に著しい物理的減価は認められず，機能的及び経済的減価も特に認められない。

3．建物及びその敷地の状況

⑴　建物等とその敷地との適応の状態

対象建物は，敷地と概ね適応している。

⑵　修繕計画・管理計画の良否とその実施の状態

①　修繕計画の良否と修繕の実施の状態

対象不動産の設備，仕様等に合致した修繕，更新等の計画が策定されており，適切に修繕が実施されている。

②　管理計画の良否と管理業務の実施の状態

管理委託先により，適切な計画が策定され，計画通りに管理業務が実施されている。

⑶　賃貸経営管理の良否

①　賃借人の状況及び賃貸借契約の内容

賃貸借契約は標準的で，住宅の一時金は敷金・礼金ともに月額支払賃料の1カ月分，店舗の敷金は月額支払賃料の12カ月分であり，礼金及び更新料の授受はない。また，本件売買に当たって，売主より買主に継承される一時金は敷金のみである。賃借人については，支払賃料の延滞等はなく，特段の問題はない。

②　貸室の稼働状況

直近の3年間の平均的な稼働状況は，貸室部分が94%，駐車場部分が

80％で推移している。なお，価格時点現在の貸室部分（住宅）の空室はなく，解約予告は発生していない。

4．対象不動産の市場分析

⑴　対象不動産に係る典型的な需要者層

収益用不動産における市場参加者は，不動産会社，投資ファンド等が中心であり，不動産取引に際し，主に収益性を重視して取引の意思決定を行う傾向にある。

また，周辺地域では，企業の自社ビル，事務所ビルの閉鎖等に当たっては，その跡地には，不動産開発業者により中高層の共同住宅が比較的多く建設されている。

⑵　代替・競争関係にある不動産との比較における優劣及び競争力の程度

対象不動産は最寄り駅に近く，適切に管理が行われ，稼働率，賃料水準とも安定して稼働していることから，収益性に優れ，また，一部自用部分の貸室化は可能で，同一需給圏内の代替・競争不動産と比較し，標準的な競争力を有している。

5．最有効使用の判定

⑴　更地としての最有効使用

同一需給圏内の市場動向，対象不動産の立地条件，敷地規模，個別的要因等を勘案し，中高層共同住宅地と判定した。

⑵　建物及びその敷地の最有効使用

建物は敷地と概ね適応し，店舗付共同住宅の建ち並ぶ周辺環境とも適合しているため，現況の建物及びその敷地の利用は，ほぼ最有効使用の状態と認められ，対象不動産の現況の維持管理の状態，賃貸運営の状態等を加味し，対象不動産の最有効使用を現況利用の継続と判定した。

なお，近隣地域内の利用状況等より店舗収益の中長期的な発展性，店舗商業性は低いことから，対象不動産において，低層階に店舗部分を有することによる建付地としての増減価は発生しないが，自用部分（１階店舗）を貸室化するための対策期間や直接的な費用負担等を要することによる土地建物一体とした市場性への影響が認められるものと判断した。

Ⅷ．対象不動産の賃貸借契約等の概要

1．稼働状況及び賃貸借契約の内容等

階層	貸室番号	用途	賃貸面積（㎡）	稼働状況	月額支払賃料（円）	月額共益費（円）	敷金（円）	礼金（円）
8	801	住宅	45.00	入居	109,000	5,400	109,000	109,000
	802	住宅	45.00	入居	107,000	5,400	107,000	107,000
	803	住宅	45.00	入居	107,000	5,400	107,000	107,000
	804	住宅	45.00	入居	107,000	5,400	107,000	107,000
	805	住宅	45.00	入居	107,000	5,400	107,000	107,000
	806	住宅	45.00	入居	109,000	5,400	109,000	109,000
7	701	住宅	45.00	入居	106,000	5,400	106,000	106,000
	702	住宅	45.00	入居	104,000	5,400	104,000	104,000
	703	住宅	45.00	入居	104,000	5,400	104,000	104,000
	704	住宅	45.00	入居	104,000	5,400	104,000	104,000
	705	住宅	45.00	入居	104,000	5,400	104,000	104,000
	706	住宅	45.00	入居	106,000	5,400	106,000	106,000
6	601	住宅	45.00	入居	103,000	5,400	103,000	103,000
	602	住宅	45.00	入居	101,000	5,400	101,000	101,000
	603	住宅	45.00	入居	101,000	5,400	101,000	101,000
	604	住宅	45.00	入居	101,000	5,400	101,000	101,000
	605	住宅	45.00	入居	101,000	5,400	101,000	101,000
	606	住宅	45.00	入居	103,000	5,400	103,000	103,000
5	501	住宅	45.00	入居	101,000	5,400	101,000	101,000
	502	住宅	45.00	入居	99,000	5,400	99,000	99,000
	503	住宅	45.00	入居	99,000	5,400	99,000	99,000
	504	住宅	45.00	入居	99,000	5,400	99,000	99,000
	505	住宅	45.00	入居	99,000	5,400	99,000	99,000
	506	住宅	45.00	入居	101,000	5,400	101,000	101,000
4	401	住宅	45.00	入居	98,000	5,400	98,000	98,000
	402	住宅	45.00	入居	96,000	5,400	96,000	96,000
	403	住宅	45.00	入居	96,000	5,400	96,000	96,000
	404	住宅	45.00	入居	96,000	5,400	96,000	96,000
	405	住宅	45.00	入居	96,000	5,400	96,000	96,000
	406	住宅	45.00	入居	98,000	5,400	98,000	98,000
3	301	住宅	45.00	入居	95,000	5,400	95,000	95,000
	302	住宅	45.00	入居	93,000	5,400	93,000	93,000
	303	住宅	45.00	入居	93,000	5,400	93,000	93,000
	304	住宅	45.00	入居	93,000	5,400	93,000	93,000
	305	住宅	45.00	入居	93,000	5,400	93,000	93,000
	306	住宅	45.00	入居	95,000	5,400	95,000	95,000
2	201	店舗	120.00	入居	363,000	90,000	4,356,000	0
	202	店舗	120.00	入居	309,000	90,000	3,708,000	0
1	101	店舗	250.00	自用	（注）			
住宅部分合計			1,620.00	－	3,624,000	194,400	3,624,000	3,624,000
店舗部分合計			490.00	－	672,000	180,000	8,064,000	0
合　計			2,110.00	－	4,296,000	374,400	11,688,000	3,624,000

（注）自用部分（１階店舗）は，現在営業中であるが，対象不動産の売買における契約条件が買主，所有者間で合意に至った後，物件引渡日までにＢ市所在の他のビルへの移転を予定している。また，当該自用部分については，現状のままの状態での退去，引渡しを予定している。

２．その他の契約条件の内容

⑴ 賃貸部分の契約の種類は，いわゆる普通借家契約である。また，契約期間は２年間とする。なお，当該契約には「貸主・借主の双方から特段の申出をしなければ，同条件で同期間自動更新する」という条項が付されている。

⑵ 月額共益費は，住宅各室とも賃貸面積１㎡当たり120円，各店舗は賃貸面積１㎡当たり750円であり，周辺の同様の賃貸物件と比較しても，同等の水準にある。

⑶ 月額支払賃料及び月額共益費は，毎月末に当月分を支払う。

⑷ 敷金は預り金的性格を有する一時金であり，賃貸借終了時に無利息で賃借人に返還される。礼金は賃料の前払的性格を有する一時金であり，賃借人には返還されない。

⑸ 駐車場は対象不動産の入居テナントのみを対象として12台分のスペースがあり，現在12台分が賃貸されている。１台当たりの月額使用料は25,000円で，敷金・礼金等の一時金の授受はなく，周辺の賃貸物件と比較しても，同等の水準である。

⑹ 店舗部分の賃借人退去時の原状回復工事等に関する費用は，賃借人負担である。

（資料１）対象不動産，地価公示法による標準地，取引事例，賃貸事例等の位置図

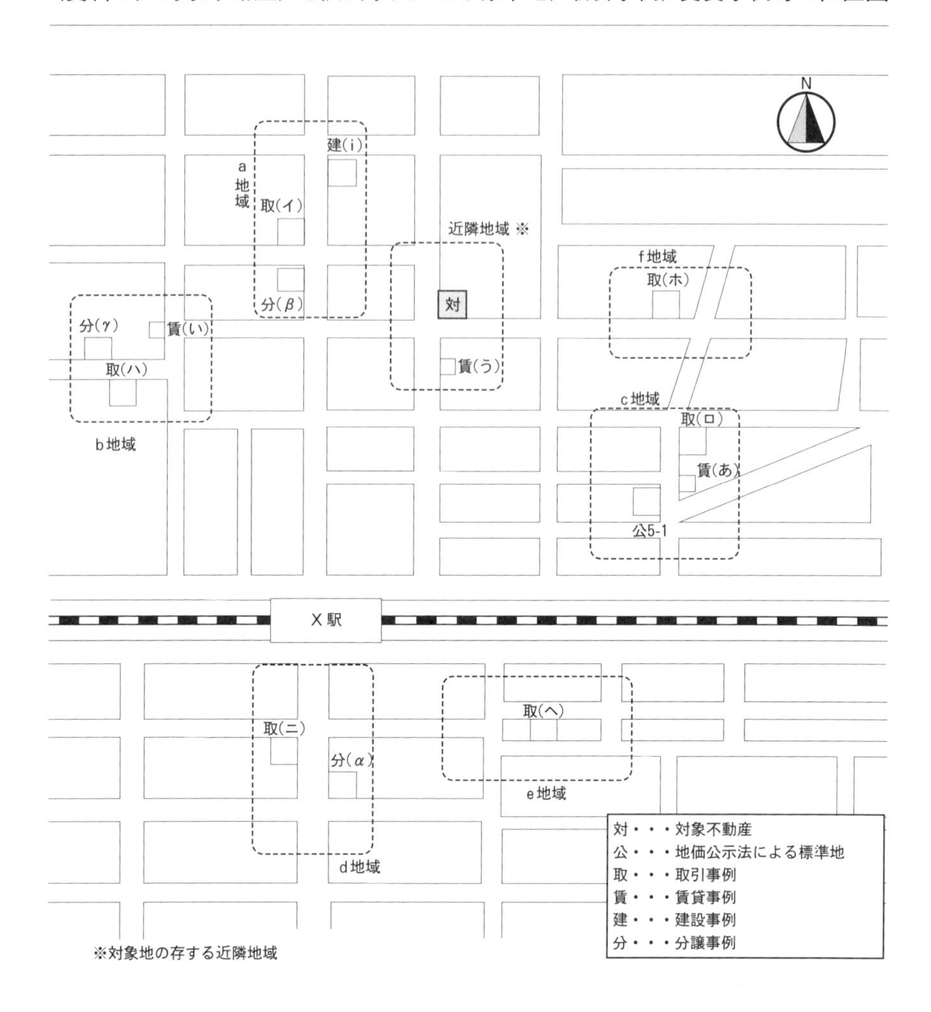

（注）この位置図は，対象不動産，地価公示法による標準地，取引事例等のおおよその配置を示したものであり，実際の距離，規模等を正確に示したものではない。

（資料２）近隣地域・類似地域の概要

地域	位置（距離は駅から中心までの道路距離）	道路の状況	周辺の土地の利用状況	都市計画法等の規制で主要なもの	供給処理施設	標準的画地の規模	標準的使用	地域要因に係る評点（近隣地域＝100）
近隣地域	X駅の北東方 約450m	幅員12m 舗装市道	中高層店舗付共同住宅，中高層共同住宅が建ち並ぶ地域	近隣商業地域 建ぺい率 80% 容積率 300% 準防火地域	上水道 下水道 都市ガス	400㎡	中高層店舗付共同住宅地	
a地域	X駅の北方 約500m	幅員14m 舗装市道	中高層共同住宅，中高層店舗付事務所が混在して建ち並ぶ地域	近隣商業地域 建ぺい率 80% 容積率 300% 準防火地域	上水道 下水道 都市ガス	450㎡	中高層店舗付共同住宅地	111
b地域	X駅の北西方 約300m	幅員９m 舗装市道	中高層共同住宅を中心に店舗もみられる地域	近隣商業地域 建ぺい率 80% 容積率 300% 準防火地域	上水道 下水道 都市ガス	550㎡	中高層共同住宅地	93
c地域	X駅の北東方 約350m	幅員８m 舗装市道	中高層店舗付共同住宅，店舗付事務所が混在して建ち並ぶ地域	近隣商業地域 建ぺい率 80% 容積率 300% 準防火地域	上水道 下水道 都市ガス	350㎡	中高層店舗付共同住宅地	87
d地域	X駅の南方 約150m	幅員14m 舗装市道	高層店舗付共同住宅，高層店舗付事務所が建ち並ぶ地域	商業地域 建ぺい率 80% 容積率 400% 防火地域	上水道 下水道 都市ガス	450㎡	高層店舗付共同住宅地	115
e地域	X駅の南東方 約200m	幅員７m 舗装市道	中層店舗付共同住宅や店舗ビル，事業所が混在する地域	近隣商業地域 建ぺい率 80% 容積率 300% 準防火地域	上水道 下水道 都市ガス	280㎡	中層店舗付共同住宅地	86
f地域	X駅の北東方 約550m	幅員８m 舗装市道	中高層店舗付共同住宅を中心に事務所ビル，事業所が混在する地域	近隣商業地域 建ぺい率 80% 容積率 300% 準防火地域	上水道 下水道 都市ガス	350㎡	中高層店舗付共同住宅地	84

（注）「地域要因に係る評点」については，近隣地域の評点を100とし，近隣地域と比較してそれぞれの地域に評点を付したものである。

（資料３）標準地・取引事例の概要

事例区分	所在する地域	類型	価格時点 取引時点 （価格時点の地価指数）	公示価格 取引価格	数量等	価格時点及び取引時点における敷地の利用状況	道路及び供給処理施設の状況	駅からの道路距離	個別的要因	備考
標準地 5－1	c地域	更地として	令和５ (2023). 1.1 (102.4)	235,000円/㎡	土地 450㎡	鉄筋コンクリート造 地上 ８階建 店舗付共同住宅	東側幅員 ８ｍ 舗装市道 上水道 下水道 都市ガス	Ｘ駅 北東方 約350ｍ	標準的 ±０％	地価公示法第３条の規定により選定された標準地であり，利用の現況は当該標準地の存する地域における標準的使用とおおむね一致する。更地としての価格が公示されている。
取引 事例 （イ）	a地域	貸家及びその敷地	令和５ (2023). 6.5 (100.7)	410,000,000円	土地 650㎡ 建物延床面積 1,900㎡	鉄筋コンクリート造 地上８階建 共同住宅	東側幅員 14ｍ 南側幅員 ８ｍ 舗装市道 上水道 下水道 都市ガス	Ｘ駅 北方 約500ｍ	角地 +5% 不整形地 －１％	不動産会社が投資目的で購入した事例であり満室の状態で取引された。取引に当たり特別な事情はない。借家人居付であることによる増減価はなく，また，建物については，鑑定評価による建物価格200,000,000円で取引されたことが判明している。
取引 事例 （ロ）	c地域	更地	令和２ (2020). 8.15 (107.8)	135,200,000円	土地 580㎡	駐車場	西側幅員 ８ｍ 北側幅員 ６ｍ 舗装市道 上水道 下水道 都市ガス	Ｘ駅 北東方 約350ｍ	角地 ＋２％	自社事業所跡地を貸駐車場として暫定利用していたところ，現状有姿での売買となった。
取引 事例 （ハ）	b地域	自用の建物及びその敷地	令和５ (2023). 2.1 (102.1)	142,000,000円	土地 580㎡ 建物延床面積 230㎡	鉄骨造 地上 ３階建 事務所	北側幅員 ９ｍ 舗装市道 上水道 下水道 都市ガス	Ｘ駅 北西方 約300ｍ	標準的 ±０％	老朽ビルが存する。取壊し費用（建物延床面積当たり，30,000円/㎡：建物の個別性等を鑑み，妥当な水準である。）は売主負担であることが判明。その他，特別な事情はない。
取引 事例 （ニ）	d地域	自用の建物及びその敷地	令和4 (2022). 12.15 (102.7)	340,000,000円	土地 340㎡ 建物延床面積 1,200㎡	鉄骨造 地上 ８階建 共同住宅	東側幅員 14ｍ 北側幅員 ８ｍ 舗装市道 上水道 下水道 都市ガス	Ｘ駅 南方 約150ｍ	角地 ＋５％	法人間で取引された事例であり，取引に当たり特別な事情はない。

取引事例（ホ）	f地域	自用の建物及びその敷地	令和4（2022）.4.8（104.0）	348,000,000円	土地2,120㎡ 建物延床面積650㎡	鉄骨造地上2階建事務所	南側幅員8m 舗装市道 上水道 下水道 都市ガス	X駅北東方約550m	規模大－15% 不整形地－3%	老朽ビルが存する。取壊し費用（建物延床面積当たり，30,000円/㎡：建物の個別性等を鑑み，妥当な水準である。）は買主負担であることが判明。その他，特別な事情はない。
取引事例（ヘ）	e地域	更地	令和5（2023）.5.8（101.0）	98,000,000円	土地300㎡	未利用地	北側幅員7m 南側幅員6m 舗装市道 上水道 下水道 都市ガス	X駅南東方約200m	二方路地＋2% 不整形地－1%	隣接所有者による購入であり，地元住民によれば，約10%程度割高であったと聴聞している。

（注１）「価格時点の地価指数」は標準地に係る価格時点及び各取引事例に係る取引時点の地価指数を100とし，本件価格時点の価格指数を示したものである。

（注２）「個別的要因」は，各取引事例のそれぞれの地域において標準的と認められる画地と標準地及び取引事例に係る土地とを比較した各画地の増減価要因である。

（資料４）対象地の個別的要因に係る資料

対象地は，長方形から斜線部分の２つの直角三角形及び１つの長方形を欠いた，やや不整形な土地である。この場合，次図の「想定整形地」のとおり長方形の整形な土地を想定し，まず，算式１により求められた割合に対応する不整形補正に係る係数（不整形補正に係る係数の対応表参照）を判定し，算式２の通り，想定整形地の面積に対する割合に，不整形補正に係る係数を乗じて査定した補正率をもって，対象地の形状にかかる個別的要因の格差率とすること。

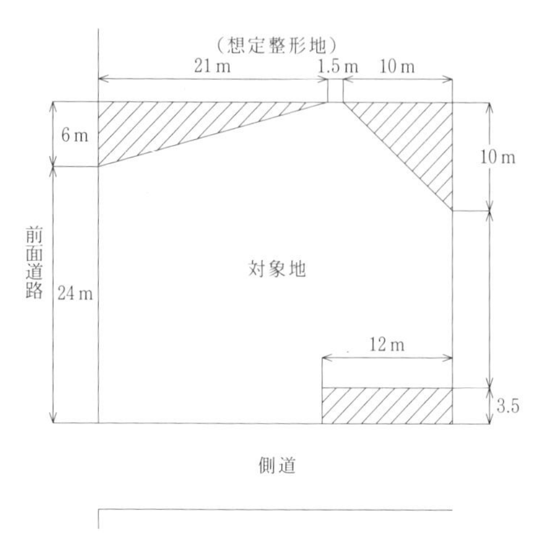

（算式1）

$$\text{想定整形地のうち対象地以外の面積の想定整形地の面積に対する割合（\%）} = \frac{\text{斜線部分の面積の総合計}}{\text{想定整形地の面積}} \times 100$$

（不整形補正に係る係数の対応表）

上記算式による割合	不整形補正に係る係数
5％未満	0
5％以上10％未満	－0.1
10％以上15％未満	－0.2
15％以上20％未満	－0.3
20％以上25％未満	－0.4
25％以上30％未満	－0.5

（例）算式1にて求められた割合が28％の場合、不整形補正に係る係数は、－0.5を採用。

（算式2）

想定整形地のうち対象地以外の面積の想定整形地の面積に対する割合（%） × 該当する不整形補正に係る係数 ＝ 不整形に係る補正率（%）

（注）算式により求めた結果は、小数点以下第1位を四捨五入すること。

（資料5）対象建物の建築工事費

対象建物は，平成27（2015）年3月1日に竣工した。建築工事費は，全体で572,000,000円であった（同建築工事費は，竣工時点における標準的な建築工事費であり，その他特別な事情はない。）。

なお，この建築工事費は，建築当時と比較し，令和5（2023）年8月時点で24％上昇している。

（資料6）建設事例の概要

事例区分	所在する地域	建築時点（価格時点の建築費指数）（注1）	建築工事費	数量等	建物構造及び用途	建物竣工時点での経済的残存耐用年数	施工の質・設備概要	評点（注2）
建設事例（i）	a地域	令和3（2021）.10.1（103.7）	689,000,000円（265,000円/㎡）	建築面積 350㎡ 延床面積 2,600㎡	鉄筋コンクリート造 地上8階建 店舗付共同住宅	躯体部分 50年 仕上げ部分 30年 設備部分 15年	施工の質：標準的 昇降機設備：有り 平置駐車場：有り	95

（注1）「価格時点の建築費指数」は建設事例に係る建設時点の建築費指数を100とし，価格時点の建築費指数を示したものである。

（注2）「評点」は，対象建物を100とした場合の比較評点（価格時点における建物の面積以外の個別的要因に係る評点）である。

（注３）建築工事費に占める躯体（本体）部分と仕上げ部分及び設備部分の構成割合は，40％：30％：30％である。

（注４）特別な事情が存在しない標準的な建築工事費である。

（資料７）分譲事例の概要

分譲事例	物件名称	地域	構造・階層等	分譲戸数	平均分譲単価（円/㎡）	最多価格帯	販売開始月
α	○○コート	d 地域	鉄筋コンクリート造12階	59	741,000	2,600万円	令和４年（2022）２月
β	△△ヴィレッジレジデンス	a 地域	鉄筋コンクリート造10階	69	559,000	3,200万円	令和４年（2022）３月
γ	□□スクエアマンション	b 地域	鉄筋コンクリート造10階	79	522,000	3,500万円	令和４年（2022）１月

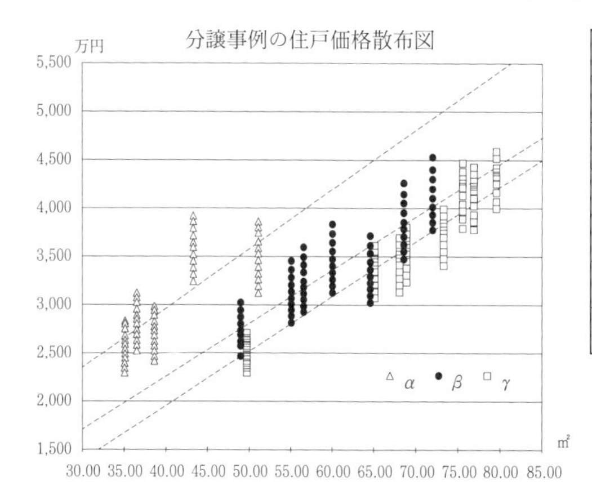

	分譲事例α	分譲事例β	分譲事例γ
間取り	1LDK	2LDK	2LDK
分譲価格帯	2,290 ～3,120 万円	2,460 ～3,830 万円	2,290 ～2,700 万円
平均面積	36.63 ㎡	55.10 ㎡	49.60 ㎡
間取り	2LDK	3LDK	3LDK
分譲価格帯	3,120 ～3,920 万円	3,020 ～4,530 万円	3,070 ～4,590 万円
平均面積	47.27 ㎡	68.18 ㎡	72.30 ㎡

（注）いずれの事例とも、同一需給圏内での分譲マンションとして標準的な仕様であり、それぞれの地域におけるエンドユーザーの嗜好性を取り込んだ商品性となっている。また、販売開始後、順調に成約が進捗した実績があり、販売開始後短期間で全戸完売している。

（資料８）賃貸事例の概要等

１．賃貸事例の概要

事例区分	所在する地域	種類	賃貸時点（価格時点の賃料指数）	月額支払賃料一時金等	事例の概要	備　考
賃貸事例（あ）	c地域	新規賃料	令和４（2022）．10．5（101．4）	・月額支払賃料：1,040,000円 ・月額共益費：210,000円 ・敷金：12カ月分 ・礼金：なし	・鉄筋コンクリート造地上７階建の１階部分 ・平成23（2011）年６月竣工 ・用途：店舗 ・賃貸面積：280㎡	賃貸借に当たり，特別な事情はない。
賃貸事例（い）	b地域	新規賃料	令和５（2023）．6．12（100．2）	・月額支払賃料：928,000円 ・月額共益費：240,000円 ・敷金：12カ月分 ・礼金：なし	・鉄筋コンクリート造地上４階建の２階部分 ・平成18（2006）年８月竣工 ・用途：店舗 ・賃貸面積：320㎡	賃貸借に当たり，特別な事情はない。
賃貸事例（う）	近隣地域	継続賃料	令和５（2023）．7．15（100．1）	・月額支払賃料：1,124,000円 ・月額共益費：195,000円 ・敷金：12カ月分 ・更新料：なし	・鉄筋コンクリート造地上12階建の１階部分 ・平成22（2010）年６月竣工 ・用途：店舗兼事務所 ・賃貸面積：260㎡	竣工当時から入居しているテナントが，月額支払賃料を減額のうえ契約を更新した。

（注）「価格時点の賃料指数」は各賃貸事例に係る賃貸時点の賃料指数を100とし，価格時点の賃料指数を示したものである。

２．賃貸事例の賃料形成要因の比較

補正項目＼事例等	対象不動産	賃貸事例（あ）	賃貸事例（い）	賃貸事例（う）
建物品等に係る評点（建）	100	93	97	102
地域要因に係る評点（地）	100	95	97	100
階層及び位置による格差に係る評点（階）	100	100	80	100
個別的要因に係る評点（個）又は（標）	100	100	98	102

（注１）「建物品等に係る評点（建）」は，対象建物の評点を100とし，賃貸事例の存する建物と比較してそれぞれの評点を付したものである。

（注2）「地域要因に係る評点（地）」は，近隣地域の評点を100とし，賃貸事例の存する地域と比較してそれぞれの評点を付したものである（不動産取引における土地の地域要因に係る評点とは必ずしも一致しない）。

（注3）「階層及び位置による格差に係る評点（階）」は，対象不動産及び賃貸事例の基準階における標準的な位置の賃貸区画の評点を100とし，階層及び位置を比較してそれぞれの評点を付したものである。なお，対象不動産及び賃貸事例とも基準階を1階としている。

（注4）「個別的要因に係る評点（個）又は（標）」は，対象不動産及び賃貸事例について，標準的な貸室区画を100として，レイアウトのしやすさや貸室内仕様等について比較した評点を示している。

（資料9）対象不動産の費用実績推移表

	費用項目（円）	1月	2月	3月	4月	5月	6月	7月	7カ月合計	項目計
維持管理費	①建物・設備管理費	184,000	184,000	184,000	184,000	184,000	184,000	184,000	1,288,000	1,622,000
	②保安警備費	12,000	12,000	12,000	12,000	12,000	12,000	12,000	84,000	
	③清掃費	11,000	5,000	14,000	16,000	11,000	25,000	11,000	93,000	
	④点検費	0	90,000	0	25,000	0	0	0	115,000	
	⑤環境衛生費用	6,000	6,000	6,000	6,000	6,000	6,000	6,000	42,000	
水道光熱費	①電気使用料	120,000	105,000	112,000	103,000	98,000	120,000	130,000	788,000	889,700
	②水道使用料	0	14,700	0	13,400	0	14,200	0	42,300	
	③ガス使用料	4,000	5,000	8,000	6,000	8,000	3,000	4,000	38,000	
	④電話通信費	2,500	3,000	2,200	3,500	3,200	2,500	4,500	21,400	
修繕更新費	①修繕費	250,000	150,000	80,000	4,000	70,000	65,000	65,000	684,000	1,884,000
	②更新費、資本的支出	180,000	0	270,000	450,000	60,000	120,000	120,000	1,200,000	

（資料10）複利現価率表

（投下資本収益率：年10％）

月数	複利現価率	月数	複利現価率
1	0.9921	13	0.9019
2	0.9842	14	0.8948
3	0.9765	15	0.8877
4	0.9687	16	0.8807
5	0.9611	17	0.8737
6	0.9535	18	0.8668
7	0.9459	19	0.8599
8	0.9384	20	0.8531
9	0.9310	21	0.8464
10	0.9236	22	0.8397
11	0.9163	23	0.8330
12	0.9091	24	0.8264

※太字（ゴシック体）表記は，本試験解答用紙に予め印字されていた箇所です。

問１-(1)　どのような鑑定評価手法を適用すべきか，また，どのように鑑定評価額を決定すべきか

対象不動産は貸家（一部自用）及びその敷地であることから，収益還元法による収益価格を標準とし，原価法による積算価格を比較考量して鑑定評価額を決定する。なお，要因比較が可能な取引事例が収集できなかったため，土地建物一体としての取引事例比較法は適用しない。

問１-(2)「修繕計画及び管理計画の良否並びにその実施の状態」について

①　大規模修繕に係る修繕計画の有無及び修繕履歴の内容

②　管理規則の有無

これらは，特に原価法における減価修正や，収益還元法における総費用（維持管理費，修繕費，資本的支出）等の査定に当たって考慮すべきである。

問１-(3)　すべて自用で利用されていることを想定した場合の価格を上回る要因について

現行の賃貸経営管理の状態が優れている場合（例えば，入居テナントからの賃料収入が正常な水準に比し高く，かつ，定期借家契約で安定的に当該賃料を享受できる場合等），収益性が高いことから，自用を想定した場合の価格を上回ることがある。

問２　原価法

問２-(1)　対象地の更地価格の査定

問２-(1)-①　取引事例から比準した価格

ｉ．事例（　イ　）を採用

土地価格（単価）（円／㎡）※１		**事**		**時**		**標**		**地**		**個**		**面※２（㎡）**		**取引事例から比準した価格（円）**
323,077	×	100/100	×	100.7/100	×	100/104	×	100/111	×	98/100	×	820	≒	226,000,000

（※１）取引事例に係る土地価格（単価）の査定根拠（建物及びその敷地の取引事例を選択する場合も記載すること）

410,000,000円－200,000,000円＝210,000,000円（323,077円/㎡）

（※２）対象地の個別的要因の格差率の査定根拠

・算式1

$$\frac{(21\times6\div2)+(10\times10\div2)+(12\times3.5)}{(32.5\times30)}\times100\fallingdotseq16\%$$

・算式2

16%×(－0.3%)≒－5%

・個別格差

角地　不整形
1.03 × 0.95 × 100≒98

ii．事例（　ハ　）を採用

土地価格（単価）（円／㎡）		事		時		標		地		個		面（㎡）		取引事例から比準した価格（円）
244,828	×	100/100	×	102.1/100	×	100/100	×	100/93	×	98/100	×	820	≒	216,000,000

iii．対象地の比準価格の査定

事例（イ）は取引時点は新しいが，貸家の事例であり，規範性はやや劣る。

事例（ハ）は実質的に更地の取引で，取引時点も新しく，要因格差も小さく，規範性は高い。

よって，事例（ハ）を重視し，（イ）を比較考量し，比準価格を219,000,000円（267,000円/㎡）と査定した。

問2-(1)-②　開発法を適用した価格

i．分譲販売収入の査定（事例　β　を採用）

1．平均分譲単価

559,000円/㎡×0.95≒531,000円

2．分譲販売収入

531,000円/㎡×2,288㎡＝1,214,928,000円

ii．開発諸費用の査定

1．建築工事費：787,000,000円

2．近隣対策費等：20,000,000円

3．開発負担金：200,000円×38戸＝7,600,000円

4．販売費及び一般管理費：1,214,928,000円×0.10＝121,492,800円

iii．投下資本収益率

10%

iv. 開発法を適用した価格

項　目		割合(%)	金額(円)	割引期間(月)	複利現価率	複利現価(円)
収入	分譲販売収入	10	121,492,800	11	0.9163	111,323,853
		90	1,093,435,200	21	0.8464	925,483,553
	収入計	―	1,214,928,000	―	―	(a) 1,036,807,406
費用	建築工事費	10	78,700,000	8	0.9384	73,852,080
		10	78,700,000	14	0.8948	70,420,760
		80	629,600,000	20	0.8531	537,111,760
	開発申請等協議，近隣対策等に関する費用	30	6,000,000	6	0.9535	5,721,000
		70	14,000,000	21	0.8464	11,849,600
	開発負担金	100	7,600,000	20	0.8531	6,483,560
	販売費及び一般管理費	50	60,746,400	9	0.9310	56,554,898
		50	60,746,400	20	0.8531	51,822,754
	費用計	―	936,092,800	―	―	(b) 813,816,412

開発法を適用した価格　　(a)－(b) ≒ 223,000,000円（272,000円/㎡）

問２-(1)-③　公示価格を規準とした価格

標準地　５－１

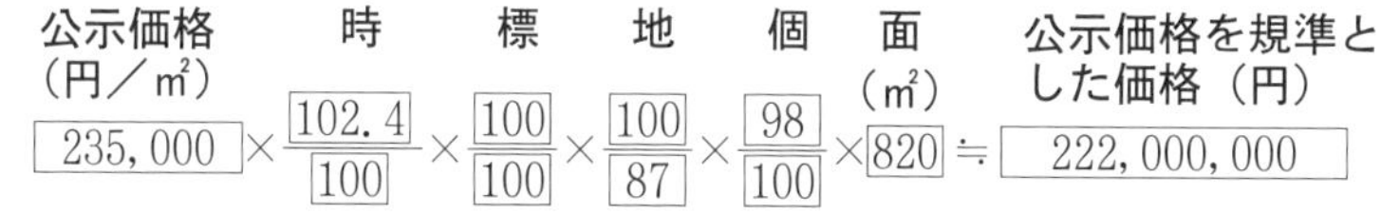

問２-(1)-④　対象地の更地価格

比準価格は現実の市場で発生した取引事例を価格判定の基礎とした客観的，実証的な価格である。開発法による価格は開発事業者の事業採算性に着目した価格である。本件では，最有効使用のマンション開発計画を想定し，対象不動産の個別性を十分反映した開発法による価格を重視し，比準価格を比較考量し，公示価格を規準とした価格との均衡に留意のうえ，更地価格を222,000,000円（271,000円/㎡）と査定した。

問２-(2)　対象不動産の再調達原価

１．土地

前記の更地価格を土地の再調達原価と査定した。

2．建物

直接法及び間接法を併用して査定する。

（直接法）

建築工事費（総額）（円）		事		時		建物再調達原価（円）
572,000,000	×	100/100	×	124/100	≒	709,000,000

（間接法）

建設事例（ⅰ）から査定した建物再調達原価

事例建築費（単価）（円／㎡）		事		時		個		面（㎡）		建物再調達原価（円）
265,000	×	100/100	×	103.7/100	×	100/95	×	2,450	≒	709,000,000

直接法は対象建物の個別性を反映している。

間接法は建築時点の新しい建設事例から求め，直近の建設物価を反映している。

本件では両者一致したので妥当と認め，709,000,000円（289,000円/㎡）をもって建物の再調達原価と査定した。

3．付帯費用

（1．＋ 2．）×0.20＝186,200,000円

4．計

1．＋ 2．＋ 3．＝1,117,200,000円

問2−(3) 対象不動産の減価修正・積算価格の試算

1．減価修正

(1) 土地

減価はない。

(2) 建物

① 耐用年数に基づく方法

（躯体） 709,000,000円×0.40× $\frac{9}{9+41}$ ＝ 51,048,000円

（仕上げ）709,000,000円×0.30× $\frac{9}{9+21}$ ＝ 63,810,000円

（設備） 709,000,000円×0.30× $\frac{9}{9+6}$ ＝127,620,000円

合計 242,478,000円

② 観察減価法

経年相応の減価であり，耐用年数に基づく方法と同額と査定。

③ 減価額

上記２方法を併用し，242,478,000円と査定。

(3) 付帯費用

$$186,200,000円 \times \frac{9}{9+41} = 33,516,000円$$

(4) 建物及びその敷地

自用部分が存することによる減価を以下のとおり査定した。

(1,117,200,000円－242,478,000円－33,516,000円)×0.02＝16,824,120円

(5) 計

(1)～(4)合計　292,818,120円

２．積算価格

再調達原価から減価額を控除して，積算価格を以下のとおり試算した。

1,117,200,000円－292,818,120円≒824,000,000円

問３ 収益還元法

問３-(1) 運営収益の査定

① 貸室賃料収入

a．稼働部分

4,296,000円×12＝51,552,000円

b．自用部分（１階店舗）

賃貸事例（　あ　）を採用

月額実質賃料（単価）（円／㎡）		事		時		標		建		地		階		個		面（㎡）		賃貸事例から比準した資料（円）
3,751	×	100/100	×	101.4/100	×	100/100	×	100/93	×	100/95	×	100/100	×	100/100	×	250	≒	1,080,000

（※）賃貸事例に係る月額実際実質賃料（単価）の査定根拠

1,040,000円＋1,040,000円×12×0.01÷12≒1,050,400円（3,751円/㎡）

（貸室賃料収入ａの査定）

ａ＋12ａ×0.01÷12＝1,080,000円

ａ≒1,070,000円

1,070,000円×12＝12,840,000円

c．**貸室賃料収入合計**

51,552,000円＋12,840,000円＝64,392,000円

② 共益費収入

（120円/㎡×1,620㎡＋750円/㎡×490㎡）×12＝6,742,800円

③ 水道光熱費収入：賃借人負担のため，なし。

④ 駐車場収入

25,000円×12台×12＝3,600,000円

⑤ その他収入

（アンテナ設置料）25,000円×12＝300,000円

（礼金収入）3,624,000円÷4年＝906,000円　　計1,206,000円

⑥ 計

①～⑤合計　75,940,800円

⑦ 空室等損失

（貸室部分）（64,392,000円＋6,742,800円）×0.06＝4,268,088円

（駐車場部分）3,600,000円×0.20＝720,000円　　計4,988,088円

⑧ 貸倒れ損失：賃借人の状況等を勘案し，計上しない。

⑨ 運営収益

⑥－⑦－⑧＝70,952,712円

問3-(2)　運営費用の査定

① 維持管理費

1,622,000円÷7か月≒231,714円

231,714円÷2,110㎡≒110円/㎡

110円/㎡×2,110㎡×12＝2,785,200円

② 水道光熱費

889,700円÷7か月≒127,100円

127,100円÷2,110㎡≒60円/㎡

60円/㎡×2,110㎡×12＝1,519,200円

③ 修繕費

（通常の維持管理のための費用）709,000,000円×0.004＝2,836,000円

（住宅部分の原状回復費）6,000円/㎡×0.60×1,620㎡×0.94÷4年

＝1,370,520円

計　4,206,520円

④　ＰＭフィー

（貸室部分）（64,392,000円＋6,742,800円）×0.94×0.025≒1,671,668円

（駐車場部分）3,600,000円×0.80×0.025＝72,000円

計　1,743,668円

⑤　テナント募集費用等：1,070,000円

⑥　公租公課

（土地）固定資産税：160,000,000円×1/6×0.014≒373,000円

都市計画税：160,000,000円×1/3×0.003≒160,000円

土地計　533,000円

（建物）709,000,000円×0.40×0.017≒4,821,000円

計　5,354,000円

⑦　損害保険料：395,000円

⑧　その他費用：950,000円

⑨　運営費用

①〜⑧計　18,023,588円

問３-⑶　対象不動産の収益価格の試算

①　純収益

ａ．運営純収益　70,952,712円－18,023,588円＝52,929,124円

ｂ．一時金の運用益

（3,624,000円×１か月＋1,742,000円×12か月）×0.94×0.01＝230,563円

ｃ．資本的支出　709,000,000円×0.008＝5,672,000円

ｄ．純収益　ａ．＋　ｂ．－　ｃ．＝47,487,687円

②　還元利回り

5.6％

③　収益価格

47,487,687円÷0.056≒848,000,000円

問４　試算価格が有する説得力に係る判断及び鑑定評価額の決定

以上により，積算価格　824,000,000円

収益価格　848,000,000円

の２試算価格を得た。

① 試算価格が有する説得力に係る判断

対象不動産は最寄り駅に近く，適切に管理が行われ，稼働率，賃料水準とも安定して稼働していることから，収益性に優れ，また，一部自用部分の貸室化は可能で，同一需給圏内の代替・競争不動産と比較し，標準的な競争力を有している。

対象不動産のような収益用不動産における市場参加者は，不動産会社，投資ファンド等が中心であり，不動産取引に際し，主に収益性を重視して取引の意思決定を行う傾向にあることから，収益還元法が市場の特性に最も適合した手法であり，説得力が高いものと判断した。

② 鑑定評価額の決定

以上の検討の結果，本件では収益価格を標準とし，積算価格を比較考量して，鑑定評価額を845,000,000円と決定した。

以　上

解　説

本問は，「貸家（一部自用）及びその敷地」に関する問題で，問1及び問4が記述問題，問2及び問3が計算問題となっている。

問1の記述問題は，それほど大きな配点はないはずなので，要点を簡潔に述べれば十分である。

問2の原価法は，全体的な流れはオーソドックスなものだが，土地の再調達原価（更地価格）の査定に際し，取引事例比較法だけでなく，開発法も適用する必要があるため，手間がかかる。ただ，本問における最大の関門は，開発法よりも，取引事例比較法における「取引事例の選択」であろう。解答例では事例（イ）と（ハ）を採用したが，開発法による価格や公示価格を規準とした価格とのバランス等から検証すると，試験委員は事例（イ）と（ロ）を採用させ，比準価格が227,000,000円程度となるような問題設定にした可能性も考えられる。ただし，解答例で採用した事例（ハ）の規範性が，（ロ）よりも劣っているという明確な理由はなく，また，事例（ホ）を採用するという判断も十分考えられる。ここで相当頭を悩ませてしまった受験生が多かったはずだが，こういった場合，割り切って他の解けるところから解答を進めて行くのが得策である。

問3の収益還元法（直接還元法）は，各論3章型の収益費用項目が採用されていること，自用部分の賃料を賃貸事例比較法によって査定する必要があること等，既出の論点ではあるものの，それなりに手間がかかる。また，運営費用のうち維持管理費と水道光熱費の査定方法が初見の計算論点で，指示もややわかりにくい。

問4の試算価格の調整は説得力に係る判断のみなので再吟味は行わず，資料の内容を適切に抜粋して収益価格重視の調整をしてほしい。

◇ 令和6年度・演習

問題　別紙1〔指示事項〕及び別紙2〔資料等〕に基づき、不動産の鑑定評価に関する次の設問に答えなさい。

問1　本件鑑定評価に関する次の問に答えなさい。

(1)　現実の建物の用途等が更地としての最有効使用に一致していない場合に，一般に建物及びその敷地の最有効使用の判定に当たり，検討すべき建物の使用方法を3つ挙げなさい。

(2)　対象不動産に係る以下の①から⑦の各項目の状況等を簡潔に記述しなさい。

①　対象不動産に係る建物（以下，「対象建物」という。）の設計及び設備の諸機能

②　対象建物の維持管理の状態

③　対象建物とその環境との適合の状態

④　対象建物の機能的・経済的減価を回復するための諸施策の物理的・法的な実現可能性及びそれらの施策を実施した場合の経済的効果

⑤　対象建物とその敷地との適応の状態

⑥　対象不動産に係る典型的な需要者

⑦　対象不動産に係る土地（以下，「対象地」という。）の更地としての最有効使用

(3)　上記(2)の内容に基づき判定した対象不動産の最有効使用を記載し，採用すべき鑑定評価の方針を述べなさい。なお，対象地の更地価格の査定における鑑定評価手法については解答する必要はない。

問2　以下の手順に従って，対象地の更地としての価格を求めなさい。

(1)　次の小問の手順に従って，取引事例比較法を適用した比準価格を求めなさい。

①　取引事例（イ），（ロ），（ハ）から，最も適切な取引事例を1つ選択し，当該事例から比準した価格を求めなさい。

②　取引事例（ニ）から比準した価格を求めなさい。

③　取引事例（ホ）から比準した価格を求めなさい。

④　上記①から③までで求めた3つの価格の規範性を検討し，比準価格を求めなさい。

(2)　公示価格を規準とした価格を求めなさい。

⑶ 次の小問の手順に従って，収益還元法（土地残余法）を適用した収益価格を求めなさい。
① 想定建物に基づく総収益を求めなさい。
② 想定建物に基づく総費用を求めなさい。
③ 収益還元法を適用した収益価格を求めなさい。
⑷ 上記⑴から⑶までで求めた試算価格等をもとに，対象地の更地としての価格を求めなさい。その際，各試算価格等が有する説得力に係る判断の過程について，簡潔に説明しなさい。
問３ 問１⑶の方針に則り，問２で求めた更地価格をもとに対象不動産の鑑定評価額を決定しなさい。

別紙１〔指示事項〕

Ⅰ．共通事項

1．問２，問３における各手法の適用の過程において求める数値は，別に指示がある場合を除き，小数点以下第１位を四捨五入し，整数で求めること。ただし，取引事例及び建設事例（取引事例に係る建築工事費を含む。）から比準した価格，賃貸事例から比準した賃料，公示価格を規準とした価格，対象地の更地価格，建物解体事例から査定した建物取壊し費用，建物再調達原価，各手法を適用して試算した試算価格並びに問３における鑑定評価額については，上位４桁目を四捨五入した上で上位３桁を有効数字として取り扱うこと。
（例）1,234,567円 → 1,230,000円
2．消費税及び地方消費税については，各手法の適用の過程においては考慮せず，各種計算に当たっては，各資料の数値を前提とすること。
3．対象不動産及び取引事例，賃貸事例等とされている不動産については，土壌汚染，埋蔵文化財及び地下埋設物に関して価格形成に影響を与えるものは何ら存しないことが判明していることを前提とし，また，いずれも建物に関して，有害物質の使用又は保管がないことが確認されていることを前提として鑑定評価を行うこと。
4．対象地及び対象建物の数量は，別紙２〔資料等〕「Ⅱ．対象不動産」に記載された「土地登記簿〔全部事項証明書〕記載数量」及び「建物登記簿〔全部事項証明書〕記載数量」によること。
5．取引事例のうち取壊しを前提としない複合不動産の事例は，敷地が最有効

使用の状態にあることを前提として鑑定評価を行うこと。

6．建物の経過年数を算定する場合における端数（1年未満）のうち，1か月以上経過したものについては，経過期間を1年に切り上げること。

7．問2，問3における各手法の適用の過程において求める数値について，解答に計算を要する場合は，別に指示がある場合を除き，計算式等の計算根拠を示して解答すること。

Ⅱ．問2－(1)について

取引事例比較法の適用に当たっては，次に掲げる事項に留意すること。

1．別紙2〔資料等〕「(資料3）標準地・取引事例の概要」に記載の取引事例から，指示に従って取引事例を選択し，比準価格を求めること。

2．更地の取引事例を選択する場合は，取引事例に係る土地価格の単価を求める計算根拠を記載すること。また，建物及びその敷地の取引事例を選択する場合は，配分法を用いて取引事例に係る土地価格の単価（更地としての価格）を査定した上で比準すること。その際，取引事例に係る土地価格の単価を求める計算根拠を記載すること。

3．取引事例から比準した価格を求める場合の計算式及び略号は，次のとおりとすること。

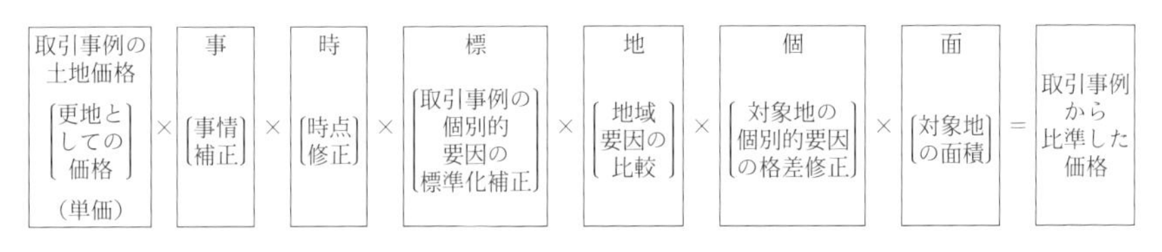

4．取引事例から比準した価格を求める際に用いる数値は，別紙2〔資料等〕「(資料2）近隣地域・類似地域の概要」及び「(資料3）標準地・取引事例の概要」の記載事項から算出すること。

5．時点修正に当たっては，別紙2〔資料等〕「(資料3）標準地・取引事例の概要」に記載の価格時点の地価指数を用いること。

6．対象地の個別的要因は，別紙2〔資料等〕「Ⅶ．個別分析，1．土地の状況，(3)標準的画地と比較した増減価要因」の記載事項から算出すること。

7．対象地の個別的要因による格差修正率及び取引事例の個別的要因の標準化補正率の査定において，2以上の要因がある場合には，相乗積をもって査定すること。

（例）取引事例 二方路地（＋2%）・不整形地（－5%）

取引事例の個別的要因の標準化補正率

（100%＋2%）×（100%－5%）≒97%（小数点以下第1位を四捨五入）

Ⅲ．問2－⑴－①について

別紙2〔資料等〕「（資料3）標準地・取引事例の概要」に記載の取引事例（イ），（ロ），（ハ）から，対象地と類似性を有し最も適切な取引事例を選択し比準価格を求めること。

また，採用しない取引事例については，その事例記号及び不採用とした理由を記載すること。なお，採用した取引事例の選択要件を解答する必要はない。

Ⅳ．問2－⑴－②について

別紙2〔資料等〕「（資料3）標準地・取引事例の概要」に記載の取引事例（ニ）を選択し，配分法を用いて取引事例に係る土地価格の単価（更地としての価格）を査定した上で比準価格を求めること。配分法の適用においては，原価法を適用して求めた建物価格を取引価格から控除することにより土地価格を求めること。減価修正においては，耐用年数に基づく方法（定額法，残価率0%）と観察減価法（経年相応の減価と判断）を併用すること。建物の資料は，別紙2〔資料等〕「（資料4）取引事例（ニ）に係る建物の概要」によること。

Ⅴ．問2－⑴－③について

別紙2〔資料等〕「（資料3）標準地・取引事例の概要」に記載の取引事例（ホ）を選択し，比準価格を求めること。

当該事例は，隣接地との併合に係る取引によるもののため，別紙2〔資料等〕「（資料5）取引事例（ホ）の取引価格に係る事情補正資料」を用いて事情補正率を算定し事情補正を行うこと。その際，併合（一体利用）による増分価値の取引事例（ホ）の土地への配分は，併合前の各画地の総額比により求めること。

Ⅵ．問2－⑵について

公示価格との規準に当たっては，次に掲げる事項に留意すること。

1．別紙2〔資料等〕「（資料3）標準地・取引事例の概要」に記載の標準地を選択し，公示価格を規準とした価格を求めること。

2．公示価格を規準とした価格を求める場合の計算式及び略号は，次のとおりとすること。

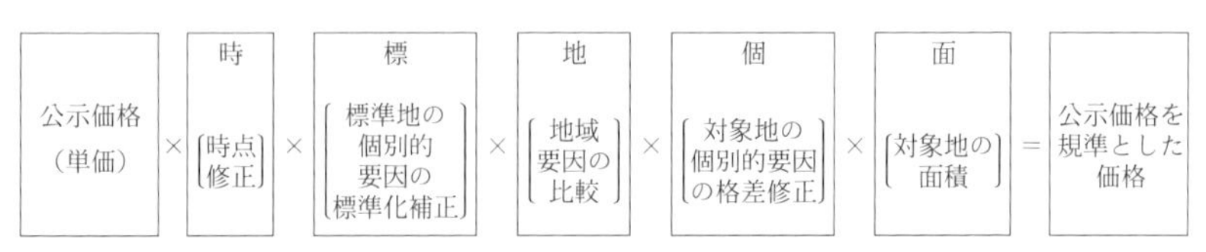

3．公示価格を規準とした価格を求める際に用いる数値は，別紙2〔資料等〕「（資料2）近隣地域・類似地域の概要」及び「（資料3）標準地・取引事例の概要」の記載事項から算出すること。

4．時点修正に当たっては，以下に従うこと。

⑴　地価指数の計算における経過期間（月数）の算定については，次の例のとおり，起算日（即日）の属する月を含めず，期間の末日（当日）の属する月を含めて計算すること。

（例）令和6（2024）年3月31日から令和6年（2024）年8月1日までの期間の月数は，5か月

（例）令和6（2024）年4月1日から令和6年（2024）年8月1日までの期間の月数は，4か月

⑵　地価指数は，別紙2〔資料等〕「（資料6）f地域の地価指数，建設事例（i）・（ii）に係る建築費指数の推移」の記載事項により求め，価格時点の地価指数の計算過程を明らかにすること。地価指数計算上の特定の時点の指数は，次のとおり計算し，小数点以下第2位を四捨五入し，小数点以下第1位まで求めること。

（例）令和6（2024）年1月1日の指数を100，令和6（2024）年7月1日の指数を102と仮定した場合において，取引時点である令和6（2024）年5月1日の指数を求める算出例

$$\left\{\left[\frac{\text{令和6(2024)年7月1日の指数(102)}}{\text{令和6(2024)年1月1日の指数(100)}}-1\right]\times\frac{\text{令和6(2024)年1月1日～令和6(2024)年5月31日の月数(4)}}{\text{令和6(2024)年1月1日～令和6(2024)年7月1日の月数(6)}}+1\right\}\times\text{令和6(2024)年1月1日の指数(100)}$$

≒求める時点の指数（101.3）（小数点以下第2位を四捨五入）

5．対象地の個別的要因は，別紙2〔資料等〕「Ⅶ．個別分析，1．土地の状況，⑶標準的画地と比較した増減価要因」の記載事項から算出すること。

6．対象地の個別的要因による格差修正率及び標準地の個別的要因の標準化補正率の査定において，２以上の要因がある場合には，相乗積をもって査定すること。

（例）標準地　二方路地（＋2％）・不整形地（－5％）

標準地の個別的要因の標準化補正率

（100％＋2％）×（100％－5％）≒97％（小数点以下第１位を四捨五入）

Ⅶ．問２－(3)について

収益還元法（土地残余法）の適用に当たっては，次に掲げる事項に留意すること。

1．土地残余法の適用に当たっては，対象地上に最有効使用の建物を建築して，賃貸することを想定し，当該複合不動産から得られる純収益から建物に帰属する純収益を控除して土地に帰属する純収益を求め，さらに，この純収益について未収入期間を考慮して修正した純収益を，土地に係る還元利回りで還元して土地の収益価格を求めること。

2．還元式は，次の式を採用すること。なお，利回り等は，別紙２〔資料等〕「（資料11）還元利回り等」の数値を採用すること。

$P = (a \times \alpha) / (r - g)$

P：土地の収益価格

a：土地に帰属する純収益　　α：未収入期間を考慮した修正率（注）

r：基本利率　　g：純収益等の変動率

（注）未収入期間は類似建物の標準的な建築期間等を勘案して１年とし，収入の継続期間は建物の経済的耐用年数を勘案して50年とする。

【フロー図】

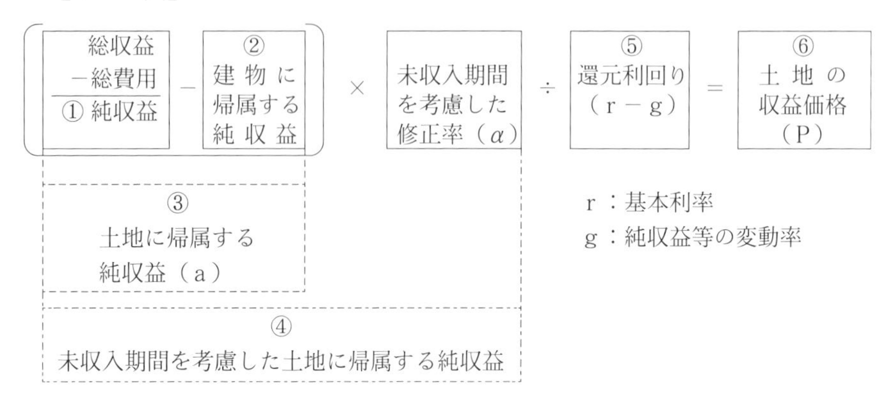

3．対象地上の想定建物は，次のとおりとすること。

⑴ 鉄筋コンクリート造6階建の共同住宅で，1階に管理人室・エントランス等が配置されていることを除き，各階の設計は同一である。

⑵ 各専有部分の間取りは西・南角部屋のAタイプ，南向きの中間住戸のB・Cタイプ，東・南角部屋のDタイプとし，各階の配置等は，別紙2〔資料等〕「(資料7）対象地上の想定建物」を参照のこと。

⑶ 駐車場は屋外平置き式とし，10台分を想定する。

⑷ 躯体部分，仕上げ部分及び設備部分の経済的耐用年数，構成割合は次のとおりとする。

・躯 体 部 分：経済的耐用年数50年，構成割合40%
・仕上げ部分：経済的耐用年数30年，構成割合40%
・設 備 部 分：経済的耐用年数15年，構成割合20%

Ⅷ．問2−⑶−①について

想定建物に基づく総収益は，貸室支払賃料収入と駐車場収入を合計した額から，貸倒れ損失及び空室等による損失相当額を控除して，有効総収入を求め，当該有効総収入に空室等損失を考慮した一時金の運用益等を加算して査定すること。なお，共益費に係る収支は，実費相当額が収受されているため計上しないこととする。

1．貸室支払賃料収入については，まず，想定建物の基準住戸（3階Cタイプ303号室）に係る正常実質賃料を，別紙2〔資料等〕「(資料8）賃貸事例

（あ）の概要等」の賃貸事例から比準して，賃貸事例比較法により求めること（注１）。次に，当該基準住戸の正常支払賃料（注２）と想定建物の効用総数（注３）を用いて，全住戸の正常支払賃料収入（年額支払賃料）を査定（注４）すること。

（注１）賃貸事例比較法の適用に当たっては，賃貸事例の月額実質賃料（単価）の査定根拠を併せて記載すること。

また，賃貸事例との要因比較及び時点修正は，別紙２〔資料等〕「（資料８）賃貸事例（あ）の概要等」に記載の数値を用いること。賃貸事例に係る一時金の運用利回り等は，別紙２〔資料等〕「（資料 11）還元利回り等」に記載の数値を用いること。

賃貸事例比較法を適用する際に用いる計算式及び略号は，次のとおりとすること。

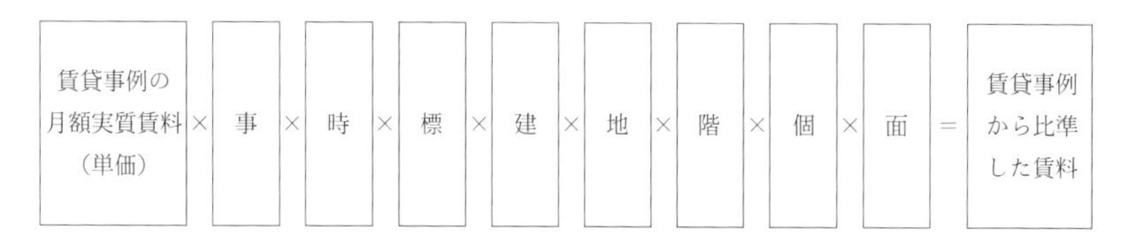

各項の意味と略号

事：事情補正	**地**：地域要因の比較
時：時点修正	**階**：階層及び位置による格差修正
標：賃貸事例の標準化補正	**個**：対象貸室の個別的要因の格差修正
建：建物品等格差修正	**面**：対象貸室の面積

（注２）想定建物の基準住戸の正常支払賃料（月額支払賃料）は，賃貸事例から比準した正常実質賃料から敷金（預り金的性格を有する一時金であり，賃貸借契約終了後に無利息で返還される。）を月額支払賃料の２か月分，礼金（賃料の前払い的性格を有する一時金）を同１か月分徴収することを想定した一時金の運用益及び償却額を控除し，その上位４桁目を四捨五入して上位３桁を有効数字として求めること。

（注３）想定建物の各住戸の位置別・階層別効用比は，別紙２〔資料等〕「（資料８）賃貸事例（あ）の概要等」に記載の建物の各住戸の賃料比と同じとみなし，以下の手順で想定建物の効用総数を求めること。

① 賃貸事例の存する建物の各住戸の月額支払賃料を，基準住戸（303号室）の月額支払賃料で除して100を乗じて賃料比指数を求める。

同じ月額支払賃料の住戸については，賃料比指数の計算を省略して良い。なお，賃料比指数は，小数点以下第１位を四捨五入して，整数で求めること。

（例）601号室月額支払賃料143,000円÷基準住戸月額支払賃料136,000円×100≒105

② 上記①で求めた賃貸事例建物の各住戸の賃料比指数の合計をもって，想定建物において基準住戸 303号室の効用を100とした場合の効用総数とすること。なお，賃貸事例建物，想定建物とも，それぞれ全住戸が同じ面積のため，各住戸の面積を考慮する必要はない。

（注４）全住戸の月額正常支払賃料収入は，以下の計算式とすること。

全住戸の月額正常支払賃料収入＝基準住戸の月額正常支払賃料×効用総数÷100

2．駐車場収入は，１台当たり月額15,000円とし，敷金等の一時金の授受はないものとすること。

3．貸倒れ損失は，類似不動産の賃借人の状況等を考慮し，計上しないこと。

4．空室等による損失相当額は，貸室部分の稼働率を95％，駐車場部分の稼働率を90％として求めること。

5．敷金の金額は，月額支払賃料の２か月分とし，稼働率を考慮の上，別紙２〔資料等〕「（資料11）還元利回り等」に記載の数値を用いて，その運用益を求めること。

6．礼金の金額は，月額支払賃料の１か月分とし，稼働率を考慮の上，別紙２〔資料等〕「（資料11）還元利回り等」に記載の数値を用いて，その運用益及び償却額を求めること。

Ⅸ．問２－(3)－②について

想定建物に基づく総費用は，次の手順で求めた数値を合計して査定すること。

1．修繕費は，想定建物の再調達原価の0.5％とすること。

想定建物の再調達原価は，間接法を用いて別紙２〔資料等〕「（資料９）建設事例の概要」の建設事例（ⅰ）・（ⅱ）から比準して求め，想定建物との類似性等を検討し，決定すること。

また，建設事例との要因比較に当たっては，別紙２〔資料等〕「（資料９）建設事例の概要」に記載の数値を用い，間接法を採用する際に用いる計算式及び略号は，次のとおりとすること。

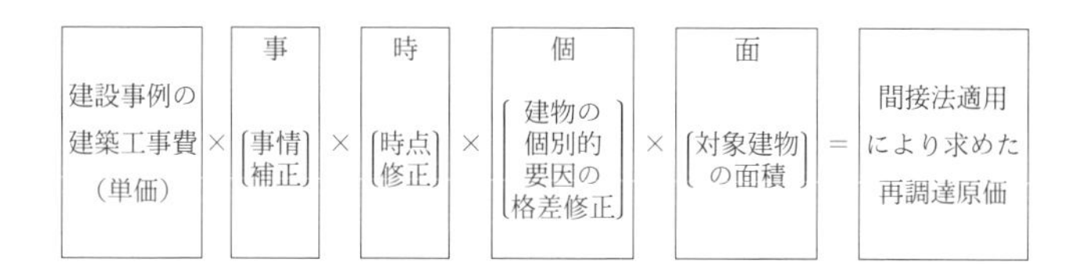

時点修正率は，別紙２〔資料等〕「（資料６） f 地域の地価指数，建設事例（ⅰ）・（ⅱ）に係る建築費指数の推移」の記載事項により求め，建築時点及び価格時点の建築費指数の計算過程を明らかにすること。建築費指数の計算方法は，前記「Ⅵ. 問２－⑵について，４.」の地価指数の計算方法に準じること。

２．維持管理費は，問２⑶①で求めた総収益の３％とすること。

３．公租公課（固定資産税率1.4％及び都市計画税率0.3％）は，以下のとおり査定すること。

その際，課税標準額の査定に当たっては，千円未満は切り捨て，税額の計算に当たっては，百円未満を切り捨てること。

⑴　土地：土地の課税価格（評価額）を84,000,000円とし，課税標準額（固定資産税は課税価格の1/6，都市計画税は課税価格の1/3）を算定し，税率を乗じて税額を査定すること。

なお，本件では，対象不動産の全体敷地について，小規模住宅用地の税制上の軽減が適用可能であることを前提としている。

⑵　建物：想定建物の再調達原価の50％相当額を建物の課税標準額として，税率を乗じて税額を査定すること。

４．損害保険料は，想定建物の再調達原価の0.05％とすること。

５．建物の取壊し費用の積立金は，想定建物の再調達原価の0.05％とすること。

Ⅹ．問２－⑶－③について

収益価格を求めるに当たっては，次に掲げる事項に留意すること。

１．建物に帰属する純収益，未収入期間を考慮した土地に帰属する純収益及び還元利回りの査定に当たっては，別紙２〔資料等〕「（資料11）還元利回り等」の数値を利用すること。

２．建物に帰属する純収益は，想定建物の再調達原価に元利逓増償還率を乗じて求めること。その際，元利逓増償還率は，想定建物の躯体部分，仕上げ部分及び設備部分のそれぞれの経済的耐用年数に対応した率を，それぞれの構成割合で加重平均して求めること。なお，当該数値は小数点以下第6位を四捨五入し，小数点以下第5位まで求めること。

XI. 問2－(4)について

対象地の更地としての価格の決定に当たっては，各試算価格が有する説得力に係る判断の過程について簡潔に記載し，重視した試算価格とその理由を明確にすること。なお，各試算価格の再吟味についての説明を解答する必要はない。

XII. 問3について

下記1.により対象建物の取壊し費用を査定し，下記2.の対象建物の取壊しに伴う発生材料の市場価値を考慮の上，問2で求めた更地としての価格をもとに鑑定評価額を決定すること。なお，解体撤去工事期間の逸失利益を考慮する必要はない。

1．建物取壊し費用（建物解体費）

(1)　対象建物の取壊し費用については，解体業者より価格時点において24,000,000円の見積書を取得しているが，当該見積額の妥当性を，以下に従い解体事例から査定した建物取壊し費用により検証すること。

(2)　別紙2〔資料等〕「(資料10) 解体事例の概要」記載の解体事例に，事情補正，時点修正及び要因比較等を行って査定すること。

解体事例から建物取壊し費用を求める際に用いる計算式及び略号は，次のとおりとすること。

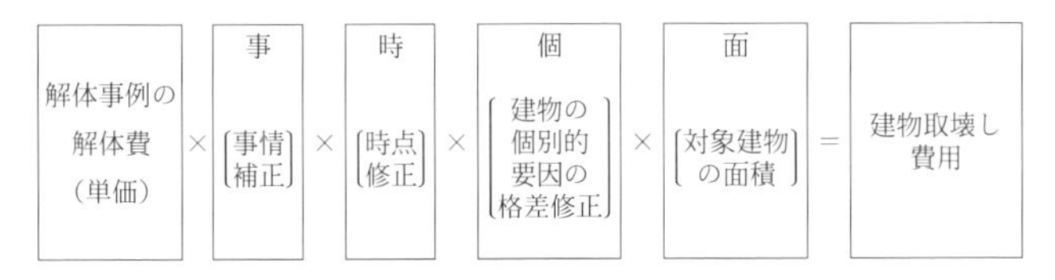

(3)　時点修正率は，別紙2〔資料等〕「(資料 10) 解体事例の概要」記載の解体費指数を用いること。

(4)　解体事例と対象建物の要因比較は，別紙2〔資料等〕「(資料 10) 解体事例の概要」の評点を採用すること。

2．建物取壊しに伴う発生材料の市場価値

対象建物の取壊しに伴う発生材料に市場価値は認められない。

別紙２〔資料等〕

Ⅰ．依頼内容

本件は，「Ｘ駅」から北方約500ｍ（道路距離）に位置する低層事務所（対象不動産）について，売買の参考として，不動産鑑定士に鑑定評価を依頼したものである。

Ⅱ．対象不動産

1．土地 所在及び地番　Ａ県Ｂ市Ｃ区Ｄ町一丁目２番３
地　　　目　宅地
地　　　積　600.00㎡（土地登記簿〔全部事項証明書〕記載数量）
所　有　者　甲商事株式会社

2．建物 所　　　在　Ａ県Ｂ市Ｃ区Ｄ町一丁目２番地３
家屋番号　２番３
構造・用途　鉄筋コンクリート造陸屋根３階建・事務所
建築年月日　平成２(1990）年４月１日
床　面　積（建物登記簿〔全部事項証明書〕記載数量）

1　階	270.00㎡
2　階	270.00㎡
3　階	270.00㎡
合　計	810.00㎡

所　有　者　甲商事株式会社

Ⅲ．鑑定評価の基本的事項

1．類型

自用の建物及びその敷地

2．鑑定評価の条件

(1) 対象確定条件

対象不動産の現実の利用状況を所与とする。

(2) 地域要因又は個別的要因についての想定上の条件

特にない。

(3) 調査範囲等条件

特にない。

3．価格時点

令和6（2024）年8月1日

4．依頼目的

売買の参考

5．鑑定評価によって求める価格の種類

正常価格

Ⅳ．対象不動産が所在するＢ市の概況

1．位置等

(1) 位置及び面積　Ａ県の南部に位置し，県庁所在地であるＥ市に北側で隣接する。面積は約30㎢である。

(2) 沿　革　等　古くは宿場町として栄え，かつては商工業も盛んであったが，近年ではＥ市のベッドタウンとしての性格を強めている。

2．人口等

(1) 人　口　現在約25万人であり，近年は微増傾向が続いている。

(2) 世帯数　約12万世帯

3．交通施設及び道路整備の状態

(1) 鉄　道　ＪＲ○○線が市のほぼ中央部を東西に横断している。

(2) バ　ス　「Ｘ駅」を中心としてバス路線網が整備され，運行便数も多く鉄道を補完している。

(3) 道　路　市の中央部を東西に貫通する県道などの幹線道路を中心に，市道が縦横に敷設されている。

4．供給処理施設の状態

(1) 上水道　普及率 ほぼ100％

(2) 下水道　普及率 約90％

(3) 都市ガス　普及率 約80％

5．土地利用の状況

(1) 商業施設　ＪＲ○○線の「Ｘ駅」の周辺がＢ市の中心市街地であり，比較的規模の大きい商業ビル，中高層の店舗付事務所ビルを中心とした商業施設の集積が見られるが，市の北部に進出した郊外型大型ショッピングセンターの影響により，「Ｘ駅」周辺の商

業地は繁華性を失いつつある。

⑵ 住　　宅　Ｅ市への通勤利便性の高さなどにより，「Ｘ駅」の徒歩圏内においては中高層の賃貸マンションの供給が多く見られ，比較的規模の大きな画地では，分譲マンションの建設も盛んである。また，「Ｘ駅」からのバス通勤圏においては戸建住宅や低層の賃貸アパートが多く建ち並んでいる。

Ｖ．対象不動産に係る市場の特性

１．同一需給圏の判定

対象不動産と代替・競争関係が成立する類似不動産の存する同一需給圏は，対象不動産の最寄り駅であるＪＲ○○線「Ｘ駅」から徒歩圏に所在する圏域と判定した。

２．同一需給圏内における市場参加者の属性及び行動

同一需給圏内の売買市場における主な市場参加者は，収益用不動産については，不動産会社，投資ファンド等が中心であり，不動産取引に際し，主に収益性を重視する傾向にある。また，一定規模以上の土地については，旺盛な住宅需要から，共同住宅用地として賃貸運営事業を行う不動産会社等が市場を牽引しており，土地の収益性を重視して取引を行っている。

３．市場動向

⑴ 事務所ビルの市場動向

近年では，企業の拠点集約による事業所のＥ市への移転が見られ，さらにオフィスワーカーの在宅勤務の広がりも相まって，同一需給圏内の事務所需要は弱含みで賃貸市場は低迷し，事務所ビルの取引市場も低調である。そのため，老朽化した事務所ビルを取り壊した跡地に賃貸共同住宅が多く建設されている。

⑵ 投資用の賃貸共同住宅の市場動向

Ｅ市への通勤利便性などを背景に，市の人口は増加基調で，個人による住宅の賃借需要が堅調である。さらに，金融機関による不動産会社等に対する積極的な融資姿勢，貸出し金利の低下を受け，同一需給圏内においては，不動産会社や投資ファンドが投資用の賃貸共同住宅の売買や新規建設を積極的に行っている。

(3) 開発素地の市場動向

同一需給圏は，駅徒歩圏に位置するため，主に単身者，小世帯向けの住宅の賃借需要が堅調であり，これに対応して同一需給圏内の一定規模以上の土地については，不動産会社，デベロッパー等により賃貸共同住宅用地として活発に取引されており，開発素地の価格は上昇傾向にある。

4．同一需給圏における地価の推移・動向

同一需給圏における地価について，近年は概ね上昇傾向で推移してきたが，令和6（2024）年においても上昇傾向は継続しており，今後しばらくは同様の傾向が見込まれる。

Ⅵ. 近隣地域の状況

別紙2〔資料等〕「（資料2）近隣地域・類似地域の概要」のとおりである。

Ⅶ. 個別分析

1．土地の状況

(1) 近隣地域における位置

近隣地域のほぼ中央部に位置する。

(2) 土地の状況

① 街路条件

北側：幅員約12mの舗装市道（市道○号線，建築基準法第42条第1項第1号道路）

② 交通・接近条件

近隣地域の標準的画地とほぼ同じである。

③ 環境条件

近隣地域の標準的画地と同じである。

④ 行政的条件

近隣地域の標準的画地と同じである。

⑤ 画地条件

間口約30m・奥行約21m・規模600.00㎡のやや不整形な中間画地である。

(3) 標準的画地と比較した増減価要因

増価要因：ない

減価要因：不整形地（－3%）

2．建物の状況

⑴　建物概要

①　建築年月日：平成2（1990）年4月1日

②　構造・用途：鉄筋コンクリート造地上3階建・事務所

③　床面積合計：810.00㎡

⑵　設備概要

電気設備，給排水設備，衛生設備，ガス設備，空調設備 ※エレベーターはない。

⑶　仕上げ概要

①　外壁：コンクリート打ち放し吹付仕上げ等

②　内壁：ビニールクロス貼り等

③　床　：Ｐタイル等

④　天井：石膏ボード下地岩綿吸音板，クロス貼り等

⑷　使用資材の品等

標準的

⑸　設計及び設備の諸機能

近時の事務所ビルに求められる各フロアの床面積，天井高の水準を満たしておらず，空調などの設備も旧式である。

⑹　施工の質と量

質及び量ともに事務所ビルとして標準的である。

⑺　耐震性，耐火性能等建物の性能

対象建物は新耐震基準に適合している。耐火性能については，現行法令に準拠し標準的な性能を有している。

⑻　維持管理の状態

長期間使用しておらず，維持管理が適切にされていない。経年相応以上の減価が認められる。

⑼　建物とその環境との適合の状態

対象建物は，従来，事務所ビルとして周辺環境と適合していたが，近年周辺では既存の事務所等の建物が中層共同住宅に建替わりつつあるため，環境と不適合になっている。

⑽　公法上及び私法上の規制，制約等

遵法性について，新築時の確認通知書（※）及び検査済証を確認し，その後，増改築，用途変更等がなされていないことから，特段の違法性はない。

（※）平成11（1999）年の建築基準法改正前に発行されていた建築物の計画が関連法令に適合していることを証明する書類で，現在の確認済証に該当する。

⑾ その他（特記すべき事項）

近時の事務所ビルに求められる設計及び設備の水準を満たしておらず，また，維持管理が適切にされていないため，大きな機能的，経済的減価が認められる。事務所ビルとしての機能的，経済的な減価を回復するための設備更新や共同住宅への用途転換のための増改築は，物理的，法的には対応可能だが，その実施には多額の追加投資が必要であり，投資額に見合った価値の回復，向上は望めない。

3．建物及びその敷地の状況

⑴ 建物とその敷地との適応の状態

近隣地域の建物は，容積率をほぼ上限まで使用して建築されることが標準的であるが，対象建物の使用容積率は約130％と対象地の容積率200％を使い切っておらず，建物の用途及び状況からも敷地と不適応である。

⑵ 修繕計画・管理計画の良否とその実施の状態

対象不動産の設備，仕様等に合致した修繕計画が策定されておらず，修繕が適切に実施されていない。

4．対象不動産の市場分析

⑴ 対象不動産に係る典型的な需要者層

同一需給圏内の事務所ビルへの需要は非常に弱い。

一方，対象不動産の周辺地域では，企業の自社ビル，賃貸事務所ビル閉鎖後の賃貸共同住宅への建替えが多く見られ，典型的な需要者は，建物を取り壊し更地化した後に賃貸用の中層共同住宅を建築し，賃貸事業を行う不動産会社である。

⑵ 代替・競争関係にある不動産との比較における優劣及び競争力の程度

対象建物は，建築後約34年が経過した事務所ビルで，その設計及び設備の諸機能は，近時の事務所ビルに求められる水準を満たしておらず，維持管理の状態が悪いこと等から，同一需給圏内の代替・競争不動産と比較し，競争力は劣る。

一方，対象地は「X駅」徒歩圏に位置し，その敷地規模から中層共同住宅地としての競争力がある。

5．最有効使用の判定

⑴ 更地としての最有効使用

同一需給圏内の市場動向，対象地の立地条件，敷地規模等の個別的要因を勘案し，更地としての最有効使用を中層共同住宅地と判定した。

⑵ 建物及びその敷地の最有効使用

対象地の更地としての最有効使用，対象建物の状況，敷地との適応及び環境との適合の状態等を総合的に勘案して，建物及びその敷地としての最有効使用を 問1⑶ と判定した。

（資料1）対象不動産，地価公示法による標準地，取引事例，賃貸事例等の位置図

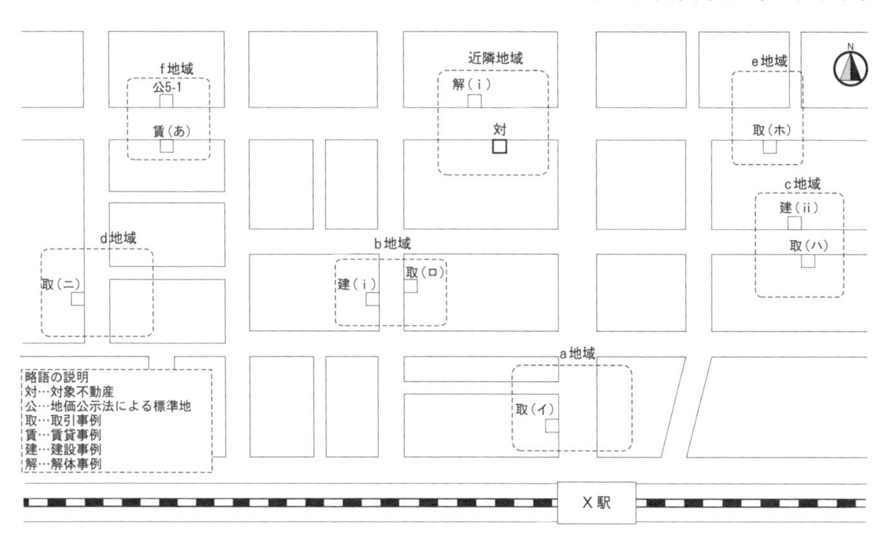

（注）この位置図は，対象不動産，地価公示法による標準地，取引事例，賃貸事例等のおおよその位置及び接道状況を示したものであり，実際の距離，規模等を正確に示したものではない。

（資料２）近隣地域・類似地域の概要

地域	位置（距離は駅から中心までの道路距離）	道路の状況	周辺の土地の利用状況	都市計画法等の規制で主要なもの	供給処理施設	標準的画地の規模	標準的使用	地域要因に係る評点（近隣地域＝100）（注１）
近隣地域	X駅の北方 約500m	幅員12m 舗装市道	中層共同住宅，中層事務所が混在して建ち並ぶ地域	近隣商業地域 建蔽率 80% 容積率 200% 準防火地域	上水道 下水道 都市ガス	600㎡	中層共同住宅	100
a地域	X駅の北方 約100m	幅員14m 舗装市道	高層店舗付事務所が建ち並ぶ地域	商業地域 建蔽率 80% 容積率 400% 防火地域	上水道 下水道 都市ガス	900㎡	高層店舗付事務所	120
b地域	X駅の北西方 約400m	幅員８m 舗装市道	中層共同住宅を中心に，低層店舗が混在する地域	近隣商業地域 建蔽率 80% 容積率 200% 準防火地域	上水道 下水道 都市ガス	500㎡	中層共同住宅	105
c地域	X駅の北東方 約500m	幅員８m 舗装市道	中層共同住宅，中層事務所が混在して建ち並ぶ地域	近隣商業地域 建蔽率 80% 容積率 200% 準防火地域	上水道 下水道 都市ガス	700㎡	中層共同住宅	102
d地域	X駅の北西方 約700m	幅員８m 舗装市道	中層共同住宅，中層事務所が混在して建ち並ぶ地域	近隣商業地域 建蔽率 80% 容積率 200% 準防火地域	上水道 下水道 都市ガス	500㎡	中層共同住宅	94
e地域	X駅の北東方 約600m	幅員12m 舗装市道	中層共同住宅，中層事務所が混在して建ち並ぶ地域	近隣商業地域 建蔽率 80% 容積率 200% 準防火地域	上水道 下水道 都市ガス	550㎡	中層共同住宅	93
f地域	X駅の北西方 約900m	幅員12m 舗装市道	中層共同住宅，中層事務所が混在して建ち並ぶ地域	近隣商業地域 建蔽率 80% 容積率 200% 準防火地域	上水道 下水道 都市ガス	600㎡	中層共同住宅	92

（注１）「地域要因に係る評点」は，近隣地域の評点を100とし，近隣地域と比較してそれぞれの地域に評点を付したものである。

（資料3）標準地・取引事例の概要

事例区分	所在する地域	類型	・標準地の価格時点 ・取引事例の取引時点 （価格時点の地価指数）（注1）	公示価格 取引価格	数量等	価格時点及び取引時点における敷地の利用状況	道路及び供給処理施設の状況	駅からの道路距離	個別的要因（注2）	備　考
標準地5−1	f地域	更地として	令和6（2024）．1．1 （資料6参照）	185，000円/㎡	土地面積550㎡	鉄筋コンクリート造 地上 6階建 共同住宅	南側幅員12m 舗装市道 上水道 下水道 都市ガス	X駅 北西方 約900m	標準的 ±0％	地価公示法第3条の規定により選定された標準地であり，利用の現況は当該標準地の存する地域における標準的使用と概ね一致する。更地としての価格が公示されている。
取引事例（イ）	a地域	更地	令和5（2023）．10．5 （103．2）	210，000，000円	土地面積800㎡	平置き駐車場	東側幅員14m 舗装市道 上水道 下水道 都市ガス	X駅 北方 約100m	標準的 ±0％	売主が自社事業所跡地を貸駐車場として暫定利用をしていたところ，現状有姿での売買となったもので，取引に当たり特別の事情はない。
取引事例（ロ）	b地域	更地	令和6（2024）．4．1 （101．3）	138，000，000円	土地面積600㎡	未利用	西側幅員8m 舗装市道 上水道 下水道 都市ガス	X駅 北西方 約400m	標準的 ±0％	経営不振の子会社の所有する土地を，親会社が救済目的で購入したものであるが，取引事情についての詳細は不明である。
取引事例（ハ）	c地域	更地	令和6（2024）．4．8 （101．3）	155，000，000円	土地面積700㎡	未利用	北側幅員8m 舗装市道 上水道 下水道 都市ガス	X駅 北東方 約500m	標準的 ±0％	第三者間の取引であり，取引に当たり特別な事情はない。
取引事例（ニ）	d地域	自用の建物及びその敷地	令和5（2023）．5．1 （104．9）	364，000，000円	土地面積500㎡ 建物延床面積1，000㎡	鉄筋コンクリート造 地上 4階建 共同住宅	東側幅員8m 舗装市道 上水道 下水道 都市ガス	X駅 北西方 約700m	標準的 ±0％	売手企業の社宅として利用されていた土地建物につき，買手企業が同様に自社の社宅としての利用を前提に売買することになったものである。建物に関する詳細は（資料4）を参照。その他，取引に当たり特別の事情はない。
取引事例（ホ）	e地域	更地	令和4（2022）．11．25 （106．7）	110，000，000円	土地面積600㎡	未利用	北側幅員12m 舗装市道 上水道 下水道 都市ガス	X駅 北東方 約600m	不整形地 −30％	隣接地所有者による取引事例地の併合を目的とした取引である。詳細は（資料5）を参照。その他，取引に当たり特別な事情はない。

（注1）「価格時点の地価指数」は，各取引事例に係る取引時点の土地価格単価

を指数100とした場合の，本件価格時点の土地価格単価を指数で示したものである。なお，標準地に係る地価指数の把握は別途の指示によること。

（注２）「個別的要因」は，標準地及び各取引事例の存する地域において標準的と認められる画地の価値を100%とした場合の，標準地及び各取引事例に係る画地の増減価要因の数値である。

（資料４）取引事例（ニ）に係る建物の概要

事例区分	所在する地域	建築時点（取引時点の建築費指数）（注１）	建築工事費	数量等	建物構造及び用途	建物竣工時点での経済的残存耐用年数	・施工の質 ・設備概要	・周辺環境との適合性 ・建物と敷地との適応性
取引事例（ニ）	d地域	平成31(2019).1.1 (106.0)	297,000,000円 (297,000円/㎡)	建築面積 250㎡ 延床面積 1,000㎡	鉄筋コンクリート造 地上４階建 共同住宅	躯体部分 50年 仕上げ部分 30年 設備部分 15年	施工の質：標準的 昇降機設備：有り 平置駐車場：有り	環境と適合 敷地と適応

（注１）「取引時点の建築費指数」は，建物建築時点の建築費単価を指数100とした場合の，取引時点（令和５年５月１日）の建築費単価を指数で示したものである。

（注２）取引事例に係る建物の建築工事費に占める躯体部分，仕上げ部分及び設備部分の構成割合は，40：40：20 である。

（注３）特別な事情が存在しない標準的な建築工事費である。

（資料５）取引事例（ホ）の取引価格に係る事情補正資料

取引事例（ホ）及び隣接地の概況は下図のとおりで，隣接地所有者が事例地の併合を目的として，正常価格と同一の市場概念のもとにおいて形成されるであろう市場価値と乖離した価格で取得したものである。

各画地の土地単価は，地域の標準的な画地の評点を100とすると，取引事例（ホ），隣接地及び併合後の一体地の評点は，それぞれ 70，95，100で，取引事例（ホ）への配分額は，一体利用による増分価値を併合前の各画地の総額比で配分した額であったことが判明している。

【取引事例（ホ）及び隣接地の概況】

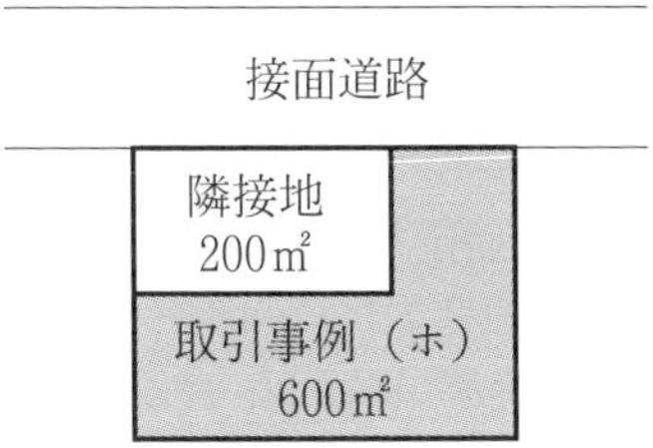

（資料６）ｆ地域の地価指数，建設事例（ⅰ）・（ⅱ）に係る建築費指数の推移

標準地５－１の存するｆ地域の地価指数及び建設事例（ⅰ）・（ⅱ）に係る建築費指数の推移は，以下のとおりである。なお，令和６（2024）年１月１日以降の動向は，いずれも令和５(2023）年７月１日から令和６（2024）年１月１日の推移と同じ傾向を示している。

指数種類 年月日	ｆ 地域に係る地価指数	建設事例（ⅰ）・（ⅱ）に係る建築費指数
令和 2 (2020).1.1	－	100
令和 2 (2020).7.1	－	101
令和 3 (2021).1.1	－	101
令和 3 (2021).7.1	－	101
令和 4 (2022).1.1	100	102
令和 4 (2022).7.1	100	102
令和 5 (2023).1.1	101	104
令和 5 (2023).7.1	103	106
令和 6 (2024).1.1	105	108

（資料７）対象地上の想定建物

対象地上に想定される最有効使用の建物は，以下のとおりである。

① 敷地面積：600㎡

② 構造・用途：鉄筋コンクリート造陸屋根６階建・共同住宅

③ 戸数：23戸

④ 建築面積：210㎡

⑤ 延床面積：1,250㎡（容積率不算入面積50㎡を含む。）

⑥ 賃貸面積：1,150㎡

⑦　駐車場台数：10台（平置き）

⑧　各住戸の配置状況：住戸タイプ・賃貸面積は，下図のとおり

6階	601号室（Aタイプ） 賃貸面積：50㎡	602号室（Bタイプ） 賃貸面積：50㎡	603号室（Cタイプ） 賃貸面積：50㎡	604号室（Dタイプ） 賃貸面積：50㎡
5階	501号室（Aタイプ） 賃貸面積：50㎡	502号室（Bタイプ） 賃貸面積：50㎡	503号室（Cタイプ） 賃貸面積：50㎡	504号室（Dタイプ） 賃貸面積：50㎡
4階	401号室（Aタイプ） 賃貸面積：50㎡	402号室（Bタイプ） 賃貸面積：50㎡	403号室（Cタイプ） 賃貸面積：50㎡	404号室（Dタイプ） 賃貸面積：50㎡
3階	301号室（Aタイプ） 賃貸面積：50㎡	302号室（Bタイプ） 賃貸面積：50㎡	**想定建物の基準住戸** 303号室（Cタイプ） 賃貸面積：50㎡	304号室（Dタイプ） 賃貸面積：50㎡
2階	201号室（Aタイプ） 賃貸面積：50㎡	202号室（Bタイプ） 賃貸面積：50㎡	203号室（Cタイプ） 賃貸面積：50㎡	204号室（Dタイプ） 賃貸面積：50㎡
1階	101号室（Aタイプ） 賃貸面積：50㎡	102号室（Bタイプ） 賃貸面積：50㎡	103号室（Cタイプ） 賃貸面積：50㎡	管理人室 エントランス等

（資料８）賃貸事例（あ）の概要等

1．賃貸事例の概要

事例区分	所在する地域	種類	賃貸時点（価格時点の賃料指数）（注）	月額支払賃料 一時金等	事例の概要	備考
賃貸事例（あ）	f地域	新規賃料	令和５（2023）.9.9（101.3）	・月額支払賃料：136,000円 ・月額共益費　：　10,000円 ・敷金：２か月分 ・礼金：１か月分	・鉄筋コンクリート造地上６階建の３階部分（303号室） ・令和５（2023）年９月竣工 ・用途：共同住宅 ・賃貸面積：55㎡	賃貸借に当たり，特別な事情はない。

（注）「価格時点の賃料指数」は，賃貸事例に係る賃貸時点の賃料単価を指数100とした場合の，価格時点の賃料単価を指数で示したものである。

２．賃貸事例の賃料形成要因の比較

補正項目＼事例等	想定建物（基準住戸）	賃貸事例（あ）
建物品等に係る評点（建）（注１）	100	102
地域要因に係る評点（地）（注２）	100	97
階層及び位置による格差に係る評点（階）（注３）	100	100
個別的要因に係る評点（個）又は（標）（注４）	100	98

（注１）「建物品等に係る評点（建）」は，想定建物の評点を100とし，賃貸事例の存する建物と比較した評点を付したものである。
（注２）「地域要因に係る評点（地）」は，近隣地域の評点を100とし，賃貸事例の存する地域と比較した評点を付したものである。なお，不動産取引における土地の地域要因に係る評点とは必ずしも一致しない。
（注３）「階層及び位置による格差に係る評点（階）」は，想定建物及び賃貸事例の基準階における標準的な位置の賃貸区画の評点を100とし，階層及び位置を比較した評点を付したものである。なお，想定建物及び賃貸事例とも基準階を３階としている。
（注４）「個別的要因に係る評点（個）又は（標）」は，想定建物及び賃貸事例について，標準的な貸室区画を100として，階層・位置を除く間取り，貸室内仕様等の各住戸の個別的要因について比較した評点を示している。

３．賃貸事例の契約条件
⑴　当月分の支払賃料は，毎月末に支払われる。
⑵　貸室の賃貸借に当たって授受される一時金は，預り金的性格を有する敷金及び賃料の前払的性格を有する礼金の２種類である。敷金の額は月額支払賃料の２か月分であり，売買に当たって承継される。また，礼金の額は月額支払賃料の１か月分である。なお，契約の更新においては，更新料等のいかなる名目においても一時金の授受はない。
⑶　敷金は，賃貸借契約終了後に返還されるが，利息は付さない。
⑷　礼金は，賃貸借契約締結後は一切返却されない。
⑸　共益費の額については，標準的で実費相当額と認められる。

(6) 貸室の契約期間は2年で，契約は書面による。

(7) 各賃借人との賃貸借契約は書面による普通借家契約で，更新時に支払賃料等の改定協議を行うことになっている。

4．賃貸事例（あ）の存する賃貸マンションの各住戸の配置状況等

6階	601号室（Aタイプ） 賃貸面積：55㎡ 月額支払賃料： 143,000円	602号室（Bタイプ） 賃貸面積：55㎡ 月額支払賃料： 139,000円	603号室（Cタイプ） 賃貸面積：55㎡ 月額支払賃料： 139,000円	604号室（Dタイプ） 賃貸面積：55㎡ 月額支払賃料： 143,000円
5階	501号室（Aタイプ） 賃貸面積：55㎡ 月額支払賃料： 141,000円	502号室（Bタイプ） 賃貸面積：55㎡ 月額支払賃料： 137,000円	503号室（Cタイプ） 賃貸面積：55㎡ 月額支払賃料： 137,000円	504号室（Dタイプ） 賃貸面積：55㎡ 月額支払賃料： 141,000円
4階	401号室（Aタイプ） 賃貸面積：55㎡ 月額支払賃料： 140,000円	402号室（Bタイプ） 賃貸面積：55㎡ 月額支払賃料： 136,000円	403号室（Cタイプ） 賃貸面積：55㎡ 月額支払賃料： 136,000円	404号室（Dタイプ） 賃貸面積：55㎡ 月額支払賃料： 140,000円
3階	301号室（Aタイプ） 賃貸面積：55㎡ 月額支払賃料： 140,000円	302号室（Bタイプ） 賃貸面積：55㎡ 月額支払賃料： 136,000円	**賃貸事例（あ）** 303号室（Cタイプ） 賃貸面積：55㎡ 月額支払賃料： 136,000円	304号室（Dタイプ） 賃貸面積：55㎡ 月額支払賃料： 140,000円
2階	201号室（Aタイプ） 賃貸面積：55㎡ 月額支払賃料： 139,000円	202号室（Bタイプ） 賃貸面積：55㎡ 月額支払賃料： 135,000円	203号室（Cタイプ） 賃貸面積：55㎡ 月額支払賃料： 135,000円	204号室（Dタイプ） 賃貸面積：55㎡ 月額支払賃料： 139,000円
1階	101号室（Aタイプ） 賃貸面積：55㎡ 月額支払賃料： 137,000円	102号室（Bタイプ） 賃貸面積：55㎡ 月額支払賃料： 133,000円	103号室（Cタイプ） 賃貸面積：55㎡ 月額支払賃料： 133,000円	管理人室 エントランス等

（資料9）建設事例の概要

事例区分	所在する地域	建築時点	建築工事費	数量等	建物構造及び用途	建物竣工時点での経済的残存耐用年数	施工の質・設備概要	評点（注1）
建設事例（i）	b地域	令和4（2022）.8.1	330,000,000円（264,000円/㎡）	建築面積 220㎡ 延床面積 1,250㎡	鉄筋コンクリート造 地上6階建 共同住宅	躯体部分 50年 仕上部分 30年 設備部分 15年	施工の質：標準的 昇降機設備：有り 平置駐車場：有り	95
建設事例（ii）	c地域	令和2（2020）.2.13	720,000,000円（360,000円/㎡）	建築面積 300㎡ 延床面積 2,000㎡	鉄筋コンクリート造 地上7階建 共同住宅	躯体部分 50年 仕上部分 30年 設備部分 15年	施工の質：上位 昇降機設備：有り 平置駐車場：有り	120

（注1）「評点」は，想定建物を100とした場合の比較評点（価格時点における建物の面積以外の個別的要因に係る評点）である。

（注2）いずれの事例も特別な事情が存在しない標準的な建築工事費である。

（資料10）解体事例の概要

事例区分	所在する地域	解体時点（価格時点の解体費指数）（注1）	解体費	数量等	建物構造及び用途	施工の質・設備概要等	評点（注2）
解体事例（i）	近隣地域	令和5（2023）.9.1（103.5）	24,300,000円（27,000円/㎡）	建築面積 300㎡ 延床面積 900㎡	鉄筋コンクリート造 地上3階建 事務所	施工の質：標準的 昇降機設備：無し 平置駐車場：有り 築後経過年数：約40年	95

（注1）「価格時点の解体費指数」は，解体事例に係る解体時点の解体費単価を指数100とした場合の，価格時点の解体費単価を指数で示したものである。

（注2）「評点」は，対象建物の解体費を100とした場合の比較評点（価格時点における建物の面積以外の個別的要因に係る評点）である。

（注3）特別な事情が存在しない標準的な解体費である。

（資料 11）還元利回り等

土地残余法の適用に当たっては，以下の数値を用いること。

① 一時金の運用利回り：年1.0％

② 礼金の運用益及び償却額を求める際の年賦償還率：0.2060

③ 基本利率（r）：年4.8％

④ 純収益等の変動率（g）：年0.2％

⑤ 未収入期間修正率（α）：0.9512（未収入期間１年，収入の継続期間50年）

⑥ 元利逓増償還率：基本利率（r）＝4.8％に対して下表のとおり

年数 n	g＝0.1％	g＝0.2％	g＝0.3％
５年	0.2293	0.2288	0.2284
10年	0.1277	0.1272	0.1267
15年	0.0945	0.0939	0.0933
20年	0.0783	0.0776	0.0770
25年	0.0689	0.0682	0.0675
30年	0.0629	0.0622	0.0615
35年	0.0588	0.0581	0.0573
40年	0.0559	0.0552	0.0544
45年	0.0538	0.0530	0.0523
50年	0.0523	0.0515	0.0506

※太字（ゴシック体）表記は，本試験解答用紙に予め印字されていた箇所です。

問１-(1)　建物及びその敷地の最有効使用の判定に当たり，検討すべき建物の使用方法

①　現況の建物利用の継続

②　用途変更，構造改造等

③　建物取壊し

問１-(2)　対象不動産の状況等

①　対象建物の設計及び設備の諸機能

エレベーターなし。近時の事務所ビルに求められる各フロアの床面積，天井高の水準を満たしておらず，空調などの設備も旧式である。

②　対象建物の維持管理の状態

長期間使用しておらず，維持管理が適切にされていない。経年以上の減価が認められる。

③　対象建物とその環境との適合の状態

従来，事務所ビルとして周辺環境と適合していたが，近年周辺では既存の事務所等の建物が中層共同住宅に建替わりつつあるため，環境と不適合になっている。

④　対象建物の機能的・経済的減価を回復するための諸施策の物理的・法的な実現可能性及びそれらの施策を実施した場合の経済的効果

事務所ビルとしての機能的，経済的な減価を回復するための設備更新や共同住宅への用途転換のための増改築は，物理的，法的には対応可能だが，その実施には多額の追加投資が必要であり，投資額に見合った価値の回復，向上は望めない。

⑤　対象建物とその敷地との適応の状態

近隣地域の建物は，容積率をほぼ上限まで使用して建築されることが標準的であるが，対象建物の使用容積率は約130％と対象地の容積率200％を使い切っておらず，敷地と不適応である。

⑥ 対象不動産に係る典型的な需要者

典型的な需要者は，建物を取り壊し更地化した後に賃貸用の中層共同住宅を建築し，賃貸事業を行う不動産会社である。

⑦　対象地の更地としての最有効使用

中層共同住宅地と判定した。

問1-(3)　対象不動産の最有効使用の判定と鑑定評価の方針

以上により，対象不動産の建物及びその敷地としての最有効使用を「建物取壊し」と判定し，また，対象建物の取壊しに伴う発生材料に市場価値は認められず，指示事項から解体撤去工事期間の逸失利益を考慮する必要もないため，更地価格から建物取壊し費用を控除して鑑定評価額を決定する。

問2　対象地の更地としての価格

問2-(1)　取引事例比較法を適用した比準価格

問2-(1)-①　3取引事例から最も適切な事例を選択して比準した価格

（i）事例（ イ ）を不採用とした理由

標準的使用が異なり，場所的同一性，代替性を欠く。

（ii）事例（ ロ ）を不採用とした理由

取引事情の詳細が不明で事情補正できない。

（iii）事例（ ハ ）から比準した価格

a．取引事例に係る土地価格（単価）

155,000,000円÷700㎡≒221,429円／㎡

b．取引事例から比準した価格

土地価格（単価）（円／㎡）		事		時		標		地		個		面（㎡）		取引事例から比準した価格（円）
221,429	×	$\frac{100}{100}$	×	$\frac{101.3}{100}$	×	$\frac{100}{100}$	×	$\frac{100}{102}$	×	$\frac{97}{100}$	×	600	≒	128,000,000

問2-(1)-②　取引事例(ニ)から比準した価格

（i）原価法を適用して求めた取引事例に係る建物価格

複合不動産の取引事例であるが，敷地が最有効使用の状態にあるので，配分法を適用する。

a．再調達原価

建築工事費（総額）　→　再調達原価（事・時）

$$297{,}000{,}000\text{円}\times\frac{100}{100}\times\frac{106.0}{100}\fallingdotseq 315{,}000{,}000\text{円}$$

b．減価修正

（ａ）耐用年数に基づく方法

躯体　：315,000,000円×0.40×$\frac{5}{5+45}$＝12,600,000円

仕上げ：315,000,000円×0.40×$\frac{5}{5+25}$＝21,000,000円

設備　：315,000,000円×0.20×$\frac{5}{5+10}$＝21,000,000円

計 54,600,000円

（ｂ）観察減価法

経年相応のため（ａ）と同額。

（ｃ）減価額

二方法を併用し，54,600,000円。

ｃ．建物価格

ａ．－ｂ．＝260,400,000円

（ⅱ）取引事例に係る土地価格（単価）

364,000,000円－260,400,000円＝103,600,000円（207,200円／㎡）

（ⅲ）取引事例から比準した価格

土地価格（単価）（円／㎡）		事		時		標		地		個		面（㎡）		取引事例から比準した価格（円）
207,200	×	$\frac{100}{100}$	×	$\frac{104.9}{100}$	×	$\frac{100}{100}$	×	$\frac{100}{94}$	×	$\frac{97}{100}$	×	600	≒	135,000,000

問２-⑴-③　取引事例(ホ)から比準した価格

（ⅰ）取引事例に係る事情補正率

ａ．各画地の評点積数

取引事例（ホ）：70×600㎡＝42,000

隣接地：95×200㎡＝19,000

一体地：100×800㎡＝80,000

ｂ．増分価値（評点積数換算）

80,000－(42,000＋19,000)＝19,000

ｃ．総額比による増分価値の事例地への配分額（評点積数換算）

19,000×42,000／(42,000＋19,000)≒13,082

d．事情補正率

(42,000＋13,082)／42,000×100≒131

（ii）取引事例に係る土地価格（単価）

110,000,000円÷600㎡≒183,333円／㎡

（iii）取引事例から比準した価格

土地価格（単価）（円／㎡）		事		時		標		地		個		面（㎡）		取引事例から比準した価格（円）
183,333	×	$\frac{100}{131}$	×	$\frac{106.7}{100}$	×	$\frac{100}{70}$	×	$\frac{100}{93}$	×	$\frac{97}{100}$	×	600	≒	133,000,000

問２-(1)-④　①から③により決定した比準価格

事例（ハ）は更地事例で取引時点も新しく，地域格差も最も少なく，規範性が高い。

事例（ニ）は配分法を要し，取引時点がやや古く，規範性はやや劣る。

事例（ホ）は事情補正を要し，取引時点が古く，要因格差も大きく，規範性は劣る。

よって，事例（ハ）を重視し，事例（ニ）（ホ）は参考にとどめ，128,000,000円（213,000円／㎡）と決定した。

問２-(2)　公示価格を規準とした価格

①　価格時点の地価指数

価格時点（Ｒ６．８）　$\{(\frac{105}{103}-1)\times\frac{7}{6}+1\}\times105\fallingdotseq107.4$

②　公示価格を規準とした価格

公示価格（円／㎡）		時		標		地		個		面（㎡）		公示価格を規準とした価格（円）
185,000	×	$\frac{107.4}{100}$	×	$\frac{100}{100}$	×	$\frac{100}{92}$	×	$\frac{97}{100}$	×	600	≒	120,000,000

問２-(3)　収益還元法（土地残余法）を適用した収益価格

問２-(3)-①　想定建物に基づく総収益

（ｉ）貸室支払賃料収入

ａ．賃貸事例（あ）の月額実質賃料

136,000円＋136,000円×２×0.01÷12＋136,000円×0.2060÷12≒138,561円（2,519円／㎡）

ｂ．賃貸事例から比準した賃料

月額実質賃料（単価）（円／㎡）	事	時	標	建	地	階	個	面（㎡）		賃貸事例から比準した資料（円）
2,519	× $\frac{100}{100}$	× $\frac{101.3}{100}$	× $\frac{100}{98}$	× $\frac{100}{102}$	× $\frac{100}{97}$	× $\frac{100}{100}$	× $\frac{100}{100}$	× 50	≒	132,000

ｃ．想定建物の基準住戸の正常支払賃料（月額支払賃料）

（※）月額正常支払賃料をａとおく

ａ＋ａ×２×0.01÷12＋ａ×0.2060÷12ヶ月＝132,000円

ａ≒130,000円（2,600円／㎡）

ｄ．賃貸事例の各住戸の賃料比指数

601号室・604号室：143,000円÷136,000円×100＝105

501号室・504号室：141,000円÷136,000円×100≒104

401号室・404号室・301号室・304号室：140,000円÷136,000円×100≒103

201号室・204号室・602号室・603号室：139,000円÷136,000円×100≒102

101号室・502号室・503号室：137,000円÷136,000円×100≒101

402号室・403号室・302号室・303号室：136,000円÷136,000円×100＝100

202号室・203号室：135,000円÷136,000円×100≒99

102号室・103号室：133,000円÷136,000円×100≒98

ｅ．全住戸の賃料比指数の合計（効用総数）

105×２＋104×２＋103×４＋102×４＋101×３＋100×４＋99×２＋98×２＝2,335

ｆ．想定建物の全住戸の正常支払賃料収入（年額支払賃料）

130,000円×2,335÷100＝3,035,500円（月額）

3,035,500円×12＝36,426,000円（年額）

（ii）駐車場収入

15,000円×10台×12＝1,800,000円

（iii）貸倒れ損失

指示事項より非計上。

（iv）空室等による損失相当額

貸室：36,426,000円×（１－0.95）＝1,821,300円

駐車場：1,800,000円×（１－0.90）＝180,000円　計2,001,300円

（ⅴ）有効総収入

（ⅰ）＋（ⅱ）－（ⅲ）－（ⅳ）＝36,224,700円

（ⅵ）敷金の運用益

3,035,500円×２×0.01×0.95≒57,675円

（ⅶ）礼金の運用益及び償却額

3,035,500円×0.2060×0.95≒594,047円

（ⅷ）総収益

（ⅴ）＋（ⅵ）＋（ⅶ）＝36,876,422円

問２-(3)-②　想定建物に基づく総費用

（ⅰ）修繕費

ａ．想定建物の再調達原価

（ａ）建設事例（ⅰ）から比準した建物再調達原価

・建築時点の建築費指数

建築時点(Ｒ４．８)　$\{(\frac{104}{102}-1)\times\frac{1}{6}+1\}\times 102 \fallingdotseq 102.3$

・価格時点の建築費指数

価格時点(Ｒ６．８)　$\{(\frac{108}{106}-1)\times\frac{7}{6}+1\}\times 108 \fallingdotseq 110.4$

・建物再調達原価

事例の建築工事費（単価）（円／㎡）		事		時		個		面（㎡）		建物再調達原価（円）
264,000	×	$\frac{100}{100}$	×	$\frac{110.4}{102.3}$	×	$\frac{100}{95}$	×	1,250	≒	375,000,000

（ｂ）建設事例（ⅱ）から比準した建物再調達原価

・建築時点の建築費指数

建築時点(Ｒ２．２)　$\{(\frac{101}{100}-1)\times\frac{1}{6}+1\}\times 100 \fallingdotseq 100.2$

・価格時点の建築費指数

建設事例（ⅰ）と同様，110.4

・建物再調達原価

事例の建築工事費（単価）（円／㎡）		事		時		個		面（㎡）		建物再調達原価（円）
360,000	×	100/100	×	110.4/100.2	×	100/120	×	1,250	≒	413,000,000

（c）建物再調達原価の決定

事例（ｉ）は建築時点が比較的新しく，品等格差も少なく規模も同一で規範性が高い。

事例（ii）は建築時点がやや古く，品等格差が大きく規模も異なり規範性は劣る。

よって，事例（ｉ）を重視し，事例（ii）は参考にとどめ，375,000,000円（300,000円／㎡）と決定した。

ｂ．修繕費

375,000,000円×0.5％＝1,875,000円

（ii）維持管理費

36,876,422円×３％≒1,106,293円

（iii）土地公租公課

固定資産税：84,000,000円×１／６×1.4％＝196,000円

都市計画税：84,000,000円×１／３×0.3％＝ 84,000円　計280,000円

（iv）建物公租公課

375,000,000円×50％×1.7％＝3,187,500円

（ｖ）損害保険料

375,000,000円×0.05％＝187,500円

（vi）取壊し費用の積立金

375,000,000円×0.05％＝187,500円

（vii）総費用

上記計，6,823,793円（経費率18.5％）

問２-⑶-③　収益還元法を適用した収益価格

（ｉ）土地建物に帰属する純収益

36,876,422円－6,823,793円＝30,052,629円

（ii）建物に帰属する純収益

元利逓増償還率：0.0515×40％＋0.0622×40％＋0.0939×20％＝0.06426

建物に帰属する純収益：375,000,000円×0.06426＝24,097,500円

(iii) 土地に帰属する純収益

(i)－(ii)＝5,955,129円

(iv) 未収入期間考慮後の土地帰属純収益

(iii)×0.9512≒5,664,519円

(v) 還元利回り

4.8％－0.2％＝4.6％

(vi) 収益価格

(iv)÷(v)≒123,000,000円（205,000円／㎡）

問2－(4) 対象地の更地としての価格

比準価格	128,000,000円（213,000円／㎡）
収益価格	123,000,000円（205,000円／㎡）
公示価格を規準とした価格	120,000,000円（200,000円／㎡）

① 各試算価格が有する説得力に係る判断

対象不動産に係る典型的な需要者は，建物を取り壊し更地化した後に賃貸用の中層共同住宅を建築し，賃貸事業を行う不動産会社であり，対象不動産のような一定規模以上の土地については，旺盛な住宅需要から，共同住宅用地とし賃貸運営事業を行う不動産会社等が市場を牽引しており，土地の収益性を重視して取引を行っていることから，収益価格が市場の特性に最も適合した手法であり，説得力が高いものと判断した。

② 更地価格の決定

以上の検討の結果，本件では比準価格と収益価格が概ね均衡して得られたことから，比準価格を踏まえ収益価格を採用し，公示価格を規準とした価格との均衡にも留意して，更地価格を123,000,000円（205,000円／㎡）と決定した。

問3 鑑定評価額の決定

(1) 建物取壊し費用

① 解体業者の見積額

24,000,000円

② 解体事例（ｉ）から査定した建物取壊し費用

解体費（単価）（円／㎡）		事		時		個		面（㎡）		建物取壊し費用（円）
27,000	×	100/100	×	103.5/100	×	100/95	×	810	≒	23,800,000

③ 建物取壊し費用の決定

上記①と②が均衡したことから①を採用し，24,000,000円と決定。

⑵ 鑑定評価額

対象建物の取壊しに伴う発生材料に市場価値は認められず，指示事項から解体撤去工事期間の逸失利益を考慮する必要もないため，更地価格から建物取壊し費用を控除して鑑定評価額を以下のとおり決定した。

123,000,000円－24,000,000円＝99,000,000円

以　上

解　説

本問は，「自用の建物及びその敷地（取壊し最有効）」に関する問題で，問１が記述問題，問２及び問３が計算問題となっている。

問１は，記述型の基本問題である。

小問⑴は具体的な用途（共同住宅，事務所等）を書くべきか一瞬迷うが，問題文に「一般に」との文言があることから「現況継続」「用途変更」「建物取壊し」の一般論を書いておくのが無難であろう。

小問⑵はすべて資料から該当箇所を転記すればよい。

小問⑶は建物取壊しが最有効使用であり，取壊しに伴う発生材料に市場価値はないため，更地価格から建物の取壊し費用を控除して鑑定評価額を決定する旨を述べればよい。

問２は，基本論点中心の計算問題である。

小問⑴の取引事例比較法についてはまず事例選択があるが，事例（ハ）が採用事例であることはきちんと演習対策ができている受験生であれば全員が正解できたはずである。配分法や事情補正についても過去の本試験と同様の論点で特段ひねった箇所もなく，ミスのない解答が求められる。ただし，比準価格の決定につ

いては３事例の価格が比較的大きく乖離するため迷った受験生が多いと思われる。

小問(2)の公示価格との規準も基本論点であるが，乗除計算による時点修正率の査定は練習していないとミスが出る箇所であり，小問(3)の建設事例を用いた間接法も同様である。

小問(3)の収益還元法（土地残余法）についても大半が基本論点であるが，「効用総数」を用いた貸室支払賃料収入の査定はやや特殊で，ＴＡＣの答練や過去問で出題されている各住戸の面積も考慮した「効用総積数」とは別の概念であり，戸惑った受験生が多いと思われる。結局，面積を考慮しない分計算が単純で済むので，指示事項をよく読んで落ち着いて対処すれば計算量自体は少ない。また，修繕費の査定で用いる想定建物の再調達原価は，間接法における２事例の価格が大きく乖離するため，ここも調整で迷った受験生が多いと思われる。上記２論点以外は基本的なので取りこぼしがないようにしてほしい。

問３は，平成26年の本試験と類似の計算であり，解体事例から求めた金額と解体業者の見積額が近似値となるため，建物取壊し費用としては見積額を採用すればよく，発生材料価格もないため更地価格から建物取壊し費用を控除すれば鑑定評価額が計算できる。

もうだいじょうぶ!! シリーズ

2025年度版　不動産鑑定士
論文式試験　鑑定理論　過去問題集　演習

（2001年度版　2001年4月25日　初版　第1刷発行）
2024年10月25日　初　版　第1刷発行

編著者　TAC株式会社
（不動産鑑定士講座）
発行者　多田敏男
発行所　TAC株式会社　出版事業部
（TAC出版）
〒101-8383
東京都千代田区神田三崎町3-2-18
電話 03（5276）9492（営業）
FAX 03（5276）9674
https://shuppan.tac-school.co.jp
印刷　株式会社ワコー
製本　株式会社常川製本

ISBN 978-4-300-11222-9
N.D.C. 673

不動産鑑定士への道は

私たちTAC

地道な努力

大森 崇史さん
1.5年L本科生plus
教室講座

校舎が多いことや、教室講座を予定していたため自宅から通いやすい場所にあったことなどいくつかありますが、一番の理由は合格者数の多さでした。毎年の合格者が多いということは、それだけ合格の可能性が高まると思いTACを選びました。

講師の先生方に言われたことを素直に受け入れてください！

押野 将太さん
1.5年L本科生plus
Web通信講座

TACの先生方は、効率的に合格できる道筋を示してくれていると思います。勉強中は常に不安が付きまとい、疑心暗鬼になることも多々あります。しかし、先生方の言葉を信じ、素直に受け入れることが重要だと感じました。

急がば回れ！地道な日々の努力の暗記こそ合格の近道

本杉 祐也さん
1.5年本科生
Web通信講座

TACの講師陣は大変層が厚く、それぞれの科目ごとに個性的で優秀な先生が何人もいらっしゃいます。なので、自分が合う先生を見つけやすく、授業の選択肢の幅が広いことが魅力だと思っています。疑問点についての質問も、複数の講師に質問することで色々なことを学べて勉強になりました。

忍耐

黒田 悠佑さん
1.5年L本科生plus
Web通信講座

合格者のほとんどがTAC生ということから、TACの中で上位を目指すことが試験合格に最も近づき、また自分の立ち位置を把握することができると考えたためです。また、講義やテキスト等の評判も高かったため、TAC以外の選択肢はありませんでした。

さぁ、次はあなたの番です！

(2024年2月現在)

書籍のご購入は

1 全国の書店、大学生協、ネット書店で

2 TAC各校の書籍コーナーで

資格の学校TACの校舎は全国に展開!
校舎のご確認はホームページにて

資格の学校TAC ホームページ
https://www.tac-school.co.jp

3 TAC出版書籍販売サイトで

CYBER BOOK STORE TAC出版書籍販売サイト

TAC 出版 で 検索

24時間 ご注文 受付中

https://bookstore.tac-school.co.jp/

新刊情報を いち早くチェック!

たっぷり読める 立ち読み機能

学習お役立ちの 特設ページも充実!

TAC出版書籍販売サイト「サイバーブックストア」では、TAC出版および早稲田経営出版から刊行されている、すべての最新書籍をお取り扱いしています。
また、会員登録(無料)をしていただくことで、会員様限定キャンペーンのほか、送料無料サービス、メールマガジン配信サービス、マイページのご利用など、うれしい特典がたくさん受けられます。

サイバーブックストア会員は、特典がいっぱい!(一部抜粋)

通常、1万円(税込)未満のご注文につきましては、送料・手数料として500円(全国一律・税込)頂戴しておりますが、1冊から無料となります。

専用の「マイページ」は、「購入履歴・配送状況の確認」のほか、「ほしいものリスト」や「マイフォルダ」など、便利な機能が満載です。

メールマガジンでは、キャンペーンやおすすめ書籍、新刊情報のほか、「電子ブック版TACNEWS(ダイジェスト版)」をお届けします。

書籍の発売を、販売開始当日にメールにてお知らせします。これなら買い忘れの心配もありません。

書籍の正誤に関するご確認とお問合せについて

書籍の記載内容に誤りではないかと思われる箇所がございましたら、以下の手順にてご確認とお問合せをしてくださいますよう、お願い申し上げます。
なお、正誤のお問合せ以外の**書籍内容に関する解説および受験指導などは、一切行っておりません。**
そのようなお問合せにつきましては、お答えいたしかねますので、あらかじめご了承ください。

1 「Cyber Book Store」にて正誤表を確認する

TAC出版書籍販売サイト「Cyber Book Store」の
トップページ内「正誤表」コーナーにて、正誤表をご確認ください。

CYBER BOOK STORE TAC出版書籍販売サイト

URL:https://bookstore.tac-school.co.jp/

2 1の正誤表がない、あるいは正誤表に該当箇所の記載がない ⇒ 下記①、②のどちらかの方法で文書にて問合せをする

★ご注意ください★

お電話でのお問合せは、お受けいたしません。
①、②のどちらの方法でも、お問合せの際には、「お名前」とともに、
「対象の書籍名(○級・第○回対策も含む)およびその版数(第○版・○○年度版など)」
「お問合せ該当箇所の頁数と行数」
「誤りと思われる記載」
「正しいとお考えになる記載とその根拠」
を明記してください。
なお、回答までに1週間前後を要する場合もございます。あらかじめご了承ください。

① ウェブページ「Cyber Book Store」内の「お問合せフォーム」より問合せをする

【お問合せフォームアドレス】

https://bookstore.tac-school.co.jp/inquiry/

② メールにより問合せをする

【メール宛先 TAC出版】

syuppan-h@tac-school.co.jp

※土日祝日はお問合せ対応をおこなっておりません。
※正誤のお問合せ対応は、該当書籍の改訂版刊行月末日までといたします。

乱丁・落丁による交換は、該当書籍の改訂版刊行月末日までといたします。なお、書籍の在庫状況等により、お受けできない場合もございます。
また、各種本試験の実施の延期、中止を理由とした本書の返品はお受けいたしません。返金もいたしかねますので、あらかじめご了承くださいますようお願い申し上げます。

TACにおける個人情報の取り扱いについて
■お預かりした個人情報は、TAC(株)で管理させていただき、お問合せへの対応、当社の記録保管にのみ利用いたします。お客様の同意なしに業務委託先以外の第三者に開示、提供することはございません(法令等により開示を求められた場合を除く)。その他、個人情報保護管理者、お預かりした個人情報の開示等及びTAC(株)への個人情報の提供の任意性については、当社ホームページ(https://www.tac-school.co.jp)をご覧いただくか、個人情報に関するお問い合わせ窓口(E-mail:privacy@tac-school.co.jp)までお問合せください。

(2022年7月現在)